沖縄文教部／琉球政府文教局 発行 〔復刻版〕

文教時報 付録

『琉球の教育』
（1957〔推定〕・1959）
『沖縄教育の概観』1～8
（1962年6月～1972年4月）

編・解説者　藤澤健一・近藤健一郎

不二出版

『文教時報』付録復刻にあたって

一、本付録では琉球政府文教局によって1952年6月30日に創刊され1972年4月20日刊行の127号まで継続的に刊行された『文教時報』の別冊に類別される『沖縄教育の概観』1～8と『琉球の教育』の一部を収録しています。

一、本付録の復刻にあたっては下記の機関に原本提供のご協力をいただきました。記して感謝申し上げます。

　　沖縄県公文書館、沖縄大学図書館、東京大学史料編纂所、藤澤健一

一、『沖縄教育の概観』1～8は、表紙類を含めて原則的に墨一色刷り、本文共紙で各号適宜拡大縮小して掲載し、各号に別冊1～8としてインデックスを付しました。なお、表紙の一部をカラー口絵として巻頭に収録しました。また、白頁は適宜割愛しました。『琉球の教育』1957（推定）、1959の2点は、折りたたみリーフレットを復刻版折込の型で収録しました。

一、史料の中に、人権の視点からみて、不適切な語句、表現、論、あるいは現在からみて明らかな学問上の誤りがある場合でも、歴史的史料の復刻という性質上そのままとしました。

（不二出版）

◎全巻収録内容

復刻版巻数	原本号数	原本発行年月
第1巻	通牒版1～8	1946年2月～1950年2月
第2巻	1～9	1952年6月～1954年6月
第3巻	10～17	1954年9月～1955年9月
第4巻	18～26	1955年10月～1956年9月
第5巻	27～35	1956年12月～1957年10月
第6巻	36～42	1957年11月～1958年6月
第7巻	43～51	1958年7月～1959年2月
第8巻	52～55	1959年3月～1959年6月
第9巻	56～65	1959年6月～1960年3月
第10巻	66～73／号外2	1960年4月～1961年2月
第11巻	74～79／号外4	1961年3月～1962年6月
第12巻	80～87／号外5～8	1962年9月～1964年6月
第13巻	88～95／号外10	1964年6月～1965年6月
第14巻	96～101／号外11	1965年9月～1966年7月
第15巻	102～107／号外12、13	1966年8月～1967年9月
第16巻	108～115／号外14～16	1967年10月～1969年3月
第17巻	116～120／号外17、18	1969年10月～1970年11月
第18巻	121～127／号外19	1971年2月～1972年4月
付録	『琉球の教育』1957（推定）、1959　『沖縄教育の概観』1～8	1957年（推定）～1972年
別冊	解説・総目次・索引	

〈付録収録内容〉

琉球政府文教局 発行

表紙記載誌名	発行年月日	原本サイズ	収録サイズ
『琉球の教育』 ＊（1957〔推定〕）	不詳	リーフレット 折りたたみ12面（195mm×110mm）	原寸
『琉球の教育』（1959）	不詳	リーフレット 折りたたみ14面（198mm×110mm）	原寸

※『琉球の教育』は折りたたみ形態の都合で末尾から収録、＊の箇所は編者が年数を補った。

表紙記載誌名	本文インデックス	発行年月日	原本サイズ	収録サイズ
『沖縄教育の概観』第1号	別冊1	1962年6月9日	菊判	95％
『沖縄教育の概観』第2号	別冊2	不詳	菊判	95％
『沖縄教育の概観』第3号	別冊3	不詳	菊判	95％
『沖縄教育の概観』第4号	別冊4	不詳	A5判	原寸
『沖縄教育の概観』第5号	別冊5	不詳	A5判	原寸
『沖縄教育の概観』第6号	別冊6	1969年12月30日	B6変型判	120％
『沖縄教育の概観』第7号	別冊7	1971年3月15日	B6変型判	120％
『沖縄教育の概観』第8号	別冊8	1972年4月30日	B6変型判	120％

▼既刊復刻版 第2巻、第4巻、第5巻の〈収録内容〉注記に補遺があります。

【復刻版 第2巻】（注）
一、第1号の目次頁の1行目下の「奥田愛正」の「正」の字、及び本文1頁のタイトルの次、「奥田愛正」の「正」の字は訂正紙の貼り込みであるが、そのまま復刻した（ただし、編集上の訂正か、旧所蔵者によるものかは判別できない）。

【復刻版 第4巻】（注）
一、第20号の本文50頁の左下には「本文正誤」が貼り込まれているが、そのまま復刻した（ただし、編集上の訂正か、旧所蔵者によるものかは判別できない）。
一、第22号の本文10頁の次、折込4面の右下には「正誤表」が貼り込まれているが、そのまま復刻した（ただし、編集上の訂正か、旧所蔵者によるものかは判別できない）。

【復刻版 第5巻】（注）
一、第27号表紙の下部には、「附録別冊 琉球の教育」と印刷された文字の上に白紙の訂正紙が貼り込まれているが、そのまま復刻した（ただし、編集上の訂正か、旧所蔵者によるものかは判別できない）。

（不二出版）

『文教時報』復刻刊行の辞

　わたしたちは、沖縄現代史のあゆみをどこまで知っているだろうか。この問いを掲げつつ、第二次大戦後、米軍によって占領されていた時期（1945－1972年）、沖縄・宮古・八重山（一時期、奄美をふくむ）において、文教担当部局が刊行した『文教時報』を復刻する。

　同誌は沖縄文教部、つづいて琉球政府文教局が刊行した。前者では示達事項を中心とした指導書であり、後者では教育行政にかかわる情報、教育についての調査・統計、教室での実践記録や公民館を中心とした社会教育関連記事など、盛り込まれた内容は幅広い。総じて教育広報誌といえる同誌は、発行期間の長さと継続性から、沖縄現代史を分析するうえで、もっとも基礎的な史料のひとつと目される。しかし、これまで同誌は全体像についての理解を欠いたまま、断片的に活用されるにとどまってきた。

　その背景にはなにがあるのか。まず、発行が群島ごとに分割統治されていた時期から琉球政府期にいたるまで四半世紀におよび、雑誌としての性格が変容していることがある。くわえて多くの機関に分蔵されるとともに、附録類、号外や別冊など書誌的な体系が複雑に入り組みつかみにくい。このために本格的な調査が進まなかった。今回、わたしたちは所蔵関係にかかわる基礎調査をふまえ、添付書類までもふくめた全体像の把握に体系的に取り組んだ。その成果をこうして全18巻、付録1に集約して復刻刊行する。解説のほか、総目次や執筆者索引などから構成される別冊をあわせて刊行する。今回の復刻により、教育行政側からみた沖縄現代史について、それを総覧できる史料的な環境がようやく整備されることになる。

　統治者として君臨した、米国側との関係、また、沖縄教職員会をはじめとした教員団体との関係、さらに「復帰」に向けた日本政府や文部省との関係、さらに離島や村落の教育環境など、同誌は変動する沖縄現代史のダイナミズムを体現するかのような史料群となっている。

　沖縄の「復帰」からすでに45年にいたるいま、沖縄研究者はもとより、教育史、占領史、政治史、行政史など複数の領域において、本復刻の成果が活用され、沖縄現代史にかかわる確かな理解が深まることを念じている。物事を判断するためには、うわついた言説に依るのではなく事実経過が知られなければならない。あらためて問いたい。沖縄現代史のあゆみははたしてどこまで知られているか。

（編集委員代表　藤澤健一）

別冊１　　　　　　　　　　　　　　別冊７

沖縄教育の概観

別冊 1

6
1962

琉球政府文教局

はしがき

　教育基本法の冒頭に「われわれは日本国民として人類普遍の原理に基き、民主的で文化的な国家及び社会を建設して、世界の平和と人類の福祉に貢献しなければならない。

　この理想の実現は、根本において教育の力にまつべきものである。」とあり、更に第10条には「教育は不当な支配に服することなく、住民全体に対し、直接に責任を負つて行なわるべきものである。

　教育行政は、この自覚のもとに、教育の目的を遂行するに必要な諸条件の整備確立を目標として行なわれなければならない。」とうたわれている。

　この冊子は沖縄における教育諸条件の現状を主として数字の上から分析解明することにつとめたが編集を急いだため、資料として不十分な点も多々あると思うので大方の御叱正をお願いするとともに、これが沖縄教育推進のために利用されることを期待するものである。

　　1962年6月1日

　　　　　　　　　　　　文教局長　阿　波　根　朝　次

凡　例

1. 「沖縄教育の概観」は、従来の「琉球教育要覧」中に収録されていた教育統計編を主体とし、新たに教育行財政上必要な基本的な資料を加えたものである。
2. 資料の収集にあたつては最新の資料を収録するにつとめた。したがつて調査広報室以外で随時にまとめている資料も若干含めることにしたが、それらについてはつとめてその出所を明示することにした。
3. 収録した統計の出所等の主なものは次のとおりである。
   (1) 学校基本調査：1961年5月1日現在　ただし卒業者については、1960年度の卒業者を調査したもので時点は、1961年7月1日である。
   (2) 学校財政調査：1960会計年度の決算額
   (3) 学校衛生統計：1961年5月に実施した学校身体検査の結果である。
   (4) 学　校　報　告：公立小中学校及び政府立中学校については義務教育課、高等学校については高校教育課がそれぞれまとめている学校報告である。
   (5) 学校施設台帳：1961年9月1日施設課でまとめた調査である。

目　　次

教　育　行　政

1. 教育行政区劃 …………………………………………………… 7
　　教育区名一覧 ………………………………………………… 8
　　教育行政区劃図 ……………………………………………… 9
2. 教育行政機構図 ………………………………………………… 10
3. 教育委員数 ……………………………………………………… 10
4. 教育行政機関の職員数 ………………………………………… 11
　(1) 文教局 ……………………………………………………… 11
　(2) 連合区別職員数 …………………………………………… 12

学　校　教　育

1. 学校種別学校数、学級数および児童生徒数 ………………… 12
　(1) 小学校ならびに中学校 …………………………………… 12
　(2) 高等学校 …………………………………………………… 13
2. 児童生徒数長期推計 …………………………………………… 14
　(1) 年次別児童生徒数推計 …………………………………… 14
　(2) 指数 ………………………………………………………… 14
3. 学校別・学年別児童生徒数の現状と将来の入学予定者数 … 15
　(1) 小学校ならびに中学校 …………………………………… 15
　(2) 高等学校 …………………………………………………… 16
4. 児童生徒数別学校数 …………………………………………… 16
　(1) 小学校 ……………………………………………………… 16
　(2) 中学校 ……………………………………………………… 16
　(3) 高等学校 …………………………………………………… 17
5. 学級編制方式別学級数 ………………………………………… 17
　(1) 小学校 ……………………………………………………… 17
　(2) 中学校 ……………………………………………………… 17
6. 小中校収容人員別学級数 ……………………………………… 18
　(1) 小学校 ……………………………………………………… 18

(2) 中　　学　　校 …………………………………18	
7. 教員1人当たり、1学級当たり児童生徒数 ……………………18	
8. 教　　職　　員 ……………………………………………19	
(1) 学校種別・職名別教職員数 ……………………………19	
(2) 学校種別・年合別本務教員数 …………………………20	
(2) 学校種別・資格別数員教及び構成比 …………………21	
(4) 教　員　の　給　与 ……………………………………22	
(5) 教員の現職教育 …………………………………………23	
9. 高等学校への入学状況 ………………………………………25	
(1) 年次別志願者数、入学者数および進学率 ……………25	
(2) 1962年度の学科別入学状況 ……………………………25	
10. 中学校・高等学校卒業者の状況 ……………………………26	
(1) 卒業後の進路状況（1962年3月卒業）…………………26	
(2) 卒業後の進路累年比較 …………………………………26	
(3) 就職者の産業別・職業別区分 …………………………28	
11. 児童生徒の学力調査 …………………………………………30	
（本土の全国平均、都道府県の最高、最低と沖縄の比較）	
(1) 小　　学　　校 …………………………………………30	
(2) 中　校3年 ………………………………………………30	
(3) 中　校2年 ………………………………………………31	
(4) 高　校全日 ………………………………………………31	
(5) 高　校定時 ………………………………………………32	
12. 学校保健と給食 ………………………………………………32	
(1) 戦前戦後、沖縄本土児童生徒発育図 …………………32	
(2) 児童生徒の疾病異常罹患率（五か年の比較）…………34	
(3) 地域別疾病異常比較表 …………………………………35	
(4) 1957～1961年までの主なる疾病異常 …………………35	
(5) 学校給食の歩み …………………………………………36	
(6) 学校給食カロリー摂取表 ………………………………36	
(7) 学校給食実施状況 ………………………………………36	
(8) 学校給食までの機構経路図 ……………………………37	
13. へき地教育 ……………………………………………………38	

	(1) へき地指定校数	38
	(2) へき地学校数・学級数・教員数・児童生徒数（学校種別）	38
	(3) へき地振興法に基づく補助金の交付額（小中校のみ）	38
14.	特 殊 教 育	39
	(1) 児童生徒数、学級数、教員数	39
	(2) 教員1人当たり生徒数、本土との比較	39
15.	産 業 教 育	39
	(1) 産業教育備品の年次別資金内訳	39
	(2) 産業教育備品の課程別年次別達成率	40
	(3) 現 職 教 育	41
16.	大 学 教 育	42
	(1) 概　　況	42
	(2) 性別、年次別学生数	42
	(3) 学科系統別学生数	43
	(4) 職名別教員数	43

社 会 教 育

1.	青 年 学 級	44
2.	公 民 館	44
3.	社会教育関係団体	45
4.	社 会 体 育 施 設	45
5.	各 種 学 校	46
6.	琉球政府立図書館の現状	47
7.	琉球政府立博物館の現状	47
8.	教育区社会教育主事設置状況	47

教 育 施 設

1.	年次別校舎建設費推移	48
2.	校舎構造別比率	48
3.	児童生徒一人あたり面積の本土との比較	48
4.	学校種別・保有面積および基準達成率	49

5. 小・中学校理科教育備品一般備品年次別ならびに基準達成率 …………………49
　　　(1) 小・中高校年次別支出額 ……………………………………………………49
　　　(2) 基準達成率 ……………………………………………………………………49

教 育 財 政

1. 総教育費総額の負担区分 ………………………………………………………50
2. 総教育費総額の実額と百分比 …………………………………………………50
　　(1) 支 出 項 目 別 ………………………………………………………………50
　　(2) 教 育 分 野 別 ………………………………………………………………51
3. 学校教育費の支出項目別実額と百分比 ………………………………………51
4. 児童生徒1人当たり教育費の本土と沖縄の比較 ……………………………52
5. 政府一般会計才出予算と文教局予算 …………………………………………52
6. 教育費の財源別本土との比較 …………………………………………………53
7. 教　　育　　税 …………………………………………………………………54
　　(1) 教育税の年次別調定額・収入額・収入率 ………………………………54
　　(2) 教育税の年次別・教育分野別実額および構成百分比 …………………54

文 化 財 保 護

1. 文化財保護事業の年次別推移 …………………………………………………55
2. 文化財保護法による指定件数 …………………………………………………55

育 英 制 度

1. 国費学生の年次別入学者在籍者卒業者数 ……………………………………56
2. 自費学生の年次別入学者在籍者卒業者数 ……………………………………56
3. 琉球育英会の給与貸与事業 ……………………………………………………57
4. 国費学生の卒業後の状況 ………………………………………………………57
5. 市町村育英事業 …………………………………………………………………57
6. 高等学校課程別学科別特別奨学生数 …………………………………………58
7. 1962学年度国費自費学生在学生数 ……………………………………………58
　　(1) 1962年度国費学生学科・年次別調 ………………………………………58

(2)　1962年度自費（早大を含む）学生学科・年次別調 …………………59

琉 球 大 学

1. 教　員　数（学部学科別） ……………………………………………60
2. 年度別学生在籍・卒業・修了・志願者数 ……………………………60
3. 校 地 校 舎 等 ……………………………………………………………61
　(1)　校　　　　地 ……………………………………………………………61
　(2)　校 舎 等 建 物 ……………………………………………………………61
　(3)　図　　　　書 ……………………………………………………………62
　(4)　備　　　　品 ……………………………………………………………62
4. 卒業生の就職状況 ………………………………………………………63
5. 年度別奨学生調査 ………………………………………………………63
6. 予 算 の 推 移 ……………………………………………………………64
　(1)　才 入 予 算 ………………………………………………………………64
　(2)　才 出 予 算 ………………………………………………………………64

幼 稚 園 教 育

　　幼稚園設置者別園数・教員数・園児数 ………………………………66
（附）　学　校　一　覧 ……………………………………………………66

— 7 —

1. 教育行政区画

教育区名一覧

1962年5月31日現在

連合区	番号	教育区	連合区	番号	教育区	連合区	番号	教育区
北部	1	国頭		28	北谷	古	55	伊良部
	2	東		29	宜野湾		56	多良間
	3	大宜味		30	西原	八重山	57	大浜
	4	羽地	那覇	31	浦添		58	石垣
	5	屋我地		32	那覇		59	竹富
	6	今帰仁		33	仲里		60	与那国
	7	上本部		34	具志川			
	8	本部		35	北大東			
	9	屋部		36	南大東			
	10	久志		37	与那原			
	11	名護		38	佐敷			
	12	宜野座		39	知念			
	13	金武		40	玉城			
	14	伊江	南部	41	具志頭			
	15	伊平屋		42	大里			
	16	伊是名		43	南風原			
中部	17	恩納		44	東風平			
	18	石川		45	豊見城			
	19	具志川		46	糸満			
	20	与那城		47	渡嘉敷			
	21	勝連		48	座間味			
	22	美里		49	粟国			
	23	コザ		50	渡名喜			
	24	北中城	宮	51	平良			
	25	中城		52	城辺			
	26	読谷		53	上野			
	27	嘉手納		54	下地			

番号により教育区の位置は右図を参照されたし。

教育行政区画図

面　積　　（1939年度琉球統計年鑑による）単位平方粁
　全　　琉　　2,388.22 (100%)
　沖縄群島　　1,500.67 (62.84%)
　宮古群島　　250.01 (10.47%)
　八重山群島　637.54 (26.69%)
　　註　硫黄鳥島は沖縄群島に含む。
　　　　本表の数字には湖、沼、河川等の
　　　　内水面の面積も含まれている。
人　口　　（1930年12月1日国勢調査）
　総　　数　　883,122

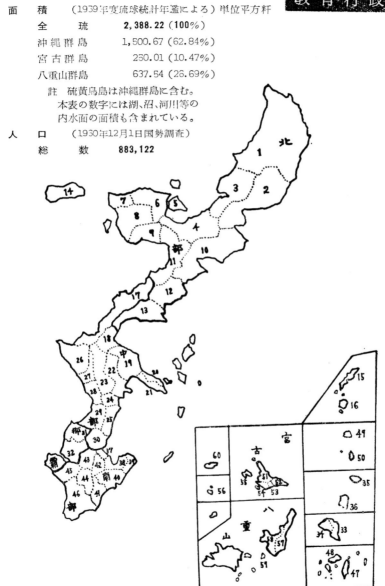

2. 教育行政機構図

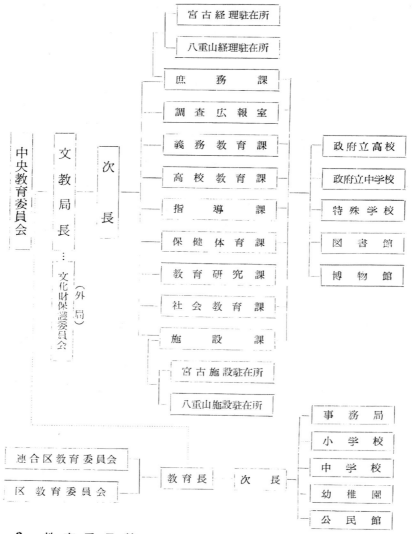

3. 教育委員数　　　　　　（1952年5月31日現在）

中央教育委員—11
連合区教育委員—北部 16　中部 14　那覇 11　南部 14　宮古 6　八重山 5
区 教 育 委 員—那覇 7　糸満 18　その他の教育区はいずれも 5

4. 教育行政機関の職員数

(1) 文教局
a 本局職員定数

1962年5月現在

区分	局長	次長	庶務課	調査広報室	義務教育課	高校教育課	指導課	保健体育課	教育研究課	施設課	社会教育課	計
特　　別　　職	1											1
1級 行政管理職		1										1
1級 教育管理職			1	1	1	1		1	1	1	1	8
2級　　〃　　〃			3	3	4	3		3	5	2	2	25
1級 指　導　職							1					1
2級　　〃　　〃			1			3	12	3			5	24
1級 事　務　職			2									2
2級　　〃			12	2	5	2					1	22
3級　　〃			1		2	2		1		1		7
2級 法　制　職			1									1
1級 タイプ操作職			1									1
1級 自動車運転職			2							1		3
2級 建　築　職										1		1
3級　　〃										1		1
計	1	1	24	6	12	11	13	8	6	7	9	98

b 附属機関

区分	図書館	博物館
2級 図　書　館	3	
1級 博　物　館		1
2級　　〃		1
2級 一般作業職		1
2級 事　務　職	1	3
3級　　〃	4	1
計	8	7

c 外局（文化財保護委員会事務局）

区分	文化財事務局
2級 一般行政管理職	1
1級　〃　事務職	2
2級　〃　〃	1
3級 建　築　職	1
計	5

(2) 連合区別職員数　　　　　　　　　1962年5月1日現在

区分	北部 補助	北部 負担	中部 補助	中部 負担	那覇 補助	那覇 負担	南部 補助	南部 負担	宮古 補助	宮古 負担	八重山 補助	八重山 負担	計 補助	計 負担
教育長	1		1		1		1		1		1		6	
次長	2		2		1		2		1		1		9	
管理主事	1		1		2		1		1		1		7	
指導主事	4		6		5		3		1		1		22	
社教主事	1		1		2		1		1		2		7	
会計係	1		1		1		1		1		1		6	
書記	5		5		1	5	4		3		3		21	5
運転手		1		1		1		1		1		1		6
給仕		1		1						1		1		4
計	17		19		19		14		12		12		94	

註　補助は政府補助、負担は連合区負担

1. 学校種別学校数、学級数および児童生徒数

(1) 小学校ならびに中学校

(a) 学校数　　　　　　　　　　　　1962年4月現在

区分			小校	併置校	中校	計	分校	教育区
全琉計			141	87	74	302	12	60
政府立					1	1	0	
公立	計		141	86	73	300	12	60
	北部		28	32	13	73	3	16
	中部		41	11	18	70	2	14
	那覇		26	4	13	43	2	6
	南部		23	8	13	44	1	14
	宮古		14	5	12	31	3	6
	八重山		9	26	4	39	1	4
私立				1		1		

学校教育

(b) 学級数および児童生徒数　　　1962年4月

区　分	計		小　学　校		中　学　校	
	生徒数	学級数	児童数	学級数	生徒数	学級数
全　　　琉	237,881	5,245	163,934	3,620	73,947	1,625
政　府　立	412	12			412	12
公立　計	237,422	5,329	163,908	3,618	73,514	1,611
北　部	36,116	879	24,522	603	11,594	276
中　部	67,235	1,429	47,040	1,003	20,225	426
那　覇	66,193	1,369	45,513	944	20,680	425
南　部	32,029	702	22,241	490	9,788	212
宮　古	20,283	449	14,018	308	6,265	141
八重山	15,536	401	10,574	270	4,962	131
私　　　立	47	4	26	2	21	2

（学校報告より）

(2) 高　等　学　校

(a) 学　校　数

区　分	計	政府立		私立
		普通	職業	
全　琉	28	16	9	3
全　日	28	16	9	3
定　時	17	10	5	2

(b) 生　徒　数　1962年4月現在

区　分	計	全　日	定　時
全　琉	24,573	21,420	3,153
政府立　計	21,787	18,934	2,853
男子	11,832	10,219	1,613
女子	9,955	8,715	1,240
私立　計	2,788	2,488	300
男子	1,498	1,292	206
女子	1,290	1,196	94

（学校報告より）

(c) 学科別生徒数　　　　　　　　　　　　　　　　1962年4月現在

区分	合計	普通	一職業	一般業	農業	工業	商業	水産	家庭
政府立	21,787	7,069	3,994	3,729	1,995	1,391	1,164		2,455
私立	2,788	1,599	—	—	166	938	—		85
計	24,575	8,658	3,994	3,729	2,161	2,329	1,164		2,540
比率	100	35.2	16.3	15.2	8.8	9.5	4.7		10.3

（学校報告より）

2. 児童生徒数長期推計

(1) 年次別児童生徒数推計　　　　　　　　　　　　　　1962年4月

区分	義務教育 計	小学校	中学校	高校	特殊学校
1961	225,307	163,068	61,239	22,437	305
1962	237,422	163,908	73,514	21,787	—
1963	239,700	160,730	78,970	23,250	320
1964	238,910	155,790	83,120	30,150	420
1965	236,310	151,780	84,530	35,610	540
1966	231,040	148,250	82,790	39,360	610
1967	225,420	143,920	81,500	41,370	660
1968	219,540	140,130	79,410	42,100	710

(2) 指数

区分	義務教育 計	小学校	中学校	高校	特殊学校
1961	100	100	100	100	100
1962	104.9	99.3	120.0	97.1	100
1963	105.9	97.4	129.0	112.5	104.9
1964	105.6	94.4	135.7	134.4	137.7
1965	104.4	91.9	138.0	163.3	177.1
1966	102.1	89.8	135.2	175.4	200.0
1967	99.6	87.2	133.1	184.4	216.4
1968	97.0	84.9	129.7	187.6	232.8

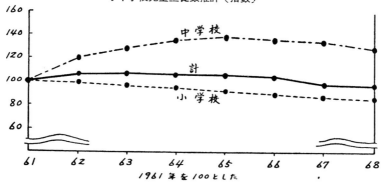

小中学校児童生徒数推計（指数）

1961年を100とした

3. 学校別学年別児童生徒数の現状と将来の入学予定者数

(1) 小学校・中学校　　　　　　　　　1962年4月現在

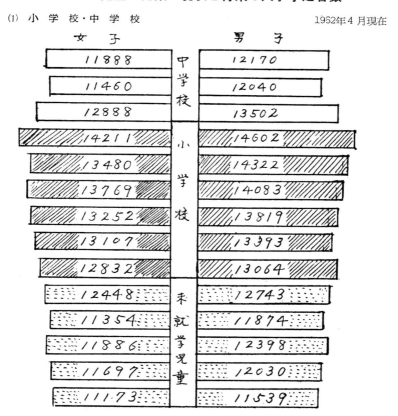

女子		男子
11888	中学校	12170
11460		12040
12888		13502
14211	小学校	14602
13480		14322
13769		14083
13252		13819
13107		13393
12832		13064
12448	未就学児童	12743
11354		11874
11886		12398
11697		12030
11173		11539

(2) 高 等 学 校

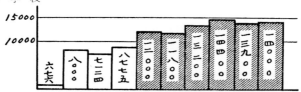

現年度の状況は政府立・私立の生徒数を表わす
1963年度以降の生徒数は政府立のみである。

4. 児童生徒数別学校数

a 小 学 校

1961年5月1日現在

区 分	本 校								分 校	
	総数	1人~300	301~600	601~900	901~1200	1201~1500	1501~2000	2001~3000	3001以上	総数	1人~300
総 数	227	75	50	30	26	18	16	10	2	9	9
公 立	226	74	50	30	26	18	16	10	2	9	9
北 部	59	27	19	8	4	0	1	0	0	3	3
中 部	52	5	10	10	11	13	2	1	0	1	1
那 覇	29	2	3	4	1	3	7	7	2	3	3
南 部	31	8	9	2	6	1	5	0	0	0	0
宮 古	20	5	4	5	4	1	1	0	0	1	1
八重山	35	27	5	1	0	0	0	2	0	1	1
私 立	1	1	0	0	0	0	0	0	0	0	0

(学校基本調査)

b 中 学 校

1961年5月1日現在

区 分	本 校							
	総数	1人~300	301~600	601~900	901~1200	1201~1500	1501~2000	2001以上
総 数	164	97	33	18	4	6	3	3
公 立	163	96	33	18	4	6	3	3
北 部	45	33	9	2	1	0	0	0
中 部	32	11	8	8	1	4	0	0
那 覇	17	5	2	3	1	1	2	3
南 部	21	9	6	5	1	0	0	0
宮 古	18	10	7	0	0	1	0	0
八重山	30	28	1	0	0	0	1	0
私 立	1	1	0	0	0	0	0	0

(学校基本調査)

c 高 等 学 校

1961年5月1日

区分		総数	1〜50	51〜100	101〜200	201〜300	301〜400	401〜500	501〜600	601〜700	701〜800	801〜900	901〜1,000	1,001〜1,100	1,101〜1,200	1,201〜1,300	1,301〜1,400	1,401〜1,500	1,501〜2,000
全日	普通	16	—	—	—	—	1	4	3	—	1	2	2	1	—	—	—	—	2
全日	職業	9	—	—	—	—	1	2	1	—	1	2	—	1	1	—	—	—	—
定時	普通	10	—	—	2	8	—	—	—	—	—	—	—	—	—	—	—	—	—
定時	職業	5	—	—	—	3	—	1	1	—	—	—	—	—	—	—	—	—	—

（学校基本調査）

5. 学級編制方式別学級数

(1) 小 学 校

1961年5月1日

区分	総数	単級	特殊学級	多級 複式				多級 単式					
				計	2個学年	3	4	5	計	1学年	2	3	4	5	6

区分	総数	単級	特殊学級	計	2個学年	3	4	5	計	1学年	2	3	4	5	6
総数	3,621	4	6	81	69	12			3,530	580	581	596	594	608	571
公立	3,619	4	6	79	67	12			3,530	580	581	596	594	608	571
北部	607	1	0	22	20	2			584	91	94	99	100	102	98
中部	997	1	0	1	1	0			995	165	169	169	168	165	159
那覇	955	0	6	2	2	0			947	152	154	159	161	168	153
南部	490	0	0	9	9	0			481	85	79	80	79	83	75
宮古	305	0	0	7	7	0			298	50	49	51	50	51	47
八重山	265	2	0	38	28	10			225	37	36	38	36	39	39
私立	2	0	0	2	2	0			0	0	0	0	0	0	0

（学校基本調査）

(2) 中 学 校

1961年5月1日

区分	総数	単級	特殊学級	多級 複式		多級 単式			
				計	2個学年	計	1学年	2	3
総数	1,358	14		20	20	1,324	504	504	316
公立	1,356	14		19	19	1,323	504	504	315
北部	238	3		6	6	229	88	84	57
中部	358	0		0	0	358	133	140	85
那覇	346	1		0	0	345	134	133	78
南部	172	2		2	2	168	61	69	38
宮古	129	1		2	2	126	49	44	33
八重山	113	7		9	9	97	39	34	24
私立	2	0		1	1	1	0	0	1

（学校基本調査）

6. 小・中学校収容人員別学級数

(1) 小学校

1961年5月1日現在

区分	本校 計	1人~20人	21人~25人	26人~30人	31人~35人	36人~40人	41人~45人	46人~50人	51人~55人	56人~60人	61以上	分校 計	1~20	21~25	26~30	31~35	36~40	41~45	46~50	51以上
総数	3,613	31	60	84	221	324	639	1,247	853	153	1	8	1	0	1	2	2	1	0	1
公立	3,611	29	60	84	221	324	639	1,247	853	153	1	8	1	—	1	2	2	1	—	1
北部	603	6	19	41	105	87	120	123	82	19	1	4	1	—	1	—	—	1	—	1
中部	997	2	10	9	27	70	216	354	258	51	—	—	—	—	—	—	—	—	—	—
那覇	951	7	1	2	8	38	107	451	304	33	—	4	—	—	—	2	2	—	—	—
南部	490	3	7	9	35	56	77	169	95	39	—	—	—	—	—	—	—	—	—	—
宮古	305	3	5	2	15	38	85	93	60	4	—	—	—	—	—	—	—	—	—	—
八重山	265	8	18	21	31	35	34	57	54	7	—	—	—	—	—	—	—	—	—	—
私立	2	2	0	0	0	0	0	0	0	0	—	—	—	—	—	—	—	—	—	—

(学校基本調査)

(2) 中学校

1961年5月1日現在

区分	計	1人~20人	21人~25人	26人~30人	31人~35人	36人~40人	41人~45人	46人~50人	51人~55人	56人~60人
総数	1,358	52	26	46	62	100	203	426	396	47
公立	1,356	50	26	46	62	100	203	426	396	47
北部	238	15	11	20	21	32	51	47	40	1
中部	358	0	2	5	7	26	76	130	102	10
那覇	346	2	2	1	5	5	21	140	152	18
南部	172	6	0	5	3	13	22	58	54	11
宮古	129	5	1	8	12	14	30	27	30	2
八重山	113	22	10	7	14	10	3	24	18	5
私立	2	2	0	0	0	0	0	0	0	0

(学校基本調査)

7. 教員1人あたり1学級あたり児童生徒数

1962年4月現在

区分	小学校	中学校	高等学校	特殊学校
教員1人あたり児童生徒数	43.1	32.7	18.7	8.9
1学級あたり児童生徒数	44.1	45.5		7.7

(学校報告)

(註) 教員は公立および政府立小中学校における現職本務員によって算出した。

8. 教職員

(1) 学校種別職名別教職員数（本務者のみ）　　　1961年5月1日現在

（a）小　学　校

公私別	教育区	総数	教員 合計		校長		教諭		助教諭		養護教諭 女	養護助教諭 女	職員 事務職員		その他	
			男	女	男	女	男	女	男	女			男	女	男	女
公立	全 琉	3,943	1,351	2,592	129	1	1,179	2,475	43	97	18	1	35	51	39	218
	北 部	652	238	414	24	1	210	396	4	14	2	1	5	1	7	47
	中 部	1,086	355	731	36	—	309	697	10	30	4	—	15	8	5	49
	那 覇	1,045	309	736	24	—	280	715	5	18	3	—	6	31	20	50
	南 部	542	199	343	22	—	171	333	6	5	5	—	4	6	5	25
	宮 古	330	129	201	14	—	115	199	—	—	2	—	5	1	1	22
	八重山	288	121	167	9	—	94	135	18	30	2	—	—	4	1	25
私立		2	—	2	—	—	—	2	—	—	—	—	—	—	—	—

（学校基本調査）

（b）中　学　校　　　1961年5月1日現在

公私別	教育区	総数	教員 合計		校長		教諭		助教諭		養護教諭 女	養護助教諭 女	職員 事務職員		その他	
			男	女	男	女	男	女	男	女			男	女	男	女
公立	全 琉	2,044	1,525	591	157	—	1,335	510	33	4	5	—	93	56	13	91
	北 部	381	309	72	43	—	253	70	13	—	2	—	30	11	2	21
	中 部	525	396	129	32	—	356	124	8	3	2	—	20	13	—	19
	那 覇	488	320	168	17	—	301	166	2	1	1	—	10	11	8	18
	南 部	266	194	72	20	—	172	72	2	—	—	—	10	9	2	8
	宮 古	198	161	37	17	—	144	37	—	—	—	—	11	5	—	16
	八重山	186	145	41	28	—	109	41	8	—	—	—	12	7	1	9
私立		2	1	1	—	—	1	1	—	—	—	—	—	—	—	—

（学校基本調査）

（c）高　等　学　校　　　1961年5月1日現在

全定公私別		総数	教員 合計		校長		教諭		助教諭		講師		職員 事務職員		技術職員		実習助手		その他	
			男	女	男	女	男	女	男	女	男	女	男	女	男	女	男	女	男	女
総　数		1,231	1,050	181	27	—	935	167	83	13	5	1	46	26	20	—	64	20	21	73
政府立	小計	1,147	980	167	25	—	891	156	60	10	4	1	45	24	20	—	63	20	21	71
	全日	1,039	880	159	25	—	800	149	51	10	4	—	31	17	20	—	59	20	21	43
	定時	108	100	8	—	—	91	7	9	—	—	1	9	7	—	—	4	—	—	28
私立	小計	84	70	14	2	—	44	11	23	3	1	—	1	2	—	—	1	—	—	2
	全日	76	62	14	2	—	44	11	15	3	1	—	1	2	—	—	1	—	—	1
	定時	8	8	—	—	—	—	—	8	—	—	—	—	—	—	—	—	—	—	1

（学校基本調査）

(2) 学校種別・年令別本務教員数

(a) 小 学 校　　　　　　　　　　　　　　1961年5月1日現在

公私別	教育区	合計		20才以下		21～25		26～30		31～35		36～40		41～45		46～50		51～55		56～60		61才以上	
		男	女	男	女	男	女	男	女	男	女	男	女	男	女	男	女	男	女	男	女	男	女
公立	全琉	1,351	2,592	5	29	181	438	401	716	279	507	139	382	110	181	64	160	104	159	50	16	18	4		
	北部	238	414	2	7	34	96	78	104	54	70	24	57	17	18	10	21	14	35	2	4	3	2		
	中部	355	731	1	4	52	137	120	247	66	149	35	77	21	41	14	39	26	34	12	3	8	—		
	那覇	309	736	—	1	40	61	79	178	57	157	38	142	32	79	16	62	26	46	16	8	5	2		
	南部	199	343	1	8	22	56	63	95	37	57	18	55	22	22	10	24	20	25	5	1	1	—		
	宮古	129	201	—	6	3	27	30	64	40	42	14	36	12	8	7	6	12	12	10	—	1	—		
	八重山	121	167	1	3	30	61	31	28	25	32	10	15	6	13	7	8	6	7	5	—	—	—		
私立		—	2	—	—	—	—	—	1	—	—	—	—	—	—	—	1	—	—	—	—	—	—		

（学校基本調査）

(b) 中 学 校　　　　　　　　　　　　　　1961年5月1日現在

公私別	教育区	合計		20才以下		21～25		26～30		31～35		36～40		41～45		46～50		51～55		56～60		61才以上	
		男	女	男	女	男	女	男	女	男	女	男	女	男	女	男	女	男	女	男	女	男	女
公立	全琉	1,525	519	9	8	426	245	366	113	223	35	174	51	97	22	90	27	97	16	30	2	14	—		
	北部	309	72	4	—	86	44	66	11	49	1	38	9	17	3	20	4	18	—	7	—	4	—		
	中部	396	129	1	3	120	58	113	35	51	7	44	11	22	6	22	6	17	3	5	—	1	—		
	那覇	320	168	1	2	75	51	67	41	63	23	41	21	22	10	18	10	24	8	4	2	5	—		
	南部	194	72	1	—	52	41	53	18	25	2	14	5	14	1	13	4	14	1	5	—	3	—		
	宮古	161	37	1	—	33	24	43	5	23	1	26	3	11	1	4	2	16	1	4	—	—	—		
	八重山	145	41	1	3	60	27	23	3	12	1	11	2	11	1	13	1	8	3	5	—	1	—		
私立		1	1	—	—	—	—	1	—	—	—	—	—	1	—	—	—	—	1	—	—	—	—		

（学校基本調査）

(c) 高 等 学 校　　　　　　　　　　　　　　1961年5月1日

公私別	合計		20才以下		21～25		26～30		31～35		36～40		41～45		46～50		51～55		56～59		60才以上	
	男	女	男	女	男	女	男	女	男	女	男	女	男	女	男	女	男	女	男	女	男	女
総数	1,050	181	—	—	230	77	440	69	97	8	94	10	51	2	42	5	51	6	27	3	18	1
政府立	980	167	—	—	210	69	411	64	89	7	91	10	51	2	38	5	48	6	24	3	18	1
私立	70	14	—	—	20	8	29	5	8	1	3	—	—	—	4	—	3	—	3	—	—	—

（学校基本調査）

(d) 学校種別年令別教員構成比のグラフと平均年令

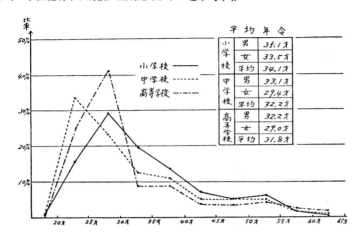

		平均年令
小学校	男	35.1才
	女	33.5才
	平均	34.1才
中学校	男	33.1才
	女	29.4才
	平均	32.2才
高等学校	男	32.2才
	女	29.0才
	平均	31.8才

(3) 学校種別・資格別教員数および構成比　　　1962年4月10日現在

区　　分		一級普免	二級普免	仮　免	臨　免	合　計
小学校	人員	1,758	1,826	208	73	3,865
	構成比(%)	45.5	47.2	5.4	1.9	100.0
中学校	人員	1,419	819	72	17	2,327
	構成比(%)	61.0	35.2	3.1	0.7	100.0
高等学校	人員	287	775	42	41	1,145
	構成比(%)	25.0	67.7	3.7	3.6	100.0

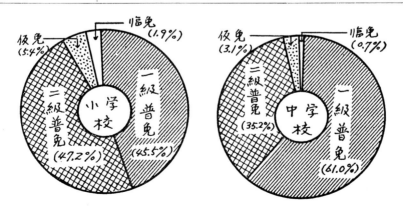

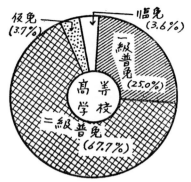

(4) 教員の給与　　　1961年7月1日現在

区　　　　分	1961年7月
小　学　校	$ 64.93
中　学　校	65.05
高　等　学　校	67.26

(5) 教員の現職教育
　(a) 夏季講習
　　　教員の現職教育のため本土各大学より講師を招へいして講習会を行なっている。現在までの各年度毎の講師数、延受講者数は次の通りである。

学年度	名　　　　称	招へい講師数	延講講者数	経　費　負　担
1953	夏季認定講習会	14	870	民政府　14人分
1954	〃	20	1,922	〃　　20人分
1955	〃	30	2,892	民政府20人分　琉大10人分
1956	〃	30	2,743	〃　　　　　〃
1957	〃	32	3,068	文教局22人分　琉大10人分
1958	〃	33	4,195	文教局22人分　琉大11人分
1959	〃	33	3,370	文教局33人分
1960	〃	33	3,412	〃
1961	〃	33	3,606	〃
計		258	26,078	航空賃と滞在費本土政府負担

　(b) 招へい教育指導委員
　　　沖縄の指導的教員の研修の目的のため本土より教育指導委員を招へいして指導を受けた。現在までの人員、教育指導分野、経費負担は次の通りである。

年度	名　　　称	人員	指導分野（及び期間）	経　費　負　担
1959	招へい教育指導委員	24	小12、中8、高4（6ヵ月）	滞在費の $\frac{1}{3}$ は文教局、その他は本土政府
1960	〃	20	小6、中8保健6（4ヵ月）	滞在費、航空賃は本土政府

c 留日研究教員年次別研修状況

　本土の教育現場において現職教育を行うもので毎年延50名、年間を前後期にわけて送り出している。

(1) 配置都道府県別

区　分	1952年	53年	54年	55年	56年	57年	58年	59年	60年	61年	計
総　　数	47	40	48	50	46	41	41	40	35	38	426
宮　　城	—	—	—	—	—	—	—	—	1	—	1
秋　　田	—	—	—	—	—	1	—	—	—	—	1
茨　　城	1	—	—	—	1	1	—	—	—	1	4
栃　　木	—	—	1	—	—	3	—	1	—	—	5
埼　　玉	2	3	4	2	3	3	2	2	2	1	24
千　　葉	2	2	3	5	7	5	7	2	2	5	40
東　　京	22	7	14	16	17	11	18	17	20	25	167
神 奈 川	6	6	7	5	5	3	4	6	5	4	51
新　　潟	—	—	1	—	—	—	—	—	—	—	1
山　　梨	—	—	—	—	2	—	—	—	—	—	2
長　　野	1	1	1	3	4	2	1	1	—	—	14
静　　岡	4	6	3	6	3	7	5	5	2	1	42
愛　　知	—	1	2	4	—	—	1	1	2	—	11
三　　重	—	—	1	—	1	—	—	—	—	—	2
京　　都	1	2	4	3	1	2	—	2	—	—	15
大　　阪	—	3	2	1	—	2	1	2	1	1	13
兵　　庫	—	—	—	1	1	—	—	1	—	—	3
奈　　良	3	2	3	1	—	—	—	—	—	—	9
和 歌 山	—	—	—	—	—	1	—	—	—	—	1
岡　　山	—	—	—	1	1	—	—	—	—	—	2
広　　島	—	—	—	1	—	—	1	—	—	—	2
徳　　島	—	—	—	—	1	—	—	—	—	—	1
福　　岡	2	1	—	1	—	—	1	—	—	—	2
長　　崎	—	—	1	—	—	—	—	—	—	—	1
熊　　本	3	2	1	—	—	—	—	—	—	—	6
宮　　崎	—	1	—	—	—	—	—	—	—	—	1
鹿 児 島	—	2	—	—	—	—	—	—	—	—	2

研修科目別

	区　　　分	1952年	53年	54年	55年	56年	57年	58年	59年	60年	61年	計
小中学校	国　　語	7	9	6	4	7	8	4	4	2	1	52
	社　　会	13	8	8	4	4	3	4	1	1	1	47
	算数数学	2	1	1	6	3	4	5	2	4	6	34
	理　　科	5	5	8	8	5	1	4	4	3	5	48
	保健体育	2	2	5	5	5	3	4	1	5	4	36
	音　　楽	4	1	2	3	5	2	1	3	1	—	22
	図　　工	1	2	2	3	8	4	2	4	6	4	36
	英　　語	1	—	1	—	—	3	4	1	1	1	12
	職　　家	6	3	2	3	2	5	2	1	—	—	24
	習　　字	—	—	1	—	—	—	—	—	—	—	1
	技術家庭	—	—	—	—	—	—	—	—	—	2	2
	道　　徳	—	—	—	—	—	—	1	4	6	1	12
	特　　活	1	4	4	6	4	—	4	6	1	5	35
	視聴覚	1	—	—	1	—	2	1	2	2	1	9
	社会教育	1	—	—	—	—	—	—	—	—	—	1
	教育評価	—	1	—	1	—	—	—	—	—	—	2
	学校設備	—	1	—	—	—	—	—	—	—	—	1
	学習指導	—	1	—	—	—	—	—	—	—	—	1
	図書館	—	—	2	—	1	1	—	—	—	1	5
	生活指導	—	—	2	1	1	4	1	3	1	—	13
	ホームルーム	—	—	1	—	—	—	—	—	—	—	1
	演　　劇	—	—	—	1	—	—	—	—	—	—	1
		—	—	—	1	—	—	—	—	—	—	1
	放送教育	—	—	—	—	—	1	—	1	—	—	2
	学校行事	—	—	—	—	—	—	—	2	—	—	2
	学級経営	—	—	—	—	—	—	—	—	—	1	1
高等学校	国　　語	—	1	—	—	—	—	1	—	—	—	2
	社　　会	—	1	—	—	1	—	—	—	—	—	2
	数　　学	—	—	—	—	1	—	—	—	—	—	1
	理　　科	—	—	1	—	—	—	—	—	—	1	2
	英　　語	—	—	1	—	—	—	1	—	1	1	4
	美　　術	—	—	—	1	—	—	—	—	—	—	1
	職　　業	—	—	1	1	—	—	1	1	—	—	4
	特　　活	—	—	—	—	1	—	—	—	—	—	1
	生活指導	—	—	—	—	—	—	1	1	—	—	2
文部省・研究所	教育統計	—	—	—	1	—	—	—	—	—	—	1
	特殊教育	—	—	—	—	—	1	—	—	—	—	1
	複式カリキュラム	—	—	—	—	—	—	—	—	2	—	2

9 高等学校への入学状況

(1) 年次別志願者数・入学者数および進学率

事項＼年次	1958年	1959年	1960年	1961年	1962年
中学校卒業生数	**15,644**	**15,932**	**13,816**	**10,600**	**13,375**
入学志願者数 計	17,239	13,894	12,219	9,619	11,200
入学志願者数 政府立	14,056	12,461	11,070	8,795	9,394
入学志願者数 私立	3,183	1,423	1,149	824	1,806
入学者数 計	10,203	9,151	8,841	7,367	8,667
入学者数 政府立	7,714	7,802	7,848	6,626	7,225
入学者数 私立	2,489	1,349	993	741	1,442
進学率	65.22	57.44	63.99	69.50	64.8
政府立への進学率	49.31	48.97	56.8	62.51	54.02

(2) 1962学年度の学科別入学状況（政府立高等学校のみ）

区分	総計	通常 計	普通	一般職業	農業	工業	商業	水産	家庭
入学志願者	9,394	8,309	2,535	1,332	1,480	824	524	544	1,070
入学者	7,225	6,422	2,210	973	1,120	545	360	408	806
入学率	76.9	77.3	87.2	73.5	75.7	66.1	68.7	75.0	75.3

区分	定時 計	普通	一般職業	農業	工業	商業
入学志願者	1,085	125	526	114	205	115
入学者	803	115	388	100	120	80
入学率	74.0	92.0	73.8	87.7	58.6	69.6

10. 中学校・高等学校卒業者の状況

(1) 卒業後の進路状況（1961年3月卒業者）

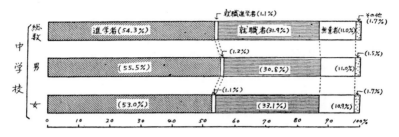

(2) 卒業後の進路累年比較

中　学　校

区　　分	総　数	進学者	就職者	就職進学者	無業者	死亡者	不詳	進学率	就職率
1957年3月卒業	16,852	6,835	6,279	154	2,824	6	724	41.7	39.2
1958年3月 〃	15,644	7,738	5,310	143	1,890	3	560	50.4	34.9
1959年3月 〃	15,932	7,452	4,817	152	3,004	5	502	47.7	31.2
1960年3月 〃	13,816	7,043	3,927	119	2,498	6	223	51.3	29.3
1961年3月 〃	**10,304**	**5,598**	**3,286**	**114**	**1,129**	**2**	**175**	**55.4**	**33.0**
公立	10,304	5,598	3,286	114	1,129	2	175	55.4	33.0
私立	—	—	—	—	—	—	—	—	—
男	5,353	2,973	1,649	62	587	2	80	56.7	32.0
女	4,951	2,625	1,637	52	542	—	95	54.1	34.1

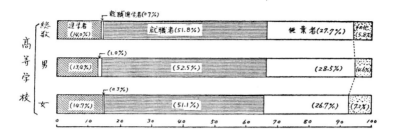

高 等 学 校

区　　　分	総数	進学者	就職者	就職進学者	無業者	死亡者	不詳	進学率	就職率
1957年3月卒業	5,604	1,109	2,659	17	978	3	838	20.1	47.8
1958年3月 〃	6,420	1,323	2,930	81	1,271	4	811	21.9	46.9
1959年3月 〃	7,142	1,078	2,840	47	2,550	1	625	18.6	40.4
1960年3月 〃	7,592	1,368	3,312	153	2,301	1	457	20.0	45.6
1961年3月 〃	**8,403**	**1,177**	**4,356**	**55**	**2,324**	**1**	**490**	**14.7**	**52.5**
政 府 立	7,158	1,022	3,555	22	2,178	—	380	14.6	50.0
私　　立	1,245	155	801	33	146	1	110	15.1	67.0
全 日 制	7,686	1,125	3,781	36	2,269	—	450	15.1	49.7
定 時 制	718	52	575	19	32	1	40	9.9	82.7
男	4,495	602	2,358	45	1,281	—	209	14.4	53.5
女	3,908	575	1,998	10	1,043	1	281	15.0	51.4

(3) 就職者の産業別・職業別区分

　　　a　産　業　別

区　　　分	中　学　校						高　等　学　校					
	1959年3月		1960年3月		1961年3月		1959年3月		1960年3月		1961年3月	
	実数	比率	実数	比率	実数	比率	実数	比率	実数	比率	実数	比率
総　　　　数	4,969	100	4,046	100	3,400	100	2,887	100	3465	100	4,411	100
農　　　　業	2,235	45.0	1,586	39.2	1,145	33.7	491	17.0	485	14.0	478	10.8
林　業・狩猟業	15	0.3	18	0.4	5	0.1	4	0.1	4	0.1	10	0.2
漁業・水産増殖業	127	2.6	100	2.5	45	1.3	26	0.9	50	1.4	71	1.6
鉱　　　　業	10	0.2	5	0.1	6	0.2	1	0.0	—	—	7	0.2
建　　設　　業	138	2.8	94	2.3	102	3.0	151	5.2	146	4.2	216	4.9
製　　造　　業	573	10.1	684	16.9	825	24.2	327	11.3	561	16.2	950	21.5
再掲　化学工業	1	0.0	1	0.0	11	0.3	5	0.2	4	0.1	23	0.5
機械製造業	4	0.1	18	0.4	33	1.0	10	0.3	58	1.7	119	2.7
電気機械器具製造業	7	0.1	15	0.4	13	0.4	1	0.0	19	0.5	73	1.7
卸売・小売業	384	7.7	374	9.2	263	7.7	472	16.3	547	15.8	839	19.0
金融・保険業	2	0.0	—	—	4	0.1	198	6.9	241	7.0	296	6.7
不　動　産　業	—	—	7	0.2	—	—	5	0.2	7	0.2	6	0.1
運輸通信業	60	1.2	45	1.1	50	1.5	152	5.3	171	4.9	224	5.1
電気・ガス・水道業	25	0.5	7	0.2	6	0.2	71	2.5	57	1.6	97	2.2
サービス業	903	18.2	806	19.9	625	18.4	417	14.4	535	15.4	580	13.1
公　　　　務	11	0.2	12	0.3	5	0.1	221	7.7	258	7.4	163	3.7
そ　の　他	486	8.2	308	7.6	319	9.4	351	12.2	403	11.6	474	10.7

（学校基本調査）

b 職 業 別

区 分	中学校 1959年3月 実数	比率	中学校 1960年3月 実数	比率	中学校 1961年3月 実数	比率	高等学校 1959年3月 実数	比率	高等学校 1960年3月 実数	比率	高等学校 1961年3月 実数	比率
農業・林業及び類似従事者	2,250	45.3	1,598	39.5	1,150	39.7	492	17.0	448	12.9	469	10.6
漁業及び類似従事者	149	3.0	109	2.7	71	2.1	51	1.8	66	1.9	90	2.0
採鉱・採石及び類似従事者	14	0.2	7	0.2	10	0.3	22	0.8	2	0.1	26	0.6
運輸機関運転従事者	24	0.5	30	0.7	26	0.8	85	2.9	72	2.1	119	2.7
製造修理従事者	475	9.6	653	16.1	720	21.2	280	9.7	377	10.9	437	9.9
その他の生産従事者	289	5.8	197	4.9	236	6.9	116	4.0	238	6.9	364	8.3
専門的技術的職業従事者 技術者	—	—	—	—	—	—	160	5.5	132	3.8	338	7.7
専門的技術的職業従事者 教員	—	—	—	—	—	—	52	1.8	16	0.5	12	0.3
専門的技術的職業従事者 その他	—	—	—	—	—	—	67	2.3	88	2.5	106	2.4
管理的職業従事者	—	—	—	—	—	—	8	0.3	21	0.6	9	0.2
事務従事者	113	2.3	60	1.5	83	2.4	758	26.3	846	24.4	1,018	23.1
売買及び類似従事者	391	7.9	411	10.2	251	7.4	375	13.0	490	14.1	670	15.2
サービス業	828	16.7	694	17.2	574	16.9	197	10.3	381	11.0	434	9.8
その他	436	8.8	287	7.1	279	8.2	224	7.8	288	8.3	319	7.2

（学校基本調査）

11 児童生徒の学力調査

(本土の全国平均、都道府県の最高、最低と沖縄の比較)

(1) 小学校 6年

年度	教科	平均点				学力指数			
		全国	最高	最低	沖縄	全国	最高	最低	沖縄
三一	国語	44.4	51.0	37.0	34.6	100	145	83	78
	算数	30.5	41.0	21.0	18.7	100	135	69	61
三二	社会	55.7	65.0	43.0	34.6	100	117	77	62
	理科	51.3	61.0	41.0	34.4	010	119	70	67
三三	音楽	54.6	58.5	43.5	44.4	100	107	80	81
	図工	56.6	61.5	49.5	41.7	100	109	87	73
	職家	52.7	58.5	46.5	39.9	100	111	88	76
三四	国語	49.2	57.0	31.0	33.5	100	116	63	68
	算数	43.6	51.0	21.0	25.9	100	117	48	59
三五	社会	44.5	51.0	33.0	24.5	100	115	74	55
	理科	51.7	59.0	43.0	38.2	100	114	83	74
三六	国語	50.8	57.0	41.0	34.9	100	112	81	69
	算数	35.0	45.0	25.0	19.2	100	129	71	55

(2) 中学校 3年

年度	教科	平均点				学力指数			
		全国	最高	最低	沖縄	全国	最高	最低	沖縄
三一	国語	48.3	54.0	39.0	37.3	100	112	81	77
	数学	40.8	51.0	23.0	27.1	100	127	56	66
三二	社会	55.7	63.0	47.0	41.1	100	113	84	74
	理科	49.5	55.0	43.0	40.1	100	111	87	81
三三	職家	41.2	49.5	31.5	31.9	100	120	76	77
	英語	40.5	52.5	25.5	31.5	100	130	63	78
三四	国語	60.3	69.0	53.0	45.8	100	114	88	76
	数学	44.4	55.0	31.0	28.2	100	124	70	64
三五	社会	41.2	51.0	27.0	26.0	100	124	66	63
	理科	47.7	53.0	37.0	35.8	100	111	78	77
三六	国語	60.7	69.0	47.0	47.5	100	114	77	78
	社会	53.7	61.0	43.0	41.9	100	114	80	78
	数学	57.2	65.0	43.0	41.8	100	114	75	73
	理科	53.2	59.0	43.0	41.6	100	111	81	78
	英語	65.2	71.0	51.0	48.3	100	109	78	74

(3) 中学校 2年

年度	教科	平均点				学力指数			
		全国	最高	最低	沖縄	全国	最高	最低	沖縄
三六	国語	57.0	65.0	45.0	**40.8**	100	114	79	72
	社会	50.9	57.0	39.0	**33.9**	100	112	77	67
	数学	64.0	73.0	51.0	**47.1**	100	114	80	74
	理科	57.5	65.0	47.0	**44.0**	100	113	82	77
	英語	69.2	73.0	55.0	**50.7**	107	107	87	74

沖縄── 最低……
指数によるプロフィール

(4) 高等学校全日制 3年

年度	教科		平均点				学力指数			
			全国	最高	最低	沖縄	全国	最高	最低	沖縄
三一	国語		62.1	69.0	57.0	**50.7**	100	111	92	82
	数学		31.9	66.0	21.0	**20.1**	100	207	66	63
三二	社会		48.6	55.0	43.0	**38.8**	100	113	86	80
	物理		34.2	49.0	21.0	**24.2**	100	143	61	71
	化学		39.8	51.0	29.0	**41.3**	100	128	80	104
	生物		37.9	45.0	31.0	**32.8**	100	119	82	87
三三	英語	P	49.4			**33.7**	100			68
		Q	31.1			**14.1**	100			45
	保健		38.9			**31.3**	100			81
	体育		41.2			**28.1**	100			68
三四	国語		61.4			**51.2**	100			83
	数学		36.3			**19.4**	100			53
三五	日本史		54.0			**38.3**	100			71
	人文		41.5			**34.2**	100			82
	化学		37.0			**32.1**	100			87
三六	英語	P	58.9			**46.6**	100			79
		Q	35.4			**24.0**	100			68
		R	25.3			**25.9**	100			102

沖縄── 最低……
指数によるプロフィール

(5) 高等学校定時制 4年

年度	教科	平均点 全国	平均点 最高	平均点 最低	平均点 沖縄	学力指数 全国	学力指数 最高	学力指数 最低	学力指数 沖縄
三一	国語	49.2	61.0	40.0	45.1	100	124.0	91.3	91.65
	数学	15.9	21.0	10.0	9.3	100	132.1	62.9	58.5
三二	社会	38.7	47.0	29.0	31.0	100	121.4	74.9	80.1
	物理	22.4	37.0	13.0	15.8	100	165.1	58.0	70.5
	化学	28.8	47.0	15.0	25.4	100	163.2	52.0	88.1
	生物	31.9	43.0	23.0	27.6	100	134.8	72.3	86.5
三三	英語Q	17.0			9.9	100			58.2
	保健	31.8			20.1	100			63.2
	体育	31.1			25.1	100			80.7
三四	国語	46.5			40.8	100			87.7
	数学	13.2			10.5	100			79.5
三五	日本史	34.1			28.8	100			84.5
	人文	34.0			26.5	100			77.9
	化学				22.8	100			
三六	英語Q	26.6			27.5	100			103.3
	英語R	24.2			24.3	100			100.4

沖縄—— 最低……
指数によるプロフィール

12. 学校保健と給食

(1) 戦前戦後沖縄、本土児童生徒発育図

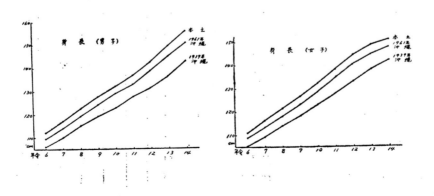

(1) 戦前戦後沖縄本土児童生徒発育図

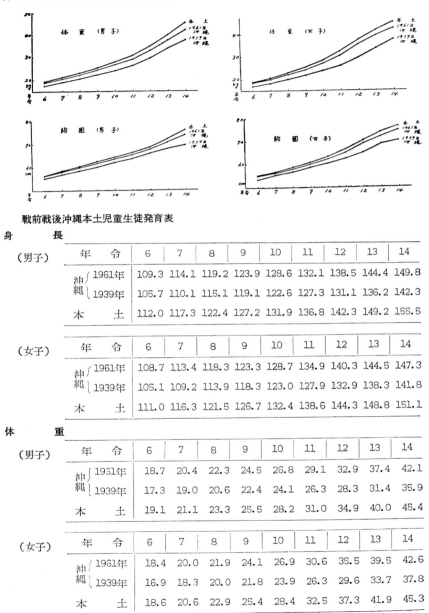

戦前戦後沖縄本土児童生徒発育表

身　　長

(男子)

年　令	6	7	8	9	10	11	12	13	14
沖縄 1961年	109.3	114.1	119.2	123.9	128.6	132.1	138.5	144.4	149.8
沖縄 1939年	105.7	110.1	115.1	119.1	122.6	127.3	131.1	136.2	142.3
本　土	112.0	117.3	122.4	127.2	131.9	136.8	142.3	149.2	155.5

(女子)

年　令	6	7	8	9	10	11	12	13	14
沖縄 1961年	108.7	113.4	118.3	123.3	128.7	134.9	140.3	144.5	147.3
沖縄 1939年	105.1	109.2	113.9	118.3	123.0	127.9	132.9	138.3	141.8
本　土	111.0	116.3	121.5	126.7	132.4	138.6	144.3	148.8	151.1

体　　重

(男子)

年　令	6	7	8	9	10	11	12	13	14
沖縄 1961年	18.7	20.4	22.3	24.5	26.8	29.1	32.9	37.4	42.1
沖縄 1939年	17.3	19.0	20.6	22.4	24.1	26.3	28.3	31.4	35.9
本　土	19.1	21.1	23.3	25.5	28.2	31.0	34.9	40.0	45.4

(女子)

年　令	6	7	8	9	10	11	12	13	14
沖縄 1961年	18.4	20.0	21.9	24.1	26.9	30.6	35.5	39.5	42.6
沖縄 1939年	16.9	18.3	20.0	21.8	23.9	26.3	29.6	33.7	37.8
本　土	18.6	20.6	22.9	25.4	28.4	32.5	37.3	41.9	45.3

胸　　囲

(男子)

年令	6	7	8	9	10	11	12	13	14
沖縄 1961年	56.5	58.0	59.8	61.5	63.3	65.1	67.6	70.7	74.0
沖縄 1939年	55.0	56.8	58.4	60.0	61.9	63.6	65.9	68.0	69.6
本　土	56.5	58.3	60.3	62.2	64.1	66.3	68.8	72.3	76.3

(女子)

年令	6	7	8	9	10	11	12	13	14
沖縄 1961年	54.8	56.2	57.9	59.8	62.0	65.1	69.1	72.1	74.8
沖縄 1939年	53.3	55.3	56.7	58.4	60.1	62.3	65.1	68.8	70.3
本　土	54.9	56.6	58.6	60.6	63.1	66.5	70.4	74.0	76.8

(2) 児童生徒の疾病異常り患率（1961年5月）

区　分	小学校 計	男	女	中学校 計	男	女	高等学校 計	男	女
栄養要注意	0.37	0.41	0.34	0.27	0.33	0.22	0.12	0.24	―
胸郭異常	0.31	0.37	0.24	0.12	0.18	0.08	0.03	0.03	0.04
伝染性の皮膚疾患	2.48	3.03	1.93	1.24	1.18	1.29	0.07	0.13	―
目　近　視	3.28	3.05	3.31	5.10	4.88	5.32	13.58	10.82	16.34
目　弱視（両眼）	0.39	0.39	0.39	0.71	0.50	0.93	1.13	1.08	1.18
目　色神異常	0.76	1.35	0.17	0.92	1.63	0.22	0.79	1.34	0.24
目　トラホーム	9.49	9.38	9.61	8.97	9.13	8.82	2.60	2.56	2.66
目　その他の眼疾	1.46	1.50	1.42	1.16	1.17	1.15	1.38	2.09	0.68
耳　難聴（両耳）	0.23	0.29	0.17	0.64	0.76	0.53	0.29	0.39	0.19
耳　中耳炎	0.62	0.81	0.42	0.20	0.21	0.18	0.09	0.08	0.09
耳　その他の耳疾	0.22	0.26	0.17	0.26	0.30	0.21	0.21	0.27	0.14
鼻及び咽頭　せん様増殖症	0.05	0.06	0.03	0.07	0.13	0.01	0.01	0.02	―
鼻及び咽頭　蓄のう症	0.05	0.09	0.02	0.07	0.89	0.06	0.01	0.02	―
鼻及び咽頭　へんとう腺肥大	2.97	3.03	2.92	3.07	2.91	3.23	0.71	0.85	0.57
鼻及び咽頭　鼻及びいんとう疾患	2.27	2.59	1.96	1.06	1.20	0.92	0.21	0.25	0.17
歯　処置完了	2.49	2.14	2.84	6.44	6.40	6.49	26.66	20.01	33.31
歯　未処置歯	76.22	76.86	75.58	59.82	56.92	62.72	59.93	43.97	57.89

(3) 地区別疾病異常比較表　　　　　　　　　　　　　　　　　　　　1961年

検査項目	校種	北部 %	中部 %	南部 %	那覇 %	宮古 %	八重山 %	計 %
伝染性の皮膚疾患	小学校	3.04	1.75	2.86	2.62	2.14	2.63	2.48
	中学校	1.57	1.27	1.76	0.85	0.06	2.63	1.24
近視	小	1.13	1.09	2.30	3.52	1.33	2.79	3.18
	中	3.07	4.54	4.53	8.11	1.77	6.38	5.10
トラホーム	小	12.62	13.72	11.32	4.82	6.19	11.68	9.50
	中	12.06	14.20	12.16	4.06	6.85	7.14	9.01
中耳炎	小	1.14	0.70	0.72	0.38	0.22	0.51	0.62
	中	0.32	0.09	—	0.17	0.06	0.60	0.20
扁桃腺	小	4.16	1.90	1.27	3.94	3.14	4.04	2.98
	中	3.47	0.78	0.72	2.21	0.80	5.26	3.07
虫歯処置完了	小	2.72	3.58	1.17	2.02	0.51	5.65	2.99
	中	5.13	4.76	3.19	9.57	5.14	6.22	6.56
未処置歯	小	77.23	86.99	82.88	75.47	82.39	72.55	76.22
	中	60.10	59.82	64.62	53.94	54.33	58.49	59.85

（学校衛生統計）

(4) 1957～1961年までの主なる疾病異常

検査項目	校種	1957年 %	1958年 %	1959年 %	1960年 %	1961年 %
伝染性の皮膚疾患	小学校	1.39	2.21	1.99	2.51	2.48
	中学校	0.97	1.09	1.84	1.29	1.24
近視	小	2.77	2.74	2.78	2.36	3.18
	中	5.67	5.10	6.16	6.67	5.10
色神異常	小	0.61	0.60	0.76	0.55	0.76
	中	0.72	0.91	1.23	1.09	0.93
トラホーム	小	9.52	9.68	8.50	8.30	9.50
	中	10.50	9.96	10.90	8.82	9.01
難聴	小	0.30	0.28	0.25	0.23	0.23
	中	0.97	0.60	0.70	0.66	0.65
中耳炎	小	0.55	0.56	0.62	0.62	0.62
	中	0.18	0.22	0.18	0.16	0.20
扁桃腺	小	1.94	2.61	2.39	2.76	2.98
	中	1.66	1.62	2.45	1.80	3.07
う歯処置完了	小	0.72	1.98	2.25	2.78	2.99
	中	3.56	5.54	5.43	6.35	6.56
う歯未処置	小	63.72	73.42	74.80	80.15	76.22
	中	42.47	50.69	55.55	58.00	59.85

（学校衛生統計）

(5) 学校給食の歩み
- 1953年 本島内幼稚園の一部と小学校1.2年生に対して週3回のミルク給食実施
- 1954年 都合により中止
- 1955年 全琉の小学校1.2.3年と幼稚園の一部に対して週5回のミルク給食実施
- 1956年 小学校、中学校、定時制にミルク給食
- 1957年 同　　高校全日制実施
- 1958年 幼、小、中、高定時制児童生徒にミルク給食（週5日定時制6日）
- 1959年 同　　上
- 1960年 同　　上の外に1月18日より小、中児童、生徒にパン給食実施、以後現在に至る

(6) 学校給食カロリー摂取表

学校給食に於ける栄養量と平均所要栄養量との比較

校種　栄養素	小学校			中学校		
	平均所要量	沖縄の学校給食	不足分	平均所要量	沖縄の学校給食	不足分
熱量 カロリー	600	520	－80	800	666	－134
蛋白質 g（うち動）g	25 (10)	23	－2	30 (12)	29	－1
脂肪 g	10	4	－6	12	5.5	－6.5
カルシユウム g	0.5	0.4	－0.1	0.6	0.5	－0.1
ビタミン A IU	1,500	13	－1,487	1,800	16	－1,784
〃 B_1 mg	0.6	0.3	－0.3	0.7	0.3	－0.4
〃 B_2 mg	0.6	0.7	＋0.1	0.7	0.9	＋0.2
〃 C mg	20	2	－18	25	2	－23

但し、この平均所要量は、口の中に入る際に、栄養上これだけは是非とらせたいという数字である。又、ビタミンの場合、その損耗を除いたものが栄養基準量に達しなければならず、ビタミンの損耗は次の通りである。（A20%、$B_1$30%、$B_2$25%、C50%）

(7) 学校給食実施状況（1962年4月1日現在）

	小学校	中学校	高校全日	高校定時	幼稚園	特殊学校
学校数	227校	159校	25校	17校	453園	4校
ミルク実施校	－	－	21	・	453	－
ミルク・パン実施校	227	159	－	－	－	4
完全給食実施校	－	－	－	16	－	－
実施率 %	100%	100%	84%	94%	100%	100%
受給人員	164,500	74,900	13,700	3,300	2,700	244
週給食日数	5	5	5	6	5	5

(8) 学校給食までの機構経路図

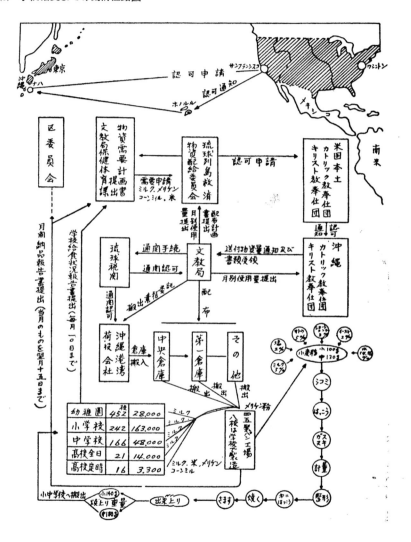

13. へき地教育

(1) へき地指定校数　　　　　　　　　　　　　　（1962年4月15日）

区　　分	準級地	1級地	2級地	3級地	4級地	計
小　学　校	2	10	3	2	1	18
中　学　校	2	7	—	3	—	12
小中併置校	4	7	17	8	6	42
小 中 分 校	—	—	1	1	2	4
高 等 学 校	—	1	—	—	—	1
計	8	25	21	14	9	77

(2) へき地学校数・学級数・教員数・児童生徒数（学校種別）　（1962年4月15日）

区　　分	学校数	学級数	教員数	児童生徒数
小　学　校	62	472	490	18,037
中　学　校	56	223	356	8,081
高 等 学 校	1	12	25	445
計	119	707	821	26,563

(3) へき地振興法に基づく補助金の交付額（小中校のみ）

種　類＼年度	58	59	60	61	62
へ き 地 手 当	$12,360	12,380	20,500	22,900	21,780
へき地教育文化備品費	—	—	5,500	10,000	10,000
へき地衛生材料費	—	—	—	1,000	1,000
複 式 手 当	—	1,150	1,150	3,684	3,456
開拓地学校運営補助金	—	3,029	3,000	1,500	3,000

14. 特 殊 教 育

(1) 児童生徒数・学級数・教員数　　　　　　　　　　1962年4月現在

校　　名	小 学 部			中 学 部			高 等 部			総　　数		
	在籍	学級	教員	在籍	学級	教員	在籍	学級	教員	在籍	学級	教員
総　　数	190	19	19	75	8	10	29	4	5	294	31	34
盲 学 校	49	6	6	21	3	3	13	2	2	83	11	11
ろう学校	126	11	11	39	3	3	16	2	3	181	16	17
澄井小中校	8	1	1	9	1	2	—	—	—	17	2	3
稲沖小中校	7	1	1	6	1	2	—	—	—	13	2	3

（学校報告）

(2) 教員一人あたり生徒数本土との比較

	沖縄	本土	備　　　　考
盲 学 校	7.7人	4.9人	沖縄は1962年4月現在
ろう学校	10.5	5.6	本土は1961年5月現在（文部統計速報による）

15. 産 業 教 育

(1) 産業教育備品の年次別資金内訳

校種	資金元	合　計	1958年まで	1959年	1960年	1961年	1962年
中　校	琉　球	250,070.00	196,404.00	16,666.00	17,000.00	20,000.00	—
	米　国	193,057.02	—	—	2,307.02	—	195,750.00
	計	448,127.02	196,404.00	16,666.00	19,307.02	20,000.00	195,750.00
高　校	琉　球	437,529.48	359,619.48	41,660.00	—	—	36,250.00
	米　国	757,692.98	—	160,000.00	297,629.98	300,000.00	—
	計	1,195,222.46	359,619.48	201,660.00	297,629.98	300,000.00	36,250.00
合　計	琉　球	687,599.48	556,023.48	58,326.00	17,000.00	20,000.00	36,250.00
	米　国	955,687	—	160,000.00	299,937.00	300,000.00	195,750.00
	計	1,643,286.48	556,023.48	218,326.00	316,937.00	320,000.00	232,000.00

産業教育備品の資金内訳　（1961年度まで）

校種	琉米	10	20	30	40	50	60	70	80	90 万弗
中学校	琉球	25.0								
	米国	19.8								
高等学校	琉球				43.7					
	米国								75.7	

○千弗以下はきりすててある。

(2) 産業教育備品の課程引年次別達成率　（政府立高校）

年次	目標額	合計	一般職業	農業	工業	商業	水産	家庭
		00 3,617,885.	00 308,375.	00 887,238.	00 1,207,163.	00 152,043.	00 743,608.	00 319,458.
1958年まで	割当額	48 359,619.	94 65,120.	12 76,732.	81 87,825.	88 6,616.	47 52,155.	26 71,168.
	累計	48 359,619.	94 65,120.	12 76,732.	81 87,825.	88 6,616.	47 52,155.	26 71,168.
	達成率	9.9	21.1	8.6	7.0	4.4	7.1	22.3
1959年まで	割当額	00 201,660.	34 3,375.	26 23,654.	00 120,000.	83 6,599.	56 28,691.	01 19,339.
	累計	48 561,279.	28 68,496.	38 100,386.	81 207,825.	71 13,216.	03 80,847.	27 90,507.
	達成率	15.5	22.2	11.3	17.2	8.7	10.9	28.3
1960年まで	割当額	98 297,692.	67 18,912.	70 66,390.	23 117,984.	89 4,244.	60 78,059.	89 12,100.
	累計	46 858,972.	95 87,408.	08 166,777.	04 325,810.	60 17,461.	63 158,906.	16 102,608.
	達成率	23.7	28.4	18.8	27.0	11.5	21.4	32.1
1961年まで	割当額	00 300,000.	69 14,699.	00 90,000.	00 110,000.	31 15,300.	00 50,000.	00 20,000.
	累計	46 1,158,972.	64 102,108.	08 256,778.	04 435,810.	91 32,760.	63 208,906.	16 122,608.
	達成率	32.0	33.1	28.9	36.1	21.6	28.1	38.4
1962年まで	割当額	00 36,250.	00 1,600.	00 7,997.	00 17,303.	00 1,000.	00 5,250.	00 3,100.
	累計	46 1,195,222.	64 103,708.	08 264,775.	04 453,113.	91 33,761.	13 214,156.	00 125,708.
	達成率	33.0	33.6	29.9	37.5	22.2	28.8	39.4

高等学校における産業教育備品の課程別達成率　　　　　(1962年度まで)

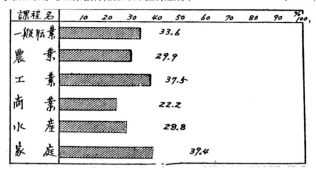

(3) 現職教育

(a) 留日産業技術教員(高校)研修状況

(1) 配置都道府県

	1960年	1961年	計
総　数	13	14	27
宮　城	—	1	1
栃　木	—	1	1
千　葉	3	1	4
東　京	7	6	13
静　岡	1	4	5
大　阪	1	—	1
山　口	1	—	1
香　川	—	1	1

(2) 研修教科

	1960年	1961年	計
農　業	5	6	11
工　業	3	4	7
商　業	1	1	2
水　産	3	3	6
家　庭	1	—	1

(b) 台湾よりの招へい指導委員

中・高校の産業教育の重要性に鑑み、特に高校工業関係教員及び中学校職業科教員の工業技術研修の目的のため、台湾より工業関係指導委員を招へいして指導をうけた。

年度	名　　　称	人員	受講対象(及び期間)	経費負担
1960	工業関係招へい教育指導委員	5	高校教員(8ヵ月)	アジヤ財団より支出
1961	〃	4	中校 〃 (4ヵ月)	〃

(c) 高等学校工業関係技術教員研修台湾派遣

年度	名　称	講師	受講対象	期間	人員	経費負担
1960年	工業関係教員技術研修	台湾師範大	高校工学関係教員	1959年9月～1960年2月	10人	アジヤ財団

(d) 琉球大学における中校職業科教員技術訓練

年度	名称	講師	受講対象	期間	人員	経費負担
1958	中学校職業科技術訓練	琉球大学講師	中校職業科教員	1958年9月～59年4月半カ年	20人	琉球政府
1959	〃	〃	〃	1959年9月～60年4月半カ年	20人	〃

16. 大 学 教 育

(1) 概　　況

区　　分	学部(大学)学科(短大)数			学生数			教員数		
	計	昼	夜	計	昼	夜	計	本務	兼務
大学 1960・4	3	3	0	2,268	2,268	0	202	166	36
大学 1961・4	9	6	3	2,509	2,398	111	235	181	54
大学 1962・4	15	9	6	3,242	2,798	444	281	209	72
1962・4 琉球大学	3	3	0	2,467	2,467	0	221	175	46
1962・4 私立	12	6	6	775	331	444	60	34	26
1962・4 沖縄大学	8	4	4	589	209	380	39	21	18
1962・4 国際大学	4	2	2	186	122	64	21	13	8
短期大学 1960・4	17	10	7	2,143	1,193	950	119	52	67
短期大学 1961・4	17	10	7	1,721	833	888	102	47	55
短期大学 1962・4	19	10	9	972	401	571	66	30	36
1962・4 私立	19	10	9	972	401	571	66	30	36
1962・4 沖縄短期大学部	8	4	4	491	240	251	23	11	12
1962・4 国際短期大学部	10	5	5	433	113	320	23	12	11
1962・4 沖縄キリスト教学院短期大学	1	1	0	48	48	0	20	7	13

(2) 性別・年次別学生数　　　　　　　　　　　　　　　　1962年4月

区　　分	大　学		短 期 大 学	
	男	女	男	女
学部本科学生数 総数	2,465	777	640	332
学部本科学生数 1年次	693	202	342	161
学部本科学生数 2年次	721	211	298	171
学部本科学生数 3年次	510	194	—	—
学部本科学生数 4年次	541	170		

(3) 学科系統別学部学生数　　　　　　　　　　　　　　　1962年4月

		計	文理	法、政商、経	工学	農学	家政	教員養成	その他
総数	計	4,214	1,171	1,445	187	241	204	734	233
	公立等	2,467	629	402	187	241	141	682	185
	私立	1,747	542	1,043	0	0	63	52	48
大学	計	3,242	818	988	187	241	141	682	185
	男	2,465	694	949	187	238	1	266	130
	女	777	124	39	0	3	140	416	55
短期大学	計	972	352	457	0	0	63	52	48
	男	638	266	351	0	0	0	8	13
	女	334	86	106	0	0	63	44	35

(4) 職名別教員数（本務教員）　　　　　　　　　　　　　1962年4月

区　分	計	学長	教授	助教授	講師	助手	副手
大　学	209	3	40	79	75	3	9
短期大学	30	1	2	7	20	0	0

1. 青年学級

a 連合区青年学級数および生徒数　　　（1961年10月）

区　分		全　琉	北　部	中　部	那　覇	南　部	宮　古	八重山
学　級　数		63	15	17	7	16	6	3
生徒数	計	2,742	779	637	253	605	207	261
	男	1,662	500	310	151	325	167	209
	女	1,080	279	327	102	280	40	52

b 学習内容および時間数　　　（1961年10月）

区　分		全　琉	北　部	中　部	那　覇	南　部	宮　古	八重山
計		8,697	1,325	1,849	1,086	3,512	605	320
一般教養		2,659	417	699	424	809	235	75
職業	農業	1,838	532	253	304	394	260	95
	商業	135	—	60	60	15	—	—
	その他	2,358	72	454	30	1,702	60	40
家　庭		1,707	304	383	268	592	50	110

c 全学級の講師数　　448

1学級平均
- 開設日数　　54
- 生徒数　　　44
- 学習時間　138
- 講師数　　　7
- 経費　　92 $ 53

d 年令別男女別生徒数　　（1961年10月）

区　分	生徒数		
	計	男	女
計	2,742	1,662	1,080
18才未満	371	167	204
18～19	1,148	498	650
20才以上	1,223	997	226

2. 公民館

a 連合区別設置状況　　　1962年5月31日現在

区　分	全　琉	北　部	中　部	那　覇	南　部	宮　古	八重山
設置数	565	149	133	38	137	52	56

社会教育

b　施設および運営の補助金

年度	一館平均 運営補助金	一館平均 施設補助金	計
1958	21 $ 67	54 $ 17	75 $ 83
1959	18. 01	32. 25	50. 26
1960	15. 40	20. 53	35. 93
1961	14. 31	18. 11	32. 42
1962	15. 22	19. 46	34. 68

3.　社会教育関係団体

a　団体数および会員数　　　　　　　　　　　　　　　　（1962年）

団体名＼事項	団体数		会員数		
青年会	中央 群単位 市町村単位	1 6 60	35,000人	男 20,000	女 15,000
婦人会	中央 地区単位 市町村単位	1 6 60	79,500人		
PTA	中央 地区単位 市町村単位	1 14 --	160,000人		

b　指導者の育成状況　　　　　　　　　　　　　　　　　（1962年）

団体名＼区分	中央		ブロック別		市町村別		計	
	回数	養成人員	回数	養成人員	回数	養成人員	回数	養成人員
青年会	1	120	6	420	63	3,150	70	3,690
婦人会	1	130	6	420	63	3,150	70	3,700
PTA	1	300	6	420	—	—	7	720

4.　社会体育施設

a　奥武山総合競技場

施設名	設置者	竣工	経費	規模
野球場	琉球政府	1960.12	249,000	両翼97m　センター122m スタンド収容人員20,000人
陸上競技場	〃	1963.12 （予定）	300,000 （予定）	第1種公認競技場の予定

— 45 —

b 地方体育施設

施設名	設置者	政府補助金	規模
名護陸上競技場	名護区教育委員会	$ 26,714.37	第2種公認競技場 (400 m トラック)
那覇高校野球場	那覇連合区 〃	12,500.00	スタンド施設あり
普天間競技場	宜野湾区教育委員会	4,583.33	400m トラック
嘉手納競技場	嘉手納区 〃	2,916.33	400m トラック
知念高校陸上競技場	知念連合区 〃	2,883.33	300m トラック
八重山高校陸上競技場	琉球政府	3,250.00	300m トラック
宮古高校陸上競技場	〃	3,250.00	300m トラック
糸満水泳プール	糸満区教育委員会	7,025.00	25mプール
美里 〃 〃	美里区 〃	4,500.00	25mプール
本部 〃 〃	本部区 〃	3,000.00	25mプール
首里 〃 〃	那覇市		25mプール
波の上 〃 〃	〃		25mプール
牧志相撲場			スタンド施設あり
宮城森弓道場	弓道連盟		近的射場
名嘉庭球コート	名嘉医院		コート1面

5. 各種学校

1960年5月1日現在

課程別	在学生徒数						教員数						学校数
	昼間			夜間			本務			兼務			
	男	女	計	男	女	計	男	女	計	男	女	計	
洋裁	—	303	303	—	169	169	—	8	8	1	3	4	5
和洋裁	1	1,174	1,175	—	906	906	2	55	57	10	27	37	15
編物手芸	—	134	134	—	105	105	—	6	6	—	—	—	5
語学	495	238	733	501	260	761	8	1	9	31	—	31	5
一般教養	—	—	—	87	53	140	—	—	—	11	—	11	2
簿記珠算	280	177	457	359	253	612	5	—	5	4	—	4	4
珠算	—	—	—	147	171	318	1	—	1	1	—	1	2
タイピスト	22	141	163	31	122	153	4	1	5	2	—	2	4
栄養	—	112	112	—	66	66	—	5	5	—	2	2	2
バレエ	—	42	42	—	—	—	—	1	1	—	—	—	2
電気	—	—	—	—	—	—	—	—	—	—	—	—	1※
自動車	—	—	—	—	—	—	—	—	—	—	—	—	1※
編物	—	—	—	—	—	—	—	—	—	—	—	—	1※
服装・商科	—	—	—	—	—	—	—	—	—	—	—	—	1※
総数	798	2,321	3,119	1,125	2,105	3,230	20	77	97	60	32	92	50

※は未報告のため在学生徒・教員数不明　　　（学校基本調査）

6. 琉球政府立図書館の現状 (1962年4月現在)

事項 館名	職員数				建坪数	蔵書数		計	利用者
	専門	非専門	その他	計		一般用	児童用		1日平均 人
中央図書館		4		4	55	3,661	832	4,493	130
宮古図書館		2		2	48	3,187	149	3,336	130
八重山図書館	1	1		2	28	3,977	610	4,587	120
計	1	7		8	131	10,825	1,591	12,416	410

7. 琉球政府立博物館の現状

職員　館長 1　主事 1　事務員 4　作業職 1　計 7 名
建坪　145坪
収蔵品　　　　　　　　　　　　　　　　　(1962年5月現在)

	陶器	漆器	織物	書画	彫刻	金属	石彫	雑	図書	計
購入点数	$3,344.47 点	6,723.28	6,708.02	12,775.07	68.33	257.08		2,829.80	173.53	32,882.58
入費	319	112	279	298	7	15	—	742	65	1,837
寄贈	点 284	50	63	81	17	56	14	109	—	674
蒐集	点 191	14	5	22	23	26	51	17	—	349
計	794	176	347	401	47	97	65	868	65	2,860

利用者 (登館者)　1日平均　263 名

8. 教育区社会教育主事設置状況 (1962年5月現在)

連合区	教育区数	社会教育主事数	設置教育区
北部	16	10	国頭　東　久志　羽地　今帰仁　本部 伊平屋　伊是名　名護　金武
中部	14	9	恩納　与那城　具志川　コザ　読谷 嘉手納　宜野湾　中城　西原
那覇	6	4	浦添　那覇　仲西　具志川
南部	14	8	玉城　大里　与那原　東風平　座間味 豊見城　糸満 (2人)
宮古	6	3	城辺　伊良部　下地
八重山	4	3	大浜　竹富　与那国
計	60	37	

1. 年度別校舎建築費推移

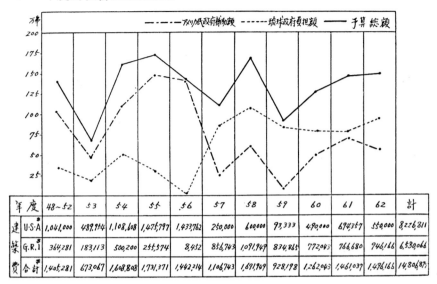

年度	48～52	53	54	55	56	57	58	59	60	61	62	計
建築費 U.S.A	1,041,000	489,954	1,108,608	1,475,797	1,433,762	250,000	600,000	93,333	490,000	694,357	550,000	8,226,811
建築費 G.R.I	364,281	183,113	500,200	255,574	8,452	856,743	1,091,949	834,865	772,043	766,680	946,166	6,580,066
建築費 合計	1,405,281	673,067	1,608,808	1,731,371	1,442,214	1,106,743	1,691,949	928,198	1,262,043	1,461,037	1,496,166	14,806,877

2. 校舎構造教室比率　　　（1962年5月1日現在）

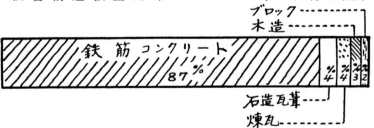

3. 児童生徒1人当り面積の本土との比較　　　（1962年5月1日現在）

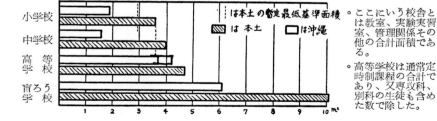

○ ここにいう校舎とは教室、実験実習室、管理関係その他の合計面積である。

○ 高等学校は通常定時制課程の合計であり、又専攻科、別科の生徒も含めた数で除した。

4. 学校種別保有面積および基準達成率

教育施設

(1962年4月1日現在)

校　　種	在　籍	必要面積	保有面積	現有生徒1人当り面積	基準達成率
		m^2	m^2	m^2	
小　学　校	163,908	432,717.12	321,273.40	1.96	74.24
中　学　校	73,514	242,596.20	116,885.67	1.59	48.18
高　等　学　校	18,934	116,482.90	80,642.64	4.26	69.23
盲ろう学校	264	3,179.70	1,610.48	6.09	50.64
澄井、稲冲小中校	30	432.21	426.21	14.40	97.45

保有総面積　　520,838.40m^2

保有面積には、現在工事施行中のものを含む。

基準面積は、小学校児童1人当り　2.64m^2（中教委規則）
　　　　　　中学校生徒　〃　　　3.30m^2
　　　　　　高等学校　　普通　　4.752m^2
　　　　　　　　　　　　農工　　9.834m^2
　　　　　　　　　　　　水産　　6.171m^2
　　　　　　　　　　　　商業　　5.115m^2
　　　　　　　　　　　　家庭　　5.016m^2
　　　　　　盲ろう学校　　　　　8.415m^2

5. 小・中・高校理科教育備品、一般備品年次別支出額並びに基準達成率

(1) 小、中高校年次別支出額

| 年　　度 | 理科教育備品支出額 | | 一般備品 |
	小、中学校	高等学校	
	$	$	$
1953～1958	127,185.32	13,071.00	96,011.16
1959	5,000.00	4,733.00	20,000.00
1960	8,169.88	4,155.00	32,675.52
1961	25,000.00	16,994.00	50,000.00
1962	30,000.00	15,000.00	50,000.00
計	**195,355.20**	**53,953.00**	**248,686.68**

(2) 基準達成率

　a. 小、中学校理科教育のための設備の基準総額　　$1,141,230.64

　　基準達成率 $= \dfrac{195,355.20}{1,141,230.64} \times 100 = 17.11\%$

　b. 高等学校理科教育のための設備の基準総額　　$252,838.95

　　基準達成率 $= \dfrac{53,953.00}{252,838.95} \times 100 = 21.33\%$

1. 総教育費総額の負担区分（含教育区）

区　　　分	1960会計年度	
	実　　額	百分比
総 教 育 費 総 額	9,319,302 $	100.00%
公　　　　　　費	8,590,504	92.2
政 府 支 出 金	7,513,360	80.6
地方教育区支出金	1,077,144	11.6
私　　　　　　費	728,798	7.8

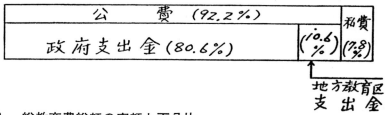

2. 総教育費総額の実額と百分比
(1) 支出項目別

区　　　分	1960会計年度	
	実　　額	百分比
総 教 育 費 総 額	9,319,302 $	100.00%
消 費 的 支 出	7,123,008	76.43
給　　　　与	5,270,320	56.55
その他の消費的支出	1,852,688	19.88
資 本 的 支 出	2,180,781	23.40
建　築　費	1,334,957	14.32
その他の資本的支出	845,824	9.08
債 務 償 還 費	15,513	0.17

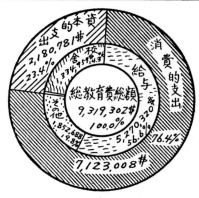

(2) 教育分野別

教育財政

教 育 分 野	1960会計年度 実額	百分比
総 教 育 費 総 額	9,319,302 $	100.00%
A 学 校 教 育 費	8,603,497	92.32
1. 小 学 校	4,736,512	50.82
2. 中 学 校	1,975,146	21.19
3. 特 殊 学 校	31,842	0.34
4. 高 等 学 校 全 日	1,724,210	18.51
5. 高 等 学 校 定 時	135,787	1.46
B 社 会 教 育 費	184,185	1.98
C 教 育 行 政 費	531,620	5.70

（教育財政調査）

学校教育費(92.32%) ／ 小学校(50.82%) ／ 中学校(21.19%) ／ 高等学校全日(18.51%) ／ 社会教育費(1.98%) ／ 教育行政費(5.70%) ／ 高等学校定時制(1.46%)

3. 学校教育費の支出項目別実額と百分比（含教育区）

区 分	1960会計年度 実額	百分比
学 校 教 育 費 総 額	8,603,497 $	100.00%
A 消 費 的 支 出	6,512,955	75.70
1. 教職員の給与	5,270,320	61.26
2. その他の消費的支出	1,242,635	14.44
B 資 本 的 支 出	2,081,326	24.19
1. 建 築 費	1,334,957	15.52
2. その他の資本的支出	746,369	8.68
C 債 務 償 還 費	9,216	0.11

（教育財政調査）

消費的支出(75.70%) ／ 給与(61.26%) ／ その他(14.44%) ／ 資本的支出 →24.19% ／ 建築費(15.52%) ／ その他(8.68%) ／ 債務償還費(0.11%)

4. 児童生徒1人あたり教育費の本土と沖縄の比較

区　　　　　分	1960会計年度	
	沖　　縄	本　　土
小　　学　　校	$ 28.75 ¢	$ 47.42 ¢
中　　学　　校	46.94	68.61
特　殊　学　校	139.66	359.49
高等学校全日制	80.82	102.71
高等学校定時制	43.89	80.78

（教育財政調査）

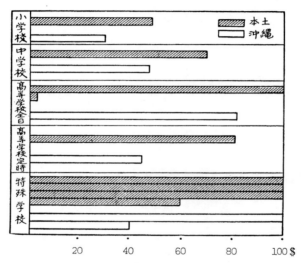

5. 年次別政府一般会計才出予算と文教局予算

会計年度	政府才出予算額	文教局才出予算額	政府予算に対する比率
1953	12,774,364 $	2,827,985 $	26.05%
1954	15,648,348	4,201,103	26.85
1955	16,409,835	4,662,136	28.41
1956	16,998,098	5,114,074	30.09
1957	20,571,386	5,399,924	26.25
1958	23,586,388	7,122,864	30.32
1959	23,191,309	7,117,224	30.69
1960	23,834,929	8,227,501	32.04
1961	27,348,305	9,537,938	34.84
1962	31,359,418	10,404,405	33.17

6. 教育費の財源別本土との比較

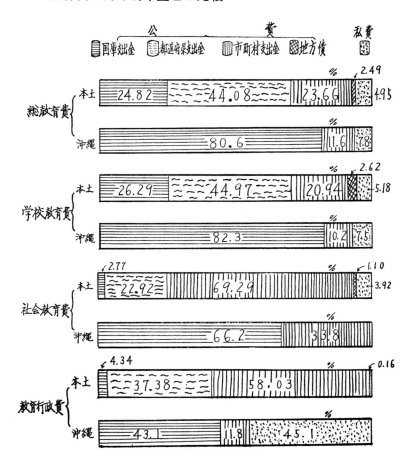

7. 教育税

(1) 教育税の年次別調定額・収入額・収入率

会計年度	調定額	収入額	収入率
	$	$	%
1955	380,927	276,078	72.5
1956	396,936	271,512	68.4
1957	434,576	315,854	72.7
1958	622,954	491,435	78.9
1959	767,805	572,217	74.5
1960	863,138	705,224	81.7

註　調定額・収入額は現年度のみ

(2) 教育税の年次別、教育分野別実額および構成百分比

会計年度	支出総額		学校教育費		社会教育費		教育行政費	
	実額	百分比	実額	百分比	実額	百分比	実額	百分比
	$	%	$	%	$	%	$	%
1955	294,171	100.0	216,292	73.5	5,397	1.8	72,482	24.6
1956	372,957	100.0	264,629	71.6	14,836	4.0	93,491	25.1
1957	420,587	100.0	326,675	77.7	19,304	4.6	74,608	17.4
1958	597,338	100.0	488,619	81.8	10,367	1.7	98,352	16.5
1959	651,560	100.0	510,021	78.3	14,088	2.2	127,451	19.5
1960	889,242	100.0	693,314	78.0	17,434	1.9	178,494	20.1

註1　1956年度の各欄は弗未満で四捨五入したため、支出総額において差違を生じた。
註2　支出総額は過年度分をも含む。

文化財保護

1. 文化財保護事業費の年次別推移

年度 経費	1955	1956	1957	1958	1959	1960	1961	1962
文化財保護費	4,292	11,993	11,938	12,500	12,000	12,092	11,748	17,125

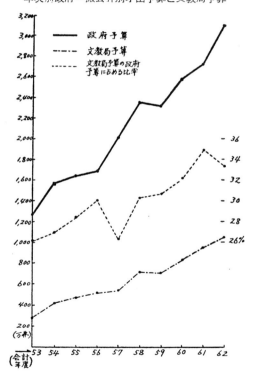

年次別政府一般会計別才出予算と文教局予算

2. 文化財保護法による指定件数

(a) 美術工芸品建造物等

1961年7月1日現在

区分	特別重要文化財	重要文化財
建造物	8件	13件
彫刻	7	3
絵画	0	1
工芸	4	12
古文書典籍	2	5
計	**21**	**34**

(b) 史跡名勝天然記念物

1961年7月1日現在

区分	指定件数
史跡	37
名勝	6
天然記念物	33
埋蔵文化財	17
計	**93**

1. 国費学生の年次別・入学者・在籍者・卒業者数

学科	1953 入学	1953 在籍	1954 入学	1954 在籍	1955 入学	1955 在籍	1956 入学	1956 在籍	1957 入学	1957 在籍	1957 卒業	1958 入学	1958 在籍	1958 卒業	1959 入学	1959 在籍	1959 卒業	1960 入学	1960 在籍	1960 卒業	1961 入学	1961 在籍	1961 卒業
医学	7	7	6	13	8	21	8	29	7	36	—	10	46	—	10	56	—	8	57	7	24	75	6
歯学					2	2	2	4	1	5	—	1	6	—	1	7	—	1	8	—	9	15	2
薬学			1	1	4	5	3	8	3	11	—	5	15	1	3	14	4	1	12	3	2	11	3
工学	8	8	4	12	11	23	9	32	13	37	8	9	42	4	12	43	11	10	44	9	13	44	13
理学	2	2	9	11	4	15	9	24	4	23	2	5	22	9	3	21	4	8	20	9	7	23	4
商船学	1	1	2	3	2	5	1	6	—	6	—	—	5	1	1	4	2	1	3	2	1	3	1
農学	5	5	4	9	1	10	3	13	6	14	5	5	15	4	2	19	1	7	23	3	6	23	6
獣医学			1	1	2	3	—	3	1	4	—	—	3	1	1	2	2	1	3	—	1	3	1
畜産学	1	1	1	2	—	2	2	2	1	3	1	—	2	—	1	2	—	1	2	1	—	1	1
水産学					2	2	1	3	—	3	—	2	5	—	2	5	1	1	5	1	2	7	—
法学	3	3	3	6	2	8	5	13	2	12	3	1	10	3	1	9	2	2	6	5	2	6	2
文学	8	8	2	10	7	17	5	18	2	12	8	5	15	2	3	11	7	3	13	1	1	12	2
経済学	3	3	5	8	2	10	3	13	4	14	3	3	12	5	1	11	2	1	9	3	1	6	4
商学			2	2	2	4	1	5	—	1	6	—	1	5	2	1	4	2	4	1	4	1	
美術																1	1	—	1	2	—	1	3	—
音楽																						1	1	—
体育																						1	1	—
家政							1	1	1	2	—	1	3	—	1	4	—	1	4	1	1	4	1
外国語							1	1	3	4	—	2	6	—	4	10	—	2	11	1	1	9	3
合計	38	38	38	76	49	125	50	175	49	194	30	50	213	31	50	213	39	50	226	48	75	251	50

2. 自費学生の年次別入学者・在籍者・卒業者数

学科	1955 入学	1955 在籍	1956 入学	1956 在籍	1957 入学	1957 在籍	1958 入学	1958 在籍	1959 入学	1959 在籍	1959 卒業	1960 入学	1960 在籍	1960 卒業	1961 入学	1961 在籍	1961 卒業
医学	22	22	20	42	14	56	14	70	12	82	—	11	93	—	7	100	—
歯学	—	—	3	3	2	5	4	9	6	15	—	5	20	—	2	22	—
薬学	2	2	3	5	6	11	5	16	5	19	2	6	22	3	7	23	6
工学	5	5	9	14	14	28	15	43	17	55	5	20	66	9	22	74	14
理学	5	5	5	10	6	16	5	21	5	21	1	4	20	5	4	18	6
商船学	1	1	1	2	2	4	4	8	—	7	1	—	6	1	2	6	2
農学	1	1	4	5	1	6	5	11	5	15	1	6	17	4	6	22	1
獣医学	—	—	1	1	1	2	1	3	1	4	—	—	3	1	—	2	1
畜産学	—	—	1	1	1	2	1	3	1	4	—	—	3	1	—	2	1
水産学	—	—	1	1	1	2	2	4	—	4	—	—	3	—	—	2	1
法学	9	9	7	16	6	22	5	27	4	22	9	4	19	7	2	15	6
文学	6	6	2	8	2	10	2	12	2	8	6	1	7	2	2	7	2
経済学	6	6	4	10	3	13	3	16	3	13	6	4	13	4	1	11	3
商学	1	1	1	2	2	4	1	5	3	8	1	2	8	2	4	10	2
美術	—	—	—	—	—	—	—	—	—	—	—	1	1	—	—	—	—
音楽	—	—	—	—	—	—	—	—	—	—	—	1	1	—	—	1	—
体育	—	—	1	1	6	7	3	10	4	14	—	2	15	1	3	12	6
外国語	1	1	2	3	—	3	1	4	—	5	—	2	5	2	3	8	—
計	59	59	66	125	67	192	71	263	70	296	37	69	322	43	65	336	51

育英制度

3. 琉球育英会の給与・貸与事業

1962年4月現在

項目	学種別	人員	単価	1ヶ月の支出額	年間支出額
給費学生奨学費	本土大学在学生	4	$ ¢ 8.33	33.32	399.84
貸費学生奨学費	本土大学在学生	45	8.33	374.85	4,498.20
〃	琉球大学学生	25	8.33	208.25	2,499.00
計		74	24.99	616.42	7,397.04

4. 国費学生の卒業後の状況

1962年4月

部門 \ 卒業年	1959	1960	1961	計
教育	8	11	10	**29**
大学	5	0	0	**5**
公務員	12	15	11	**38**
金融	2	3	3	**8**
公社	2	3	2	**7**
軍関係	1	1	0	**2**
会社	6	1	5	**12**
本土公務員	0	1	1	**2**
進学	2	9	11	**22**
計	38	44	43	**125**

5. 市町村育英事業

資金段階別育英会数　　　1961年4月現在

資金	1,000弗未満	1,000弗～5,000弗未満	5,000弗～10,000弗未満	10,000弗以上	計
育英会数	4	14	9	8	**35**

1962年4月現在

1962			入学者累計	卒業者累計
入学	在籍	卒業		
24	91	8	112	21
6	19	2	23	4
2	8	5	24	16
12	47	9	101	54
11	29	5	62	33
1	4	--	10	6
5	23	5	47	24
--	3	--	7	4
--	1	--	5	4
1	6	2	11	5
2	7	1	23	16
2	9	5	34	25
1	4	3	24	20
2	5	1	11	6
2	5	--	5	--
1	2	--	2	--
2	3	--	3	--
1	4	1	7	3
--	7	2	13	6
75	**277**	**49**	**524**	**247**

1962年4月現在

1962			入学者累計	卒業者累計
入学	在籍	卒業		
4	82	22	104	22
2	21	3	24	3
5	23	5	39	16
18	77	15	120	43
7	20	5	41	21
1	3	4	11	8
5	22	5	33	11
--	1	1	4	3
--	1	1	4	3
--	--	2	4	3
2	12	5	39	27
3	8	2	20	12
2	10	3	26	16
3	12	1	18	6
1	2	--	2	1
--	--	--	--	--
--	1	--	1	0
2	11	3	21	10
2	9	1	13	4
57	**315**	**78**	**524**	**209**

6. 高等学校課程別学科別特別奨学生数

1962年4月現在

学科＼課程・学年	全日制 1年	2年	3年	計	定時制 1年	2年	3年	4年	計	合計
普通	170	143	144	457	1	1	3	4	9	**466**
農業	—	—	5	5	—	—	—	1	1	**6**
商業	6	10	8	24	—	4	4	2	10	**34**
工業	4	13	3	20	—	—	—	—	—	**20**
水産	—	4	7	11	—	—	—	—	—	**11**
家・被	—	—	—	—	—	—	—	—	—	—
計	180	170	167	517	1	5	7	7	20	**537**

（学校報告）

7. 昭和37学年度国費・自費学生在学生数

(1) 昭和37年度国費学生学科・年次別調

1962年4月現在

学科＼年次	1年	2年	3年	4年	5年	6年	インターン	計	大学院学生 1年	2年	3年	4年	計	合計
インターン	—	—	—	—	—	—	7	7	—	—	—	—	—	7
医学	24	25	9	9	12	7	—	86	7	3	4	—	14	100
歯学	6	9	1	1	1	2	—	20	—	—	—	—	—	20
薬学	2	2	1	3	—	—	—	8	—	—	—	—	—	8
工学	13	12	10	16	—	—	—	51	1	—	—	—	1	52
理学	7	7	5	2	—	—	—	21	2	3	—	—	5	26
数学	2	1	3	1	—	—	—	7	—	—	—	—	—	7
商船	1	1	1	1	—	—	—	4	—	—	—	—	—	4
電気通信	1	1	1	—	—	—	—	3	—	—	—	—	—	3
農学	5	6	7	6	—	—	—	24	—	—	—	—	—	24
獣医	—	1	1	1	—	—	—	3	—	1	—	—	1	4
畜産	—	—	1	—	—	—	—	1	—	—	—	—	—	1
水産	1	2	1	2	—	—	—	6	—	—	—	—	—	6
法学	2	2	2	2	—	—	—	8	—	2	—	—	2	10
文学	1	1	4	1	—	—	—	8	教1	—	—	—	1	9
経済	1	1	1	2	—	—	—	5	—	—	—	—	—	5
商学	2	1	1	1	—	—	—	5	1	—	—	—	1	6
家政	1	1	1	1	—	—	—	4	—	—	—	—	—	4
外国語	—	1	2	1	—	—	—	7	—	—	—	—	—	7
美術	2	—	1	1	—	—	—	4	—	—	—	—	—	4
地理	1	—	—	1	—	—	—	2	—	—	—	—	—	2
図工	—	1	—	—	—	—	—	1	—	—	—	—	—	1
体育	2	1	—	—	—	—	—	3	—	—	—	—	—	3
音楽	1	1	—	—	—	—	—	2	—	—	—	—	—	2
計	75	77	53	56	13	9	7	290	10	11	4	0	25	315

(2) 昭和37年度自費（早大を含む）学生学科・年次別調　　1962年4月現在

学科＼年次	1年	2〃	3〃	4〃	5〃	6〃	インターン	計	大学院学生 1年	2年	3年	4年	計	合計
インターン	—	—	—	—	—	—	20	20	—	—	—	—	—	20
医学	6	7	11	13	14	14	—	65	2	—	1	—	3	68
歯学	4	2	5	6	4	2	—	23	—	—	—	—	—	23
薬学	11	7	6	5	—	—	—	29	—	—	—	—	—	29
工学	35	26	26	22	—	—	—	109	—	—	—	—	—	109
理学	19	4	4	5	—	—	—	32	—	—	—	—	—	32
商船	1	2	—	—	—	—	—	3	—	—	—	—	—	3
農学	5	6	6	5	—	—	—	22	—	—	—	—	—	22
獣医	—	—	—	1	—	—	—	1	1	—	—	—	1	2
畜産	—	—	—	1	—	—	—	1	—	—	—	—	—	1
法学	7	2	4	5	—	—	—	18	—	—	—	—	—	18
文学	6	3	2	3	—	—	—	14	—	—	—	—	—	14
経済	8	2	6	3	—	—	—	19	—	—	1	—	1	20
商学	12	10	6	6	—	—	—	34	—	—	—	—	—	34
美術	1	—	1	—	—	—	—	2	—	—	—	—	—	2
体育	—	—	1	—	—	—	—	1	—	—	—	—	—	1
家政	2	3	2	4	—	—	—	11	—	—	—	—	—	11
外国語	4	4	4	4	—	—	—	16	1	—	—	—	1	17
政治	1	1	1	1	—	—	—	4	—	—	—	—	—	4
新聞	—	1	—	1	—	—	—	2	—	—	—	—	—	2
計	122	80	85	85	18	16	20	426	4	0	2	0	6	432

⊙大学院学生については本人から連絡のあった者だけ、その他については調査困難

内訳

	1年	2〃	3〃	4〃	5〃	6〃	インターン	計	備考
自費生	56	65	69	72	18	16	20	316	
特奨生	51	—	—	—	—	—	—	51	
早大生	15	15	16	13	—	—	—	59	
計	122	80	85	85	18	16	20	426	

1. 教員数（学部学科別）　　1962年4月現在

部別	科別	教授	助教授	講師	助手	副手	計	定員
文理学部	国語国文学科	2	4	—	—	—	6	6.5
	英語英文学科	6	5	8	—	—	19	19
	史学科	2	2	1	—	—	5	6
	地理学科	1	2	1	—	—	4	6
	法政学科	2	6	—	—	—	8	9
	社会学科	—	2	3	—	—	5	5
	経済学科	1	4	—	—	—	5	6
	商学科	—	2	2	—	—	4	5
	美術工芸学科	2	3	1	—	—	6	5.25
	数学科	1	1	4	—	—	6	6.75
	物理学科	2	2	3	—	1	8	8
	化学科	1	3	2	—	1	7	8
	生物学科	2	3	4	—	1	10	9
	計	**22**	**39**	**29**	**—**	**3**	**93**	**99.5**
教育学部	教育学科	2	9	3	—	—	14	14.25
	音楽学科	—	1	1	—	—	2	4.75
	体育学科	1	4	1	—	1	7	9.0
	職業技術科	—	1	—	1	1	—	3
	計	**3**	**15**	**5**	**1**	**2**	**26**	**32**
農家政工学部	農学科	4	4	—	—	—	8	8
	畜産学科	1	4	—	—	—	5	5
	林学科	1	4	—	—	—	5	5
	総合農学科	—	1	1	1	—	3	3
	家政学科	1	2	3	—	1	7	8
	機械工学科	—	—	4	—	2	6	6
	土木工学科	—	1	1	1	1	4	6
	電気工学科	—	1	5	—	—	6	6
	農場及普及	—	—	11	—	—	11	11
	計	**7**	**17**	**25**	**2**	**4**	**55**	**58**
合計（本務者）		**32**	**71**	**59**	**3**	**9**	**174**	**200**
兼務者		—	—	—	—	—	46	—

2. 年度別学生在籍・卒業・修了・志願者数

事項＼年度	1950	1951	1952	1953	1954	1955	1956	1957	1958	1959	1960	1961	1962
学生数	552	759	877	1,116	1,258	1,485	1,719	1,918	2,011	2,152	2,268	2,356	2,467
卒業生数	—	—	—	26	122	93	162	253	409	446	471	434	469
修了生数	—	—	16	76	162	130	62	30	14	13	11	—	—
志願者数	931	1,160	961	1,205	935	1,597	1,721	1,697	1,875	1,623	2,036	1,951	1,912
合格者数	562	322	536	556	568	525	514	533	563	624	612	636	655

琉球大学

3. 校地校舎等

(1) 校地

種　　別	面積(坪)	大学有地	財産管理地	借　地
本館及び校舎用地	17,534	12,671	4,863	—
体育館用地及び運動場	5,052.80	2,959.14	2,093.60	
松川分室	2,643.83	—	2,643.83	
農場及び林学苗圃	43,463.66	43,463.66	—	
寄宿舎用地	7,544.47	3,274.28	4,182	88.19
付属実験学校予定地	6,652.26	6,652.26	—	—
その他（ハンタン山、円覚寺の一部）	5,237.6	5,133	—	101.6

(2) 校舎等建物

学部別	種　　別	基準坪数	現有坪数	不足坪数	建物様式
文理学部	文系ビル		1,239.33		
	理系ビル		840		
	薬品庫		6		
	工芸ビルの一部		280		
	小計	5,468	2,365.33	3,102.67	
教育学部	教育ビル		713.5		
	工芸ビルの一部		278.5		
	小計	1,834	992	842	
農家政工学部	農学ビル		426.5		
	温室		76		
	工学教室		95		
	工学ビル		1,300		
	農畜林施設		301.6		
	工場施設		350		
	ホームマネージメント		30		
	小計	8,099	2,581.1	5,517.9	
体育館		910	923.3	0	
図書館		930	745	185	
講堂		480	0	480	
福利厚生施設		590	43	547	
本部		640	228	412	
寄宿舎		3,000	2,129.4	870.6	
合計		**21,951**		**11,957.17**	

(3) 図　書

分類	和書		洋書		計	
	標目数	冊数	標目数	冊数	標目数	冊数
000	793	3,231	450	1,344	1,243	4,575
100	2,399	4,249	771	990	3,170	5,239
200	2,637	6,028	2,056	3,333	4,693	9,361
300	8,712	17,808	2,917	4,032	11,629	21,840
400	4,400	9,472	1,807	3,082	6,207	12,544
500	3,645	7,493	959	1,396	4,604	8,889
600	3,820	6,516	808	1,155	4,628	7,671
700	1,705	3,159	525	602	2,230	3,761
800	1,683	2,599	617	931	2,300	3,560
900	4,974	9,753	2,740	3,859	7,714	13,612
計	34,768	70,308	13,650	20,754	48,418	91,062

(4) 備　品

種類　部局館	機械	器具	標本	動物	その他	合計
事務局	83	7,401	7	—	169	7,660
教務部	6	356	1	—	17	380
学生部	11	463	—	—	—	474
図書費	6	376	—	—	—	382
文理学部	346	4,392	1,863	—	91	6,665
教育学部	63	1,846	48	—	3	1,960
農家政工学部	313	5,714	566	221	100	6,914
林業試験場	7	264	—	—	75	346
農業試験場	16	594	—	—	4	614
農普及	17	208	—	4	4	233
合計	868	21,614	2,458	225	463	25,728

4. 卒業生の就職状況

(4月末日現在)

部門＼卒業年	1953	1954	1955	1956	1957	1958	1959	1960	1961	1962	計
小 学 校	—	2	—	2	15	63	138	114	100	63	**497**
中 学 校	1	8	10	20	49	82	106	100	121	152	**650**
高 等 学 校	18	61	51	96	95	161	66	39	33	23	**643**
大　　　学	1	11	1	3	5	9	8	8	2	5	**53**
公 務 員	1	12	15	14	32	41	50	37	27	35	**264**
金　　　融	—	5	3	3	5	4	9	16	14	9	**68**
商　　　社	3	9	2	5	4	4	20	33	58	48	**186**
軍 関 係	—	9	4	1	10	12	20	37	23	21	**137**
自　　　営	1	1	1	—	—	2	--	—	0	2	**7**
そ の 他	1	1	2	3	---	1	6	6	3	11	**34**
進　　　学	—	1	4	10	13	6	21	20	17	20	**112**
不　　　詳	—	2	—	5	25	24	2	30	26	80	**194**
計	**26**	**122**	**93**	**162**	**253**	**409**	**446**	**440**	**425**	**469**	**2,845**

5. 年度別奨学生調査

1962年5月

種　　類＼学年度 在学生数	1953年 1,115人	1954年 1,253人	1955年 1,485人	1956年 1,719人	1957年 1,918人	1958年 2,011人
琉大ファウンデイション給費生	—	17	39	34	29	33
琉大ファウンデイション貸費生	5	17	16	36	14	9
琉大ファウンデイション特別奨学生（研究生）						
琉球政府教員志望奨学生	7	40	80	87	95	100
琉球育英会奨学生	---	--	—	8	10	12
そ　の　他	—	—	—	—	—	2
合　　　計	**12**	**74**	**135**	**165**	**148**	**156**

種　　類＼学年度 在学生数	1959年 2,152人	1960年 2,233人	1961年 2,333人	1962年 2,484人	合　計	備　考
琉大ファウンデイション給費生	68	76	182	109	**587**	琉大四カ年卒業後研究生として一カ年在学
琉大 〃 貸費生	4	8	10	9	**128**	
琉大 〃 特別奨学生（研究生）	7	3	4	7	**21**	
琉球政府教員志望学生	120	100	68	35	**732**	
琉球育英会奨学生	12	24	9	11	**86**	
そ　の　他	3	2	5	なし	**12**	
合　　　計	**214**	**213**	**278**	**171**	**1,566**	

6. 予算の推移

(1) 才入予算

年度＼事項	才入予算額	教育才出予算及補助金		
		民政府	琉球政府	小計
1952	$ 359,389.48	359,389.48	0	539,389.48
1953	254,972.35	248,924.35	0	248,924.35
1954	319,678.38	65,000.00	216,666.67	281,666.67
1955	382,322.50	90,000.00	253,750.00	343,750.00
1956	489,377.67	58,333.33	375,000.00	433,333.33
1957	600,560.00	25,000.00	491,666.67	516,666.67
1958	599,384.17	10,000.00	512,833.33	522,833.33
1959	865,372.00	190,000.00	529,167.00	719,167.00
1960	767,704.00	0	645,000.00	645,000.00
1961	994,633.00	225,000.00	697,670.00	922,670.00
1962	1,066,334.00	360,000.00	621,153.00	981,153.00
合計	6,699,721.55	1,631,647.16	4,342,906.67	5,974,553.83

(2) 才出予算

年度＼事項	才出予算額	運営費		
		人件費	運営費	小計
1952	359,389.48	85,773.57	93,373.53	179,147.10
1953	254,972.35	95,932.00	40,152.35	136,084.35
1954	319,678.38	124,894.68	49,465.08	174,359.76
1955	482,322.50	169,339.17	72,160.83	241,550.00
1956	489,371.67	186,885.00	95,929.17	282,814.17
1957	600,560.00	226,128.33	101,134.17	327,262.50
1958	599,384.17	269,480.83	104,559.17	374,040.00
1959	865,372.00	306,604.00	117,258.00	423,862.00
1960	767,704.00	354,899.00	147,790.00	502,689.00
1961	994,633.00	393,019.00	195,091.00	588,110.00
1962	1,066,334.00	463,304.00	140,687.00	603,991.00
合計	6,699,721.55	2,675,309.58	1,158,600.30	3,833,909.88

学内収入	その他の収入			
	前年度剰余金	借入金	小	計
0	0	0		0
6,048.00	0	0		6,048.00
18,462.95	19,548.76	0		38,011.71
35,998.33	2,574.17	0		38,572.50
42,718.34	13,320.00	0		56,038.34
50,431.67	33,461.66	0		83,893.33
57,191.67	19,359.17	0		76,550.84
62,758.00	13,447.00	70,000.00		146,205.00
65,464.00	0	57,240.00		122,704.00
61,839.00	10,124.00	0		71,963.00
68,938.00	16,243.00	0		85,181.00
469,849.96	**128,077.76**	**127,240.00**		**725,167.72**

設備備品費	施設費	備考
80,546.55	99,695.83	
38,677.00	80,211.00	
33,954.71	111,363.91	
43,692.50	97,080.00	
62,221.67	144,335.83	
63,283.34	210,014.16	
74,529.17	150,815.00	
54,196.00	387,314.00	
68,730.00	196,265.00	
78,000.00	328,523.00	
220,500.00	241,843.00	
818,350.94	**2,047,460.73**	

幼稚園教育

幼稚園の設置者別園数、園児数および教員数　　（1961年10月1日）

	園数	園児数	教員数
計	36	5,371	150
公立	28	4,542	116
私立	8	829	34

附　公立小・中学校一覧　●は小中併置校

連合区	教育区	小学校	中学校
北部	国頭	奥間　●辺土名　●佐手　●辺野喜　●北国　●奥　●楚州　●安田　●安波	国頭　●佐手　●北国　●奥　●楚州　●安田　●安波
	大宜味	●津波　●塩屋　●大宜味　●喜如嘉	●津波　●塩屋　●大宜味　●喜如嘉
	東	●高江　●東　●有銘	●高江　●東　●有銘
	羽地	羽地　稲田　真喜屋　●源河	羽地　●源河
	屋我地	屋我地	屋我地
	今帰仁	今帰仁　●兼次　天底　●湧川　●古宇利	今帰仁　●兼次　●古宇利　●湧川
	上本部	謝花　豊川　新里	上本部
	本部	本部　健堅分校　●崎本部　●瀬底　●水納　●伊豆味　●伊野波　●浜元	本部　●伊野波　●崎本部　●瀬底　●水納　●伊豆味　●浜元
	屋部	屋部　中山分校　安和	屋部
	名護	名護　大宮　東江　●瀬喜田	名護　●瀬喜田
	久志	●久辺　●久志　●嘉陽　●天仁屋　●三原	●久辺　●久志　●嘉陽　●天仁屋　●三原
	宜野座	宜野座　漢那　松田	宜野座

連合区	教育区	小　学　校	中　学　校
	金　武	｡嘉芸　金武　中川	｡嘉芸　金武
	伊　江	伊江西	伊　江
	伊平屋	伊平屋　田名　島尻　｡野甫	伊平屋　｡野甫
	伊是名	伊是名　｡具志川島	伊是名　具志川島
中　部	恩　納	｡恩納　｡仲泊　｡山田　｡安富祖　｡喜瀬武原	｡恩納　｡仲泊　｡山田　｡安富祖　｡喜瀬武原
	石　川	城前　宮森　伊波	石　川
	美　里	美里　美東　高原　北美	美里　美東
	与那城	｡伊計　｡宮城　桃原　｡平安座　｡与那城	｡伊計　｡宮城　｡平安座　｡与那城
	勝　連	南原　勝連　平敷屋　｡津堅　｡浜	｡津堅　｡浜　与勝
	具志川	川崎　天願　金武湾　兼原　高江洲　田場　あげな	あげな　具志川　高江洲
	コ　ザ	島袋　越来　コザ　安慶田　諸見　中の町	桃山　越来　コザ
	読　谷	読谷　渡慶次　｡古堅　喜名	読谷　｡古堅
	嘉手納	嘉手納　宮前	嘉手納
	北　谷	北谷　北玉	北　谷
	北中城	北中城	北中城
	中　城	津覇　南上原分校　中城　北上原分校	中　城
	宜野湾	普天間　宜野湾　嘉数　大山	普天間　嘉数
	西　原	西原　坂田	西　原
那　覇	那　覇	髙良　小禄　｡垣花　城岳　開南　神原　壺屋　久茂地　前島　若狭　泊　安謝　与儀　真志　識名　大道　松川　城西　城南　城北	小禄　｡垣花　上山　那覇　安謝　神原　真和志　寄宮　首里

連合区	教育区	小学校	中学校
	浦 添	浦添 西原分校 仲西	浦添 仲西
	南大東	・南大東	・南大東
	北大東	・北大東	・北大東
	仲 里	仲里 奥武分校 美崎 ・比屋定 久米島	仲里 ・比屋定 久米島
	具志川	大岳 清水	具志川
南 部	糸 満	糸満 糸満南 喜屋武 真壁 米須 高嶺 兼城	糸満 三和 高嶺 兼城
	豊見城	座安 上田 長嶺	豊見城
	東風平	東風平	東風平
	具志頭	具志頭 新城	具志頭
	玉 城	玉城 百名 船越	玉 城
	知 念	知念 ・久高	知念 ・久高
	佐 敷	佐 敷	佐 敷
	与那原	与那原	与那原
	大 里	大里北 大里南	大 里
	南風原	南風原	南風原
	渡嘉敷	・渡嘉敷 阿波連 ・前島	・渡嘉敷 阿波連分校 ・前島
	座間味	・座間味 ・阿嘉 ・慶留間	・座間味 ・阿嘉 ・慶留間
	粟 国	・粟国	・粟国
	渡名喜	・渡名喜	・渡名喜

連合区	教育区	小　学　校	中　学　校
宮　古	平　良	平良第一　北　久松　鏡原　宮原　○西辺　狩俣　宮島分校　○大神　○池間	平良　久松　鏡原　○西辺　○狩俣　○大神　○池間
	下　地	下地　○来間	下地　○来間
	上　野	上　野	上　野
	城　辺	砂川　西城　城辺　福嶺	砂川　西城　城辺　福嶺
	伊良部	伊良部　佐良浜	伊良部　佐良浜
	多良間	多良間　水納分校	多良間　水納分校
八重山	石　垣	○川平　○崎枝　吉原　○富野　石垣　登野城　名蔵	○川平　○崎枝　○富野　名蔵　石垣
	大　浜	平真　大浜　○川原　真栄里山分校　宮良　白保　○伊野田　○伊原間　○平久保　○明石　○野底	大浜　○川原　白保　○伊野田　○伊原間　○平久保　○明石　○野底
	竹　富	○竹富　○由布　○黒島　○小浜　○波照間　○鳩間　○上原　○船浦　○大原　○上地　○古見　○西表　○白浜　○船浮　○網取	○竹富　○由布　○黒島　○小浜　○波照間　○鳩間　○上原　○船浦　○大原　○上地　○古見　○西表　○白浜　○船浮　○網取
	与那国	与那国　○久部良　比川	与那国　○久部良

政府立松島中学校　　　政府立稲沖小中学校　　　政府立澄井小中学校
政府立盲学校　　　　　政府立ろう学校

政府立高等学校

所　在	全　日	定　時	所　在	全　日	定　時
大宜味村	辺　土　名		具志川村	久　米　島	
今帰仁村	北　　　山		平　良　市	宮　　　古	宮　　　古
名　護　町	名　　　護	名　　　護	石　垣　市	八　重　山	八　重　山
宜野座村	宜　野　座		屋　部　村	北部農林	北部農林
石　川　市	石　　　川	石　　　川	具志川村	中部農林	中部農林
具志川村	前　　　原		豊見城村	南部農林	南部農林
読　谷　村	読　　　谷		那　覇　市	沖縄水産	
美　里　村	コ　　　ザ	コ　　　ザ	那　覇　市	工　　　業	工　　　業
宜野湾村	普　天　間	普　天　間	那　覇　市	商　　　業	商　　　業
那　覇　市	首　　　里	首　　　里	平　良　市	宮古農林	
那　覇　市	那　　　覇	那　　　覇	平　良　市	宮古水産	
与那原町	知　　　念	知　　　念	石　垣　市	八重山農林	
糸　満　町	糸　　　満	糸　　　満			

1962年6月8日印刷
1962年6月9日発行

沖縄教育の概観

発行所　琉球政府文教局
編　集　文教局調査広報室
印刷所　ひかり印刷所
　　　　那覇市壺屋町281番地
　　　　電話 (8) 1757

正　誤　表

頁	表	誤	正
12	(2)　連合区別職員数 　　　指導主事―補　助 　　　宮　古……八重山	1 …… 1	2 …… 2
13	(b)　学級数および児童生徒数 　　　全琉―学級数	5,245	5,345
	(b)　生　徒　数 　　　全琉―計 　　　全琉―全日	24,573 21,420	24,575 21,422
18	末尾　　（註）	本　務　員	本　務　教　員
19	(b)　中　学　校 　　　全琉―合計女	591	519
23	c　留日研究教員 　　　福岡―計	2	5
24	研修科目別	演劇のつぎの空欄に	教　育　課　程
25	(2)　1962学年度～ 　　　入学率――一般職業	73.5	73.0
26	(2)　卒業後の進路～ 　　　1960年―進　学　率	51.3	51.8
30	(1)　小学校6年 　　　三　理科―全国	010	100
32 ～ 34	(1)　戦前戦後～ 　　本　土　は		時点は1961年度
33	身長（男子）沖縄―11才 体重（男子）本土―9才	132.1 25.5	132.6 25.7
36	(7)　学校給食実施状況 　　　学　校　数―高校定時 　　　完全給食実施校　〃	17 16	私立2を含む 私立1を含む
47	7　琉球政府立博物館～ 　　　購入点数 　　　入　　費	購入点数 入　　費	購入費 購入点数
49	4　学校種別保有面積～ 　末尾　盲ろう学校	8,415㎡	8,415㎡
50	1　総教育費総額～ 　　総教育費総額―百分比	100.00%	100.0%
52	5　年次別政府～ 　　1953　政府才出予算 　　〃　　文教局才出予算 　　1934　政府才出予算 　　1958　　　〃 　　〃　　～比率 　　1960　文教局才出予算 　　1961　比　　率	12,774,364 2827,985 15,648,348 23,586,388 30.32 8,227,501 34.84	12,774,369 3327,986 15,648,343 23,568,388 30.22 8,277,501 34.88
55	1　文化財保護事業費～	年次別政府一般会計別才出予算～	年次別政府一般会計才出予算～
61	(2)　校舎等建物 　　現有坪数―工学教室	96	97
64	(1)　才入予算 　　　1956―才入予算額 　　　1952―小　　　　計	489,377.67 539,389.48	489,371.67 359,389.48
	(2)　才出予算 　　　1955―才出予算額	482,322.50	382,322.50

文教時報・別冊

沖縄教育の概観

別冊2

2
1964

琉球政府文教局

まえがき

ここに「沖縄教育の概観」の小冊小をおとどけする。

沖縄教育の現状を大略はあくするに足りる統計資料を収集して、広く教育関係者の便をはかり、沖縄教育推進に役立つことを願ってまとめた。

教育関係者の活用を望むとともに、今後とも御協力と御叱声をいただき、内容の充実を期したい。

　　１９６４年２月

　　　　　　　　　　　文教局長

　　　　　　　　　　　　阿　波　根　朝　次

凡　　例

1. 1962年6月発行の「沖縄教育の概観」に引き続いて2回めの教育統計資料をまとめた，初回の資料を改善し，本年版はとくに基本的資料の一部の図版を巻頭に，また，各教育区関係の統計資料を巻末に添付し，利用者の便宜をはかつた。
2. 資料はできるだけ新しいのを収録するようにつとめたが、過去の資料の掲載についてもかなりのスペースを使つた。この場合若干初回版と数字が異なる点は，初回版の誤りを訂正したことによるものである。かかる場合は資料ごとに（注）でその旨添書きしておいた。
3. 資料は調査広報課並びに保健体育課の執行する教育指定統計の結果を主とし、他は主管課や関係機関の協力をあおいだ。収録した統計の主な出所は次のとおりである。
    ① 学校基本調査：1963年5月1日現在　ただし卒業後については、1962学年度の卒業者を調査したもので、時点は1963年6月1日である。
    ② 教育財政調査：1962会計年度の決算額
    ③ 学校衛生統計：1963年並びに1962年4月に実施した学校身体検査の結果である。ただし、疾病については集計事務の関係で1962年の分を掲げた。
    ④ 学校建築関係資料：施設課でまとめた調査結果による。1963会計年度に属する建築計画面積を含んでいるので調査時点は1964年6月までとみてよい。
    ⑤ 学　力　調　査：教育研究課の調査結果にもとづいた。
    ⑥ 大学関係資料：沖縄にある4大学の報告にもとづいた。
    ⑦ 育英関係資料：琉球育英会による調査結果にもとづいた。
    ⑧ 文化財保護事業関係資料：本局の外局である文化財保護委員会事務局の調査結果にもとづいた。
4. 教育行政区画図は巻末に添付した。人口は国勢調査が最新のでも1960年12月1日であるためその結果を掲載することにした。

1学年別児童生徒数と入学児童の推計

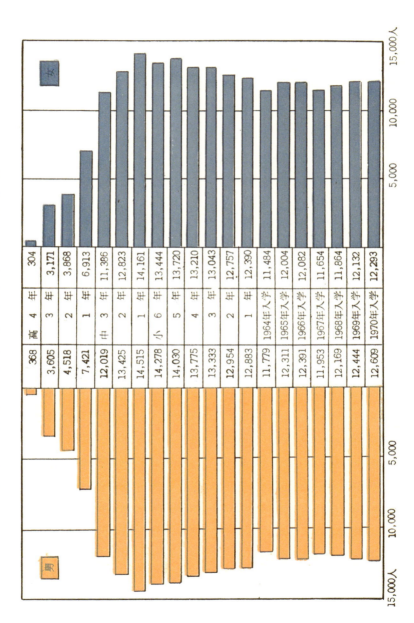

男			女
368	高 4 年	304	
3,605	3 年	3,171	
4,518	2 年	3,868	
7,421	1 年	6,913	
12,019	中 3 年	11,386	
13,425	2 年	12,823	
14,515	1 年	14,161	
14,278	小 6 年	13,444	
14,030	5 年	13,720	
13,775	4 年	13,210	
13,333	3 年	13,043	
12,954	2 年	12,757	
12,883	1 年	12,390	
11,779	1964年入学	11,484	
12,311	1965年入学	12,004	
12,391	1966年入学	12,082	
11,953	1967年入学	11,654	
12,169	1968年入学	11,864	
12,444	1969年入学	12,132	
12,609	1970年入学	12,293	

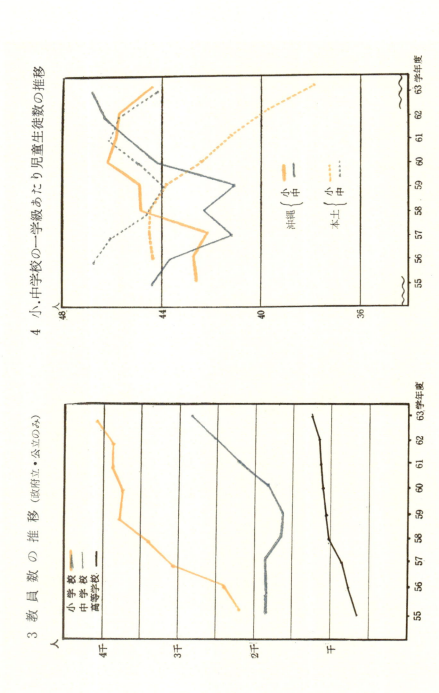

3 教員数の推移（政府立・公立のみ）

4 小・中学校の一学級あたり児童生徒数の推移

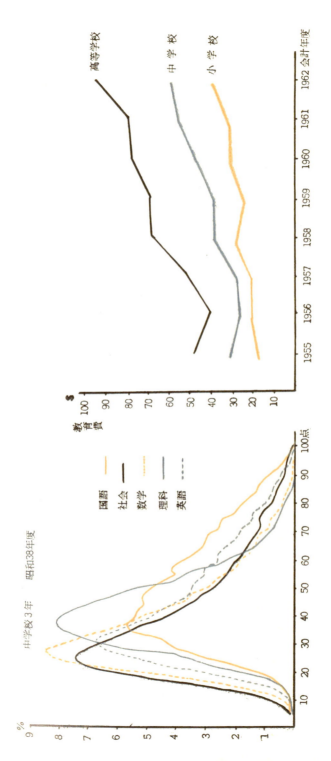

7 全国学力調査 中学校3年 昭和38年度

8 児童生徒一人あたり教育費

9 教育区別高校への志願率,進学率

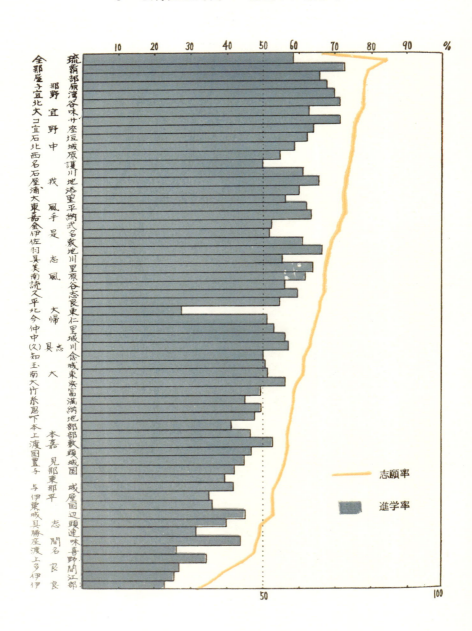

も く じ

凡　例

図　表

1. 学年別児童生徒数
2. 児童生徒数の推移
3. 教員数の推移
4. 小中学校の一学級あたり児童生徒数の推移
5. 教員一人あたり児童生徒数
6. 1963学年度収容人員別学級数
7. 全国学力調査
8. 児童生徒一人あたり教育費本土との比較
9. 教育区別高校への志願率，進学率

教　育　行　政

1. 教育行政機構図 …………………………………………… 1
2. 教育行政機関の職員数 …………………………………… 2
   (1) 文教局職員数 ………………………………………… 2
   (2) 連合区別職員数 ……………………………………… 3
3. 教育行政区一覧 …………………………………………… 4

学　校　教　育

1. 学校種別学校数，学級数および児童生徒数 …………… 5
   (1) 学　校　数 …………………………………………… 5
   (2) 学級数および児童生徒数 …………………………… 5
2. 規模別学校数 ……………………………………………… 6
3. 規模別学級数 ……………………………………………… 7
4. 学級編制方式別学級数 …………………………………… 8
5. 児童生徒数長期推計 ……………………………………… 8
6. 年令別児童生徒数 ………………………………………… 9
7. 学校種別教員一人あたり1学級あたり児童生徒数の対本土比較 ……… 9
   (1) 学校種別 ……………………………………………… 9
   (2) 移　　推 ……………………………………………… 9

8. 教職員 ……………………………………………………… 10
(1) 学校種別職名別教職員数 ………………………………… 10
(2) 学校種別年令別本務教員数 ……………………………… 11
(3) 年令別本務教員構成図 …………………………………… 12
(4) 学校種別資格別教員数および構成比 …………………… 12
(5) 学校種別免許状所持教員数 ……………………………… 13
(6) 担当教科別免許状所持教員数 …………………………… 14
(7) 教員の給与(平均給) ……………………………………… 16
(8) 教員の現職教育 …………………………………………… 16

9. 高等学校の入学状況 ……………………………………… 21
(1) 年次別志願者数,入学者数および進学率 ……………… 21
(2) 1963学年度の学科別入学状況 ………………………… 21

10. 中学校,高等学校卒業者の状況 ………………………… 22
(1) 卒業後の進路状況 ………………………………………… 22
(2) 卒業後の進路累年比較 …………………………………… 22
(3) 就職者の産業別,職業別区分 …………………………… 23

11. 児童生徒の学力 …………………………………………… 25
(1) 学年別教科別にみた平均点 ……………………………… 25
(2) 地域類型別にみた教科別平均点 ………………………… 26

12. 学校保健と給食 …………………………………………… 28
(1) 戦前戦後沖縄本土児童生徒発育表 ……………………… 28
(2) 学校種別疾病異常およびり患率 ………………………… 29
(3) 地区別疾病異常およびり患率 …………………………… 29
(4) 学校給食のための経費 …………………………………… 30
(5) 学校給食に消費される物資 ……………………………… 30
(6) 学校給食関係機構と物資入手経路 ……………………… 31
(7) 学校給食カロリー摂取表 ………………………………… 32
(8) 疾病異常り患率(図) ……………………………………… 32

13. へき地教育 ………………………………………………… 33
(1) へき地指定校数 …………………………………………… 33
(2) へき地学校数,学級数,教員数,児童生徒数 ………… 33
(3) へき地教育振興法に基づく補助金の交付額 …………… 33

14. 特 殊 教 育（盲聾学校）	34
(1) 児童生徒数，学級数，教員数	34
(2) 児童生徒一人あたり教育費本土との比較	34
(3) 在学者の通学状況	34
15. 産 業 教 育	34
(1) 産業教育備品の年次別資金内訳	34
(2) 産業教育備品の学科別年次別達成率	35
(3) 水産高校練習船の性能	35
16. 大 学 教 育	36
(1) 年度別学生数	36
(2) 学科系統別学部学生数	36
(3) 年度別卒業者，入学者，入学志願者	36
(4) 職名別教員数	37
(5) 卒業後の状況	37
(6) 校 地 校 舎	38
(7) 図　　　書	39
(8) 奨 学 制 度	39
(9) 琉球大学の予算推移	40

社 会 教 育

1. 青 年 学 級	41
2. 公 民 館	41
3. 社会教育関係団体	41
4. 社会体育施設	42
5. 教育区社会教育主事設置状況	42
6. 各 種 学 校	43
7. 琉球政府立図書館の現状	43
8. 琉球政府立博物館の現状	43

教 育 施 設

1. 年度別校舎建築費の推移	44
2. 政府立公立小，中，高校校舎建築状況	44
3. 学校種別保有面積，基準面積および生徒一人あたり面積	45
4. 小，中，高校理科備品一般備品年次別支出額並びに基準達成率	45

教育財政

1. 分野別教育費の負担区分 …………………………………………… 46
2. 総教育費総額の支出項目実額と百分比 ……(図)…………………… 46
3. 学校教育費の支出項目別実額と百分比 ……(図)…………………… 46
4. 児童一人あたり教育費の本土との比較 ……………………………… 47
5. 年次別政府一般会計予算と文教局予算 ……(図)…………………… 47
6. 教 育 税 ………………………………………………………………… 48
　(1) 教育税の年次別調定額，収入額，収入率 …………………………… 48
　(2) 教育税の年次別，教育分野別支出額および百分比 ………………… 48

育英事業

1. 国費学生の年次別入学者，在籍者，卒業者数 ……………………… 49
2. 自費学生の年次別入学者，在籍者，卒業者数 ……………………… 49
3. 琉球育英会の給与，貸与事業 ………………………………………… 50
4. 国費学生の卒業後の状況 ……………………………………………… 50
5. 市町村育英事業 ………………………………………………………… 50
6. 高等学校別奨学生 ……………………………………………………… 51
7. 昭和38学年度国費，自費学生在学生数 ……………………………… 51

文化財保護事業

1. 文化財保護事業費の年次別推移 ……………………………………… 53
2. 文化財保護法による指定件数 ………………………………………… 53

幼 稚 園

1. 公立私立の園数，学級数，園児数，教員数 ………………………… 53

(附)
教育区別資料

1. 教育区別校種別学年別児童生徒数 …………………………………… 54
2. 教育区別高校入学者数，志願率，進学率 …………………………… 56
3. 教育区別本務教員給料平均額 ………………………………………… 57
4. 1964年度教育区才入才出予算 ………………………………………… 57
　(1) 才 入 …………………………………………………………………… 57
　(2) 才 出 …………………………………………………………………… 59

学 校 一 覧

公立小，中学校 ………………………………………………… 61
政 府 立 学 校 …………………………………………………… 64
私 立 学 校 ……………………………………………………… 64
大　　　学 ……………………………………………………… 64
短 期 大 学 ……………………………………………………… 65
各 種 学 校 ……………………………………………………… 65

教育行政区画図 ………………………………………………………… 65

教育行政

1 教育行政機構図

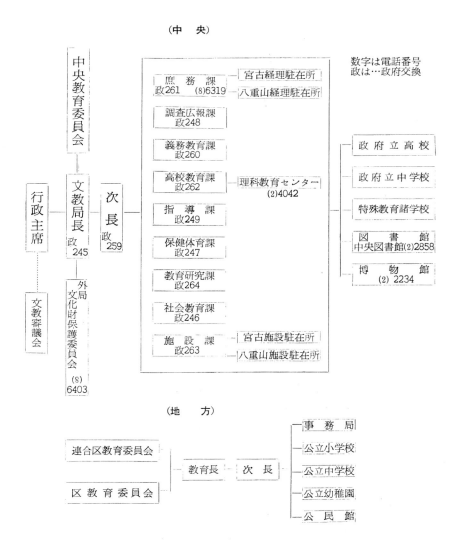

2 教育行政機関の職員数

(1) 文教局職員数

a 本局職員定数

1963年7月現在

区分	局長	次長	庶務課	調査広報課	義務教育課	高校教育課	指導課	保健休育課	教育研究課	施設課	社会教育課	計
特別職	1											1
1級行政管理職		1										1
1級教育管理職			1	1	1	1		1	1	1	1	8
2級教育管理職			3	4	5	5		3	5	2	2	28
1級指導職							1					1
2級指導職			1			3	12	3			5	24
1級事務職			5									5
2級事務職			10	1	4	3		1		1	1	20
3級事務職			1		2	1						5
2級法制職			1									1
1級タイプ操作職			1									1
1級自動車運転職			2							1		3
2級建築職										1		1
3級建築職										3		3
3級電気職										1		1
計	1	1	25	6	12	12	13	8	6	10	9	103

b 中央教育委員数

地区	北部	中部	南部	都市	宮古	八重山	全琉
定員	2	3	2	2	1	1	11

○ 任期 4年
○ 選挙は半数交代制,隔年ごとの12月中に6人および5人を交互に改選する。

c 文教審議会委員数

○ 審議会は20人以内をもつて組織
○ 特別の専門的事項を審議する委員として臨時的に9人以内の専門委員がおかれる。
○ 任期は2年,専門委員の場合は,特別事項の調査審議の期間をその任期とする。
○ 委員及び専門委員は行政主席が任命する。

d 附属機関

1963年7月現在

区　　　　分	図書館	博物館
2級　図　書　館	3	
1級　博　物　館		1
2級　博　物　館		1
2級　一般作業職	1	1
2級　事　務　職	4	3
3級　事　務　職		1
計	8	7

e 外局（文化財保護委員会）

1963年7月現在

区　　　　分	事務局
2級　一般行政管理職	1
1級　一般事務職	2
2級　一般事務職	1
3級　建　築　職	1
計	5
文化財保護委員会委員数	5

(2) 連合区別職員数

1963年7月1日現在

区　　分	北部		中部		那覇		南部		宮古		八重山		計	
	補助	負担	補助	負担	補助	負担	補助	負担	補助	負担	補助	負担	補助	負担
教　育　長	1		1		1		1		1		1		6	
次　　　長	2		2		1		2		1		1		9	
管　理　主　事	1		1		2		1		1		1		7	
指　導　主　事	4		5		5		3		2		2		21	
社　教　主　事	1		1		2		1		1		1		7	
会　計　係	5		1		1		1		1		1		6	
書　　　記			5		1	5	4		3		3		21	5
書　記　補						1		1						2
運　転　手		1		1	1		1			1		1	6	
給　　　仕		1		1	1					1		1	5	
計	15	2	16	2	13	8	13	2	10	2	10	2	77	18

4 教育行政区一覧

教育区名	人口 1960.12.1	教育委員数	公立学校数 小校	公立学校数 中校	社会主事教数	教育区名	人口 1960.12.1	教育委員数	公立学校数 小校	公立学校数 中校	社会主事教数
北部連合区	125,872	16	60(3)	45		仲 里	8,853	5	4(1)	3	1
国 頭	10,653	5	8(1)	7	1	具志川	6,519	5	2	1	1
東	3,165	5	3	3	1	北大東	992	5	1	1	
大宜味	6,497	5	4	4		南大東	3,404	5	1	1	
羽 地	9,203	5	4	2	1	南部連合区	113,958	14	30	20(1)	
屋我地	3,671	5	1	1		与那原	8,234	5	1	1	1
今帰仁	23,319	5	5	4	1	佐 敷	7,913	5	1	1	
上本部	5,077	5	3	1		知 念	5,728	5	2	2	
本 部	16,365	5	7(1)	7	1	玉 城	9,346	5	3	1	1
屋 部	4,191	5	2(1)	1		具志頭	6,507	5	2	1	
久 志	6,309	5	5	5	1	大 里	6,810	5	2	1	1
名 護	18,288	5	4	2	1	南風原	9,104	5	1	1	
宜野座	4,128	5	3	1		東風平	9,338	5	1	1	1
金 武	8,846	5	3	2		豊見城	10,532	5	3	1	1
伊 江	7,492	5	2	1		糸 満	33,580	8	7	4	2
伊平屋	3,631	5	4	2	1	渡嘉敷	1,509	5	2	1(1)	
伊是名	5,037	5	2	2	1	座間味	1,747	5	3	3	1
中部連合区	252,184	14	52(2)	29		粟 国	2,125	5	1	1	
恩 納	7,715	5	5	5	1	渡名喜	1,485	5	1	1	
石 川	16,523	5	3	1		宮古連合区	72,339	6	19(2)	17	
具志川	33,756	5	7	3		平 良	32,506	5	9(1)	7	
与那城	15,845	5	5	4	1	城 辺	15,433	5	4	4	1
勝 連	12,196	5	5	2		上 野	5,005	5	1	1	
美 里	19,963	5	4	2		下 地	5,703	5	2	2	1
コ ザ	46,695	5	6	3	1	伊良部	10,796	5	2	2	1
北中城	8,318	5	1	1		多良間	2,896	5	1(1)	1	
中 城	10,401	5	2(2)	1	1	八重山連合区	51,442	5	34(1)	23	
読 谷	19,697	5	4	2	1	大 浜	12,538	5	9(1)	4	1
嘉手納	12,976	5	2	1	1	石 垣	25,943	5	7	5	
北 谷	9,532	5	2	1		竹 富	8,260	5	15	12	1
宜野湾	29,501	5	4	2	1	与那国	4,701	5	3	2	1
西 原	9,066	5	2	1							
那覇連合区	267,327	12	31(3)	18(1)							
浦 添	24,512	5	2(1)	2	1						
那 覇	223,047	7	21(1)	10(1)	1						

注 ○ 人口は1960.12.1の国勢調査確定人口
  ○ 調査当時兼城村,三和村,高嶺村は現存していたが現在糸満町に合併されているので,三村分の人口は糸満町に加えた
  ○ 教育委員数は1963.5.1現在
  ○ 学校数1963.5.1現在公立のみ ( )は分校数

1 学校種別学校数学級数および児童生徒数

(1) 学校数

1963年5月1日現在

（小学校，中学校） （高等学校）

区 分	小校	中校	併置校(再掲)	計	分校小校	分校中校	区 分		計	政府立	私立
全琉 計	229	156	80	385	11	2	全琉	普通	20	17	3
政府立	2	3	2	5	—	—		職業	9	9	—
公立 計	226	152	77	378	11	2	全日	普通	20	17	3
北部	60	45	32	105	3	—		職業	9	9	—
中部	52	29	11	81	2	—	定時	普通	13	11	2
那覇	31	18	4	49	3	1		職業	5	5	—
南部	30	20	7	50	—	1					
宮古	19	17	5	36	2	—					
八重山	34	23	18	57	1	—					
私立	1	1	1	2	—	—					

（注）政府立小中校には澄井、稲沖を含む。盲学校は特殊教育学校の34頁参照

(2) 学級数および児童生徒数

a 小，中学校

1963年5月1日現在

区 分	計		小 学 校		中 学 校	
	生徒数	学級数	児童数	学級数	生徒数	学級数
全 琉	238,146	5,297	159,817	3,611	78,329	1,686
政 府 立	522	16	16	3	506	13
公立 計	237,573	5,276	159,774	3,605	77,799	1,671
北 部	35,547	888	23,546	598	12,001	290
中 部	67,707	1,471	46,278	1,017	21,429	454
那 覇	66,933	1,358	44,552	936	22,381	422
南 部	31,818	713	21,636	487	10,182	226
宮 古	20,137	456	13,559	307	6,578	149
八 重 山	15,431	390	10,203	260	5,228	130
私 立	51	5	27	3	24	2

（注）政府立には澄井、稲沖を含む。

b 高等学校課程別学科別生徒数

1963年5月1日現在

区分			計	普通	一般職業	農業	工業	商業	水産	家庭
全琉	全定	計日時	30,168 26,346 3,822	11,762 10,960 802	2,431 1,822 609	4,017 3,629 388	2,767 2,259 508	4,981 3,595 1,386	1,188 1,188 —	3,022 2,893 129
政府立	全定	計日時	25,986 22,567 3,419	9,388 8,790 598	2,064 1,455 609	4,017 3,629 388	2,386 1,878 508	4,050 2,734 1,316	1,188 1,188 —	2,893 2,893 —
私立	全定	計日時	4,182 3,908 274	2,374 2,170 204	367 367 —	— — —	381 381 —	931 861 70	— — —	129 129 —
比		率	100	39.0	8.1	13.3	9.2	16.5	3.9	10.0

(註) 水産1,188名中専攻科の生徒6名を含んでいる。

2 規模別学校数

a 小学校

1963年5月1日現在

区分		本校								分校	
	総数	1人~300	301~600	601~900	901~1,200	1,201~1,500	1,501~2,000	2,001~3,000	3,001以上	総数	1人~300
全琉	229	75	52	31	28	20	13	10	—	11	11
政府立	2	2	—	—	—	—	—	—	—	—	—
公立 計	226	72	52	31	28	20	13	10	—	11	11
北部	60	29	17	9	3	2	—	—	—	3	3
中部	52	4	12	11	12	10	2	1	—	2	2
那覇	31	1	5	2	2	6	6	7	—	3	3
南部	30	7	9	4	7	1	4	1	—	—	—
宮古	19	3	5	5	4	1	1	—	—	—	—
八重山	34	27	5	—	—	—	—	2	—	—	—
私立	1	1	—	—	—	—	—	—	—	—	—

b 中学校

1963年5月1日現在

区分		本校							分校	
	総数	1人~300	301~600	601~900	901~1,200	1,201~1,500	1,501~2,000	2,001以上	総数	1人~300
全琉	156	82	32	18	6	8	3	7	2	2
政府立	3	2	1	—	—	—	—	—	—	—
公立 計	152	79	31	18	6	8	3	7	2	2
北部	45	33	8	3	—	—	1	—	—	—
中部	29	9	4	2	5	4	2	2	—	—
那覇	18	4	3	2	1	2	—	6	1	1
南部	20	8	4	7	—	1	—	—	1	1
宮古	17	6	10	—	—	1	—	—	—	—
八重山	23	19	2	1	—	—	—	1	—	—
私立	1	1	—	—	—	—	—	—	—	—

c 高等学校

区分		総数	1〜100	101〜300	301〜400	401〜500	501〜600	601〜700	701〜800	801〜900	901〜1,000	1,001〜1,100	1,101〜1,200	1,201〜1,300	1,301〜1,400	1,401〜2,000
政府立	全日 普通	17			1		1	3	3	1		3		1	1	2
	全日 職業	9				1	2	1	1	1	1		2			
	定時 普通	11	1	8	1	1										
	定時 職業	5		3	1		1									
私立	全日 普通	3									1			1		1
	定時 普通	2		2												

3 規模別学級数

a 小学校

1963年5月1日現在

区分		計	本校									分校							
			1人〜20	21人〜25	26人〜30	31人〜35	36人〜40	41人〜45	46人〜50	51人〜55	56人〜60	61人以上	計	1〜20	21〜25	26〜30	31〜35	36〜40	41〜45	46〜50	51人以上
全 琉		3,579	51	76	140	220	359	720	1,220	766	27	—	32	13	4	3	—	2	9	—	1
政府立		3	3																		
公立	計	3,573	45	76	140	220	359	720	1,220	766	27	—	32	13	4	3	—	2	9	—	1
	北部	587	14	25	68	92	97	123	103	62	3	—	11	1	—	1	—	2	6	—	1
	中部	1,013	3	11	22	24	80	287	394	183	9	—	4	2	2	—	—	—	—	—	—
	那覇	925	3	1	7	11	65	129	378	328	3	—	11	7	1	—	—	—	3	—	—
	南部	487	7	7	13	38	59	87	174	93	9	—									
	宮古	303	4	7	4	21	35	79	84	66	3	—	4	1	1	2					
	八重山	258	14	25	26	34	23	15	87	34	—	—	2	2							
私立		3	3																		

b 中学校

1963年5月1日現在

区分		計	本校									分校	
			1〜20	21〜25	26〜30	31〜35	36〜40	41〜45	46〜50	51〜55	56〜60	61以上	計	1〜20
全 琉		1,682	38	14	60	57	89	302	660	264	130	68	4	4
政府立		13	3	—	—	—	3	4	2	1			—	—
公立	計	1,667	33	14	60	57	89	299	656	262	129	68	4	4
	北部	290	12	1	36	27	26	68	82	36	2	—	—	—
	中部	454	1	1	8	10	12	70	246	90	13	3	—	—
	那覇	420		1	1	1	6	39	132	63	112	65	2	2
	南部	224	6	3	3	4	10	56	106	36	—	—	2	2
	宮古	149	2		3	5	10	25	38	18	1	—	—	—
	八重山	130	12	8	9	10	9	25	38	18	1	—	—	—
私立		2	2											

4 学級編制方式別学級数

a 小学校

1963年5月1日現在

区分		総数	単級	特殊学級	多				級					
					複	式			単		式			
					計	2個学年	3	4	5	計	1学年	2	3	4	5	6
全琉		3,611	5	19	67	49	18	—	—	3,520	565	572	577	589	610	607
政府立		3	1	—	2	2	—									
公立	計	3,605	4	19	62	44	18	—	—	3,520	565	572	577	589	610	607
	北部	598	1	1	20	18	2			576	97	90	96	96	101	101
	中部	1,017	—	3	—	—	—			1,014	167	164	164	172	172	175
	那覇	936	—	10	2	2	—			924	145	144	151	156	164	164
	南部	487	—	2	5	1	4			480	77	79	82	80	83	79
	宮古	307	1	2	4	2	2			300	48	56	48	47	51	50
	八重山	260	2	1	31	21	10			226	36	39	36	38	39	38
私立		3	—	—	3	3	—									

b 中学校

1963年5月1日現在

区分		総数	単級	特殊学級	多		級		
					複式	単	式		
					計	計	1学年	2	3
全琉		1,686	7	3	19	1,657	597	550	510
政府立		13	1	—	1	11	4	3	4
公立	計	1,671	6	3	17	1,645	593	547	505
	北部	290	2	—	6	282	102	94	86
	中部	454	—	—	1	453	167	151	135
	那覇	422	—	2	—	420	148	141	131
	南部	226	—	1	3	222	82	75	65
	宮古	149	1	—	1	147	52	45	50
	八重山	130	3	—	6	121	42	41	38
私立		2	—	—	1	1	—	—	1

5 児童生徒数長期推計

学年度	義務教育人口			高等学校	学年度	義務教育人口			高等学校
	計	小学校	中学校			計	小学校	中学校	
55	153,330	98,879	54,451	16,674	68	220,388	142,863	77,525	42,873
56	157,644	105,399	52,245	18,848	69	217,658	142,306	75,352	42,890
57	176,741	129,375	47,366	22,560	70	216,026	143,916	72,110	42,898
58	187,766	146,352	41,414	23,350					
59	199,313	160,963	38,350	23,724					
60	211,592	163,210	48,382	23,689					
61	226,637	165,383	61,254	22,437					
62	237,826	163,915	73,911	21,733					
63	238,095	159,790	78,305	25,986					
64	236,828	154,492	82,336	30,976					
65	234,249	150,506	83,743	36,730					
66	229,405	147,613	81,792	39,318					
67	224,449	144,514	79,935	41,802					

(注) 1. 児童生徒数は政府立、公立、私立の全部を含む。
2. 1963学年度までは学校基本調査による数字で64学年度以降は推計数である。

6 年令別児童生徒数

1963年5月1日現在

年　令	小学校 計	男	女	中学校 計	男	女
総　数	159,717	81,206	78,511	78,297	39,945	38,352
6 才	24,212	12,331	11,881	—	—	—
7 才	25,445	12,764	12,681	—	—	—
8 才	25,806	13,097	12,709	—	—	—
9 才	26,684	13,600	13,084	—	—	—
10 才	27,640	14,005	13,635	—	—	—
11 才	27,067	13,892	13,175	299	124	175
12 才	2,638	1,382	1,256	25,528	12,809	12,719
13 才	185	113	72	25,915	13,247	12,668
14 才	28	16	12	22,902	11,764	11,138
15才以上	12	6	6	3,653	2,001	1,652

〔注1〕外国の国籍を有する児童生徒は除く。
〔注2〕私立を含む。

7 教員一人あたり1学級あたり児童生徒数の対本土比較

(1) 学校種別

1963年5月1日現在

区　分		小学校	中学校	高等学校	盲学校	聾学校	養護学校
教員一人あたり児童生徒数	本土	30.8	28.3	22.1	4.6	5.4	7.9
	沖縄	38.6	29.3	20.9	9.1	9.7	—
1学級あたり児童生徒数	本土	37.7	43.9	—	※ 7.8	※ 8.3	※ 12.7
	沖縄	44.3	46.5	40.2	6.4	10.7	

○ 本土の資料は学校基本調査「文部統計速報No.101」により国立，公立をとり，沖縄の資料は，全調査の政府立，公立をとつた。
○ 教員一人あたり児童生徒数は本務教員によって算出したが，沖縄の盲聾学校については非常勤講師を教員中に含めた。
○ ※1962年5月1日現在。

(2) 推移

学年度		1955	1956	1957	1958	1959	1960	1961	1962
教員あたり一人	小学校	40.5	40.4	40.0	41.5	41.1	42.5	41.9	41.7
	中学校	32.1	30.8	28.0	27.5	26.1	29.3	29.9	31.2
	高等学校	25.4	24.9	26.5	22.9	22.1	21.2	19.6	18.9
一学級あたり	小学校	42.6	42.7	42.1	44.8	44.8	46.0	45.7	45.5
	中学校	44.5	43.7	41.2	42.3	40.9	44.0	45.1	46.1

8 教職員

(1) 学校種別職名別教職員数（本務者のみ）

(a) 小学校

1963年5月1日現在

区分	教員 総数 計	男	女	校長 男	教諭 男	女	助教諭 男	女	養護教諭 女	職員 事務職員 男	女	その他 男	女
全 琉	4,138	1,341	2,797	146	1,171	2,702	24	66	29	35	71	48	227
公 立	4,132	1,339	2,793	146	1,169	2,698	24	66	29	35	71	48	227
北 部	697	234	463	26	204	443	4	15	5	5	5	5	47
中 部	1,155	369	786	41	325	773	3	6	7	13	14	7	53
那 覇	1,056	302	754	27	274	734	1	14	6	6	35	24	55
南 部	563	182	386	22	160	374	—	6	6	3	9	12	27
宮 古	358	125	233	14	109	227	2	3	3	5	1	—	24
八重山	298	127	171	16	97	147	14	22	2	3	7	—	21
政府立	3	1	2	—	1	2	—	—	—	—	—	—	—
私 立	3	1	2	—	1	2	—	—	—	—	—	—	—

(b) 中学校

1963年5月1日現在

区分	教員 総数 計	男	女	校長 男	教諭 男	女	助教諭 男	女	養護教諭 女	職員 事務職員 男	女	その他 男	女
全 琉	2,674	1,983	691	149	1,821	681	13	4	6	70	58	16	116
公 立	2,649	1,963	686	146	1,804	676	13	4	6	70	56	15	115
北 部	478	387	91	43	340	86	4	3	2	27	7	—	20
中 部	690	525	165	28	495	163	2	—	2	15	11	3	26
那 覇	659	443	216	18	424	216	1	—	—	8	19	9	27
南 部	358	254	104	20	234	102	—	—	2	9	9	3	15
宮 古	238	194	44	17	173	44	4	—	—	9	6	—	16
八重山	226	160	66	20	136	65	2	1	—	2	4	—	11
政府立	23	19	4	3	16	4	—	—	—	—	2	1	1
私 立	2	1	1	—	1	1	—	—	—	—	—	—	—

(c) 高等学校

1963年5月1日現在

区分	教員 総数 計	男	女	校長 男	教諭 男	女	助教諭 男	女	講師 男	女	職員 総数	事務職員 男	女	技術職員 男	女	実習助手 男	女	その他 男	女
総 数	1,380	1,184	196	29	1,088	193	67	3	—	—	150	132	45	41	23	—	63	23	19	68
政府立通常	1,110	944	166	26	882	164	36	2	—	—	135	80	36	19	22	—	59	23	18	38
政府立定時	133	126	7	—	118	7	8	—	—	—	10	39	5	10	—	—	4	—	1	29
私立通常	132	109	23	3	83	22	23	1	—	—	5	12	4	11	1	—	—	—	—	1
私立定時	5	5	—	—	5	—	—	—	—	—	—	1	—	—	—	—	—	—	—	—

— 10 —

(2) 学校種別年令別本務教員数
 (a) 小　学　校　　　　　　　　　　　　　　　(1963年5月1日現在)

区分	合計		20才未満		20～24		25～29		30～34		35～39		40～44		45～49		50～54		55～59		60才以上	
	男	女	男	女	男	女	男	女	男	女	男	女	男	女	男	女	男	女	男	女	男	女
全　琉	1,341	2,797		1	89	399	211	551	424	680	183	435	154	277	74	174	73	178	99	94	34	8
公　立	1,339	2,793		1	88	398	211	550	424	680	182	434	154	276	74	174	73	178	99	94	34	8
北　部	234	463	―	―	19	98	40	100	79	92	32	56	26	39	13	27	9	18	13	30	3	3
中　部	369	786	―	―	31	101	65	172	121	239	48	135	35	59	16	40	15	42	28	17	10	1
那　覇	302	754	―	―	12	42	39	123	85	175	47	145	46	103	19	73	15	61	29	29	10	3
南　部	182	386	―	1	14	65	27	76	64	80	15	55	19	43	14	18	16	39	10	8	3	1
宮　古	125	233	―	―	1	51	8	36	42	63	26	42	13	17	10	9	7	9	14	6	4	―
八重山	127	171	―	―	11	41	32	43	33	31	14	21	15	15	2	7	11	9	5	4	4	―
政府立	1	2				1		1			1			1								
私　立	1	2											1			1						

 (b) 中　学　校　　　　　　　　　　　　　　　1963年5月1日現在

区分	合計		20才未満		20～24		25～29		30～34		35～39		40～44		45～49		50～54		55～59		60才以上	
	男	女	男	女	男	女	男	女	男	女	男	女	男	女	男	女	男	女	男	女	男	女
全　琉	1,983	691	―	―	348	223	700	257	330	72	190	43	142	47	86	25	99	17	65	7	23	―
公　立	1,963	686	―	―	348	221	697	256	321	72	187	43	142	46	85	25	97	16	64	7	22	―
北　部	387	91	―	―	71	35	136	38	57	4	32	4	34	6	19	3	20	1	12	―	6	―
中　部	525	165	―	―	105	56	206	63	86	17	46	8	31	9	17	6	17	4	13	2	4	―
那　覇	443	216	―	―	68	41	157	72	75	35	42	27	36	21	27	9	17	7	11	3	5	―
南　部	254	104	―	―	47	37	80	29	48	7	20	2	18	5	7	5	13	3	10	1	4	―
宮　古	194	44	―	―	23	14	58	20	41	3	29	―	18	―	4	2	16	―	5	1	―	―
八重山	160	66	―	―	34	38	60	16	14	3	16	2	5	2	11	2	14	2	3	―	3	―
政府立	19	4	―	―		1	3	1	9		3			1	1		2	1	1		1	
私　立	1	1				1			1													

 (c) 高　等　学　校　　　　　　　　　　　　　1963年5月1日現在

区分	合計		20才未満		20～24		25～29		30～34		35～39		40～44		45～49		50～54		55～59		60才以上	
	男	女	男	女	男	女	男	女	男	女	男	女	男	女	男	女	男	女	男	女	男	女
総　数	1,184	196	―	―	124	34	523	106	233	26	86	7	66	8	49	2	38	8	45	5	20	―
政府立通常	944	166	―	―	80	24	435	90	190	22	74	7	54	6	40	2	24	8	34	5	13	―
政府立定時	126	7	―	―	17	2	43	4	25	1	9	―	9	―	7	―	7	―	9	―	1	―
私立通常	109	23	―	―	27	8	44	12	15	3	3	―	3	―	2	―	7	―	2	―	6	―
私立定時	5		―	―			1		1													

(3) 年令別本務教員構成図

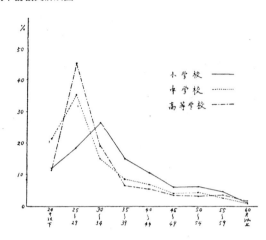

(4) 学校種別資格別教員数および構成比　　1963年5月1日現在

区　分		合　計	一級普免	二級普免	仮　免	臨　免
小 学 校	人　員	3,960	2,007	1,719	144	90
	構成比 (%)	100	50.68	43.41	3.64	2.27
中 学 校	人　員	2,517	1,587	853	60	17
	構成比 (%)	100	63.05	33.89	2.38	0.68
高等学校	人　員	1,217	360	773	38	46
	構成比 (%)	100	29.58	63.52	3.12	3.78

（注）公立・政府立のみ，ただし校長・養護教諭を除く。

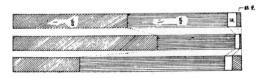

(5) 学校別免許状所持教員数（延べ数）　　　　　1963年5月1日現在

校種別 教科名	学校別 免許状別		小学校				中学校				高等学校			
			計	一普	二普	仮	計	一普	二普	仮	計	一普	二普	仮
校		長	217	178	39	—	222	171	51	—	67	41	26	—
小	学	校	3,934	2,039	1,748	147	951	434	442	75	98	52	37	9
中学校	国	語	698	262	352	84	508	333	167	8	131	117	14	—
	社	会	539	251	195	93	594	422	162	10	136	128	7	1
	数	学	163	56	84	23	245	143	94	8	85	77	8	—
	理	科	190	58	62	70	351	232	100	19	127	115	12	—
	音	楽	143	39	81	23	125	73	48	4	17	14	3	—
	美	術	80	16	50	14	115	75	36	4	12	11	1	—
	保健体育		64	14	40	10	153	78	65	10	85	73	12	—
	保	健	39	2	30	7	61	6	53	2	9	7	2	—
	技	術	15	1	13	1	246	27	217	2	6	1	5	—
	家	庭	525	155	345	25	281	132	146	3	80	71	9	—
	職	業	67	26	31	10	290	193	89	8	176	151	21	4
	職業指導		2	36	1	—	3	2	1	—	1	—	1	—
	英	語	264	1	163	38	433	227	191	15	117	108	8	1
高等学校	国	語	120	1	114	5	184	7	159	18	153	55	97	1
	社	会	106	5	97	4	267	2	242	23	168	79	88	1
	数	学	5	—	3	2	38	1	35	2	118	44	70	4
	理	科	9	—	8	1	131	—	127	4	149	58	88	3
	音	楽	19	—	19	—	38	—	36	2	21	2	17	2
	美	術	2	—	2	—	44	—	44	—	11	—	9	2
	工	芸	—	—	—	—	3	—	3	—	3	—	—	3
	書	道	—	—	—	—	5	—	5	—	—	—	—	—
	保健体育		3	—	—	3	60	1	48	11	97	15	73	9
	保	健	12	—	1	11	20	—	6	14	8	—	6	2
	家	庭	81	1	60	20	111	—	82	29	101	23	77	1
	農	業	9	—	4	5	149	1	139	9	120	22	96	2
	工	業	—	—	—	—	4	—	4	—	63	6	48	9
	商	業	3	—	1	2	35	1	10	24	97	16	71	10
	水	産	—	—	—	—	1	—	—	1	18	4	12	2
	商	船	—	—	—	—	—	—	—	—	3	—	2	1
	職業指導		5	—	2	3	16	1	11	4	2	—	2	—
	英	語	32	1	28	3	152	3	125	24	135	62	71	2

〔注〕私立を除く。

(6) 担当教科別免許状所持教員数（延べ数）

(a) 中学校　　　　　　　　　　　　　　　　1963年5月1日現在

教科		人員別構成					時間数別構成				
		教員数	一普	二普	仮	臨免	総時数	一普	二普	仮	臨免
国語	実数	485	254	110	3	118	8,188	5,009	2,093	45	1,041
	構成比	100%	52.4	22.7	0.6	24.3	100%	61.2	25.6	0.5	12.7
社会	実数	449	278	93	4	74	7,194	5,084	1,413	76	621
	構成比	100%	61.9	20.7	0.9	16.5	100%	70.7	19.6	1.1	8.6
数学	実数	482	123	60	6	293	7,715	2,445	1,259	110	3,901
	構成比	100%	25.5	12.5	1.2	60.8	100%	31.7	16.3	1.4	50.6
理科	実数	393	183	57	16	137	6,624	3,595	1,127	295	1,607
	構成比	100%	46.6	14.5	4.1	34.8	100%	54.3	17.0	4.4	24.3
音楽	実数	187	70	39	3	75	2,776	1,322	811	34	609
	構成比	100%	37.4	20.9	1.6	40.1	100%	47.6	29.2	1.2	22.0
保健体育	実数	484	73	70	4	337	5,147	1,510	1,075	67	2,495
	構成比	100%	15.1	14.5	0.8	69.6	100%	29.3	20.9	1.3	48.5
美術	実数	228	69	29	1	129	2,765	1,389	490	27	859
	構成比	100%	30.3	12.7	0.4	56.6	100%	50.2	17.7	1.0	31.1
技術家庭	実数	465	115	248	3	99	5,871	1,744	3,298	27	802
	構成比	100%	24.7	53.3	0.7	21.3	100%	29.7	56.2	0.4	13.7
職業・家庭（選択）	実数	161	59	38	1	63	994	444	318	9	223
	構成比	100%	36.7	23.6	0.6	39.1	100%	44.7	32.0	0.9	22.4
英語	実数	419	180	141	9	89	7,361	3,791	2,623	136	811
	構成比	100%	43.0	33.7	2.1	21.2	100%	51.5	35.6	1.9	11.0
計	実数	3,753	1,404	885	50	1,414	54,635	26,333	14,507	826	12,969
	構成比	100%	37.4	23.6	1.3	37.7	100%	48.2	26.6	1.5	23.7

〔注〕1 本務教員のみで延べ教員数である。
　　　2 私立を除く。

(b) 高等学校　　　　　　　　　　　　　　　　1963年5月1日現在

教科		人員別構成					時間数別構成				
		教員数	一普	二普	仮	臨免	総時数	一普	二普	仮	臨免
国語	実数	149	51	85	1	12	2,527	863	1,595	18	51
	構成比	100%	34.2	57.0	0.7	8.1	100%	34.2	63.1	0.7	2.0
社会	実数	145	68	64	—	13	2,263	1,143	1,061	—	59
	構成比	100%	46.9	44.1	—	9.0	100%	50.5	46.9	—	2.6
数学	実数	154	42	68	4	40	2,338	698	1,244	58	338
	構成比	100%	27.3	44.1	2.6	26.0	100%	29.9	53.2	2.5	14.4

教科		人員別構成					時間数別構成				
		教員数	一普	二普	仮	臨免	総時数	一普	二普	仮	臨免
理科	実数	145	51	67	2	25	2,201	858	1,039	24	230
	構成比	100%	35.2	46.2	1.4	17.2	100%	39.0	49.5	1.1	10.4
音楽	実数	18	2	16	—	—	255	20	235	—	—
	構成比	100%	11.1	83.9	—	—	100%	7.8	92.2	—	—
保健体育	実数	116	14	72	9	21	1,810	227	1,324	157	102
	構成比	100%	12.1	62.1	7.7	18.1	100%	12.6	73.1	8.7	5.6
美術	実数	19	—	8	1	10	171	—	114	19	38
	構成比	100%	—	42.1	5.3	52.6	100%	—	66.7	11.1	22.2
家庭	実数	98	23	72	1	2	1,571	379	1,172	6	14
	構成比	100%	23.5	73.5	1.0	2.0	100%	24.1	74.6	0.4	0.9
農業	実数	109	17	84	2	6	1,712	232	1,361	34	85
	構成比	100%	15.6	77.1	1.8	5.5	100%	13.5	79.5	2.0	5.0
工業	実数	89	6	45	8	30	1,516	115	716	137	548
	構成比	100%	6.7	50.6	9.0	33.7	100%	7.6	47.2	9.0	36.2
商業	実数	133	17	72	8	36	2,017	295	1,221	146	355
	構成比	100%	12.8	54.1	6.0	27.1	100%	14.6	60.6	7.2	17.6
水産	実数	33	4	10	2	17	557	68	170	41	278
	構成比	100%	12.1	30.3	6.1	51.5	100%	12.2	30.5	7.4	49.9
書道	実数	3	—	—	—	3	22	—	—	—	22
	構成比	100%	—	—	—	100%	100%	—	—	—	100%
英語	実数	150	57	70	2	21	2,557	1,068	1,299	36	154
	構成比	100%	38.0	46.7	1.3	14.0	100%	41.8	50.8	1.4	6.0
計	実数	1,361	352	733	40	236	21,517	5,966	12,601	676	2,274
	構成比	100%	25.9	53.9	2.9	17.3	100%	27.7	58.6	3.1	10.6

〔注〕 1　本務教員のみで，延べ教員数である。
　　　 2　私立を除く。

(7) 教員の給与（平均給）　　　　　　　　　　　　　　　　　　　　　　($)

校　　種	1961. 10. 1	1962. 10. 1	1963. 10. 1	備　　考
小　学　校	65.34	78.61	84.55	本務教員の本俸のみ。
中　学　校	65.54	78.87	79.74	補充教員を含まない。
高 等 学 校	62.61	80.03	84.73	

（義務教育課・高校教育課）

(8) 教員の現職教育

(a) 夏　季　講　習

教員の現職教育のため本土各大学の講師を招へいして講習会を行なつている。現在までの各年度ごとの講師数，延受講者数は次の通りである。

学年度	招へい講師数	延受講者数	経　費　負　担			
1953	14	870	民政府	14人分		
54	20	1,922	〃	20人分		
55	30	2,892	〃	20人分	琉大	10人分
56	30	2,743	〃	〃	〃	〃
57	32	3,068	文教局	22人分	〃	〃
58	33	4,195	〃	〃	〃	11人分
59	33	3,370	〃	33人分		
60	33	3,412	〃	〃		
61	33	3,606	航空賃と滞在費本土政府負担			
62	33	3,297	〃			
63	33	2,296 (577)	〃（　）は校長および指導主事等講習の受講者で別掲である。			
計	324	31,671				

(b) 招へい教育指導委員

文部省の予算により本土各県の指導主事を主軸として編成された教育指導委員が1959年以来沖縄に派遣されて沖縄の教育現場の指導にあたつている。第1回，第2回は現場教師の学習指導の実践指導を中心に第3回，第4回は改訂指導要領の趣旨徹底のための講習会を中心に指導がされた。

回	年度	人員	指導分野・期間	経　費　負　担
1	1959	24	小12, 中8, 高4（6カ月）	滞在費の½は文教局，その他は本土政府
2	1960	20	小6, 中8, 保健6（4カ月）	滞在費、航空賃は本土政府
3	1962	25	小10, 中12, 高3（3カ月）	〃
4	1963	24	小10, 中9, 高5（3カ月）	〃

(c) **留日研究教員年次別研修状況**

本土の教育現場において現職教育を行なうもので,毎年延70名,年間を前後期にわけ送り出している。
産業技術研究教員を含む。
日本復帰前の大島を含む。
(大島日本復帰1953.12.25以前)

配置都道府県別				
区 分	1952〜1961	1962	1963	計
総 数	442	52	53	547
宮 城	1			1
秋 田	1			1
茨 城	5			5
栃 木	5	1		6
埼 玉	25	2		27
千 葉	45	7	1	53
東 京	174	28	21	223
神 奈 川	51	2		53
新 潟	1			1
山 梨	2	1		3
長 野	14		7	21
静 岡	43	5	1	49
愛 知	11		1	12
三 重	2			2
京 都	15			15
大 阪	14	2	8	24
兵 庫	3			3
奈 良	9	1		10
和 歌 山	1			1
岡 山	2		3	5
広 島	2			2
徳 島	1			1
福 岡	5			5
長 崎	1		1	2
熊 本	6			6
宮 崎	1	1		2
鹿 児 島	2		1	3
富 山	0		4	4
香 川	0	2	5	7

	研 究 科 目 別			
区 分	1952〜1961	1962	1963	計
小・中学校	国　　語	52	5	2	59
	社　　会	48	2	4	54
	算数数学	38	2	4	44
	理　　科	49	4	3	56
	保健体育	38	1	2	41
	音　　楽	24	2	2	28
	図　　工	37	2	3	43
	英　　語	13	3	3	19
	職・家字習	24			24
	家　　字	2			2
	技術家庭	2	3	1	6
	道　　徳	12	1	3	16
	特別活動	36	1	3	40
	視 聴 覚	9			9
	社会教育	1			1
	教育評価	2			2
	学校設備	1			1
	学習指導	1	1		2
	図 書 館	5	1	2	8
	生活指導	13			13
	ホームルーム	1			1
	演　　劇	1			1
	教育課程	1			1
	放送教育	2			2
	学校行事	1			1
	学校経営	1		2	3
	進　　路		3	3	6
高等学校	国　　語	2			2
	社　会　学	2			2
	数　　学	1			1
	理　　科	2			2
	英　　語	3			3
	美　　術	1		1	2
	職業特活	11	14	13	38
	特　活		1		1
	生活指導	2			2
	道　　徳	1		1	2
	進　　路		2		2
	音　　楽			2	2
文部省研究所	教育統計	1			1
	特殊教育	1	2	1	4
	複式カリキュラム	2		1	3

(注) (c)…研修状況について　1962年版の概観の一部に誤りがあつたため訂正した。

(d) **中学校数学教員養成講習会**

中学校数学担当教員の資質と資格の向上をはかるため、本土講師及び沖縄側の講師（琉大、高校教諭）による講習会を行なつた。なお、この計画は春季，来年の夏季と継続される予定である。

現在までの各年度ごとの講師数及び延受講者数は次のとおりである。

年度	講師数	会場	延受講者数	備考
1963	10	5	160	夏季講習（再掲）本土講師
1963	7	1	21	琉大において行う。（琉大講師）
1964	6	5	137	冬季講習会（高校教諭）

(e) **理科関係現職教育**（62年4月以降）

① 高等学校地学研究会

高校教育課程の改訂にともなう地学担任予定教師の指導力向上のための研修

時期	人員	備考
62.12.26～63.1.8	40人	高等学校現職教員中62年度夏季講座で地学を履修したものを対象とした。
63.3.29～63.4.3	40人	高等学校地学担当予定者

② 理科講習会

小学校担当教師および中学校，高等学校の理科担当教師を対象として理科実験機機器具の取扱い，保存，手入れおよび実験のすすめ方の指導

時期	会場	人員	備考
63.3.26～4.14	連合区単位 5会場	各連合区 50人	小学校理科主任・中学校理科担任・高校物理化学担任

③ 中学校理科教育指導者研修会

中学校理科担当教員の実験，観察，実習などの指導の向上をはかるための研修

時期	会場	人員	備考
63.7.29～8.10	理科センター	30人	66時間 中学校に現在職を有し普通免許状（理科）所持者

④ 小学校理科実験講習会

小学校5，6年担当の女教師を対象に実験観察の指導法及び実技の講習

時期	会場	人員	備考
1963.3.26～3.30	理科センター	35人	小学校 5，6年担当女教員
1963.12.26～12.30	〃	35人	〃 4，5，6年担当女教員

(f) **留日産業技術教員（高校）研修状況**（再掲…（C），留日研究教員年次別研修状況参照）

(1) 配置都道府県　　　　(2) 研修教科

年次	総数	宮城	栃木	千葉	東京	静岡	大阪	山口	香川	愛知	高知	長崎	鹿児島	農業	工業	商業	水産	家政	中技術
1960	13	—	—	3	7	1	1	1	—	—	—	—	—	5	3	1	3	1	—
1961	14	1	1	1	6	4	—	—	1	—	—	—	—	6	4	1	3	—	—
1962	14	—	—	2	8	—	—	—	—	1	1	—	—	6	2	2	4	—	—
1963	14	—	—	—	9	—	—	—	—	1	—	2	1	5	1	3	3	1	1

(g) 台湾よりの招へい指導員

高校工業関係教員及び中学校職業科教員の工業技術研修のため，台湾より工業関係指導員を招へいする。

年　度	名　　称	人員	対　象	期　間	経費負担
1960	工業関係招へい指導員	5	高校教員	8カ月	アジア財団
1961	〃	4	中校技術	4 〃	〃
1962	〃	4	〃	4 〃	〃
〃	〃	1	〃	10 〃	〃

(h) 高等学校工業関係技術教員研修台湾派遣

年度	名　　称	講　師	対　象	期　間	人員	経費負担
1960	工業関係教員技術研修	台湾師範大	高校工学関係教員	1959.9〜1960.2	10	アジア財団
1961	〃	〃	〃		30	
1962	〃	〃	〃		38	A.I.D
1963	〃	〃	〃		13	A.I.D

(i) **中学校，高校技術・家庭科技術訓練講習会**（62年4月以降）

名　　称	期　間	性別	人員	対　　象	
中学校技術家庭科技術訓練講習	1962.7.23〜8.1	女子	40	中学校技術家庭科教員	家庭機械（電気）
〃	1962.12.26〜29	〃	50		
〃	1962.8 (1カ月)	男子	25		
〃	1963.3	〃	53		
〃	1963.8	〃	43		
〃	1963.12.26〜30	女子	36		
高等学校家庭科技術訓練講習会	1962.12.26〜27	〃	60	高校家庭科教員	被服 調理科学 デザイン 基礎調理
〃	1963.12.26〜28	〃	60		

(j) 教育相談研修会

児童生徒の反社会的または非社会的不適応現象や学業上の問題，進路選択等に対する教育相談のあり方についての研修

期　　間	場　所	人員	研　修　対　象
1963.12.2〜12.7	開南小学校	26人	中学校の進路指導主事または生活指導主任のうち一部

(k) **英語教育関係研修会**

オーラルアプローチ教授法の理論と指導技術を養成するとともに話す能力を伸ばす。
① 英語教員合宿訓練

期　間	場所	人員	講　師	経　　　費	対　　象
1963.3.1～3.14	琉大	40人	米人6人 沖縄側7人 ゲストスピーカー10人	・受講者旅費は政府補助 ・米人講師16人、沖縄側講師6人並びにタイピスト1人の手当は米国民政府教育部とミシガン州立大負担	中二普（英語）免許状以上の免許状所持者のうち中校で英語担当希望者

② 中・高校英語教員合宿訓練講習会

オーラルアプローチ教授法の理論，指導技術の養成並びに話す能力を伸ばす。

期　間	場所	人員	講　師	経　　　費	対　　象
1963.8.7～8.26	琉大	50人	米人6名 沖縄側5人 ゲストスピーカー12人	・受講者の旅費は政府補助（中　校） ・受講者のうち高校教員の旅費は政府負担 講師費用11名は民政府補助	中，高校の二普免許状以上の免許状（英語）所持者で現在英語担当者

(I) **道徳，特活，社会，科進路指導等の研修会**

（同一研修等に対する年間を通じての研修）

講　習　名	研修時間 (年間)	場　　所	対　　　象
カウンセラー研修会	120時間	連合区単位及び政府立高校	高校，中校教諭
補導主任研修会	132	〃	〃　　〃
高校社会科研修	16	政府立高校	高等学校教諭社会科担任
訪問講師研修	86	連　合　区	各連合区訪問教師
進路指導研修	48	〃	各中学校進路指導主事
就職訓練	12	〃	各中学校進路指導主事
特活研修	36	〃	各小，中学校特活主任
道徳教育研修	18	〃	〃　　〃　道徳教育主任

9 高等学校への入学状況

(1) 年次別志願者数，入学者数および進学率

事項 \ 年次	1958	1959	1960	1961	1962	1963
中学校卒業生数	15,644	15,932	13,816	10,304	12,948	23,803
入学志願数 計	17,239	13,884	12,219	9,619	11,256	19,653
入学志願数 政府立	14,036	12,461	11,070	8,795	9,438	15,658
入学志願数 私立	3,183	1,423	1,149	824	1,818	3,995
入学者数 計	10,203	9,151	8,841	7,367	8,656	14,196
入学者数 政府立	7,714	7,802	7,848	6,626	7,214	11,842
入学者数 私立	2,489	1,349	993	741	1,442	2,354
進学率	65.22	57.44	63.99	71.50	66.85	59.64
政府立への進学率	49.31	48.97	56.80	64.31	55.72	49.75

(2) 1963学年度の学科別入学状況 （政府立高等学校のみ）

区分	a 計	全 日 制					
		普通	農業	工業	商業	水産	家庭
入学志願者	14,018	5,291	2,482	1,201	2,252	741	2,051
入学者	10,526	4,563	1,554	843	1,748	469	1,349
入学率	75.1	86.2	62.6	70.2	77.6	63.3	65.8

区分	b 計	定 時 制				全日・定時合計
		普通	農業	工業	商業	
入学志願者	1,640	319	171	297	853	15,658
入学者	1,316	273	134	180	729	11,842
入学率	80.2	85.6	78.4	60.6	85.5	75.6

10 中学校，高等学校卒業者の状況

(1) 卒業後の進路状況（1963年3月卒業）

(a) 中 学 校

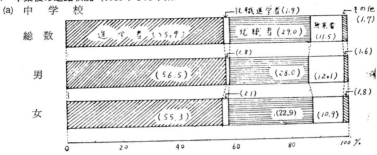

(b) 高 等 学 校

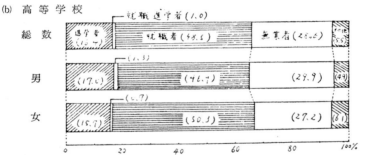

(2) 卒業後の進路 累年比較

(a) 中 学 校

区 分	総 数	進学者	就職者	就職進学者	無業者	死亡者	不詳	進学率	就職率
1961年 3月 卒業	10,304	5,598	3,286	114	1,129	2	175	55.4	33.0
1962年 3月 〃	12,948	7,660	3,723	228	1,063	—	274	60.9	30.5
1963年 3月 〃	23,803	13,301	6,898	468	2,736	4	396	57.8	30.9
公 立	23,797	13,299	6,895	468	2,735	4	396	57.9	30.9
私 立	6	2	3	—	1	—	—	33.3	50.0
男	12,052	6,804	3,380	216	1,457	2	193	58.2	29.8
女	11,751	6,497	3,518	252	1,279	2	203	57.4	32.1

(b) 高 等 学 校

区 分	総 数	進学者	就職者	就職進学者	無業者	死亡率	不詳	進学率	就職率
1961年 3月 卒業	8,403	1,177	4,356	55	2,324	1	490	14.7	52.5
1962年 3月 〃	8,254	1,178	4,342	70	2,305	1	358	15.1	53.5
1963年 3月 〃	7,754	1,272	3,761	78	2,221	2	420	17.4	49.5
政 府 立	7,048	1,209	3,392	44	2,179	—	224	17.8	48.8
私 立	706	63	369	34	42	2	196	13.7	57.1
全 日 制	7,100	1,224	3,289	52	2,141	2	392	18.0	47.1
定 時 制	654	48	472	26	80	—	28	11.3	76.1
男	4,122	701	1,935	54	1,232	—	200	18.3	48.3
女	3,632	571	1,826	24	989	2	220	16.4	50.9

(3) 就職者の産業別，職業別区分

(a) 産　業　別

区　分	中　学　校						高　等　学　校					
	1961.3		1962.3		1963.3		1961.3		1962.3		1963.3	
	実数	比率	実数	比率	実数	比率	実数	比率	実数	比率	実数	比率
総　数	3,400	100	3,951	100	7,366	100	4,411	100	4,412	100	3,839	100
農　業	1,145	33.7	1,035	26.2	1,769	24.0	478	10.8	331	7.5	202	5.3
林業・狩猟業	5	0.1	1	0.0	12	0.2	10	0.2	4	0.1	6	0.2
漁業・水産増殖業	45	1.3	96	2.4	166	2.3	71	1.6	63	1.4	94	2.5
鉱　業	6	0.2	17	0.4	18	0.2	7	0.2	6	0.1	1	0.0
建　設　業	102	3.0	133	3.4	228	3.1	216	4.9	140	3.2	179	4.7
製　造　業	825	24.3	976	24.7	1,630	22.1	950	21.5	885	20.1	834	21.7
(再掲) 繊維工業および繊維製品製造業	22	9.5	398	10.1	652	8.9	176	4.0	160	3.6	157	4.1
(再掲) 化学工業	11	0.3	7	0.2	1	0.0	23	0.5	19	0.4	12	0.3
(再掲) 機機製造業	33	1.0	29	0.7	37	0.5	121	2.7	120	2.7	70	1.8
(再掲) 電気機械器具製造業	13	0.4	33	0.8	89	1.2	73	1.7	112	2.5	96	2.5
卸売・小売業	263	7.7	414	10.5	971	13.2	839	19.0	827	18.7	839	21.9
金融保険業	4	0.1	5	0.1	3	0.0	296	6.7	294	6.7	224	5.8
不動産業	—	—	—	—	—	—	6	0.1	8	0.2	16	0.4
運輸通信業	50	1.5	88	2.2	273	3.7	224	5.1	257	5.8	179	4.7
電気・ガス水道業	6	0.2	10	0.3	58	0.8	97	2.2	88	2.0	67	1.7
サービス業	625	18.4	803	20.3	1,546	21.0	580	13.2	842	19.1	477	12.4
公　務	5	0.1	11	0.3	14	0.2	163	3.7	213	4.8	155	4.0
その他	319	9.4	362	9.2	679	9.2	474	10.8	454	10.3	566	14.7

(b) 職業別

区分	中学校						高等学校					
	1961.3		1962.3		1963.3		1961.3		1962.3		1963.3	
	実数	比率	実数	比率	実数	比率	実数	比率	実数	比率	実数	比率
総数	3,400	100	3,951	100	7,366	100	4,411	100	4,412	100	3,839	100
農林業作業者	1,150	33.8	1,039	26.3	1,729	23.5	469	10.6	319	7.2	140	3.6
漁業作業者	71	2.1	97	2.4	170	2.3	90	2.0	57	1.3	79	2.1
採鉱・採石作業者	10	0.3	21	0.5	18	0.3	26	0.6	7	0.2	14	0.4
運輸通信作業者	26	0.8	24	0.6	289	3.9	119	2.7	209	4.7	131	3.4
技能工・生産工程作業者	793	23.3	950	24.0	1,833	24.9	678	15.4	911	20.7	705	18.4
単純労仂者	163	4.8	235	6.0	430	5.8	123	2.8	52	1.2	59	1.5
保安職業従事者	—	—	—	—	—	—	28	0.6	67	1.5	48	1.2
専門的・技術的職業従事者	—	—	—	—	—	—	465	10.6	268	6.1	351	9.1
事務従事者	83	2.4	151	3.8	61	0.8	1,018	23.1	1,123	25.5	1,032	26.9
販売従事者	251	7.4	409	10.4	941	12.8	670	15.2	637	14.4	651	17.0
サービス業	574	16.9	699	17.7	1,325	18.0	406	9.2	465	10.5	296	7.7
(再掲) 家事サービス	315	9.3	360	9.1	647	8.8	121	2.8	154	3.5	95	2.5
(再掲) 対個人サービス	175	5.1	207	5.2	444	6.0	112	2.5	131	2.9	86	2.2
(再掲) その他	84	2.5	132	3.4	234	3.2	173	3.9	180	4.1	115	3.0
その他	279	8.2	328	8.3	570	7.7	319	7.2	297	6.7	333	8.7

11 児童生徒の学力

(全国学力調査による本土の全国平均,全国最高高低との比較)

(1) 学年別・教科別にみた平均点

(a) 小 学 校 5 年

年度	教科	平均点				学力指数			
		全国	最高	最低	沖縄	全国	最高	最低	沖縄
昭和 37	国語	56.4	63.0	49.0	**40.0**	100	112	87	**71**
	算数	54.0	61.0	45.0	**37.2**	100	113	38	**69**
38	社会	58.8	71.0	51.0	**43.2**	100	121	87	**73**
	理科	64.0	73.0	57.0	**50.8**	100	114	89	**79**

(b) 小 学 校 6 年

年度	教科	平均点				学校指数			
		全国	最高	最低	沖縄	全国	最高	最低	沖縄
昭和 31	国語	44.4	51.0	37.0	**34.6**	100	145	83	**78**
	算数	30.5	41.0	21.0	**18.7**	100	135	69	**61**
32	社会	55.7	65.0	43.0	**34.6**	100	117	77	**62**
	理科	51.3	61.0	41.0	**34.4**	100	119	70	**67**
33	音楽	54.6	58.5	43.5	**44.4**	100	107	80	**81**
	図工	56.6	61.5	49.5	**41.7**	100	109	87	**73**
	家	52.7	58.5	46.5	**39.9**	100	111	88	**76**
34	国語	49.2	57.0	31.0	**33.5**	100	116	63	**68**
	算数	43.6	51.0	21.0	**25.9**	100	117	48	**59**
35	社会	44.5	51.0	33.0	**24.5**	100	115	74	**55**
	理科	51.7	59.0	43.0	**38.2**	100	114	83	**74**
36	国語	50.8	57.0	41.0	**34.9**	100	112	81	**69**
	算数	35.0	45.0	25.0	**19.2**	100	129	71	**55**
37	国語	61.2	67.0	53.0	**47.6**	100	109	87	**78**
	算数	48.8	57.0	37.0	**32.4**	100	117	76	**66**
38	社会	56.0	69.0	49.0	**43.2**	100	123	88	**77**
	理科	58.0	67.0	51.0	**48.0**	100	116	88	**83**

(c) 中 学 校 2 年

年度	教科	平均点				学力指数			
		全国	最高	最低	沖縄	全国	最高	最低	沖縄
昭和 36	国語	57.0	65.0	45.0	**40.8**	100	114	79	**72**
	社会	50.9	57.0	39.0	**33.9**	100	112	77	**67**
	数学	64.0	73.0	51.0	**47.1**	100	114	80	**74**
	理科	57.5	65.0	47.0	**44.0**	100	113	82	**77**
	英語	68.2	73.0	55.0	**50.7**	100	107	87	**74**
37	国語	62.5	69.0	55.0	**49.8**	100	110	88	**80**
	社会	44.3	53.0	37.0	**33.8**	100	120	84	**76**
	数学	40.0	49.0	31.0	**28.5**	100	123	78	**71**
	理科	39.5	47.0	35.0	**33.0**	100	117	89	**84**
	英語	56.8	65.0	47.0	**43.8**	100	114	83	**77**
38	国語	54.8	61.0	47.0	**41.0**	100	111	86	**75**
	社会	57.0	67.0	49.0	**44.5**	100	118	86	**78**
	数学	41.3	53.0	31.0	**29.0**	100	128	75	**70**
	理科	41.8	51.0	37.0	**35.0**	100	122	89	**84**
	英語	58.5	67.0	49.0	**45.8**	100	115	84	**78**

(d) 中学校 3 年

年度	教科	平均点				学力指数			
		全国	最高	最低	沖縄	全国	最高	最低	沖縄
昭和31	国語	48.3	54.0	39.0	**37.3**	100	112	81	**77**
	数学	40.8	51.0	23.0	**27.1**	100	127	56	**66**
―32	社会	55.7	63.0	47.0	**41.1**	100	113	84	**74**
	理科	49.5	55.0	43.0	**40.1**	100	111	87	**81**
―33	職家	41.2	49.5	31.5	**31.9**	100	120	76	**77**
	英語	40.5	52.5	25.5	**31.5**	100	130	63	**78**
―34	国語	60.3	69.0	53.0	**45.8**	100	114	89	**76**
	数学	44.4	55.0	31.0	**28.2**	100	124	70	**64**
35	社会	41.2	51.0	27.0	**26.0**	100	124	66	**63**
	理科	47.7	53.0	37.0	**35.8**	100	111	78	**77**
36	国語	60.7	69.0	47.0	**47.5**	100	114	77	**78**
	社会	53.7	61.0	43.0	**41.9**	100	114	80	**78**
	数学	57.2	65.0	43.0	**41.8**	100	114	75	**73**
	理科	53.2	59.0	43.0	**41.6**	100	111	81	**78**
	英語	65.2	71.0	51.0	**48.3**	100	109	78	**74**
37	国語	59.0	65.0	51.0	**45.3**	100	110	86	**77**
	社会	50.0	57.0	43.0	**40.3**	100	114	86	**81**
	数学	41.0	49.0	31.0	**29.0**	100	120	76	**71**
	理科	38.0	45.0	31.0	**31.3**	100	118	82	**82**
	英語	57.0	65.0	43.0	**41.0**	100	114	75	**72**
38	国語	56.5	63.0	49.0	**45.8**	100	112	87	**81**
	社会	44.5	53.0	37.0	**37.5**	100	119	83	**84**
	数学	44.5	55.0	35.0	**32.5**	100	124	79	**73**
	理科	46.8	55.0	41.0	**40.3**	100	118	88	**86**
	英語	56.3	65.0	45.0	**42.0**	100	114	79	**74**

(2) 地域類型別にみた教科別平均点

(a) 小学校

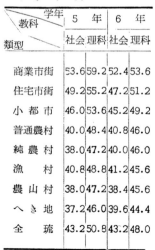

類型＼学年教科	5 年		6 年	
	社会	理科	社会	理科
商業市街	53.6	59.2	52.4	53.6
住宅市街	49.2	55.2	47.2	51.2
小都市	46.0	53.6	45.2	49.2
普通農村	40.0	48.4	40.8	46.0
純農村	38.0	47.2	40.0	46.0
漁村	40.8	48.8	41.2	45.6
農山村	38.0	47.2	38.4	45.6
へき地	37.2	46.0	39.6	44.4
全琉	43.2	50.8	43.2	48.0

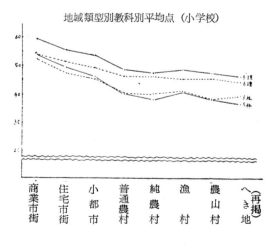

地域類型別教科別平均点（小学校）

(b) 中 学 校

地域類型＼教科＼学年	国語		社会		数学		理科		英語		五教科平均点	
	2	3	2	3	2	3	2	3	2	3	2	3
商業市街地域	55.5	58.8	55.3	48.3	39.0	41.3	45.0	48.8	57.0	53.3	50.3	50.0
住宅市街地域	46.8	51.8	49.5	41.0	31.8	35.3	38.5	42.5	50.3	47.0	43.3	43.5
小都市地域	43.0	48.8	45.3	40.3	31.5	35.0	35.8	41.3	48.0	45.8	40.8	41.8
普通農村地域	37.8	42.0	42.5	35.0	27.0	30.5	33.3	38.5	42.8	39.3	36.8	37.0
純農村地域	36.3	40.8	41.0	34.3	26.0	30.0	32.5	38.5	42.5	38.5	35.8	36.5
漁村地域	35.0	37.5	40.3	31.3	23.3	26.8	30.3	35.8	40.5	37.0	33.8	33.8
農山村地域	37.8	41.3	43.5	33.3	25.5	28.8	33.0	37.3	41.0	36.5	36.3	35.5
へき地(再掲)	34.8	38.5	39.8	32.8	25.0	27.3	32.0	37.8	40.0	36.5	34.3	34.5
全琉平均点	41.0	45.8	44.5	37.5	29.0	32.5	35.0	40.3	45.8	42.0	39.1	39.6

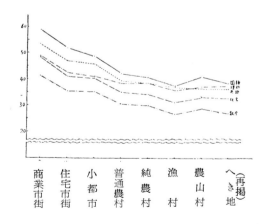

地域類型別教科別平均点（中学校3年）

12 学校保健と給食

(1) 戦前戦後沖縄本土児童生徒発育表

学校衛生統計

身長

(男子)

年令	6	7	8	9	10	11	12	13	14
沖縄 1939年	105.7	110.1	115.1	119.1	122.6	127.3	131.1	136.2	142.3
沖縄 1962年	109.9	114.8	119.5	124.2	128.9	133.4	139.3	145.3	152.0
沖縄 1963年	110.2	115.3	120.3	124.8	129.3	134.0	140.1	146.4	152.9
本土(昭和37年)	112.6	118.0	123.2	128.0	132.7	137.5	143.4	150.7	157.1

(女子)

年令	6	7	8	9	10	11	12	13	14
沖縄 1939年	105.1	109.2	113.9	118.3	123.0	127.9	132.9	138.3	141.8
沖縄 1962年	109.0	114.0	118.9	123.9	129.5	135.5	141.7	145.5	147.9
沖縄 1963年	109.3	114.5	119.6	124.5	130.2	136.2	142.3	146.2	148.6
本土(昭和37年)	111.6	117.0	122.2	127.4	133.3	139.3	145.4	149.5	151.8

体重

(男子)

年令	6	7	8	9	10	11	12	13	14
沖縄 1939年	17.3	19.0	20.6	22.4	24.1	26.3	28.3	31.4	35.9
沖縄 1962年	18.8	20.7	22.6	24.7	27.1	29.7	33.7	38.2	43.3
沖縄 1963年	18.7	20.7	22.8	24.8	27.0	29.7	33.9	33.6	44.2
本土(昭和37年)	19.3	21.4	23.6	26.0	28.6	31.5	35.6	40.7	46.6

(女子)

年令	6	7	8	9	10	11	12	13	14
沖縄 1939年	16.9	18.3	20.0	21.8	23.9	26.3	29.6	33.7	37.8
沖縄 1962年	18.5	20.2	22.1	24.4	27.4	31.3	36.1	40.2	43.6
沖縄 1963年	18.3	22.2	22.3	24.5	27.4	31.3	36.3	40.4	43.6
本土(昭和37年)	18.8	20.8	23.1	25.7	28.8	32.9	37.8	42.3	45.8

胸囲

(男子)

年令	6	7	8	9	10	11	12	13	14
沖縄 1939年	55.0	56.8	58.4	60.0	61.9	63.6	65.9	68.0	69.6
沖縄 1962年	56.5	58.3	59.9	61.7	63.5	65.4	68.0	71.4	75.0
沖縄 1963年	56.4	58.1	59.9	61.6	63.5	65.4	68.0	71.2	75.5
本土(昭和37年)	56.6	58.5	60.5	62.4	64.5	66.6	69.2	72.9	77.0

(女子)

年令	6	7	8	9	10	11	12	13	14
沖縄 1939年	53.3	55.3	56.7	58.4	60.1	62.3	65.1	68.8	70.3
沖縄 1962年	54.9	56.3	58.1	60.0	62.3	65.5	69.9	73.1	75.8
沖縄 1963年	54.7	56.4	58.1	59.9	62.3	65.5	69.8	73.1	75.8
本土(昭和37年)	55.0	56.8	58.7	60.8	63.4	66.7	70.8	74.4	77.1

(2) 学校種別疾病異常およびり患率

1962年4月

区　　　分	小学校			中学校			高等学校		
	計	男	女	計	男	女	計	男	女
栄養要注意	0.26	0.23	0.28	0.19	0.31	0.06	0.21	0.25	0.19
胸郭異常	0.46	0.64	0.26	0.10	0.17	0.03	0.15	0.30	0.02
伝染性の支フ疾患	2.79	3.39	2.03	2.80	3.43	1.99	0.26	0.49	0.07
目 ┌近視	3.80	3.48	4.11	6.87	5.76	7.11	11.50	10.25	13.16
│弱視(両眼)	0.45	0.44	0.46	0.69	0.65	0.70	0.34	0.39	0.31
│色神異常	0.48	1.18	0.20	0.81	1.36	0.19	1.27	2.27	0.36
│トラホーム	7.63	7.71	7.55	8.56	8.80	8.09	3.62	4.13	3.28
└その他	1.49	1.50	1.37	1.12	1.18	1.01	0.60	0.66	0.56
耳 ┌難聴(両耳)	0.22	0.26	0.17	0.51	0.51	0.49	0.47	0.43	0.53
│中耳炎	0.60	0.82	0.35	0.11	0.13	0.08	0.05	0.07	0.03
└その他	0.25	0.27	0.22	0.30	0.25	0.33	0.46	0.39	0.54
鼻 ┌せん様増殖疾	0.02	0.02	0.02	0.02	0.02	0.03	0.11	0.23	—
及 │蓄のう症	0.03	0.04	0.01	0.04	0.03	0.05	0.08	0.14	0.02
び │へんとう線肥大	3.90	4.17	3.37	3.58	3.60	3.39	0.22	0.25	0.20
咽頭└その他	2.82	3.34	2.15	0.67	0.68	0.63	0.04	—	0.09
歯 ┌処置完了	1.45	1.47	1.44	7.79	6.07	9.67	17.77	15.14	20.52
└未処置歯	80.46	80.72	80.21	60.00	58.56	61.73	48.74	45.15	52.50

(3) 地区別疾病異常およびり患率

a 小学校

1962年4月

区　　　分		計	北部	中部	那覇	南部	宮古	八重山
伝染性の皮フ疾患	男	3.39	3.62	4.26	2.43	2.10	2.41	8.04
	女	2.03	2.37	2.16	1.58	1.14	1.36	5.32
近視	男	3.48	1.84	2.92	4.69	2.81	1.29	3.84
	女	4.11	1.76	3.59	4.63	3.54	1.06	3.39
色神異常	男	1.18	1.25	1.51	0.80	0.79	0.50	0.40
	女	0.20	0.09	0.24	0.13	0.06	0.27	0.06
トラホーム	男	7.71	10.89	10.21	5.05	6.67	5.53	9.03
	女	7.55	10.77	11.19	5.37	5.90	4.03	9.23
難聴(両耳)	男	0.26	0.30	0.32	0.17	0.42	0.17	0.19
	女	0.17	0.13	0.19	0.19	0.22	0.13	0.15
中耳炎	男	0.82	1.15	1.06	0.56	0.89	0.32	0.80
	女	0.35	0.42	0.58	0.22	0.41	0.18	0.30
へんとう線肥大	男	4.17	5.13	2.98	4.60	3.40	0.14	10.37
	女	3.37	4.46	2.32	4.15	2.62	0.22	9.35
虫歯処置完了	男	1.47	2.67	0.90	1.35	1.55	1.09	1.13
	女	1.44	2.39	1.03	1.64	1.87	0.45	0.52
虫歯未処置	男	80.72	80.34	82.90	81.40	78.87	76.90	70.86
	女	80.21	82.13	81.59	81.05	79.60	78.32	83.20

b 中学校　　　　　　　　　　　　　　　　1962年4月

区　　　分		計	北部	中部	那覇	南部	宮古	八重山
伝染性の皮フ疾患	男	3.43	5.09	4.28	3.50	1.94	0.24	1.11
	女	1.99	3.48	2.63	1.68	1.20	0.23	0.50
近　　視	男	5.76	4.05	5.59	7.64	3.96	—	5.17
	女	7.71	5.74	6.20	11.48	5.93	5.80	6.80
色神異常	男	1.36	1.94	1.64	1.28	0.90	0.12	0.86
	女	0.19	0.15	0.22	0.28	0.09	0.09	—
トラホーム	男	8.80	11.05	16.07	4.08	7.44	4.20	5.08
	女	8.03	10.77	13.96	3.98	7.18	4.51	5.45
難聴（両耳）	男	0.51	0.43	0.87	0.36	0.30	0.44	0.33
	女	0.43	0.23	0.87	0.40	0.82	0.37	0.18
中耳炎	男	0.13	0.32	0.09	0.10	—	—	0.21
	女	0.08	0.13	0.13	0.06	—	—	0.09
へんとう腺肥大	男	3.60	4.90	2.63	1.95	0.30	0.12	16.93
	女	3.39	4.41	2.06	1.93	0.17	0.37	17.91
虫歯処置完了	男	6.07	4.89	4.00	6.66	5.07	5.49	2.21
	女	9.67	16.65	5.15	8.00	8.79	7.35	4.88
虫歯未処置	男	58.56	58.61	61.66	61.28	55.61	44.32	56.74
	女	61.73	59.98	64.00	65.18	86.23	45.76	64.04

(4) 学校給食のための経費（政府支出金）1963会計年度

①準要保護者の児童生徒の給食費補助　$ 13,258　　②完全給食設備費補助

区　分	人員	校数	補助額
パン、ミルク給食費	11,000	小学校 中学校	$ 0.95の½補助 $ 1.15の½
完全給食費	400	小学校 中学校	$ 0.05の½ 〃　　〃

完全給食実施教育区への補助　$ 5,682

③学校給食会補助　　　　　　　　$ 60,545

給食物資の港湾荷役、保管、陸上及び海上輸送費　$ 51,200

給食会の維持運営費　　　　　　　$ 9,345

(5) 学校給食に消費さる物資（年間）1963会計年度

品　目	数量	単位	※単価	換算数量	金額	備考
メリケン粉	12,384,547 ポンド	袋（100ポンド入）	$ 5.00	123,846袋	$ 610,230.00	小中高校用
ミルク	4,539,836	箱（54ポンド入）	6.72	84,072袋	564,963.84	幼小中高校用
アラー	26,516	袋（100ポンド入）	6.45	266袋	1,715.70	定時制高校用
コーンミール	77,126	〃　　〃	5.95	772袋	4,593.40	〃　　〃
ショートニング	27,419	箱（36ポンド入）	8.31	762箱	6,332.22	〃　　〃
チーズ	266,122	〃（42　〃　）	15.00	6,336箱	95,040.00	小中校用
計	17,321,566				1,196,836.00	

※那覇港渡しの価格（FOB価格）

(6) 学校給食関係機構と物資入手径路

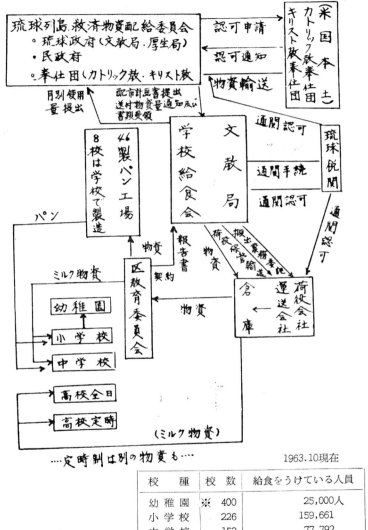

1963.10現在

校 種	校 数	給食をうけている人員
幼稚園	※ 400	25,000人
小学校	226	159,661
中学校	152	77,792
高校全日	20	15,785
高校定時	17	3,572
		計 281,810

※未公認幼児のための施設を含む。

(7) 学校給食カロリー摂取表

(a) パンミルク給食校の場合

栄養素＼校種	小学校			中学校		
	平均所要量	パン、ミルクの栄養量	不足分	平均所要量	パン、ミルクの栄養量	不足分
熱量（カロリー）	600	520	−80	800	666	−134
たん白質（動たん）g	25(10)	23	−2	30(12)	29	−1
脂肪（g）	10	4	−6	12	5.6	−6.5
カルシウム（g）	0.5	0.4	−0.1	0.6	0.5	−0.1
ビタミンA（1u）	1,500	13	−1,487	1,800	16	−1,784
ビタミンB₁（mg）	0.6	0.3	−0.3	0.7	0.3	−0.4
ビタミンB₂（mg）	0.6	0.7	+0.1	0.7	0.9	+0.2
ビタミンC（mg）	20	2	−18	25	2	−23

(注) 不足している栄養量は各家庭からのおかずで補っている。

(b) 完全給食校の場合

幼児、児童または生徒1人1回当たりの平均所要栄養量の基準（現行）

区分	栄養量			
	幼児の場合	児童の場合	中学校生徒の場合	定時制高校生徒の場合
熱量（Cal）	500	600	800	900
たん白質（g）	20(10)	25(10)	30(12)	32(12)
脂肪（g）	8	10	12	14
カルシウム（g）	0.4	0.5	0.6	0.6
鉄（mg）	3	3	4	4
ビタミンA（1u）	1,200	1,500	1,800	2,000
ビタミンB₁（mg）	0.5	0.5	0.7	0.7
ビタミンB₂（mg）	0.5	0.6	0.7	0.7
ビタミンC（mg）	15	20	25	25

(注) たん白質のうち（ ）内の量は、それぞれ動物性たん白質の量とする。

(8) 疾病異常り患率（図）

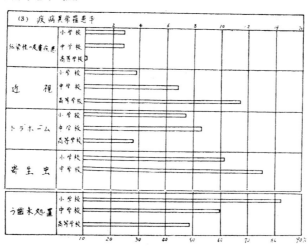

13 へき地教育

(1) 級別へき地指定校数
(1964年1月25日現在)

区　分	準級地	1級地	2級地	3級地	4級地	5級地	計
小　学　校	2	10	5	3	—	2	**22**
中　学　校	1	7	1	2	—	—	**11**
小中併置校	5	7	15	7	3	2	**39**
小中分校	—	—	1	1	—	1	**3**
高等学校	—	1	—	—	—	—	**1**
計	**8**	**25**	**22**	**13**	**3**	**5**	**76**

(2) へき地学校数, 学級数, 教員数, 児童生徒数
(1964年1月25日現在)

区　分	学校数	学級数	教員数	児童生徒数	事務職	備　考
小　学　校	62	464	517	17,235	12	
中　学　校	51	223	403	8,193	19	他に助手2, 農夫1, 給仕1
高等学校	1	13	26	504	2	
計	**114**	**700**	**946**	**25,932**	**33**	

(3) へき地振興法に基づく補助金の交付額 (小中校のみ)
($)

種類＼会計年度	58	59	60	61	62	63	64
へき地手当	12,360	12,380	20,500	22,900	21,780	35,815.10	89,496
へき地教育文化備品費	—	—	5,500	10,000	10,000	10,000	10,000
へき地衛生材料費	—	—	—	1,000	1,000	—	—
複式手当	—	1,150	1,150	3,684	3,456	3,456	3,012
開拓地学校運営補助金	—	3,029	3,000	1,500	3,000	2,122	1,841
へき地教員住宅料	—	—	—	—	—	7,920	12,410

14 特殊教育(盲聾学校)

(1) 児童生徒数,学級数,教員数

1963年5月1日現在

		総数		教員		小学部		教員		中学部		教員		高等部		教員	
		在籍	学級	本務	兼務	在籍	学級	本務	兼務	在籍	学級	本務	兼務	在籍	学級	本務	兼務
総数	男	169	31	31	2	102	18	18	1	44	6	6	—	23	7	7	1
	女	112				79				18				15			
盲学校	男	53	12	12	2	29	6	6	1	15	3	3	—	9	3	3	1
	女	24				14				6				4			
聾学校	男	116	19	19	—	73	12	12	—	29	3	3	—	14	4	4	—
	女	88				65				12				11			

(2) 児童生徒一人あたり教育費本土との比較($)

会計年度	59	60	61	62
本土	337.18	359.49	431.34	554.41
沖縄	142.27	199.47	247.64	261.39

(3) 在学者の通学状況

区分	総数	寄宿舎	家庭(下宿を含む)	児童福祉施設
総数	256	185	52	19
盲学校	77	64	6	7
聾学校	179	121	46	12

15 産業教育

(1) 産業教育備品の年次別資金内訳

(単位弗)

校種	資金源	会計年度	1960年まで	1961	1962	1963	累計
中学校	琉球		230,070	20,000	—	31,440	281,510
	米国		2,307	—	195,750	225,000	423,057
	計		232,377	20,000	195,750	256,440	704,567
高等学校	琉球		401,280	—	36,250	19,738	457,268
	米国		457,692	300,000	—	—	757,692
	計		858,972	300,000	36,250	19,738	1,214,960
合計	琉球		631,350	20,000	36,250	51,178	738,778
	米国		459,999	300,000	195,750	225,000	1,180,749
	計		1,091,349	320,000	232,000	276,178	1,919,527

(2) 産業教育備品の学科別年次別達成率 (政府立高校)

(単位弗)

会計年度	学科別	合 計	一般職業	農 業	工 業	商 業	水 産	家 庭
	目標額	3,617,885	308,375	887,238	1,207,163	152,043	743,608	319,458
1960年まで	割当額	297,693	18,913	66,390	117,984	4,245	78,060	12,101
	累 計	858,972	87,409	166,776	325,810	17,462	158,907	102,608
	達成率	23.7	28.4	18.8	27.0	11.5	21.4	32.1
1961年	割当額	300,000	14,700	90,000	110,000	15,300	50,000	20,000
	累 計	1,158,972	102,109	256,776	435,810	32,762	208,907	122,608
	達成率	32.0	33.1	28.9	36.1	21.6	28.1	38.4
1962年	割当額	36,250	1,600	7,997	17,303	1,000	5,250	3,100
	累 計	1,195,222	103,709	264,773	453,113	33,762	214,157	125,708
	達成率	33.0	33.6	29.9	37.5	22.2	28.8	39.4
1963年	割当額	19,738	805	3,912	6,073	1,801	4,257	2,890
	累 計	1,214,960	104,514	268,685	459,186	35,563	218,414	128,598
	達成率	33.6	33.9	30.3	38.0	23.3	29.4	40.3

(3) 水産高校練習船の性能

	海 邦 丸	翔 南 丸
建造年月 (竣工)	1959.4.23	1963.11.30
総 屯 数	207.75屯	280屯
主 機 関	ディーゼル550馬力 1	ディーゼル700馬力 1
補 助 機 関	65馬力 2	95馬力 2
速 力	10ノット	11ノット
燃料油漕容積		150立方米
魚 倉 容 積		140立方米
乗 組 員 数	62名	59名 (船員25, 教員2, 生徒22)
発 電 機	35KVA 2台	75KVA 2台
冷 凍 機		22KW(1) 37KW(1)
主 な 装 置	レーダー, ローラン, ジャイロコンパス, 電動測深機, 電気式風向風速計	レーダー, ローラン, ジャイロコンパス, 遠隔操舵装置, 主機関リモートコントローラー, 造水機, 電動測深機, 電気式風向風速計
無 船 装 置	250W主送信機, 50W補助送信機, 方向探知機	250W主送信機, 75W補助送信機, 方向探知機, 全波受信機, ファクスミリー

16 大学教育

(1) 年度別学生数

学校名	1958 計	1959 計	1960 計	1961 計	1963 計	1963 計	男	女	昼	夜
学生総数	2,573	4,048	4,461	4,468	4,174	**4,316**	3,162	1,154	3,094	1,222
大学	2,011	2,152	2,268	2,735	3,244	**3,481**	2,638	843	2,806	675
琉球大学	2,011	2,152	2,268	2,356	2,484	**2,480**	1,700	780	2,480	—
沖縄大学	—	—	—	379	573	**777**	722	55	300	477
国際大学	—	—	—	—	187	**224**	216	8	26	198
短期大学	562	1,896	2,193	1,733	930	**835**	524	311	288	547
沖縄短期大学	562	1,271	1,149	754	476	**430**	277	153	153	277
国際短期大学	—	595	998	936	414	**346**	235	111	76	270
沖縄キリスト教学院短期大学	—	30	46	43	40	**59**	12	47	59	—

(2) 学科系統別学部学生数

1963年5月1日現在

学校名	計	文理	法政商経	工学	農学	家政	教養	員成	その他
総数	**4,316**	1,280	1,563	202	238	132	812		89
大学	**3,481**	929	1,125	202	238	132	812		43
琉球大学	**2,480**	626	427	202	238	132	812		43
沖縄大学	**777**	169	608	—	—	—	—		—
国際大学	**224**	134	90	—	—	—	—		—
短期大学	**835**	351	438	—	—	—	—		46
沖縄短期大学	**430**	134	296	—	—	—	—		—
国際短期大学	**346**	190	142	—	—	—	—		14
沖縄キリスト教学院短期大学	**59**	27	—	—	—	—	—		32

(3) 年度別卒業者, 入学者, 入学志願者

学校名	1958 卒業者	1959 卒業者	1960 卒業者	1961 卒業者	1962 卒業者	1962 入学者	1962 入学志願者	1963 卒業者	1963 入学者	1963 入学志願者
総数	409	446	889	1,278	1,017	1,428	2,788	994	1,389	2,786
大学	409	446	440	434	469	982	2,252	642	997	2,283
琉球大学	409	446	440	434	469	655	1,912	553	630	1,851
沖縄大学	—	—	—	—	—	180	184	89	266	294
国際大学	—	—	—	—	—	147	156	—	101	138
短期大学	—	—	449	844	548	446	536	352	392	503
沖縄短期大学	—	—	449	496	326	238	270	213	203	245
国際短期大学	—	—	—	328	204	181	226	126	157	208
沖縄キリスト教学院短期大学	—	—	—	20	18	27	40	13	32	50

(4) 職名別教員数

1963年5月1日現在

学校名	総数	本務者 計	学長	教授	助教授	講師	助手	兼務者 計	学長	教授	助教授	講師	助手
総数	414	232	2	45	82	93	10	182	2	17	32	127	4
大学	320	210	2	41	80	77	10	110	1	8	20	77	4
琉球大学	223	171	1	37	70	53	10	52	—	3	12	33	4
沖縄大学	56	24	—	—	3	20	—	32	—	3	5	24	—
国際大学	41	15	1	4	7	4	—	26	1	2	3	20	—
短期大学	94	22	—	4	2	16	—	72	1	9	12	50	—
沖縄短期大学	14	—	—	—	—	—	—	14	—	—	1	13	—
国際短期大学	44	11	—	—	2	9	—	33	—	6	11	16	—
沖縄キリスト教学院短期大学	36	11	—	4	—	7	—	25	1	3	—	21	—

(5) 卒業後の状況（63年3月卒業者）

a 卒業者の進路状況

1963年6月

学校名	計	進学者 大学院研究科	大学および短大専攻科	大学または短大	就職者	就職進学者	インターン	無業者	死亡	不詳
卒業者総数	994	—	12	20	741	44	—	23	1	153
大学	642	—	—	2	526	—	—	9	—	94
琉球大学	553	—	11	1	446	—	—	9	—	86
沖縄大学	89	—	—	1	80	—	—	—	—	8
国際大学	—	—	—	—	—	—	—	—	—	—
短期大学	352	—	1	18	215	44	—	14	1	59
沖縄短期大学	213	—	1	16	122	22	—	9	1	42
国際短期大学	126	—	—	1	85	21	—	3	—	16
沖縄キリスト教学院短期大学	13	—	—	1	8	1	—	2	—	1

b 卒業者の就職状況（63年3月卒業者）

1963年6月

学校名	計	技術者	教員 小校	中校	高校	その他	その他の専門的職業従事者	管理的職業従事者	事務従事者	販売従事者	サービス職業従事者	その他
就職者総数	785	40	148	226	53	8	12	7	245	1	12	33
大学	526	34	108	201	46	3	9	4	111	—	2	8
琉球大学	446	34	108	190	33	2	9	3	65	—	2	—
沖縄大学	80	—	—	11	13	1	—	1	46	—	—	8
国際大学	—	—	—	—	—	—	—	—	—	—	—	—
短期大学	259	6	40	25	7	5	3	3	134	1	10	25
沖縄短期大学	144	1	39	17	—	1	—	—	70	—	2	14
国際短期大学	106	5	1	7	7	4	3	3	64	1	7	3
沖縄キリスト教学院短期大学	9	—	—	1	—	—	—	—	—	—	1	8

c 卒業者の就職状況（産業別）（63年3月卒業者）

1963年6月1日現在

学校名	計	農業	漁業養殖	建設業	製造業	卸売業	小売業	金融保険業	運輸通信業	電気ガス水道業	サービス業	公務	その他
就職者総数	785	2	2	9	15	38	46	11		2	450	124	86
大学	526	1	2	7	9	18	28	4		2	366	59	30
琉球大学	446	1	2	4	8	11	15	1		2	337	46	19
沖縄大学	80	—	—	3	1	7	18	3		—	29	13	11
国際大学	—	—	—	—	—	—	—	—		—	—	—	—
短期大学	259	1	—	2	6	20	13	7		—	84	65	56
沖縄短期大学	144	1	—	2	4	13	7	7		—	60	37	13
国際短期大学	106	—	—	—	2	7	11	—		—	22	28	36
沖縄キリスト教学院短期大学	9	—	—	—	—	—	—	—		—	2	—	7

(6) 校地校舎

a 校地

1963年5月1日現在

学校名	用途別土地面積						学校林
	計	校舎敷地	屋外運動敷地	寄宿舎敷地	附属実験実習場	その他	
	m²						
総面積	7,144,187.81	100,517.23	57,407.14	23,876.86	6,929,151.77	33,234.81	86,731.40
琉球大学	7,083,446.21	95,562.83	19,930.35	23,876.86	6,929,151.77	14,924.40	—
沖縄大学	8,399.00	2,965.00	5,434.00	—	—	—	79,742.00
国際大学	33,957.00	1,473.71	32,042.79	—	—	440.50	6,989.40
沖縄キリスト教学院短期大学	18,385.60	515.69	—	—	—	17,869.91	—

b 校舎等建物

1963年5月1日現在

学校名	計	一般校舎		実験実習室	管理関係その他	図書館	体育施設	寄宿舎	その他
		教室	研究室						
	m²								
総面積	39,873.52	6,385.58	3,117.58	7,496.74	10,640.00	3,040.30	3,058.84	5,748.61	385.87
琉球大学	33,400.10	3,341.45	3,117.58	7,481.87	8,126.00	2,462.80	3,058.84	5,669.41	142.15
沖縄大学	3,563.00	1,399.00	—	—	1,933.00	231.00	—	—	—
国際大学	2,394.73	1,436.03	—	—	438.90	346.50	—	79.20	94.10
沖縄キリスト教学院短期大学	515.69	209.10	—	14.87	142.10	—	—	—	149.62

(7) 図　書

a　和漢書

1963年5月1日現在

学校名	計	総記	精神科学	歴史科学	社会科学	自然科学	工芸学	産業	美術	語学	文学	未分類
総面積	102,990	4,411	7,010	8,382	27,559	11,854	10,083	8,561	4,226	3,869	16,381	654
琉球大学	78,420	3,626	4,610	6,852	19,982	10,226	8,735	7,459	3,637	2,820	10,473	—
沖縄大学	7,800	353	259	627	2,936	563	580	393	207	308	1,574	—
国際大学	12,884	370	722	707	4,285	920	741	685	292	633	2,985	554
沖縄キリスト教学院短期大学	3,886	62	1,419	196	356	145	27	24	100	108	1,349	100

b　洋書

1963年5月1日現在

学校名	計	総記	哲学	宗教	社会科学社会学	語学	純科学	粋学技	有用術	美術	文学	歴史	未分類
総面積	29,132	3,578	1,203	3,678	4,916	3,690	1,990	1,334	713	1,833	4,827		1,370
琉球大学	23,603	1,505	1,134	3,587	4,515	3,514	1,787	1,240	673	1,078	4,580		—
沖縄大学	3,283	174	79	27	384	140	203	89	38	735	244		1,170
国際大学	1,862	1,862	—	—	—	—	—	—	—	—	—		—
沖縄キリスト教学院短期大学	384	37	—	64	17	36	—	5	2	20	3		200

(8) 奨　学　制　度

1963年4月現在

```
琉　球　大　学                              187
    琉大ファウンデイション給費生            106
        〃           貸費生                 26
        〃     特別奨学生（研究生）          7
    琉球政府教員志望奨学生                   41
    琉球育英会奨学生                          7

沖　縄　大　学                               22
    嘉数学園特待生                            6
        〃    給費生                         14
        〃    貸費生                          2

国　際　大　学                                7
    国際大学奨学金                            6
    福本奨学金                                1

沖縄キリスト教学院短期大学                    2
    沖縄キリスト教団奨学金                    2
```

(9) 琉球大学予算の推移

a 才入予算

年度			1959	1960	1961	1962	1963
予算総額			865,372.00	767,704.00	994,633.00	1,101,756.00	1,198,443.00
教育および才出予算補助金	民政府		190,000.00	0	225,000.00	395,422.00	315,000.00
	琉球政府		529,167.00	645,000.00	697,670.00	621,153.00	784,562.00
	小計		719,167.00	645,000.00	922,670.00	1,016,575.00	1,099,562.00
その他の収入	学内収入		62,758.00	65,464.00	61,839.00	68,938.00	76,968.00
	前年度剰余金		13,447.00	0	10,124.00	16,248.00	21,913.00
	借入金		70,000.00	57,240.00	0	0	0
	小計		146,205.00	122,704.00	71,963.00	85,181.00	98,881.00

b 才出予算

年度			1959	1960	1961	1962	1963
予算総額			865,372.00	767,704.00	994,633.00	1,101,756.00	1,198,443.00
運営費	人件費		306,604.00	354,899.00	393,019.00	498,726.00	604,419.00
	運営費		117,258.00	147,790.00	195,091.00	140,687.00	146,024.00
	小計		423,862.00	502,689.00	588,110.00	639,413.00	750,443.00
設備備品費			54,196.00	68,750.00	78,000.00	220,500.00	262,250.00
施設費			387,314.00	196,265.00	328,523.00	241,843.00	185,750.00

社会教育

(1) 青年学級

a 連合区別青年学級数および生徒数　　　　　　　　　（1963年6月）

区分		全琉	北部	中部	那覇	南部	宮古	八重山
学級数		63	16	16	7	14	6	4
生徒数	総数	3,345	487	643	248	1,544	240	183
	男	1,917	300	348	178	806	178	107
	女	1,428	187	295	70	738	62	76

b 学習内容および時間数　　　　　　　　　　　　　　（1963年6月）

区分	全琉	北部	中部	那覇	南部	宮古	八重山
総時間数	8,218	1,806	1,778	839	2,354	775	666
一般教養	3,854	946	935	441	842	236	454
職業	3,105	527	517	275	1,266	396	124
家庭	1,259	333	326	123	246	143	88

(2) 公民館

a 連合区別設置状況　　　　　　　　　　　　　　　　（1963年12月）

区分	全琉	北部	中部	那覇	南部	宮古	八重山
設置数	600	158	142	44	145	53	58

b 施設補助金および運営補助金の状況

年度	一館平均運営補助金	一館平均施設補助金	計
	$	$	$
1958	21.67	54.17	75.83
1959	18.01	32.25	50.26
1960	15.40	20.53	35.93
1961	14.31	18.11	32.42
1962	15.22	19.46	34.68
1963	20.17	14.58	34.75
1964	15.00	18.00	33.00

(3) 社会教育関係団体

a 団体数および会員数　　　　　　　　　　　（1963年7月）

事項 団体名	団体	団体数	会員数 総数	男	女
青年会	中央	1	35,000人	20,000	15,000
	郡単位	6			
	市町村単位	60			
婦人会	中央	3	79,500人		
	地区単位	6			
	市町村単位	75			
PTA	中央	1	160,000人		
	地区単位	14			
	市町村単位	60			

b 指導者の育成状況　　　　　　　　　　　　　　　　(1963年7月)

区　分	地域	中　央		ブロック		市町村		計	
		回数	養成人員	回数	養成人員	回数	養成人員	回数	養成人員
青　年　会		1	120	6	420	60	3,000	67	3,540
婦　人　会		1	120	6	420	60	3,000	67	3,540
P　T　A		1	300	6	420	—	—	7	720

c 全学級の講師数

576人（1963年5月）

d 1学級平均規模　　　　(1963年5月)

開設日数	生徒数	学習時間	講師数	経費
51	53	130	9	$77.11

(4) 社会体育施設　　　　　　　　　　　　　　　　(1964年1月)

区　分	施設総数	設置者別内訳		
		政府	地方公共団体	その他団体及び個人
野　球　場	2	2	—	—
第一種公認競技場	1	1	—	—
第二種公認競技場	1	—	1	—
その他の競技場	6	6	—	—
水泳プール	5	—	5	—
相　撲　場	1	—	1	—
弓　道　場	1	—	—	1
庭球コート	1	—	—	1

(5) 教育区社会教育主事設置状況　　　　　　(1963年5月現在)

連合区	教育区数	設置教育区数	社会教育主事数	設置教育区
北　部	16	10	10	国頭，東，久志，羽地，今帰仁，本部，伊平屋，伊是名，名護，金武
中　部	14	9	9	恩納，与那城，具志川，コザ，読谷，嘉手納，宜野湾，中城，西原
那　覇	6	4	4	浦添，那覇，仲西，具志川
南　部	14	7	8	玉城，大里，与那原，東風平，座間味，豊見城，糸満（2人）
宮　古	6	3	3	城辺，伊良部，下地
八重山	4	3	3	大浜，竹富，与那国
計	60	36	37	

(6) 各 種 学 校　　　　　　　　　　　　　　　(1963年5月1日現在)

課程別	在学生徒数						教員数						学校数
	昼 間			夜 間			本 務			兼 務			
	男	女	計	男	女	計	男	女	計	男	女	計	
洋　　裁	—	1,032	1,032	—	975	975	3	52	55	8	19	27	12(1)
和 洋 裁	—	308	308	—	225	225	2	15	17	—	3	3	3
編 物 手 芸	—	217	217	—	145	145	—	8	8	—	1	1	4
タイピスト	17	108	125	22	117	139	5	1	6	1	3	4	4
珠　　算	36	44	80	283	330	613	6	—	6	4	1	5	4
簿 記 珠 算	32	60	92	101	149	250	8	—	8	6	—	6	1
無 線 通 信	152	8	160	187	1	188	5	—	5	20	—	20	2
料　　理	—	331	331	—	253	253	—	5	5	2	3	5	2
計	237	2,108	2,345	593	2,195	2,788	29	81	110	41	30	71	32

(注) 1 資料は1963学年度「学校基本調査」によつた。調査票未提出校は省いた。
　　 2 表中カッコ内の数字は分校数で内数である。

(7) 琉球政府立図書館の現状　　　　　　　　　　(1963年4月現在)

館名	事項	職員数				建物面積	蔵書数		計	利用者1日平均
		専門	非専門	その他	計		一般用	児童用		
									冊	
中央図書館		—	4	—	4	182㎡	5,763	1,040	6,803	134人
宮古図書館		—	2	—	2	158㎡	3,711	378	4,089	174
八重山図書館		1	1	—	2	92㎡	4,476	678	5,154	92
計		1	7	—	8	43㎡	13,950	2,096	16,046	400

(8) 琉球政府立博物館の現状

　　職　員　　館長1　主事1　事務員4　作業職1　計7
　　面　積　　479㎡
　　収　蔵　品　　　　　　　　　　　　　　　　　　(1963年4月現在)

収納点数	陶器	漆器	織物	書画	木彫刻	金属	石彫	雑	図書	その他	計
総　　数	864	200	364	441	48	99	68	912	132	52	3,180
購　　入	319	114	280	317	8	15	—	743	63	—	1,859
寄　　贈	322	72	78	90	17	58	14	124	69	52	896
蒐　　集	223	14	5	34	24	26	54	45	—	—	425

　　利用者（登館者）1日平均400名

1 年度別校舎建築費の推移

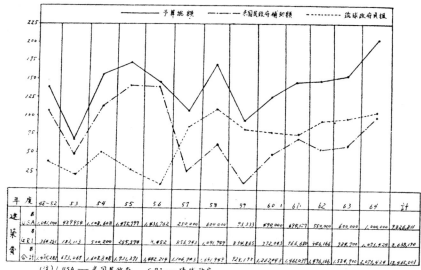

(注)1 USA — 米国民政府　GRI — 琉球政府
2 上表はすべて予算額による。

2 政府立,公立小,中,高等学校校舎建築状況
a 公立小・中学校　(1963.11.1現在)

連合教育区	小学校 基準面積	保有面積 計	政府補助	自力	達成率	中学校 基準面積	保有面積 計	政府補助	自力	達成率
	m²	m²	m²	m²	%					
全琉	446,168.2	348,589.2	318,524.5	30,064.7	78.1 (71.4)	263,263.8	172,912.7	147,551.6	25,361.1	65.7 (56.0)
北部	70,655.8	63,557.8	56,492.7	7,065.1	90.0 (80.0)	44,956.0	31,436.7	26,467.1	4,969.6	69.9 (58.9)
中部	123,540.0	95,436.3	85,978.1	9,458.2	75.4 (67.9)	69,854.7	46,211.0	40,119.6	6,091.4	66.2 (57.4)
那覇	119,444.6	88,360.3	82,627.6	5,732.7	74.0 (69.2)	71,219.3	45,552.5	36,476.2	9,076.3	64.0 (51.2)
南部	59,998.6	45,745.7	42,280.9	3,464.8	76.2 (70.5)	34,663.1	21,472.3	19,217.0	2,255.3	61.9 (55.4)
宮古	37,704.2	30,031.1	27,981.3	2,049.8	79.6 (74.2)	23,000.6	14,861.9	13,468.0	1,393.9	64.6 (58.6)
八重山	31,825.0	25,458.0	23,163.9	2,294.1	80.0 (72.8)	19,570.1	13,378.3	11,803.7	1,574.6	68.4 (60.3)

b 政府立学校

学校種別	政府立小・中高等学校 基準面積	保有面積 計	政府	自力	達成率
	m²	m²	m²	m²	%
高等学校	139,195.1	92,277.2	88,500.7	3,776.5	66.3 (63.6)
中学校(松島中)	1,661.1	2,378.8	2,379.8	—	143.3 (143.3)
小中学校(澄井 稲沖)	330.5	167.3	167.3	—	50.6 (50.6)

(注) 1 基準面積は1963年11月中教委規則により,1963年5月1日現在の児童生徒数を基として算出。

2 達成率中の( )中は政府補助のみによる基準達成率をなす。

3 保有面積は1963.11.1の文教局施設課の「学校施設調査」による。

3 学校種別保有面積, 基準面積および生徒1人当り面積

a 保有面積
(1963年11月現在)

校種	在籍	基準面積	保有面積	基準達成率	現有生徒1人当り面積
		m^2	m^2	%	m^2
小 学 校	159,790	446,168	348,589	78.1	2.182
中 学 校	78,305	264,925	175,293	66.2	2.239
高 等 学 校	25,986	139,195	92,227	66.3	3.549
盲ろう学校	281	3,785	2,501	66.1	8.900
澄井・稲沖小中校	22	331	167	50.6	7.591

b 保有総面積 618,777m^2
基準面積(児童生徒1人当り)中央教育委員会規則

	m^2
小 学 校	2.970
中 学 校	3.564
高等学校(普通科)	4.752
盲ろう学校(小中学部)	8.415
盲ろう学校(高等部)	13.035

(注) 高等学校の普通科以外の学科については普通科の基準面積に次のような補正を行って基準面積とする。
農工—5.082m^2増, 水産1.419m^2増,
商業0.363m^2増, 家庭—0.264m^2増

c 児童生徒1人当り面積の本土との比較

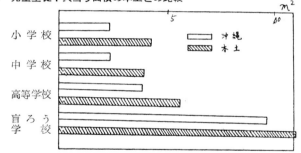

(注) ここでいう校舎とは, 教室, 実験実習室, 管理関係その他の合計面積である。

4 小中高等学校理科備品,一般備品年次別支出額並びに基準達成率

(1) 小・中・高等学校年次別支出額

年度	理科備品費支出額		一般備品
	小中学校	高等学校	
	$	$	$
1953〜1958	127,185.32	13,071.00	96,011.16
1959	5,000.00	4,733.00	20,000.00
1960	8,169.88	4,155.00	32,675.52
1961	25,000.00	16,994.00	70,933.33
1962	30,000.00	15,000.00	66,720.00
1963	30,000.00	15,000.00	204,120.00
1964	63,500.00	55,000.00	153,264.00
計	288,855.20	123,953.00	643,724.01

(2) 基準達成率

a 小中学校理科教育のための設備の基準総額　$ 1,125,054
基準達成率 $\dfrac{288,855}{1,125,054} \times 100 = 25.7\%$

b 高等学校理科教育のための設備の基準総額　$ 345,564
基準達成率 $\dfrac{123,953}{345,564} \times 100 = 35.9\%$

1　分野別教育費の負担区分

(1962会計年度)

教育分野	総額	公費 政府支出金	公費 地方教育区支出金	私費
	$	$	$	$
総額	12,981,540	10,602,837	1,707,175	671,528
A　学校教育費	11,995,531	10,021,241	1,397,770	576,520
1 幼稚園	110,218	—	93,275	16,943
2 小学校	5,953,979	4,873,738	810,293	269,948
3 中学校	3,758,731	3,131,378	474,782	152,571
4 特殊学校(盲ろう)	60,903	60,577	—	326
5 高等学校(全日)	1,920,431	1,776,815	19,420	124,196
6 高等学校(定時)	191,269	173,733	—	12,536
B　社会教育	266,223	140,530	30,685	95,008
C　教育行政	719,786	441,066	278,720	—

2　総教育費総額の支出項目別実額と百分比

区分	1962会計年度 実額	百分比
	$	%
総教育費総額	12,981,540	100.0
A　消費的支出	10,618,050	81.8
1 教職員の給与	8,067,979	62.2
2 その他の消費的支出	2,550,071	19.6
B　資本的支出	2,336,432	18.0
1 建築費	1,529,496	11.8
2 その他の資本的支出	806,936	6.2
C　債務償還費	27,058	0.2

3　学校教育費の支出項目別実額と百分比
(含教育区)

区分	1962会計年度 実額	百分比
	$	%
学校教育費総額	11,995,531	100.0
A　消費的支出	9,831,623	82.0
1 教職員の給与	8,067,979	67.3
2 その他の消費的支出	1,763,644	14.7
B　資本的支出	2,151,242	17.9
1 建築費	1,529,496	12.8
2 その他の資本的支出	621,746	5.2
C　債務償還費	12,666	0.1

分野別教育費（図）

学校教育費 (92.4%)　小学校 (45.9%)　中学校 (29.0%)　高等学校 (16.3%)　社会教育費 (2.1%)　幼稚園 (0.8%)　特殊学校 (0.5%)　教育行政費 (5.5%)

学校教育の支出項別（図）

教職員給与 (69.0%)　その他の消費的支出 (14.7%)　建築費 (12.8%)　その他の資本的支出 (5.2%)　債務償還費 (0.1%)

4 児童生徒1人あたり教育費の本土との比較

校 種 別	1962 会計年度		対本土比較 ($\frac{A}{B} \times 100$)
	A 沖縄	B 本土	
	$ ¢	$ ¢	%
幼 稚 園	23.18	48.84	47.5
小 学 校	36.08	66.48	54.3
中 学 校	58.48	86.34	67.7
特殊学校（盲ろう）	2'3.11	554.41	49.3
高等学校（全日）	99.00	150.82	65.6
高等学校（定時）	66.81	127.00	52.6

(注) 1 澄井・稲沖小中学校は小学校、中学校に分離してそれぞれ該当欄に入れた。

5 年次別政府一般会計予算と文教局予算

会計年度	a 政府才出予算額	b 文教局才出予算額	b/a 比率
	$	$	%
53	12,774,369	3,327,936	26.1
54	15,648,343	4,201,103	26.8
55	16,409,866	4,662,136	28.4
56	16,988,098	5,114,074	30.1
57	20,571,387	5,399,924	26.2
58	22,616,630	6,877,823	30.4
59	23,189,960	7,117,224	30.7
60	25,834,929	8,277,501	32.0
61	27,348,305	9,537,938	34.9
62	33,352,853	12,107,006	36.3
63	42,633,488	14,357,676	33.7
64	51,980,723	16,640,998	32.0

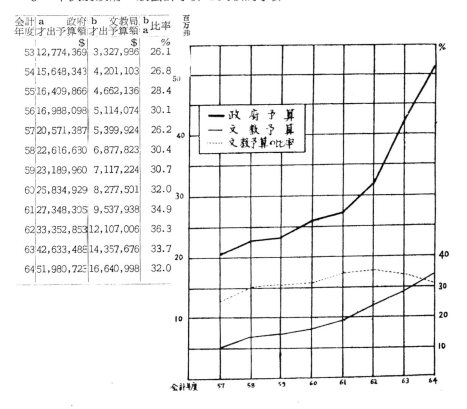

6 教育税

(1) 教育税の年次別調定額収入額収入率

会計年度	調定額	収入額	収入率
	$	$	%
1955	380,927	276,078	72.5
1956	396,936	271,512	68.4
1957	434,576	315,854	72.7
1958	622,964	491,435	78.9
1959	767,805	572,217	74.5
1960	863,138	705,224	81.7
1961	999,217	827,583	82.8
1962	1,183,087	982,350	83.0

(注) 調定額、収入額は当該年度分のみ。

(2) 教育税の年次別教育分野別支出実額および百分比

会計年度	支出総額		学校教育費		社会教育費		教育行政費	
	実額	百分比	実額	百分比	実額	百分比	実額	百分比
	$	%	$	%	$	%	$	%
1955	294,171	100.0	216,292	73.5	5,397	1.8	72,482	24.6
1956	372,957	100.0	264,629	71.6	14,836	4.0	93,491	25.1
1957	420,587	100.0	326,675	77.7	19,304	4.6	74,608	17.4
1958	597,338	100.0	488,619	81.8	10,367	1.7	98,352	16.5
1959	651,560	100.0	510,021	78.3	14,088	2.2	127,451	19.5
1960	889,242	100.0	693,314	78.0	17,434	1.9	178,494	20.1
1961	1,036,983	100.0	740,750	71.4	21,842	2.1	274,391	26.5
1962	1,149,890	100.0	852,443	74.1	27,003	2.4	270,444	23.5

(注) 1 上表の各欄の数字はそれぞれ弗未満の数字を四捨五入したため総額と内訳が一致しないこともある。
2 支出総額は過年度分も含む。

育英事業

1　国費学生の年次別入学者, 在籍者, 卒業者数　(1962年4月現在)

学科	1960 入学	1960 在籍	1960 卒業	1961 入学	1961 在籍	1961 卒業	1962 入学	1962 在籍	1962 卒業	1963 入学	1963 在籍	1963 卒業	入学者累計	卒業者累計
医学	8	57	7	24	75	6	24	91	8	34	116	9	146	30
歯学	1	8	—	9	15	2	6	19	2	5	23	1	28	5
薬学	1	12	3	2	11	3	2	8	5	2	6	3	26	20
工学	10	44	9	13	44	13	12	47	9	15	46	16	116	70
理学	8	20	9	7	23	4	11	29	5	7	32	4	69	37
商船	—	3	2	—	3	—	1	4	—	—	—	—	11	6
農学	7	23	3	6	23	6	5	23	5	3	20	6	50	30
獣医	1	3	1	1	3	1	—	3	—	—	3	—	7	4
畜産	—	2	—	—	1	—	—	1	—	—	1	—	5	4
水産	1	5	1	2	7	1	1	6	2	—	5	1	11	6
法学	2	6	5	2	6	2	2	7	1	4	4	4	24	20
文学	3	13	1	1	12	2	2	9	5	2	8	2	35	27
経済	1	9	3	3	6	4	2	4	3	2	5	3	25	22
商学	1	4	2	—	6	—	—	5	—	—	5	—	11	6
美術	1	2	—	1	3	—	2	5	—	2	6	1	7	1
音楽	—	—	—	1	1	—	1	2	—	—	2	—	2	—
体育	—	—	—	—	—	—	—	4	—	—	4	—	4	—
家政	1	4	1	1	4	1	—	4	—	1	4	1	8	4
外国語	2	11	1	1	9	3	—	7	2	—	4	4	14	10
計	**50**	**226**	**48**	**75**	**251**	**50**	**75**	**277**	**49**	**75**	**297**	**55**	**599**	**302**

2　自費学生の年次別入学者, 在籍者, 卒業者数　(1963年4月現在)

学科	1960 入学	1960 在籍	1960 卒業	1961 入学	1961 在籍	1961 卒業	1962 入学	1962 在籍	1962 卒業	1963 入学	1963 在籍	1963 卒業	入学者累計	卒業者累計
医学	11	93	—	7	100	—	4	82	22	16	88	10	120	32
歯学	5	20	—	2	22	—	2	21	3	5	25	1	29	4
薬学	6	22	3	7	23	6	5	23	5	9	27	5	48	21
工学	20	66	9	22	74	14	18	77	15	41	97	21	161	64
理学	4	20	5	4	18	2	7	20	5	10	22	6	51	29
商船	—	6	—	—	6	2	1	3	4	2	5	1	13	9
農学	6	17	1	4	22	1	5	22	5	7	24	5	40	16
獣医	—	3	1	1	3	1	—	1	1	—	—	—	4	4
畜産	—	3	1	1	2	1	—	1	1	—	2	—	4	3
法学	4	19	7	2	15	6	2	12	5	6	9	9	45	36
文学	1	7	2	4	7	2	2	8	3	5	6	7	25	19
経済	4	13	4	4	11	4	3	10	4	6	9	4	32	23
商学	—	8	1	2	10	1	2	12	2	1	1	—	11	10
美術	—	—	—	—	—	—	—	1	—	—	—	—	3	1
音楽	—	—	—	1	1	—	1	2	—	—	2	—	2	—
体育	1	1	1	—	3	—	1	11	5	1	8	3	22	13
家政	2	15	1	3	12	6	2	11	1	—	9	2	—	—
外国語	2	5	—	2	8	—	2	9	2	2	14	—	14	6
計	**69**	**322**	**43**	**65**	**336**	**51**	**57**	**315**	**78**	**121**	**350**	**86**	**645**	**295**

3 琉球育英会の給与貸与事業　　　　　　　　　　(1963年4月現在)

項　目	学校種別	人員	単価	1ヵ月の支出額	年間支出額
給費学生奨学費	本土大学在学生	2	8.33	16.66	199.92
貸費学生奨学費	〃	21	8.33	174.93	2,099.16
〃	琉球大学在学生	9	8.33	74.97	899.64
計		32	8.33	266.56	3,198.72

4 国費学生の卒業後の状況　　　　　　　　　　(1963年4月現在)

部門 ＼ 卒業年次	1959	1960	1961	1962	1963	計
教　育	8	11	10	13	10	52
大　学	5	—	—	1	2	8
公務員	12	15	11	9	6	53
金　融	2	3	3	—	—	8
公　社	2	3	2	1	2	10
軍関係	1	1	—	—	—	2
会　社	6	1	5	8	7	27
本土公務員	—	1	1	1	7	10
進　学	2	9	11	13	18	53
計	38	44	43	46	52	223

5 市町村育英事業（資金段階別育英会数）　　　　(1963年4月現在)

資　金	1,000弗未満	1,000弗〜5,000弗	5,000弗〜10,000弗	10,000弗以上	計
育英会数	4	14	9	8	35

6　高等学校特別奨学生

(1963年4月現在)

区分		課程学年	全日制				定時制					合計
			1年	2年	3年	計	1年	2年	3年	4年	計	
奨学生総数			183	182	167	532	—	1	5	6	12	**544**
学科別	普通		176	172	147	495	—	1	5	5	11	**506**
	農業		—	—	—	—	—	—	—	—	—	—
	工業		2	6	11	19	—	—	—	—	—	**19**
	商業		5	4	5	14	—	—	—	1	1	**15**
	水産		—	—	4	4	—	—	—	—	—	**4**
	家・被		—	—	—	—	—	—	—	—	—	—
男女別	男		100	104	91	295	—	1	1	1	3	**298**
	女		83	78	76	237	—	—	4	5	9	**246**
通学別	自宅通学者		173	172	157	502	—	—	3	6	9	**511**
	下宿通学者		10	10	10	30	—	1	2	—	3	**33**

7　昭和38学年度国費・自費学生在学生数

(1) 昭和38学年度国費学生学科別年次別調

(1963年4月現在)

学科＼年次	大学						インターン	計	大学院				計	合計
	1年	2年	3年	4年	5年	6年			1年	2年	3年	4年		
インターン	—	—	—	—	—	—	7	7	—	—	—	—	—	**7**
医学	34	24	25	9	9	12	—	113	5	7	3	4	19	**132**
歯学	5	6	9	1	1	1	—	23	1	—	—	—	1	**24**
薬学	2	2	2	1	—	—	—	7	—	—	—	—	—	**7**
工学	13	13	12	10	—	—	—	48	1	1	—	—	2	**50**
理学	6	7	7	5	—	—	—	25	1	2	3	—	6	**31**
数学	2	2	1	3	—	—	—	8	1	—	—	—	1	**9**
商船	1	1	1	1	—	—	—	4	—	—	—	—	—	**4**
電気通信	1	2	1	—	—	—	—	4	—	—	—	—	—	**4**
農学	3	—	5	6	7	—	—	21	—	—	—	—	—	**21**
獣医	—	—	1	1	—	—	—	2	—	—	—	1	1	**3**
畜産	—	—	—	1	—	—	—	1	—	—	—	—	—	**1**
水産	—	—	2	2	—	—	—	4	—	—	—	—	—	**4**
法学	1	1	2	1	—	—	—	7	—	—	2(教)	—	2	**9**
文学	1	1	2	2	—	—	—	7	—	—	1	—	1	**8**
経済学	1	1	—	1	—	—	—	4	1	—	—	—	1	**5**
商学	—	1	2	1	—	—	—	4	1	—	1	—	2	**6**
家政	1	1	—	1	—	—	—	4	—	—	—	—	—	**4**
外国語	1	—	2	—	—	—	—	4	—	—	—	—	—	**4**
美術	1	1	—	1	—	—	—	4	—	—	—	—	—	**4**
地理	—	1	—	—	—	—	—	1	—	—	—	—	—	**1**
図工	1	1	—	—	—	—	—	2	—	—	—	—	—	**2**
体育	1	1	1	1	—	—	—	4	—	—	—	—	—	**4**
音楽	—	1	1	—	—	—	—	2	—	—	—	—	—	**2**
計	75	75	77	53	10	13	7	310	11	10	10	5	36	**346**

(2) 昭和38学年度自費学生学科別年次別調　　　　　　　　(1963年4月現在)

学科＼年次	大学								大学院					合計
	1年	2年	3年	4年	5年	6年	インターン	計	1年	2年	3年	4年	計	
インターン	—	—	—	—	—	—	14	14	—	—	—	—	—	14
医　　学	16	6	7	1	13	14	—	67	—	2	—	1	3	70
歯　　学	5	4	2	5	6	4	—	26	—	—	—	—	—	26
薬　　学	9	11	7	6	—	—	—	33	—	—	—	—	—	33
工　　学	41	35	26	26	—	—	—	128	—	—	—	—	—	128
理　　学	10	19	4	4	—	—	—	37	—	—	—	—	—	37
商　　船	2	1	2	—	—	—	—	5	—	—	—	—	—	5
農　　学	7	5	6	6	—	—	—	24	—	—	—	—	—	24
獣　　医	—	—	—	—	—	—	—	—	—	1	—	—	1	1
畜　　産	—	—	—	—	—	—	—	—	—	—	—	—	—	—
法　　学	5	7	2	4	—	—	—	18	—	—	—	—	—	18
文　　学	4	6	3	2	—	—	—	15	—	—	—	—	—	15
経　　済	6	8	2	6	—	—	—	22	—	—	—	1	1	23
商　　学	9	12	10	6	—	—	—	37	—	—	—	—	—	17
美　　術	1	1	—	1	—	—	—	3	—	—	—	—	—	3
音　　楽	2	—	—	—	—	—	—	2	—	—	—	—	—	2
体　　育	—	—	—	1	—	—	—	1	—	—	—	—	—	1
家　　政	1	2	3	2	—	—	—	8	—	—	—	—	—	8
外 国 語	1	4	4	4	—	—	—	13	—	1	—	—	—	14
政　　治	1	1	1	1	—	—	—	4	—	—	—	—	—	4
新　　聞	1	—	1	—	—	—	—	2	—	—	—	—	—	2
計	121	122	80	85	19	18	14	459	—	4	—	2	6	465

〔注1〕早大生を含む。
〔注2〕大学院学生については本人から連絡のあつた者だけにとどめた。その他については調査困難である。

内　訳

区　分	1年	2年	3年	4年	5年	6年	インターン	計	備　考
自 費 生	68	56	65	69	19	18	14	309	
特 奨 生	37	51	—	—	—	—	—	88	
早 大 生	16	15	15	16	—	—	—	62	
計	121	122	80	85	19	18	14	459	

文化財保護事業

幼稚園

1 文化財保護事業費の年次別推移

($)

年度 経費	1955	1956	1957	1958	1959	1960	1961	1962	1963
文化財保護費	4,292	11,993	11,938	12,500	12,000	12,092	11,748	17,125	19,886

2 文化財保護法による指定件数

(a) **美術工芸品建造物等**　　　1963年6月現在

区　分	特別重要文化財	重要文化財
建　造　物	9件	13件
彫　　　刻	6	4
絵　　　画	0	1
工　　　芸	4	12
古文書典籍	3	4
計	**22**	**34**

(b) **史跡名勝天然記念物**　　　1963年6月現在

区　分	指定件数
史　　　　　跡	40
名　　　　　勝	5
天然記念物	33
埋蔵文化財	17
計	**95**

1 公立私立の園数, 学級数, 園児数, 教員数

1963年5月1日現在

教育区別および 市　町　村　別	園数	学級数	園児数	教員数 本務者	教員数 兼務者	職員数
全　　　　琉	46	171	6,362	178	60	37
公　　　　立	34	139	5,380	140	50	27
読　　　谷	2	8	260	8	2	—
嘉　手　納	1	4	185	4	1	1
北　　　谷	2	8	285	8	2	—
那　　　覇	20	102	4,019	102	35	25
北　大　東	1	1	39	1	1	—
石　　　垣	4	9	321	10	5	1
大　　　浜	2	4	147	4	2	—
与　那　国	2	3	124	3	2	—
私　　　　立	12	32	982	38	10	10
石　川　市	1	2	41	2	1	—
美　里　村	1	4	140	6	—	1
那　覇　市	5	15	431	17	4	8
与　那　原　町	2	5	139	5	2	—
平　良　市	1	3	120	3	1	1
石　垣　市	2	3	111	5	2	—

（附） 1　教育区別, 校種別, 学年別, 児童生徒数

　　　a　小学校　　　　　　　　　　　　　　　63.5.1現在

教育区	計	児童数						学級数	教員数
		1年	2年	3年	4年	5年	6年		
国頭	2,070	309	331	364	330	361	375	59	67
大宜味	1,192	167	187	197	202	220	219	34	39
東	675	110	115	112	110	116	112	21	23
羽地	1,669	244	236	292	279	311	307	42	50
屋我地	577	80	90	103	86	102	116	13	15
今帰仁	2,627	441	410	414	433	446	483	62	73
上本部	1,003	130	170	157	162	199	185	26	32
本部	3,117	466	496	542	523	549	541	77	88
名護	787	137	107	122	136	154	131	22	26
久志	3,238	538	474	554	549	529	594	71	84
宜野座	1,157	226	177	184	191	194	185	33	38
金武	730	107	122	127	125	115	134	23	31
伊江	1,368	209	228	235	217	235	244	35	42
伊平屋	1,557	281	261	277	243	244	251	35	39
伊是名	740	124	113	118	130	126	129	21	23
恩納	1,039	173	180	180	160	175	171	24	27
石川	1,565	257	244	251	286	254	273	44	48
美里	2,896	399	455	496	427	525	524	62	72
与勝	3,601	597	573	589	604	595	643	79	94
具志川	3,147	489	523	513	560	552	510	73	81
読谷	2,481	444	423	385	417	372	440	61	71
嘉手納	6,232	990	969	1,031	1,054	1,105	1,083	135	154
北谷	7,814	1,269	1,235	1,247	1,353	1,379	1,331	167	188
北中城	3,713	613	605	613	613	645	624	83	93
中城	2,413	394	372	425	433	400	389	51	60
宜野湾	2,008	336	311	321	346	334	360	43	48
西原	1,213	206	169	199	205	235	199	25	28
浦添	2,018	326	356	303	322	357	354	46	52
那覇	5,349	862	898	874	879	928	908	111	124
具志川	1,828	295	301	287	331	298	316	37	42
仲里	4,510	793	687	790	747	752	741	90	100
北大東	36,110	5,413	5,474	5,978	6,169	6,486	6,590	745	842
南大東	1,095	199	180	170	189	180	177	28	32
大東	2,020	340	331	325	355	338	331	52	59
	199	28	29	39	31	34	38	6	7
	618	92	83	113	121	113	96	15	16
豊見城	1,979	334	301	350	320	333	341	48	57
糸満	6,250	959	1,022	1,095	1,015	1,086	1,073	138	161
東風平	1,775	260	294	283	312	308	318	35	42
具志頭	1,289	214	219	207	222	227	200	28	33
玉城	1,852	298	300	311	307	319	317	42	48
知念	1,177	206	178	193	211	201	188	28	32
佐敷	1,483	246	246	237	257	253	244	30	36
与那原	1,563	222	237	259	277	272	296	34	38
大里	1,303	240	201	220	211	206	225	29	37
南風原	1,709	272	280	286	297	284	290	35	39
渡嘉敷	228	41	33	48	36	37	33	8	9
座間味	367	57	71	66	49	56	68	14	16
粟国	388	58	64	64	65	70	67	12	13
渡名喜	273	42	50	52	39	49	41	6	7

教育区関係資料

教育区	児童数 計	1年	2年	3年	4年	5年	6年	学級数	教員数
平良	5,861	880	1,089	974	970	1,018	930	134	155
城辺	3,100	483	618	459	526	536	478	69	81
下地	1,104	183	195	162	174	184	206	26	30
上野	947	155	164	141	146	163	178	21	25
伊良部	2,089	376	390	361	320	303	339	44	52
多良間	458	62	103	62	86	74	71	13	15
石垣	4,979	784	838	748	866	883	860	111	122
大浜	2,636	378	442	424	448	485	459	72	91
竹富	1,679	280	287	264	305	235	258	56	60
与那国	909	152	163	175	131	155	128	21	25

b 中学校

1963.5.1現在

教育区	生徒数 計	1年	2年	3年	学級数	教員数	教育区	生徒数 計	1年	2年	3年	学級数	教員数
国頭	1,033	356	376	301	28	52	浦添	1,980	732	665	583	41	62
大宜味	627	224	207	196	18	28	那覇	18,555	6,652	6,231	5,682	339	531
東	335	138	111	86	10	18	具志川	596	227	190	179	13	20
羽地	920	323	316	281	20	32	仲里	911	322	310	279	20	31
屋我地	265	95	87	83	6	9	北大東	91	30	39	22	3	6
今帰仁	1,380	497	482	401	31	51	南大東	238	76	90	72	6	9
上本部	531	178	184	159	12	18							
本部	1,627	563	579	485	41	69	豊見城	889	342	305	242	18	28
屋部	421	147	133	141	9	14	糸満	3,051	1,148	1,038	865	65	100
名護	1,636	577	590	499	35	53	東風平	792	298	272	222	17	26
久志	563	202	197	164	18	31	具志頭	587	228	186	173	13	21
宜野座	396	129	147	120	9	14	玉城	841	317	293	231	18	27
金武	718	278	226	214	17	29	知念	538	199	199	140	13	21
伊江	726	279	205	242	15	23	佐敷	711	278	212	221	15	24
伊平屋	343	127	128	88	10	17	与那原	808	284	275	249	17	26
伊是名	450	179	136	135	11	20	大里	563	229	181	153	12	19
							南風原	762	279	280	203	16	25
							渡嘉敷	107	43	34	30	5	10
恩納	709	256	237	216	19	34	座間味	183	60	69	54	8	15
石川	1,459	529	499	431	30	44	粟国	207	86	72	49	5	9
美里	1,689	623	555	511	35	52	渡名喜	143	61	37	45	4	7
与那城	2,258	839	731	688	49	72							
勝連	299	104	100	95	9	16	平良	2,844	1,048	892	904	64	101
具志川	2,907	1,105	964	838	59	91	城辺	1,555	560	508	487	36	56
コザ	3,775	1,435	1,286	1,054	79	118	下地	505	172	172	161	11	19
読谷	1,575	622	472	481	34	50	上野	465	171	135	159	11	17
嘉手納	1,117	440	361	316	23	35	伊良部	951	339	204	308	21	34
北谷	964	294	380	290	20	29	多良間	258	99	67	92	6	11
北中城	561	203	181	177	12	20							
中城	868	315	313	240	19	30	石垣	2,633	985	875	773	57	88
宜野座	2,427	922	786	719	49	72	大浜	1,337	479	458	400	32	51
西原	821	309	281	231	17	27	竹富	795	292	259	244	30	67
							与那国	463	154	169	140	11	20

2 教育区別高校入学者数,志願率,進学率
― 1962学年度卒業者による ―

63.6.1現在

教 育 区	入学者数	志願率	進学率	教 育 地	入学者数	志願率	進学率
国 頭	140	54.6	46.4	浦 添	328	75.7	59.5
大 宜 味	123	81.2	62.4	那 覇	3,809	86.4	71.6
東	41	52.4	39.0	具 志 川	110	63.7	57.0
羽 地	193	70.3	66.6	仲 里	157	65.1	52.7
屋 我 地	55	76.5	64.7	北 大 東	9	66.7	27.3
今 帰 仁	210	66.6	50.5	南 大 東	42	61.4	50.6
上 本 部	85	55.7	46.4	豊 見 城	136	54.1	44.3
本 部	219	56.0	40.6	糸 満	447	58.5	43.9
屋 部	76	82.1	65.0	東 風 平	147	74.8	61.8
名 護	257	77.6	59.2	具 志 頭	82	46.6	39.4
久 志	118	68.7	59.6	玉 城	164	61.9	50.0
宜 野 座	77	79.5	63.1	知 念	88	63.3	49.7
金 武	99	74.5	51.6	佐 敷	140	72.3	60.6
伊 江	48	32.3	25.8	与 那 原	144	81.8	67.3
伊 平 屋	49	50.0	35.0	大 里	112	74.9	56.3
伊 是 名	78	72.5	51.0	南 風 原	154	66.1	61.8
				渡 嘉 敷	19	55.6	52.8
恩 納	100	58.3	49.0	座 間 味	34	44.9	43.6
石 川	295	76.8	60.6	粟 国	19	50.0	35.2
美 里	351	69.2	63.6	渡 名 喜	12	44.4	26.7
与 那 城	346	50.1	40.9				
勝 連	33	46.2	31.7	平 良	467	68.6	53.9
具 志 川	532	69.7	55.0	城 辺	162	49.9	44.1
コ ザ	717	80.6	70.4	下 地	78	57.9	47.6
読 谷	270	68.8	56.6	上 野	51	41.3	34.0
嘉 手 納	182	74.7	63.0	伊 良 部	74	27.2	22.8
北 谷	182	81.4	70.5	多 良 間	23	35.7	27.4
北 中 城	115	78.1	68.0	石 垣	461	78.4	61.1
中 城	175	64.1	56.1	大 浜	242	61.0	56.5
宜 野 湾	493	81.7	69.5	竹 富	115	58.8	49.4
西 原	156	77.9	63.9	与 那 国	59	53.8	41.3

(注) 入学者,志願者,進学者はいずれも1963年3月中学校卒業者のみによる。
(過年度卒を含まない。)

3 教育区別本務教員給料平均額

1963.10.1現在

教育区	小校	中校	教育区	小校	中校	教育区	小校	中校
国頭	78.71	81.18	連勝	78.49	76.03	城玉	87.36	71.77
大宜味	82.24	93.57	志川	86.43	77.99	知念	82.56	81.90
東	73.41	80.72	具志	84.84	77.87	佐敷	90.89	87.61
羽地	90.47	83.98	コザ	83.77	78.64	与那原	89.00	82.02
屋我地	82.62	88.43	読谷	90.01	73.13	大里	84.15	78.33
今帰仁	78.86	84.29	嘉手納	86.58	84.07	南風原	85.93	81.30
上本部	90.14	77.04	北谷	80.43	75.29	渡嘉敷	64.56	76.32
本部	79.50	77.47	北中城	83.25	74.31	座間味	75.88	87.62
名護	86.86	79.86	中城	84.93	78.66	粟国	79.94	83.10
久志	90.15	80.53	宜野湾	88.71	81.70	渡名喜	76.91	85.44
宜野座	72.19	78.99	西原	83.83	77.71	平良	87.65	85.58
金武	90.14	79.73	浦添	89.87	81.82	城辺	83.85	81.63
伊江	79.87	80.30	那覇	92.42	81.51	下地	77.95	88.80
伊是名	79.98	74.06	具志川	84.09	86.51	上野	85.31	86.15
伊平屋	72.79	84.98	仲里	72.50	72.40	伊良部	79.21	75.53
伊是	68.21	70.25	北大東	67.13	80.03	多良間	84.67	81.15
恩納	72.44	81.98	豊見城	83.99	75.83	石垣	79.72	72.84
石川	88.29	77.55	糸満	84.64	77.28	大浜	85.30	79.97
美里	85.82	73.86	東風平	83.14	82.71	竹富	67.14	73.53
与那城	74.15	74.47	具志頭	92.28	80.15	与那国	77.99	71.54

(注) 本俸のみ補充教員は含んでいない。

4 1964年度教育区才入才出予算

(1) 才入

(単位弗)

教育区	才入総額	1 教育税	2 教育税以外の自己財源	3 政府補助	4 市町村補助	5 その他の収入
全琉球	53 13,197,876.	92 1,704,565.	99 22,000.	69 10,727,761.	10 85,828.	83 662,719.
国頭	211,048.66	14,150.45	50.00	189,042.71	1,600.00	6,205.70
大宜味	120,353.26	9,339.14	40.00	107,373.19	0.01	3,600.92
東	77,529.34	3,733.49	62.00	71,728.05	—	2,005.80
羽地	142,969.80	11,724.90	50.00	124,464.90	900.00	5,830.00
屋我地	47,934.00	5,050.00	5.00	41,139.00	—	1,740.00
今帰仁	237,950.04	31,617.23	162.00	197,886.81	—	8,284.00
上本部	98,209.00	6,929.00	127.00	87,452.00	—	3,701.00
本部	280,008.00	19,898.00	1.00	248,241.00	1.00	11,867.00
屋部	80,734.00	6,945.00	1.00	71,399.00	—	2,389.00
名護	315,913.00	68,121.00	201.00	224,197.00	2,500.00	20,924.00
久志	127,636.37	8,223.00	21.49	106,589.91	9,000.00	3,801.97

教育区	才入総額	1 教育税	2 教育税以外の自己財源	3 政府補助	4 市町村補助	5 その他の収入
宜野座	99,732.00	7,620.00	3.00	82,898.00	6,810.00	2,401.00
金武	128,850.00	10,660.00	205.00	108,760.00	5,000.00	4,225.00
伊江	107,766.00	12,770.00	34.00	90,338.00	—	4,624.00
伊平屋	73,087.44	4,726.44	—	64,634.00	—	3,727.00
伊是名	78,322.00	7,415.28	—	67,793.72		3,113.00
恩納	147,767.00	11,500.00	19.00	127,255.00	4,900.00	4,093.00
石川	201,356.15	23,753.22	1.00	169,031.44	1.00	8,569.49
美里	291,833.00	28,240.00	440.00	248,073.00	2,800.00	12,280.00
与那城	161,959.88	18,800.00	42.87	135,028.89	1,000.00	7,088.12
勝連	192,547.16	15,599.43	4,933.38	163,298.69	0.01	8,715.65
具志川	482,846.63	40,000.00	304.00	411,157.67	720.00	30,664.96
コザ	575,832.00	81,273.00	862.00	465,356.00	4,646.00	23,695.00
読谷	279,716.00	27,000.00	102.00	231,413.00	10,000.00	11,201.00
嘉手納	188,679.00	28,606.00	1,076.00	147,593.00	1,500.00	9,904.00
北谷	149,621.00	10,766.00	3,103.00	121,903.00	7,500.00	6,349.00
北中城	76,690.20	10,525.00	212.00	56,017.00	1.00	9,935.20
中城	149,141.00	13,710.00	56.00	129,348.00	200.00	5,827.00
宜野湾	399,488.80	53,500.00	372.01	327,226.27	0.01	18,390.51
西原	129,987.02	14,375.00	56.00	110,591.00	—	4,965.02
浦添	296,333.90	40,500.00	649.10	236,412.20	2,100.00	16,672.60
那覇	3,030,329.00	573,000.00	5,000.00	2,215,178.00	15,000.00	222,151.00
(久)具志川	99,368.00	10,522.00	80.00	85,649.00	1.00	3,116.00
仲里	169,186.00	17,109.00	747.00	145,530.00	—	5,800.00
北大東	21,108.02	3,500.00	0.02	16,333.50	400.00	874.50
南大東	45,828.66	7,057.13	180.00	38,293.83	1.00	296.70
豊見城	158,365.61	36,885.21	190.00	115,976.71	1.00	5,312.69
糸満	446,060.19	73,250.20	28.00	353,559.02	490.00	18,732.97
東風平	110,731.72	12,889.12	113.00	91,726.60	1.00	6,002.00
具志頭	98,787.00	10,632.00	51.00	84,527.00	1.00	3,576.00
玉城	143,677.00	14,073.00	37.00	121,297.00	1,000.00	7,270.00
知念	131,564.44	7,530.00	1.06	120,165.06	0.01	3,868.31
佐敷	114,787.61	10,700.00	0.04	99,200.12	0.01	4,887.44
与那原	134,991.06	16,997.00	111.03	112,853.00	0.01	5,030.02
大里	110,797.00	10,600.00	12.00	90,767.00	1.00	9,417.00
南風原	131,791.42	19,087.73	105.50	105,338.20	1,000.00	6,259.99
渡嘉敷	30,008.27	1,763.38	500.00	26,989.39	350.00	405.00
座間味	52,352.19	1,685.00	0.01	49,107.15	400.00	1,160.03

教 育 区			才 入 総 額	1 教育税	2 教育税以外の自己財源	3 政府補助	4 市町村補助	5 その他の収入
粟	名	国	34,790.00	2,687.00	21.00	31,279.00	1.00	802.00
渡	名	喜	35,465.00	2,500.00	1.00	31,519.00	—	1,445.00
平		良	488,800.00	58,522.70	268.33	408,739.95	0.01	21,269.01
城	辺		239,120.00	29,997.24	374.00	199,100.75	—	9,648.01
下		地	99,336.00	15,014.02	35.50	81,128.77	0.01	3,157.70
上		野	74,100.00	6,974.39	27.01	63,962.60	—	3,136.00
伊	良	部	145,150.00	10,716.98	41.12	127,966.90	—	6,425.00
多	良	間	56,696.00	5,187.24	30.00	49,546.75	0.01	1,932.00
石		垣	409,863.00	52,365.00	646.00	324,680.00	6,000.00	26,172.00
大		浜	310,104.28	27,000.00	98.50	272,781.78	1.00	10,223.00
竹		富	226,145.21	10,350.00	10.02	214,285.16	0.01	1,500.02
与 ・那		国	96,732.00	8,900.00	102.00	81,669.00	1.00	6,060.00

2　才　出　　　　　　　　　　　　　　　　　　　　　　　　（単位弗）

教 育 区			才 出 総 額	1 学校教育費	2 社会教育費	3 教育行政費	4 その他
全	琉	球	13,197,876.53	12,534,694.19	77,999.23	334,714.19	250,468.92
国		頭	211,048.86	201,123.59	1,422.10	7,350.93	1,152.24
大	宜	味	120,353.26	115,411.69	1,187.67	3,126.85	627.05
羽	東	地	77,529.34	73,679.69	631.61	2,801.00	417.04
屋	我	地	142,969.80	136,546.20	942.00	4,502.00	979.60
今	帰	仁	47,934.00	45,105.00	632.00	1,800.00	397.00
上		部	237,950.04	229,156.67	1,716.00	5,302.38	1,774.99
本		部	98,209.00	94,523.00	673.00	2,471.00	542.00
名		護	280,008.00	270,699.00	1,676.00	5,784.00	1,849.00
久		志	80,734.00	77,610.00	716.00	1,935.00	473.00
伊		座	315,913.00	296,891.00	4,168.00	0,010.00	4,844.00
伊	野	武	127,636.37	120,745.71	1,206.64	14,950.98	733.04
		江	99,732.00	94,933.00	621.00	3,718.00	460.00
		屋	128,850.00	122,455.00	800.00	4,759.50	835.00
	平	名	107,766.00	102,846.00	708.00	3,438.00	774.00
伊	是		73,087.44	68,801.44	597.00	3,333.00	356.00
			78,322.00	73,325.96	616.00	3,822.32	557.72
恩		納	147,767.00	139,050.00	2,621.00	5,321.00	775.00
石		川	201,356.15	191,751.80	1,715.50	6,087.33	1,801.52

教育区	才出総額	1 学校教育費	2 社会教育費	3 教育行政費	4 その他
美里	291,833.00	283,336.00	880.00	5,124.00	2,493.00
与勝 那 城	161,959.88	150,956.77	1,064.60	5,422.00	4,516.51
具志川 志	192,547.16	184,051.76	825.13	3,875.52	3,794.75
コザ	482,846.63	463,974.56	5,225.30	9,983.96	3,662.81
諠納 手	575,832.00	552,263.10	2,302.40	13,335.80	7,930.70
嘉手納	279,716.00	261,054.00	1,233.00	6,835.00	10,594.00
北谷 中	188,679.00	172,725.00	658.00	6,485.00	8,811.00
北城	149,621.00	143,471.00	559.00	3,468.00	2,123.00
中城 野	76,690.20	71,648.00	1,272.20	1,840.30	1,929.70
宜野湾	149,141.00	141,896.00	768.00	5,068.00	1,409.00
西原	399,488.80	386,660.41	1,262.60	7,752.03	3,813.76
	129,987.02	123,611.90	732.07	4,174.04	1,469.01
浦添	296,333.90	279,688.80	1,512.00	9,394.80	5,738.30
那覇	3,030,329.00	2,859,608.00	7,311.00	47,105.00	116,305.00
(久)志川 志	99,368.00	92,087.00	868.00	4,636.00	1,777.00
仲里 具	169,186.00	157,826.00	1,300.00	5,789.00	4,271.00
北東 大	21,108.02	19,519.59	210.04	1,048.38	330.01
南東	45,828.66	43,474.62	50.00	1,704.04	600.00
豊見城	158,365.61	150,556.54	2,225.00	4,296.92	1,287.15
糸満 見	446,060.19	423,873.81	2,324.00	16,516.86	3,345.52
東風平 風	110,731.72	104,600.00	1,481.00	3,445.60	1,205.12
具志頭 志	98,787.00	94,826.00	697.00	2,277.00	987.00
玉城	143,677.00	135,667.00	1,605.00	5,071.00	1,334.00
知念	131,564.44	128,314.35	649.83	1,680.07	920.19
佐敷 那	114,787.61	110,118.27	826.68	2,785.79	1,056.87
与那原	134,991.06	127,433.09	1,022.04	5,153.91	1,382.02
大里 風	110,797.00	105,086.00	1,355.00	3,537.00	819.00
南風原 嘉	131,791.42	126,270.71	1,652.00	2,720.50	1,148.21
渡嘉敷 間	30,008.27	28,475.05	288.33	1,121.06	123.83
座間味 名	52,352.19	49,204.49	459.02	2,584.97	103.71
粟国	34,790.00	33,308.00	209.00	1,139.00	134.00
渡名喜	35,465.00	33,624.00	254.00	1,514.00	73.00
平良	488,800.00	473,544.08	1,364.00	7,788.45	6,103.47
城辺	239,120.00	227,395.37	1,885.02	7,090.56	2,749.05
下地	99,336.00	91,233.80	1,300.00	5,524.00	1,278.12
上野 良	74,100.00	70,460.87	440.01	2,562.39	636.73
伊良部 良	145,150.00	138,265.47	1,257.00	4,196.69	1,430.84
多良間	56,696.00	53,541.47	430.00	2,188.05	536.48
石垣	409,863.00	385,880.00	1,474.00	8,081.00	14,428.00
大浜	310,104.28	295,265.43	1,968.00	7,374.50	5,396.35
竹富 那	226,145.21	216,016.13	1,567.44	7,011.63	1,550.01
与那国	96,732.00	89,227.00	583.00	5,499.00	1,423.00

学 校 一 覧
公 立 小・中 学 校

。は小中併置校　(1963年5月1日現在)

連合区	教育区	小　学　校	中　学　校
北　部	国　頭	奥間　辺土名　。佐手　辺野喜分校　。北国　。奥　。楚州　。安田　。安波	国頭　。佐手　。北国　。奥　。楚州　。安田　。安波
	大宜味	。津波　。塩屋　。大宜味　。喜如嘉	。津波　。塩屋　。大宜味　。喜如嘉
	東	。高江　。東　。有銘	。高江　。東　。有銘
	羽　地	羽地　稲田　真喜屋　。源河	羽地　。源河
	屋我地	屋我地	屋我地
	今帰仁	今帰仁　。兼次　天底　。湧川　。古宇利	今帰仁　。兼次　。湧川　。古宇利
	上本部	謝花　豊川　新里	上本部
	本　部	本部　健堅分校　。崎本部　。瀬底　。水納　。伊豆味　。伊野波　。浜元	本部　。崎本部　。瀬底　。水納　。伊豆味　。伊野波　。浜元
	屋　部	屋部　中山分校　安和	屋　部
	名　護	名護　大宮　東江　。瀬喜田	名護　。瀬喜田
	久　志	。久辺　。久志　。嘉陽　天仁屋　。三原	。久辺　。久志　。嘉陽　天仁屋　。三原
	宜野座	宜野座　漢那　松田	宜野座
	金　武	。嘉芸　金武　中川	。嘉芸　金武
	伊　江	伊江　西	伊　江
	伊平屋	伊平屋　田名　島尻　。野甫	伊平屋　。野甫
	伊是名	伊是名　具志川島	伊是名　具志川島
中　部	恩　納	。恩納　。仲泊　。山田　。安富祖　。喜瀬武原	。恩納　。仲泊　。山田　。安富祖　。喜瀬武原

連合区	教育区	小　　学　　校	中　学　校
中　部	石　川	城前　宮森　伊波	石　川
	美　里	美里　美東　高原　北美	美里　美東
	与那城	○伊計　○宮城　桃原　○平安座 与那城	○伊計　○宮城　○平安座　与勝
	勝　連	南風原　勝連　平敷屋　○津堅 ○浜	○津堅　○浜
	具志川	川崎　天願　金武湾　兼原　田場 高江洲　あげな	具志川　高江洲　あげな
	コ　ザ	島袋　越来　コザ　安慶田　諸見 中の町	越来　コザ　山内
	読　谷	読谷　○古堅　渡慶次　喜名	読谷　○古堅
	嘉手納	嘉手納　宮前	嘉手納
	北　谷	北谷　北玉	北　谷
	北中城	北中城	北中城
	中　城	津覇　南上原分校　中城　北上原 分校	中　城
	宜野湾	普天間　宜野湾　嘉数　大山	普天間　嘉数
	西　原	西原　坂田	西　原
那　覇	浦　添	浦添　西原分校　仲西	浦添　仲西
	那　覇	高良　小禄　○垣花　城岳　開南 神原　神原分校　壷屋　久茂地 前島　若狭　泊　安謝　与儀　真 和志　識名　大道　松川　真嘉比 城西　城南　城北	小禄　○垣花　上山　那覇　安岡 神原　真和志　寄宮　療護園分校 首里　古蔵
	具志川	大岳　清水	具志川
	仲　里	仲里　奥武分校　美崎　○比屋定 久米島	仲里　○比屋定　久米島
	北大東	○北大東	○北大東
	南大東	○南大東	○南大東

連合区	教育区	小　　学　　校	中　　学　　校
南部	豊見城	座安　上田　長嶺	豊見城
	糸満	糸満　糸満南　喜屋武　真壁　米須　高嶺　兼城	糸満　三和　高嶺　兼城
	東風平	東風平	東風平
	具志頭	具志頭　新城	具志頭
	玉城	玉城　百名　船越	玉城
	知念	知念　○久高	知念　○久高
	佐敷	佐敷	佐敷
	与那原	与那原	与那原
	大里	大里北　大里南	大里
	南風原	南風原	南風原
	渡嘉敷	○渡嘉敷　阿波連	○渡嘉敷　阿波連分校
	座間味	○座間味　阿嘉　○慶留間	○座間味　阿嘉　○慶留間
	粟国	○粟国	○粟国
	渡名喜	○渡名喜	○渡名喜
宮古	平良	平良第一　北　久松　鏡原　宮原　○西辺　○狩俣　宮島分校　○大神　○池間	平良　久松　鏡原　○西辺　○狩俣　○大神　○池間
	城辺	砂川　西城　城辺　福嶺	砂川　西城　城辺　福嶺
	下地	下地　○来間	下地　○来間
	上野	上野	上野
	伊良部	伊良部　伊良浜	伊良部　伊良浜
	多良間	多良間　水納分校	多良間
八重山	石垣	○川平　○崎枝　○富野　○名蔵　石垣　吉野　登野城	○川平　○崎枝　○富野　○名蔵　石垣
	大浜	大浜　○川原　真栄里山分校　平真　宮良　白保　伊野田　平久保　明石　野底	大浜　○川原　白保　伊原間
	竹富	○竹富　由布　○黒島　○小浜　○波照間　○鳩間　○上原　○船浦　○大原　上地　古見　○西表　○白浜　○船浮　○網取	○竹富　○黒島　○小浜　○波照間　○鳩間　上原　船浦　大原　○西表　○白浜　○船浮　○網取
	与那国	与那国　○久部良　比川	与那国　○久部良

政府立学校

澄井小中学校　稲沖小中学校　松島中学校　盲学校　聾学校

高 等 学 校

所　在	全　日	定　時	所　在	全　日	定　時
大宜味村	辺土名		糸満町	糸　満	糸　満
今帰仁村	北　山		具志川村	久米島	
名護町	名　護	名　護	平良市	宮　古	宮　古
宜野座村	宜野座		石垣市	八重山	八重山
石川市	石　川	石　川	屋部村	北部農林	北部農林
具志川村	前　原	前　原	具志川村	中部農林	中部農林
読谷村	読　谷		豊見城村	南部農林	南部農林
美里村	コ　ザ	コ　ザ	平良市	宮古農林	
宜野湾市	普天間	普天間	石垣市	八重山農林	
那覇市	首　里	首　里	那覇市	沖縄工業	沖縄工業
那覇市	那　覇	那　覇	那覇市	那覇商業	那覇商業
那覇市	小　禄		那覇市	沖縄水産	
与那原町	知　念	知　念	平良市	宮古水産	

私立学校

佐敷教会小学校　沖縄ミッション中学校

高 等 学 校

所　在	全　日	定　時	所　在	全　日	定　時
那　覇	沖　縄中央	沖　縄中央	那　覇	興　南	
コ　ザ	中　央	中　央			

大　学

琉球大学
沖縄大学　（私立）
国際大学　（私立）

短期大学

沖縄短期大学　　　（私立）
国際短期大学　　　（私立）
沖縄キリスト教学院短期大学　　　（私立）

公立幼稚園

那　覇	高良，小禄，垣花，城岳，開南，壺屋，久茂地，与儀，真和志，大道，城西，城南，城北，前島，若狭，松川，泊，神原，識名，安謝，
北大東	北大東
北　谷	北谷，北玉
読　谷	読谷，渡慶次
嘉手納	嘉手納
石　垣	みやとり，みやまえ，ふたば，わかば
大　浜	へいしん，さきはら
与那国	よなぐに，みなと
平　良	平一（63.7.30認可）

私立幼稚園

光の子，マリヤ，相愛，ナザレ，愛児，ヨゼフ，聖母，友愛，クララ，みつば，海星，あいの

各種学校

洋　裁	ひめゆり橋服装学院，万田ドレスメーカー女学院，希望ケ丘服装学院沖縄ドレスメーカー女学院，嘉手納服装学院，浦添ドレスメーカー女学院石川文化服装学院・全あげな分校，コザ和洋裁女学院，愛善服装学院八重山ドレスメーカー女学院、コザ文化服装学院・全普天間分校，すみれ洋裁学院，八重山文化服装学院
編　物	沖縄編物技芸学院，アート編物学院，沖縄中央編物学院・全呉屋分校中屋編物学院
タイピスト	新隆タイピスト学院・コザ分校，双葉タイピスト学院みどりタイピスト学院
珠　算	山崎珠算学院，川満珠算学院，宮古珠算学院，宮城珠算学校
料　理	新島料理学院，中央クッキングスクール
経　理	安木屋高等経理学校
電　気	沖縄無線技術専門学校・全コザ分校

正　誤　表

1964年度　沖縄教育の概観

頁	表	行	誤	正	頁	表	行	誤	正
2	a	高校教育課…2級教	5	4	34	(3)	寄宿舎…聾	121	127
3	(2)	北部補助…会計	5	1	〃	〃	家　庭…総　数	52	71
〃	〃	〃　…書記	一	5	〃	〃	〃　　聾	46	65
4	欄外	み　だ　し	4	3	38	C	金融…大学沖縄	18	13
4	3	人口…今帰仁	23,319	13,319	〃	〃	〃　短期大学	13	18
8	5	(注) 1.	私立	削除	39	b	哲　学…琉　大	1,134	1,124
13	(5)	小一普…職業指導	36	31	56	2	志願率…南風原	66.1	69.1
〃	〃	〃　英語	1	63	57	4(1)	政府補助…全琉	10,727 761	10,722 761
22	(1)(a)	総数…進学者	不鮮明	55.9	〃	〃	〃　名　護	224,197	22,4167
〃	〃	女…就職進学者	〃	2.1	59	2	3　名　護	0,010	10,010
〃	〃 (b)	男…その他	〃	4.9	62	学校一覧	小学校・勝連	南風原	南　原
〃	〃 〃	女…就職進学	〃	0.7	63	〃	小・伊良部	伊良浜	佐良浜
〃	〃 〃	〃　就職者	〃	50.3	〃	〃	中　〃	伊良浜	佐良浜
〃	〃 〃	〃　その他	〃	6.1	〃	〃	小　石　垣	吉野	吉原
23	(a)	中・61・実…繊維工	22	322					
24	(b)	中・62・実…漁業	不鮮明	95					
30	③(4)	給　食　物　資	51.200	51,200					
34	(3)	総　数…総　数	256	281					
〃	〃	〃　聾	179	204					
〃	〃	寄宿者…総数	185	191					

別冊3

沖縄教育の概観

8
1965

琉球政府文教局調査広報課

まえがき

ここに「沖縄教育の概観」の小冊子をおとどけする。

沖縄教育の現状を大略はあくするに足りる統計資料を収集して，広く教育関係者の便をはかり，沖縄教育推進に役立つことを願ってまとめた。

教育関係者の活用を望むとともに，今後ともご協力とご叱声をいただき，内容の充実を期したい。

1965年6月

文 教 局 長

阿 波 根 朝 次

凡　　例

1. 1964年2月発行の「沖縄教育の概観」にひき続いて3回めの教育統計資料をまとめた。第2回とほぼ同一内容で統計資料をまとめてある。今回は都合により巻頭に図版をのせることができなかつた。
2. 資料はできるだけ新しいものを収録するように努力し，特に学校数，児童生徒数は1965年5月1日の統計資料によつた。
3. 資料は調査広報課並びに保健体育課の実施する教育指定統計の結果に基づき，他は主管課や関係機関の協力をあおいだ。収録した統計のおもな出所は次のとおりである。
   ① 学 校 基 本 調 査：1964年5月1日現在。ただし，卒業後については，1963学年度の卒業者を調査したもので，時点は1964年6月1日である。学校数，生徒数は1965年5月1日の統計をとつた。
   ② 教 育 財 政 調 査：1963会計年度の決算額，また1部は1964会計年度の決算額によつた。
   ③ 学 校 保 健 統 計：1964年度の調査統計にもとづいた。
   ④ 学 校 建 築 関 係 資 料：学校基本調査の調査結果にもとづいた。
   ⑤ 学 力 調 査：教育研究課の調査結果にもとづいた。
   ⑥ 大 学 関 係 資 料：沖縄にある4大学の報告にもとづいた。
   ⑦ 育 英 関 係 資 料：琉球育英会による調査結果にもとづいた。
   ⑧ 文化財保護事業関係資料：文化財保護委員会事務局の調査結果にもとづいた。
4. 巻末に全琉小中学校（1964年5月1日）をかかげた。

も く じ

教 育 行 政

1. 教育行政機構図……………………………………………………………… 1
2. 教育行政機関の職員数……………………………………………………… 2
   (1) 文教局職員数………………………………………………………… 2
   (2) 連合区別職員数……………………………………………………… 3
3. 教育行政区一覧……………………………………………………………… 4

学 校 教 育

1. 学校種別学校数，学級数および児童生徒数……………………………… 5
   (1) 学 校 数……………………………………………………………… 5
   (2) 学級数および児童生徒数…………………………………………… 5
2. 規模別学校数………………………………………………………………… 6
3. 規模別学級数………………………………………………………………… 7
4. 学級編制方式別学級数……………………………………………………… 8
5. 児童生徒数長期推計………………………………………………………… 8
6. 年令別児童生徒数…………………………………………………………… 9
7. 教員1人あたり1学級あたり児童生徒数の対本土比較………………… 9
   (1) 学校種別……………………………………………………………… 9
   (2) 推　移………………………………………………………………… 9
8. 教　職　員…………………………………………………………………… 10
   (1) 学校種別職名別教職員数…………………………………………… 10
   (2) 学校種別年令別本務教員数………………………………………… 11
   (3) 年令別本務教員構成図……………………………………………… 12
   (4) 学校種別資格別教員数および構成比……………………………… 12
   (5) 学校種別免許状所持教員数………………………………………… 13
   (6) 担当教科別免許状所持教員数……………………………………… 14
   (7) 教員の給料（平均給）……………………………………………… 16
   (8) 教員の現職教育……………………………………………………… 16
9. 高等学校への入学状況……………………………………………………… 17
   (1) 年次別志願者数，入学者数および進学率………………………… 17

(2)　1964学年度の学科別入学状況……………………………………………… 17
10. 中学校，高等学校卒業者の状況……………………………………………… 18
　　(1)　卒業後の進路状況……………………………………………………… 18
　　(2)　卒業後の進路累年比較………………………………………………… 18
　　(3)　就職者の産業別，職業別区分………………………………………… 19
11. 児童生徒の学力………………………………………………………………… 21
　　(1)　学年別教科別にみた平均点…………………………………………… 22
12. 学校保健と給食………………………………………………………………… 23
　　(1)　戦前戦後沖縄本土児童生徒発育表…………………………………… 23
　　(2)　学校種別疾病異常およびり患率……………………………………… 24
　　(3)　地区別疾病異常およびり患率………………………………………… 24
　　(4)　学校給食のための経費………………………………………………… 25
　　(5)　学校給食に消費される物資…………………………………………… 25
　　(6)　給　食　の　実　施　状　況………………………………………… 26
　　(7)　疾病異常り患率(図)…………………………………………………… 26
13. へ　き　地　教　育…………………………………………………………… 27
　　(1)　級別へき地指定校数…………………………………………………… 27
　　(2)　へき地学校数，学級数，教員数，児童生徒数……………………… 27
　　(3)　へき地教育振興法に基づく補助金の交付額………………………… 27
14. 特殊教育(盲聾学校)…………………………………………………………… 28
　　(1)　児童生徒数，学級数，教員数………………………………………… 28
　　(2)　児童生徒 1人あたり教育費本土との比較…………………………… 28
　　(3)　在学者の通学状況……………………………………………………… 28
15. 産　業　教　育………………………………………………………………… 28
　　(1)　産業教育備品の年次別資金内訳……………………………………… 28
　　(2)　産業教育備品費の学科別の目標額と投入額………………………… 29
　　(3)　水産高校練習船の性能………………………………………………… 29
16. 大　学　教　育………………………………………………………………… 30
　　(1)　年度別学生数…………………………………………………………… 30
　　(2)　学科系統別学部学生数………………………………………………… 30
　　(3)　年度別卒業者，入学者，入学志願者………………………………… 30
　　(4)　職名別教員数…………………………………………………………… 31

(5)	卒業後の状況………………………………………………	31
(6)	校地校舎…………………………………………………	32
(7)	図　　書…………………………………………………	33
(8)	奨学制度…………………………………………………	33
(9)	琉球大学の予算推移……………………………………	34

社 会 教 育

1.	青 年 学 級………………………………………………	36
2.	公　民　館………………………………………………	36
3.	社会教育関係団体………………………………………	36
4.	社会体育施設……………………………………………	37
5.	教育区社会教育主事設置状況…………………………	37
6.	各 種 学 校………………………………………………	38
7.	琉球政府立図書館の現状………………………………	38
8.	琉球政府立博物館の現状………………………………	38

教 育 施 設

1.	年度別校舎建築費の推移………………………………	39
2.	政府立公立小，中，高校校舎建築状況………………	40
3.	学校種別保有面積，基準面積および生徒1人あたり面積…………	41
4.	小，中，高校理科備品年次別支出額並に基準達成率…………	41

教 育 財 政

1.	分野別教育費の負担区分（1963年度と1964年度）……	42
2.	総教育費総額の支出項目実額と百分比…………………	42
3.	学校教育費の支出項目別実額と百分比…………………	42
4.	児童生徒1人あたり教育費の本土との比較……………	43
5.	政府一般会計歳出予算額と決算額の推移………………	43
6.	教　育　税………………………………………………	44
(1)	教育税の年次別調定額，収入額，収入率……………	44
(2)	教育税の年次別，教育分野別支出実額および百分比……	44

育 英 事 業

1.	国費学生の年次別入学者，在籍者，卒業者数…………	45
2.	自費学生の年次別入学者，在籍者，卒業者数…………	45

3.	琉球育英会の給与，貸与事業	46
4.	国費学生の卒業後の状況	46
5.	市町村育英事業	46
6.	高等学校特別奨学生	47
7.	昭和39学年度国費，自費学生在学生数	48
8.	育英会運営の寮一覧	48

文化財保護事業

1.	文化財保護事業費の年次別推移	49
2.	文化財保護法による指定件数	49

幼 稚 園

1.	公立私立の園数，学級数，園児数，教員数	49

（附）

教育区別資料

1.	教育区別教職員給料平均額	51
2	学 校 一 覧	
	小　学　校	51
	中　学　校	58
3.	1965年度教育区才入才出予算	64
	(1) 歳　入	64
	(2) 歳　出	66

1 教育行政機構図

教育行政

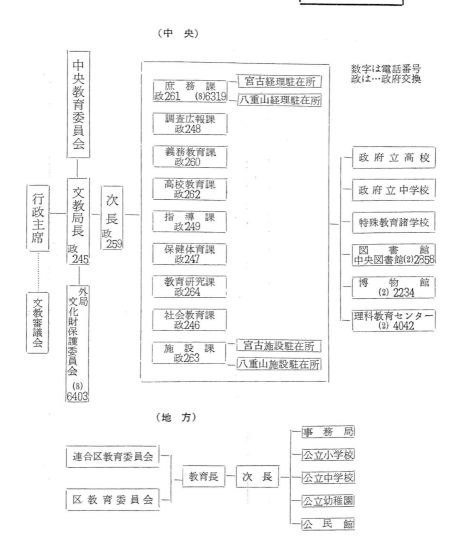

2 教育行政機関の職員数

(1) 文教局職員数

a 本局職員定数

1964年6月1日現在職級別人員表

区分	局長	次長	庶務課	調査広報課	義務教育課	高校教育課	指導課	保健体育課	教育研究課	施設課	社会教育課	計
特　別　職	1											1
1級 行政管理職		1										1
1級 教育管理職			1	1	1	1		1	1	1	1	8
2級 教育管理職			3	4	5	4		3	5	2	2	28
1級 指導職							1					1
2級 指導職			1			3	21	3			5	24
1級 一般事務職			5						1			6
2級 一般事務職			10	1	4	4			2	1		23
3級 一般事務職			4	2	5	3	1	3	2	2	1	23
2級 法制職			1									1
1級 タイプ操作職			2									2
1級 自動車運転職			3							1		4
2級 建築職										2		2
3級 建築職									1	9		10
4級 建築職										1		1
2級 電気職										1		1
3級 電気職										2		2
4級 〃　〃										1		1
計	1	1	30	8	15	15	14	11	11	23	10	139

b 中央教育委員数

地区	北部	中部	南部	都市	宮古	八重山	全琉
定員	2	3	2	2	1	1	11

° 任期　4年
° 選挙は半数交代制,隔年ごとの12月中に6人および5人を交互に改選する。

c 文教審議会委員数

° 審議会は20人以内をもって組織
° 特別の専門的事項を審議する委員として臨時的に9人以内の専門委員がおかれる。
° 任期は2年,専門委員の場合は,特別事項の調査審議の期間をその任期とする。
° 委員及び専門委員は行政主席が任命する。

d 附 属 機 関

1964年7月現在

区　　　分	図書館	博物館
2級 図 書 館	3	
1級 博 物 館		1
2級 博 物 館		1
2級 一般作業職	1	3
2級 事 務 職	4	1
3級 事 務 職		1
計	8	7

e 外 局 （文化財保護委員会）

1964年7月現在

区　　　分	事務局
2級 行政管理職	1
1級 一般事務職	2
2級 〃	2
3級 〃	1
3級 建 築 職	1
1級 自動車運転職	1

文化財保護委員会委員数　8

(2) 連合区別職員数

1964年7月1日現在

区　　分	北部		中部		那覇		南部		宮古		八重山		計	
	補助	負担	補助	負担	補助	負担	補助	負担	補助	負担	補助	負担	補助	負担
教 育 長	1		1		1		1		1		1		6	
次 長	2		2		1		2		1		1		9	
管 理 主 事	1		1		2		1		1		1		7	
指 導 主 事	4		5		5		3		2		2		21	
社 教 主 事	1		1		2		1		1		1		7	
会 計 係	5		1		1		1		1		1		6	
書 記			5		1	5	4		3		3		21	5
書 記 補						1		1					2	6
運 転 手		1		1		1		1		1		1		6
給 仕		1		1		1				1		1		5
計	15	2	16	2	13	8	13	2	10	2	10	2	77	18

— 3 —

4 教育行政区一覧

教育区名	人口 1960.12.1	教育委員数	公立学校数 小校	公立学校数 中校	社会教育主事数	教育区名	人口 1960.12.1	教育委員数	公立学校数 小校	公立学校数 中校	社会教育主事数
北部連合区	125,872	16	58(5)	43		仲 里	8,853	5	4(1)	3	1
国 頭	10,653	5	8(1)	7	1	具 志 川	6,519	5	2	1	1
東	3,165	5	3	3	1	北 大 東	992	5	1	1	
大 宜 味	6,497	5	4	4		南 大 東	3,404	5	1	1	
羽 地	9,203	5	4	2		南部連合区	113,958	14	30	20(1)	
屋 我 地	3,671	5	1	1		与 那 原	8,234	5	1	1	1
今 帰 仁	13,319	5	5	4	1	佐 敷	7,913	5	1	1	
上 本 部	5,077	5	3	1		知 念	5,728	5	2	2	
本 部	16,365	5	7(1)	7	1	玉 城	9,346	5	3	1	1
屋 部	4,191	5	2(1)	1		具 志 頭	6,507	5	2	1	
久 志	6,309	5	5	5		大 里	6,810	5	2	1	
名 護	18,288	5	4	2	1	南 風 原	9,104	5	1	1	
宜 野 座	4,128	5	3	1		東 風 平	9,338	5	1	1	
金 武	8,846	5	3	1	1	豊 見 城	10,532	5	3	1	1
伊 江	7,492	5	2	1		糸 満	33,580	5	7	4	2
伊 平 屋	3,631	5	2(2)	2	1	渡 嘉 敷	1,509	5	2	1(1)	
伊 是 名	5,037	5	2	1	1	座 間 味	1,747	5	3	3	1
中部連合区	252,184	14	52(2)	29		粟 国	2,125	5	1	1	
恩 納	7,715	5	5	5	1	渡 名 喜	1,485	5	1	1	
石 川	16,523	5	3	1		宮古連合区	72,339	6	19(2)	17	
具 志 川	33,756	5	7	3	1	平 良	32,506	5	9(1)	7	
与 那 城	15,845	5	3	4	1	城 辺	15,433	5	4	4	1
勝 連	12,196	5	5	2		上 野	5,005	5	1	1	
美 里	19,963	5	4	2		下 地	5,703	5	2	2	1
コ ザ	46,695	5	6	3	1	伊 良 部	10,796	5	2	2	1
北 中 城	8,318	5	1	1		多 良 間	2,896	5	1(1)	1	
中 城	10,401	5	2(2)	1		八重山連合区	51,442	5	33(1)	22	
読 谷	19,697	5	4	2	1	大 浜	12,538	5	9(1)	4	1
嘉 手 納	12,976	5	2	1		石 垣	25,943	6	7	5	
北 谷	9,532	5	2	1		竹 富	8,260	5	14	11	
宜 野 湾	29,501	5	4	2	1	与 那 国	4,701	5	3	2	1
西 原	9,066	5	2	1		合 計	883,122		224(12)	150(1)	
那覇連合区	267,327	12	32(2)	19							
浦 添	24,512	5	3(1)	2	1						
那 覇	223,047	7	21	11	1						

注 °人口は1960.12.1の国勢調査確定人口
　°教育委員数は1965.5.1現在
　°学校数1965.5.1現在公立のみ（ ）は分校数で外数。

学校教育

1 学校種別学校数、学級数および児童生徒数

(1) 学校数

1965年5月1日現在

(小学校, 中学校)

区分		小校	中校	計	併置校(再掲)	分校 小校	分校 中校
1964年		231	155	386	76	10	1
全琉		228	154	382	73	12	1
	政府立	2	3	5	2	—	—
公立	計	224	150	374	70	12	1
	北部	58	43	101	30	5	—
	中部	52	29	81	10	2	—
	那覇	32	19	51	4	2	—
	南部	30	20	50	7	—	1
	宮古	19	17	36	5	2	—
	八重山	33	22	55	14	1	—
私立		2	1	3	1	—	—

(高等学校)

区分		計	政府立	私立
全琉	普通	21	18	3
	職業	11	11	—
全日	普通	21	18	3
	職業	11	11	—
定時	普通	13	11	2
	職業	5	5	—

(注) 政府立小, 中学校には澄井小中, 稲沖小中を含む。盲ろう学校は特殊教育諸学校の項参照。

(2) 学級数および児童生徒数
a 小・中学校

1965年5月1日現在

区分		計 生徒数	計 学級数	小学校 児童数	小学校 学級数	中学校 生徒数	中学校 学級数
1964年		237,332	5,348	155,127	3,590	82,205	1,758
全琉		235,232	5,435	151,810	3,646	83,422	1,789
	政府立	650	17	12	3	638	14
公立	計	234,462	5,411	151,697	3,638	82,765	1,773
	北部	33,920	878	21,690	583	12,230	295
	中部	68,101	1,519	44,419	1,028	23,682	491
	那覇	65,934	1,403	42,176	944	23,758	459
	南部	31,705	745	20,582	500	11,123	245
	宮古	19,945	473	13,220	319	6,725	154
	八重山	14,857	393	9,610	264	5,247	129
私立		120	7	101	5	19	2

(注) 政府立には澄井小中, 稲沖小中を含む。

b 高等学校学科別生徒数

1965年5月1日現在

区　分		計	普通	農業	工業	商業	水産	家庭
1964年		36,165	15,010	4,396	3,221	8,723	1,248	3,567
全琉	計	42,294	18,870	4,632	3,510	9,700	1,292	4,290
	全日	37,740	17,878	4,241	2,931	7,108	1,292	4,230
	定時	4,554	992	391	579	2,592	—	—
政府立	計	36,371	15,564	4,632	3,047	7,750	1,292	4,086
	全日	31,996	14,746	4,241	2,468	5,163	1,292	4,086
	定時	4,375	818	391	579	2,587	—	—
私立	計	5,923	3,306	—	463	1,950	—	204
	全日	5,744	3,132	—	463	1,945	—	204
	定時	179	174	—	—	5	—	—
構成比		100.0%	44.6	11.0	8.3	22.9	3.1	10.1

（注）水産には専攻科の生徒36名を含む。

2 規模別学校数

a 小学校

1964年5月1日現在

| 区　分 | | 総数 | 本校 | | | | | | | 分校 | |
			1人〜300	301〜600	601〜900	901〜1,200	1,201〜1,500	1,501〜2,000	2,001以上	総数	1人〜300
全琉		231	80	52	33	26	18	11	11	10	10
政府立		2	2	—	—	—	—	—	—	10	10
公立	計	227	76	52	33	26	18	11	11	10	10
	北部	60	31	18	6	4	1	—	—	3	3
	中部	52	6	10	14	11	8	2	1	2	2
	那覇	32	2	5	4	4	6	2	7	—	—
	南部	30	7	9	3	3	3	—	2	2	2
	宮古	19	3	5	5	6	—	1	—	2	2
	八重山	34	27	5	—	—	—	—	1	2	1
私立		2	2	—	—	—	—	—	—	—	—

b 中学校

1964年5月1日現在

| 区　分 | | 総数 | 本校 | | | | | | | 分校 | |
			1人〜300	301〜600	601〜900	901〜1,200	1,201〜1,500	1,501〜2,000	2,001以上	総数	1人〜300
全琉		155	80	29	15	12	4	8	7	1	1
政府立		3	2	1	—	—	—	—	—	—	—
公立	計	151	77	28	15	12	4	8	7	—	—
	北部	44	31	7	5	—	—	1	—	—	—
	中部	29	10	3	—	10	2	4	—	—	—
	那覇	18	4	3	2	—	2	1	6	—	—
	南部	20	7	3	7	2	—	1	—	1	1
	宮古	17	6	10	—	—	—	1	—	—	—
	八重山	23	19	2	1	—	—	—	1	—	—
私立		1	1	—	—	—	—	—	—	—	—

c 高等学校

1964年 5月1日現在

区分			総数	1人～100	101～300	301～400	401～500	501～600	601～700	701～800	801～900	901～1,000	1,001～1,100	1,101～1,200	1,201～1,300	1,301～1,400	1,401～2,000
政府立	全日	普通	17	—	—	1	2	1	1	2	1	—	1	5	—	3
		職業	10	—	—	2	—	3	1	—	2	—	—	—	1	1
	定時	普通	11	1	8	—	2	—	—	—	—	—	—	—	—	—
		職業	5	—	3	—	1	1	—	—	—	—	—	—	—	—
私立	全日		3	—	—	—	—	—	—	—	—	—	—	—	—	3
	定時		2	1	1	—	—	—	—	—	—	—	—	—	—	—

3 規模別学級数

a 小学校

1964年5月1日現在

区分		計	本校									分校							
			1人～20	21～25	26～30	31～35	36～40	41～45	46～50	51～55	56以上	計	1～20	21～25	26～30	31～35	36～40	41～45	51以上
全琉		3,566	76	69	157	209	425	854	1,272	481	23	24	5	3	6	2	1	6	1
政府立		3	3	—	—	—	—	—	—	—	—	—	—	—	—	—	—	—	—
公立	計	3,559	70	69	157	208	425	854	1,272	481	23	24	5	3	6	2	1	6	1
	北部	565	15	27	69	84	89	135	106	33	7	11	1	2	3	1	2	2	—
	中部	1,005	7	10	15	32	111	290	393	140	7	2	—	—	—	—	—	2	—
	那覇	933	20	1	11	10	87	167	424	208	5	5	1	1	—	—	—	2	1
	南部	487	10	6	15	40	65	122	158	71	—	4	1	—	1	—	—	—	—
	宮古	309	5	13	16	16	49	95	113	15	2	—	—	—	—	—	—	—	—
	八重山	260	13	12	25	34	26	24	45	78	14	2	2	—	3	—	—	—	—
私立		4	3	—	—	—	1	—	—	—	—	—	—	—	—	—	—	—	—

b 中学校

1964年5月1日現在

区分		計	本校									分校	
			1～20	21～25	26～30	31～35	36～40	41～45	46～50	51～55	56以上	計	1～20
全琉		1,755	38	17	64	58	78	257	662	409	172	3	3
政府立		14	3	—	—	—	—	4	4	—	3	—	—
公立	計	1,739	33	17	64	58	78	253	658	409	169	3	3
	北部	299	9	5	38	25	22	78	96	25	1	—	—
	中部	474	1	1	1	—	11	49	211	167	15	—	—
	那覇	451	—	—	2	2	9	20	130	133	152	—	—
	南部	238	6	2	3	9	1	56	127	33	1	3	3
	宮古	148	1	1	3	1	7	29	39	46	24	—	—
	八重山	129	13	8	10	6	9	11	48	27	—	—	—
私立		2	2	—	—	—	—	—	—	—	—	—	—

4 学級編制方式別学級数

a 小学校　　　　　　　　　　　　　　　　1964年5月1日現在

区分		総数	多級							複式				単級	特殊	促進
			計	1年	2年	3年	4年	5年	6年	計	2個学年	3個学年	4個学年			
全琉		3,590	3,461	541	562	570	583	591	614	80	56	24	—	4	29	16
政府立		3	—	—	—	—	—	—	—	2	1	1	—	1	—	—
公立	計	3,583	3,460	540	562	570	583	591	614	75	52	23	—	3	29	16
	北部	576	544	85	90	87	93	93	96	24	18	6	—	1	5	2
	中部	1,007	997	156	167	164	166	170	174	3	3	—	—	—	5	2
	那覇	938	915	139	144	145	157	161	169	2	2	—	—	—	13	8
	南部	487	472	74	77	78	81	79	83	10	8	2	—	—	3	1
	宮古	313	304	49	48	56	50	49	52	6	3	3	—	—	2	1
	八重山	262	228	37	36	40	36	39	40	30	18	12	—	2	1	1
私立		4	1	—	—	—	—	—	—	3	3	—	—	—	—	—

b 中学校　　　　　　　　　　　　　　　　1964年5月1日現在

区分		総数	多級				複式	単級	特殊
			計	1学年	2学年	3学年			
全琉球		1,758	1,731	575	593	563	17	6	4
政府立		14	13	3	4	6	1	—	—
公立	計	1,742	1,717	572	589	556	15	6	4
	北部	299	291	95	97	99	6	2	—
	中部	474	473	161	164	148	1	—	—
	那覇	451	448	149	154	145	—	—	3
	南部	241	238	79	82	77	2	—	1
	宮古	148	146	50	51	45	2	1	—
	八重山	129	121	38	41	42	5	3	—
私立		2	1	—	—	1	1	—	—

5 児童生徒数長期推計

学年度	義務教育人口			高等学校	学年度	義務教育人口			高等学校
	計	小学校	中学校			計	小学校	中学校	
1952	147,224	98,030	49,194	16,817	1964	237,591	155,313	82,278	36,142
1953	146,691	93,881	52,810	20,025	1965	235,043	151,589	83,454	42,827
1954	153,078	98,697	54,381	16,704	1966	230,082	148,577	81,505	45,421
1955	157,510	105,294	52,216	18,848	1967	225,648	145,795	79,853	48,148
1956	165,941	114,872	51,069	21,096	1968	221,841	144,316	77,525	49,298
1957	177,103	129,655	47,448	23,210	1969	219,307	143,923	75,384	49,394
1958	185,030	146,639	38,391	26,298	1970	217,919	145,522	72,397	49,491
1959	199,462	161,055	38,407	27,173					
1960	211,802	163,373	48,429	27,562	1956年度前は公立のみ				
1961	226,506	165,394	61,112	25,168	1957〜1964年度学校基本調査による(私立を				
1962	238,107	164,110	73,997	24,518	含む)義務教育人口には特殊学校を含む。				
1963	238,389	159,998	78,391	30,162	1965年度以降は推計数である。				

6 年令別児童生徒数

1964年5月1日現在

年 令	小学校 計	男	女	中学校 計	男	女
総 数	155,058	78,639	76,419	82,179	41,984	40,195
6 才	22,754	11,544	11,210	—	—	—
7 才	24,768	12,588	12,180	—	—	—
8 才	25,158	12,641	12,517	—	—	—
9 才	25,985	13,158	12,827	—	—	—
10 才	26,765	13,683	13,082	1	—	1
11 才	27,187	13,745	13,442	296	172	124
12 才	2,230	1,171	1,059	25,148	12,862	12,286
13 才	157	80	77	28,115	14,143	13,972
14 才	34	17	17	25,869	13,279	12,590
15 才以上	20	12	8	2,750	1,528	1,222

〔注1〕外国の国籍を有する児童生徒は除く。
〔注2〕私立を含む。

7 教員1人あたり1学級あたり児童生徒数の対本土比較

(1) 学校種別

1964年5月1日現在

区 分		小学校	中学校	高等学校	盲学校	聾学校	養護学校
教員1人あたり児童生徒数	本土	29.2	26.8	23.1	4.4	4.6	6.9
	沖縄	37.8	29.4	22.2	6.1	10.3	—
1学級あたり児童生徒数	本土	36.0	42.3	—	※7.5	※8.0	※11.7
	沖縄	43.2	46.8	36.8	6.5	10.8	

° 本土の資料は学校基本調査「文部統計速報No.104（昭和39年度）」により国立,公立をとり,沖縄の資料は,全調査の政府立,公立をとつた。
° 教員1人あたり児童生徒数は本務教員によつて算出したが,沖縄の盲ろう学校については非常勤講師を教員中に含めた。
° ※1963年5月1日現在。

(2) 推移

学年度		1958	1959	1960	1961	1962	1963	1964
教員あたり1人	小学校	41.5	41.1	42.5	41.9	41.7	38.7	37.8
	中学校	27.5	26.1	29.3	29.9	31.2	29.3	29.4
	高等学校	22.9	22.1	21.2	19.6	18.9	20.9	22.2
一学級あたり	小学校	44.8	44.8	46.0	45.7	45.5	37.7	43.2
	中学校	42.3	40.9	44.0	45.1	49.1	44.1	46.8

8 教職員

(1) 学校種別職名別教職員数（本務者のみ）

(a) 小 学 校　　1964年5月1日現在

区分	教員 総数 計	男	女	校長 男	教諭 男	教諭 女	助教諭 男	助教諭 女	養護教諭 女	職員 事務職員 男	事務職員 女	その他 男	その他 女
全 琉	4,109	1,313	2,796	151	1,144	2,710	18	52	34	33	96	48	329
公 立	4,101	1,312	2,789	151	1,143	2,705	18	50	34	33	95	48	328
北 部	681	219	462	27	192	447	—	7	8	5	8	4	54
中 部	1,141	360	781	42	317	771	1	1	9	13	20	11	68
那 覇	1,059	303	756	28	275	740	—	9	7	5	46	24	91
南 部	562	181	381	22	159	376	—	—	5	3	15	6	58
宮 古	356	126	230	14	111	227	1	—	3	5	1	—	28
八重山	302	123	179	18	89	144	16	33	2	2	5	3	29
政府立	3	—	3	—	—	1	—	2	—	—	—	—	—
私 立	5	1	4	—	1	4	—	—	—	—	—	—	1

(b) 中 学 校　　1964年5月1日現在

区分	教員 総数 計	男	女	校長 男	教諭 男	教諭 女	助教諭 男	助教諭 女	養護教諭 女	職員 事務職員 男	事務職員 女	その他 男	その他 女
全 琉	2,974	2,057	737	151	1,898	720	8	7	10	60	70	17	158
公 立	2,766	2,034	732	148	1,880	716	6	7	9	60	68	17	157
北 部	493	398	95	42	351	91	5	3	1	22	6	—	25
中 部	735	556	179	29	527	176	—	2	1	13	14	6	42
那 覇	700	461	239	18	443	235	—	2	2	8	29	9	43
南 部	378	265	113	20	245	110	—	—	3	8	10	2	24
宮 古	236	194	42	17	176	42	1	—	—	8	4	—	13
八重山	224	160	64	22	138	62	—	—	2	1	5	—	10
政府立	26	22	4	3	18	3	1	—	1	—	2	—	1
私 立	2	1	1	—	1	—	—	—	—	—	—	—	—

(c) 高 等 学 校　　1964年5月1日現在

区分	教員 総数 計	男	女	校長 男	教諭 男	教諭 女	助教諭 男	助教諭 女	講師 男	講師 女	職員 総数 男	職員 総数 女	事務職員 男	事務職員 女	技術職員 男	技術職員 女	実習助手 男	実習助手 女	その他 男	その他 女
総 数	1,574	1,361	213	30	1,248	201	83	12	—	—	180	138	44	44	42		65	26	29	68
政府立全日	1,233	1,059	174	27	998	170	34	4	—	—	160	86	35	19	40		60	24	25	43
政府立定時	154	146	8	—	140	8	6	—	—	—	8	34	3	12	—		4	—	1	22
私立全日	181	151	30	3	105	23	43	7	—	—	12	16	6	12	2		1	2	3	2
私立定時	6	5	1	—	5	—	—	1	—	—	—	2	—	1	—		—	—	—	1

(2) 学校種別年令別本務教員数

(a) 小 学 校　　　　　　　　　　　　　　　　(1964年5月1日現在)

区分	合計 男	合計 女	20才未満 男	20才未満 女	20～24 男	20～24 女	25～29 男	25～29 女	30～34 男	30～34 女	35～39 男	35～39 女	40～44 男	40～44 女	45～49 男	45～49 女	50～54 男	50～54 女	55～59 男	55～59 女	60才以上 男	60才以上 女
全琉	1,313	2,796	1	2	63	320	187	534	399	698	205	452	153	324	91	167	69	172	103	111	42	16
公立	1,312	2,789	1	2	63	318	186	533	399	696	205	452	153	322	91	167	69	172	103	111	42	16
北部	219	462	—	—	12	72	32	110	63	94	40	62	31	46	14	20	12	28	13	28	2	5
中部	360	781	—	—	15	69	67	155	119	253	50	129	31	72	23	36	14	44	28	20	13	3
那覇	303	756	—	—	13	40	30	106	87	177	48	149	48	112	22	76	14	58	28	31	13	7
南部	181	381	1	2	11	53	23	78	63	85	22	47	13	53	16	15	13	30	15	17	4	1
宮古	126	230	—	—	3	45	6	30	38	61	29	43	15	25	10	10	5	8	15	8	5	—
八重山	123	179	—	—	9	39	28	54	29	26	16	22	15	14	6	10	11	7	4	7	5	—
政府立	—	3	—	—	—	2	—	1	—	—	—	—	—	—	—	—	—	—	—	—	—	—
私立	1	4	—	—	—	—	1	—	—	2	—	—	—	2	—	—	—	—	—	—	—	—

(b) 中 学 校　　　　　　　　　　　　　　　　1964年5月1日現在

区分	合計 男	合計 女	20才未満 男	20才未満 女	20～24 男	20～24 女	25～29 男	25～29 女	30～34 男	30～34 女	35～39 男	35～39 女	40～44 男	40～44 女	45～49 男	45～49 女	50～54 男	50～54 女	55～59 男	55～59 女	60才以上 男	60才以上 女
全琉	2,057	737	—	1	257	206	785	304	375	79	199	38	165	53	85	25	84	21	78	9	29	1
公立	2,034	732	—	1	257	205	762	303	366	78	194	38	164	52	84	25	84	21	76	9	28	1
北部	398	95	—	1	48	24	157	49	63	8	40	1	34	6	15	4	18	2	12	—	7	—
中部	556	179	—	—	86	62	227	69	104	19	47	4	38	13	19	4	25	6	14	2	6	—
那覇	461	239	—	—	46	44	176	84	88	35	52	28	39	23	20	12	19	7	16	5	7	1
南部	265	113	—	—	39	38	92	50	57	14	16	2	19	6	16	1	8	2	14	—	4	—
宮古	194	42	—	—	20	12	57	22	31	2	13	1	26	1	6	—	8	2	15	1	3	—
八重山	160	64	—	—	18	25	73	29	17	—	15	2	8	3	10	2	10	1	5	1	1	—
政府立	22	4	—	—	—	—	22	1	1	1	1	—	1	1	1	—	—	—	1	—	1	—
私立	1	1	—	—	—	1	1	—	—	—	—	—	—	—	—	—	—	—	—	—	—	—

(c) 高 等 学 校　　　　　　　　　　　　　　　　1964年5月1日現在

区分	合計 男	合計 女	20才未満 男	20才未満 女	20～24 男	20～24 女	25～29 男	25～29 女	30～34 男	30～34 女	35～39 男	35～39 女	40～44 男	40～44 女	45～49 男	45～49 女	50～54 男	50～54 女	55～59 男	55～59 女	60才以上 男	60才以上 女
総数	1,361	213	1	—	154	34	540	109	345	40	88	6	87	10	39	2	35	5	44	4	28	1
政府立全日	1,057	174	—	—	97	25	414	85	294	35	66	5	79	10	32	2	25	5	34	6	18	1
政府立定時	154	146	—	—	26	1	54	6	21	1	13	—	7	—	6	—	5	—	6	—	4	—
私立全日	151	30	1	—	31	8	71	17	17	2	4	1	1	—	1	—	1	—	3	—	6	—
私立定時	5	1	—	—	—	—	1	1	—	—	—	—	—	—	—	—	—	—	1	—	—	—

— 11 —

(3) 年令別本務教員構成図

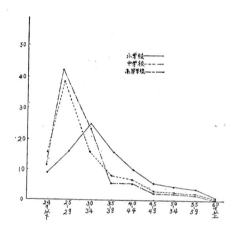

(4) 学校種別資格別教員数および構成比　　　　1964年5月1日現在

区　　　分		合　計	一級普免	二級普免	仮　免	臨　免
小　学　校	人　員	3,958	2,262	1,496	96	104
	構成比(%)	100	57.15	37.80	2.43	2.62
中　学　校	人　員	2,643	1,723	855	40	25
	構成比(%)	100	65.19	32.35	1.51	0.95
高等学校	人　員	1,544	453	944	52	95
	構成比(%)	100	29.34	61.14	3.37	6.15

（注）　公立・政府立のみ，ただし校長・養護教諭を除く。

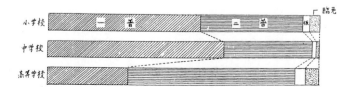

(5) 学校種別免許状所持教員数（延べ数）　　　　1964年5月1日現在

校種別 教科名	学校別 免許状別	小学校 計	一普	二普	仮	中学校 計	一普	二普	仮	高等学校 計	一普	二普	仮
中学校	国語	671	258	343	70	516	334	176	6	162	157	13	2
	社会	501	234	192	75	613	450	159	4	184	172	12	
	数学	139	53	71	15	257	144	109	4	108	100	8	
	理科	178	65	59	54	365	249	99	17	154	147	6	1
	音楽	141	44	78	19	133	74	55	4	20	15	5	
	美術	73	18	47	8	114	78	35	1	16	14	2	
	保健体育	66	13	38	15	153	88	59	6	116	99	16	1
	保健	24	—	24	—	57	10	46	1	13	12	1	
	技術	25	5	19	1	266	48	217	1				
	家庭	489	148	321	20	281	150	131		95	85	10	
	職業	66	30	27	9	258	181	74	3	114	187	27	
	職業指導	4	—	4	—	3	1	2					
	英語	245	56	157	32	425	260	157	8	163	152	11	
高等学校	国語					195	9	170	16	193	68	118	7
	社会					288	9	259	20	219	101	118	5
	数学					49	4	33	2	150	49	96	5
	理科					143	3	138	2	191	79	106	6
	音楽					46	2	42	2	20	4	13	3
	美術					48	1	47		15	2	13	
	工芸					1		1		3		3	
	書道					1		1		2		2	
	保健体育					71	6	61	4	122	20	91	11
	保健					16		7	9	12	1	11	
	家庭					119	2	90	27	109	31	75	3
	農業					156	2	147	7	138	33	105	
	工業					7		6	1	76	8	68	11
	商業					33		11	22	130	21	96	13
	水産									24	8	12	4
	商船									3		3	
	職業指導					13	1	11	1	11	1	4	6
	英語					177	10	143	24	192	70	111	11

〔注〕私立を除く。

(6) 担当教科別免許状所持教員数（延べ数）

(a) 中学校　　　　　　　　　　　　　　　　　　　1964年5月1日現在

教科		教員数	人員別構成				総時数	時間数別構成			
			一普	二普	仮	臨免		一普	二普	仮	臨免
国語	実数	500	263	114	3	120	8,760	5,406	2,182	46	1,126
	構成比	100%	52.6	22.8	6.0	24.0	100%	61.7	24.9	0.5	12.9
社会	実数	474	324	73	4	73	7,687	5,924	1,109	40	614
	構成比	100%	68.4	15.4	0.8	15.4	100	77.1	1.4	0.5	8.0
数学	実数	502	118	72	4	308	8,314	2,641	1,572	91	4,010
	構成比	100%	23.5	14.3	0.8	61.4	100	31.8	18.9	1.1	48.2
理科	実数	397	119	58	15	125	6,933	3,993	1,141	240	1,558
	構成比	100%	30.0	14.6	3.8	31.5	100	57.1	16.5	3.5	22.5
音楽	実数	198	71	47	2	76	2,935	1,355	925	44	611
	構成比	100%	35.9	23.7	2.0	38.4	100	46.2	31.5	1.5	20.8
保健体育	実数	480	78	61	3	338	5,278	1,630	1,140	56	2,452
	構成比	100%	16.3	12.7	0.6	70.4	100	30.9	21.6	1.1	46.5
美術	実数	245	76	27	1	141	2,906	1,596	417	25	868
	構成比	100%	31.0	11.0	0.4	57.6	100	54.9	14.3	0.9	29.9
技術家庭	実数	501	138	233	1	129	6,722	2,255	3,405	21	1,041
	構成比	100%	27.5	46.5	0.2	25.7	100	33.5	50.7	0.3	15.5
職業・家庭（選択）	実数	75	34	9		32	390	219	68		103
	構成比	100%	45.3	12.0		42.7	100	56.2	17.4		26.4
英語	実数	434	219	123	7	85	8,062	4,659	2,437	118	848
	構成比	100%	50.5	28.3	1.6	19.6	100	57.8	30.2	1.5	10.5
計	実数	3,806	1,440	807	42	1,427	57,987	29,678	14,396	681	13,231
	構成比	100%	37.8	21.2	1.1	37.5	100	51.2	24.8	1.2	22.8

〔注〕1 本務教員のみで延べ教員数である。
　　　2 私立を除く。

(b) 高等学校　　　　　　　　　　　　　　　　　　1964年5月1日現在

教科		教員数	人員別構成				総時数	時間数別構成			
			一普	二普	仮	臨免		一普	二普	仮	臨免
国語	実数	163	60	93		3	2,901	1,062	1,773		66
	構成比	100%	36.8	57.1		1.8%	100%	36.6	61.1		2.3
社会	実数	158	85	66	1	3	2,587	1,445	1,106	4	32
	構成比	100%	53.8	41.8	0.6	1.9%	100%	55.9	42.8	0.2	1.2
数学	実数	160	45	77	3	35	2,591	784	1,390	40	377
	構成比	100%	23.1	48.1	1.9	21.9%	100%	30.3	53.6	1.5	14.6

教科		人員別構成					時間数別構成				
		教員数	一普	二普	仮	臨免	総時数	一普	二普	仮	臨免
理科	実数	164	66	75	—	20	2,489	1,052	1,236	—	201
	構成比	100%	40.2	45.7	—	12.2	100%	42.3	49.7	—	8.1
音楽	実数	18	3	13	2	2	277	37	191	38	23
	構成比	100%	16.7	72.2	11.1	11.1	100%	13.4	69.0	13.7	8.3
保健体育	実数	137	18	88	8	10	2,203	283	1,579	147	199
	構成比	100%	13.1	64.2	5.8	7.3	100%	12.8	71.7	6.7	9.0
美術	実数	21	1	11	—	9	207	16	144	—	47
	構成比	100%	5.8	52.4	—	42.9	100%	7.7	69.6	—	22.7
家庭	実数	96	30	62	1	3	1,561	476	1,020	18	47
	構成比	100%	31.3	64.6	1.0	3.1	100%	30.5	65.3	1.2	3.0
農業	実数	111	25	84	—	2	1,731	346	1,367	—	18
	構成比	100%	22.5	75.7	—	1.8	100%	20.0	79.0	—	1.0
工業	実数	92	7	68	9	19	1,674	127	1,036	168	343
	構成比	100%	7.6	73.9	9.8	20.7	100%	7.6	61.9	10.0	20.5
商業	実数	124	20	79	8	17	2,030	347	1,321	130	232
	構成比	100%	16.1	63.7	6.5	13.7	100%	17.1	65.1	6.4	11.4
水産	実数	40	6	17	4	13	629	99	297	59	174
	構成比	100%	15.0	42.5	10.0	32.5	100%	15.7	47.2	9.4	27.7
書道	実数	1	—	1	—	—	20	—	20	—	—
	構成比	100%	—	100	—	—	100%	—	100	—	—
英語	実数	167	61	87	1	18	2,947	1,157	1,620	18	152
	構成比	100%	36.5	52.1	0.6	10.8	100%	39.3	55.0	0.6	5.2
工芸	実数	2	—	—	—	2	8	—	—	—	8
	構成比	100%	—	—	—	100	100%	—	—	—	100
スペイン語	実数	1	—	—	—	1	12	—	—	—	12
	構成比	100%	—	—	—	100	100%	—	—	—	100
計	実数	1,455	427	821	37	157	23,867	7,251	14,100	622	1,931
	構成比	100%	29.3	56.4	2.5	10.8	100%	30.4	59.1	2.6	8.1

〔注〕1 本務教員のみで,延べ教員数である。
    2 私立を除く。

(7) 教員の給料（平均給）　　　　　　　　　　　　　　　　　（弗）

校　種	1961.10.1	1962.10.1	1963.10.1	1964.10.1	備　　　考
小　学　校	65.34	78.61	84.55	93.04	本務教員の本棒のみ。
中　学　校	65.54	78.87	79.74	86.43	補充教員を含まない。
高等学校	62.61	80.03	84.73	90.25	

（義務教育課・高校教育課）

(8) 教員の現職教育

(a) 夏季講習

教員の現職教育のため本土各大学の講師を招へいして講習会を行なつている。現在までの各年度ごとの講師数,延受講者数は次の通りである。

学年度	招へい講師数	延受講者数	経費負担			
1953	14	870	民政府	14人分		
54	20	1,922	〃	20人分		
55	30	2,892	〃	20人分	琉大	10人分
56	30	2,743	〃	〃	〃	〃
57	32	3,068	丈教局	22人分	〃	〃
58	33	4,195	〃	〃	〃	11人分
59	33	3,370	〃	33人分		
60	33	3,412	〃	〃		
61	33	3,606	航空賃と滞在費本土政府負担			
62	33	3,297	〃			
63	33	2,296	〃			
64	33	2,318	〃			
計	357	33,989				

(b) 招へい教育指導委員

文部省の予算により本土各県の指導主事を主軸として編成された教育指導委員が1959年以来沖縄に派遣されて沖縄の教育現場の指導にあたつている。第1回,第2回は現場教師の学習指導の実践指導を中心に第3回,第4回,第5回は改訂指導要領の趣旨徹底のための講習会を中心に指導がなされた。

回	年度	人員	指導分野・期間	経費負担
1	1959	24	小12,中8,高4（6カ月）	滞在費の½は文教局、その他は本土政府
2	1960	20	小6,中8,保健6（4カ月）	滞在費、航空賃は本土政府
3	1962	25	小10,中12,高3（4カ月）	〃
4	1963	24	小10,中9,高5（4カ月）	〃
5	1964	24	小5,中8,高11（4カ月）	〃

9 高等学校への入学状況

(1) 年次別志願者数,入学者数および進学率

事項 \ 年次	1959	1960	1961	1962	1963	1964
中学校卒業生数	15,932	13,816	10,304	12,948	23,803	23,313
入学志願数 計	13,884	12,219	9,619	11,256	19,653	21,606
入学志願数 政府立	12,461	11,070	8,795	9,438	15,658	17,962
入学志願数 私立	1,423	1,149	824	1,818	3,995	3,644
入学者数 計	9,151	8,841	7,367	8,656	14,196	13,825
入学者数 政府立	7,802	7,848	6,626	7,214	11,842	11,681
入学者数 私立	1,349	993	741	1,442	2,354	2,144
進学率 (%)	57.44	63.99	71.50	66.85	59.64	59.3
政府立への進学率(%)	48.97	56.80	64.31	55.72	49.75	50.1

(2) 1964学年度、学科別入学状況 (政府立高等学校のみ)

区分	a 全日制						
	計	普通	農業	工業	商業	水産	家庭
入学志願者	15,483	5,438	2,565	1,913	2,615	859	2,095
入学者	10,337	4,566	1,425	844	1,748	440	1,314
入学率	66.8	84.0	55.6	44.1	66.8	51.2	62.7

区分	b 定時制					全日・定時合計
	計	普通	農業	工業	商業	
入学志願者	2,477	420	213	371	1,473	17,962
合格者	1,344	240	120	160	824	11,681
入学率	54.4	57.1	56.3	75.1	55.9	65.0

10 中学校.高等学校卒業者の状況

(1) 卒業後の進路状況

(a) 中学校

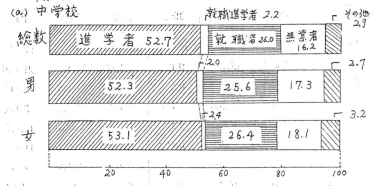

(b) 高等学校

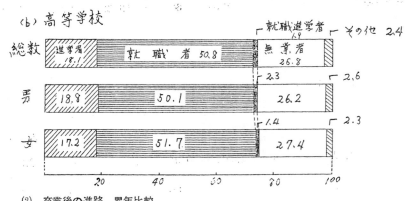

(2) 卒業後の進路 累年比較

(a) 中 学 校

区　　分	総　数	進学者	就職者	就職進学者	無業者	死亡者	不　詳	進学率	就職率
1962年 3月 卒業	12,948	7,660	3,723	228	1,063	―	274	60.9	30.5
1963年 3月 卒業	23,803	13,301	6,898	468	2,736	4	396	57.8	30.9
1964年 3月 卒業	23,313	12,281	6,063	513	2,194	1	684	52.7	26.0
政　府　立	142	82	24	7	14	―	―	57.7	16.9
公　立	23,164	12,194	6,038	506	2,179	―	684	52.6	26.1
私　立	7	5	―	―	1	1	―	71.4	14.3
男	11,944	6,245	3,059	244	1,333	1	325	52.3	25.6
女	11,369	6,036	3,004	269	861	―	359	53.1	26.4

(d) 高 等 学 校

区　　分	総　数	進学者	就職者	就職進学者	無業者	死亡者	不　詳	進学率	就職率
1962年 3月卒業	8,254	1,178	4,342	70	2,305	1	358	15.1	53.5
1963年 3月 〃	7,754	1,272	3,761	78	2,271	2	420	17.4	49.5
1964年 3月 〃	6,509	1,175	3,309	123	1,743	2	157	18.1	50.8
政　府　立	6,046	1,128	3,026	82	1,651	2	157	18.7	50.0
私　立	463	47	283	41	92	―	―	10.2	61.1
全 日 制	5,878	1,139	2,801	88	1,711	2	137	19.4	47.7
定 時 制	631	36	508	35	32	―	20	5.7	80.5
男	3,408	641	1,706	79	1,483	2	87	18.8	50.1
女	3,101	586	1,603	44	850	―	70	18.9	51.7

(3) 就職者の産業別, 職業別区分
  (a) 産業別

区分	中学校 1962.3 実数	比率	1963.3 実数	比率	1964.3 実数	比率	高等学校 1962.3 実数	比率	1963.3 実数	比率	1964.3 実数	比率
総数	3,951	100	7,366	100	6,576	100	4,412	100	3,839	100	3,432	100
農業	1,035	26.2	1,768	24.0	1,522	23.1	331	7.5	202	5.3	184	5.4
林業・狩猟業	1	0.0	12	0.2	15	0.2	4	0.1	6	0.2	14	0.4
漁業・水産増殖業	96	2.4	166	2.3	143	2.2	63	1.4	94	2.5	54	1.6
鉱業	17	0.4	18	0.2	20	0.3	6	0.1	1	0.0	—	0
建設業	133	3.4	228	3.1	220	3.3	140	3.2	179	4.7	181	5.3
製造業	976	24.7	1,630	22.1	1,724	26.2	885	20.1	834	21.7	903	26.3
(再掲) 繊維工業および繊維製品製造業	398	10.1	652	8.9	245	3.7	160	3.6	157	4.1	55	1.6
(再掲) 化学工業	7	0.2	1	0.0	12	0.2	19	0.4	12	0.3	16	0.5
(再掲) 機械製造業	29	0.7	37	0.5	52	0.8	120	2.7	70	1.8	58	1.7
(再掲) 電気機械器具製造業	33	0.8	89	1.2	166	2.5	112	2.5	96	2.5	121	3.5
卸売・小売業	263	7.7	971	13.2	756	11.5	827	18.7	839	21.9	764	22.3
金融保険業	4	0.1	3	0.0	1	0.0	294	6.7	224	5.8	90	2.6
不動産業	—	—	—	—	5	0.1	8	0.2	16	0.4	6	0.2
運輸通信業	50	1.5	273	3.7	281	4.3	257	5.8	179	4.7	226	6.6
電気・ガス水道業	6	0.2	58	0.8	31	0.5	88	2.0	67	1.7	47	1.4
サービス業	625	18.4	1,546	21.0	1,254	19.1	842	19.1	477	12.4	463	13.5
公務	5	0.1	14	0.2	7	0.1	213	4.8	155	4.0	158	4.6
その他	319	9.4	679	9.2	598	9.1	454	10.3	566	14.7	342	10.0

(b) 職 業 別

区　　分	中　学　校						高　等　学　校					
	1962.3		1963.3		1964.3		1962.3		1963.3		1964.3	
	実数	比率	実数	比率	実数	比率	実数	比率	実数	比率	実数	比率
総　　　　　数	3,951	100	7,366	100	6,576	100	4,412	100	3,839	100	3,432	100
農林業作業者	1,039	26.3	1,729	23.5	1,512	23.0	319	7.2	140	3.6	168	4.9
漁業作業者	95	2.4	170	2.3	147	2.2	57	1.3	79	2.1	48	1.4
採鉱，採石作業者	21	0.5	18	0.3	34	0.5	7	0.2	14	0.4	—	—
運輸，通信，作業者	24	0.6	289	3.9	293	4.5	209	4.7	131	3.4	167	4.9
技能工，生産工程作業者	950	24.0	1,833	24.9	1,911	29.1	911	20.7	705	18.4	576	16.8
単純労働者	235	6.0	430	5.8	396	6.0	52	1.2	59	1.5	25	0.7
保安職業従事者	—	—	—	—	—	—	67	1.5	48	1.2	41	1.2
専門的，技術的職業従事者	—	—	—	—	—	—	268	6.1	351	9.1	452	13.2
事務従事者	151	3.8	61	0.8	31	0.5	1,123	25.5	1,032	26.9	861	25.1
販売従事者	409	10.4	941	12.8	711	10.8	637	14.4	651	17.0	517	15.1
サービス業	699	17.7	1,325	18.0	1,073	16.3	465	10.5	296	7.7	344	10.0
(再掲) 家事サービス	360	9.1	647	8.8	544	8.3	154	3.5	95	2.5	88	2.6
対個人サービス	207	5.2	444	6.0	284	4.3	131	2.9	86	2.2	143	4.2
そ　の　他	132	3.4	234	3.2	245	3.7	180	4.1	115	3.0	113	3.3
そ　の　他	328	8.3	570	7.7	468	7.1	297	6.7	333	8.7	233	6.8

<全国学力調査教科別平均点の推移> （小学校）

学年	教科	区分	昭和37	38	39
第5学年	国語	全国	56.4	—	59.1
		沖縄	40.0	—	44.7
		差	16.4	—	14.4
	算数	全国	54.0	—	44.8
		沖縄	37.2	—	29.2
		差	16.8	—	15.6
	社会	全国	—	58.8	—
		沖縄	—	43.2	—
		差	—	15.6	—
	理科	全国	—	64.0	—
		沖縄	—	50.8	—
		差	—	13.2	—

学年	教科	区分	昭和31	32	33	34	35	36	37	38	39
第6学年	国語	全国	44.8	—	—	49.2	—	50.8	61.2	—	60.7
		沖縄	34.6	—	—	33.5	—	34.9	47.6	—	47.1
		差	10.2	—	—	15.7	—	15.9	13.6	—	13.6
	算数	全国	30.5	—	—	43.6	—	35.0	48.8	—	35.2
		沖縄	18.7	—	—	25.9	—	19.2	32.4	—	22.4
		差	11.8	—	—	17.7	—	15.8	16.4	—	12.8
	社会	全国	—	54.9	—	—	44.5	—	—	56.0	—
		沖縄	—	34.6	—	—	24.5	—	—	43.2	—
		差	—	20.3	—	—	20.0	—	—	12.8	—
	理科	全国	—	51.0	—	—	51.7	—	—	58.0	—
		沖縄	—	34.4	—	—	38.2	—	—	48.0	—
		差	—	16.6	—	—	13.5	—	—	10.0	—
	音楽	全国	—	—	54.6	—	—	—	—	—	—
		沖縄	—	—	41.4	—	—	—	—	—	—
		差	—	—	13.2	—	—	—	—	—	—
	図工	全国	—	—	56.6	—	—	—	—	—	—
		沖縄	—	—	41.7	—	—	—	—	—	—
		差	—	—	14.9	—	—	—	—	—	—
	家庭	全国	—	—	52.7	—	—	—	—	—	—
		沖縄	—	—	39.9	—	—	—	—	—	—
		差	—	—	12.8	—	—	—	—	—	—

<全国学力調査教科別平均点の推移>　（中学校）

教科	区分	第2学年 昭和36	37	38	39	第3学年 昭和31	32	33	34	35	36	37	38	39
国語	全国	57.8	62.5	54.8	56.0	48.3	—	—	60.3	—	60.7	59.0	56.5	53.8
国語	沖縄	40.8	49.8	41.0	44.6	37.8	—	—	45.8	—	47.5	45.3	45.8	41.6
国語	差	17.0	12.7	13.8	11.4	11.0	—	—	14.5	—	13.2	13.7	10.7	12.2
数学	全国	64.0	40.0	41.3	41.6	40.8	—	—	44.4	—	57.2	41.0	44.5	41.6
数学	沖縄	47.1	28.5	29.0	30.4	27.1	—	—	28.2	—	41.8	29.0	32.5	27.2
数学	差	16.9	11.5	12.3	11.2	13.7	—	—	16.2	—	15.4	12.0	12.0	14.4
社会	全国	50.9	44.3	57.0	37.7	—	54.8	—	—	41.2	53.7	50.0	44.5	47.0
社会	沖縄	33.9	33.8	44.5	24.3	—	41.1	—	—	26.0	41.9	40.3	37.5	37.7
社会	差	17.0	10.5	12.5	13.4	—	13.7	—	—	15.2	11.8	9.7	7.0	7.3
理科	全国	57.5	39.5	41.8	35.9	—	49.0	—	—	47.7	53.2	38.0	46.8	36.2
理科	沖縄	44.0	33.0	35.0	27.4	—	40.1	—	—	35.8	41.6	31.3	40.3	27.6
理科	差	13.5	6.5	6.8	8.5	—	8.9	—	—	11.9	11.6	6.7	6.5	8.6
英語	全国	68.2	56.8	58.5	47.2	—	—	44.4	—	—	65.2	75.0	56.8	48.3
英語	沖縄	50.7	43.8	45.8	36.1	—	—	31.5	—	—	48.3	41.0	42.0	33.1
英語	差	17.5	13.0	12.7	11.1	—	—	12.9	—	—	16.9	34.0	14.8	15.2
職家	全国	—	—	—	—	—	—	41.2	—	—	—	—	—	—
職家	沖縄	—	—	—	—	—	—	31.9	—	—	—	—	—	—
職家	差	—	—	—	—	—	—	9.3	—	—	—	—	—	—

12 学校保健と給食

(1) 戦前戦後沖縄本土児童生徒発育表

学校保健統計

身長

(男子)

年令	6	7	8	9	10	11	12	13	14
	cm								
沖 1939年	105.7	110.1	115.1	119.1	122.6	127.3	131.1	136.2	142.3
1963年	110.2	115.3	120.3	124.8	129.3	134.0	140.1	146.4	152.9
縄 1964年	110.3	115.5	120.5	125.4	129.8	134.5	141.0	147.2	153.9
本土（昭和39年）	113.7	118.5	123.6	128.5	133.2	138.2	144.1	151.2	157.5

(女子)

年令	6	7	8	9	10	11	12	13	14
	cm								
沖 1939年	105.1	109.2	113.9	118.3	123.0	127.9	132.9	138.3	141.8
1963年	109.3	114.5	119.6	124.5	130.2	136.2	142.3	146.2	148.6
縄 1964年	109.4	114.7	120.0	125.1	130.5	136.7	143.2	146.7	149.2
本土（昭和39年）	112.2	117.6	122.7	128.0	133.5	140	146.1	149.9	152.3

体重

(男子)

年令	6	7	8	9	10	11	12	13	14
	kg								
沖 1939年	17.3	19.0	20.6	22.4	24.1	26.3	28.3	31.4	35.9
1963年	18.7	20.7	22.8	24.8	27.0	29.7	33.9	38.6	44.2
縄 1964年	18.8	20.7	22.9	25.2	27.3	30.2	34.2	38.9	44.5
本土（昭和39年）	19.4	21.4	23.8	26.3	28.9	31.8	36.0	41.4	47.0

(女子)

年令	6	7	8	9	10	11	12	13	14
	kg								
沖 1939年	16.9	18.3	20.0	21.3	23.9	26.3	29.6	33.7	37.8
1963年	18.3	22.2	22.3	24.5	27.4	31.3	36.3	40.4	43.6
縄 1964年	18.3	20.2	22.4	24.7	27.7	31.5	36.5	40.3	43.7
本土（昭和39年）	18.9	20.9	23.3	25.9	29.1	33.3	38.2	42.7	46.1

胸囲

(男子)

年令	6	7	8	9	10	11	12	13	14
	cm								
沖 1939年	55.0	56.8	58.4	60.0	61.9	63.6	65.9	68.0	69.6
1963年	56.4	58.1	59.9	61.6	63.5	65.4	68.0	71.2	75.5
縄 1964年	56.3	58.0	60.1	61.7	63.4	65.5	68.3	76.5	75.8
本土（昭和39年）	56.7	58.6	60.6	62.6	64.6	66.9	69.4	73.3	77.3

(女子)

年令	6	7	8	9	10	11	12	13	14
	cm								
沖 1939年	53.3	55.3	56.7	58.4	60.1	62.3	65.1	68.8	70.3
1963年	54.7	56.4	58.1	59.9	62.3	65.5	69.8	73.1	75.8
縄 1964年	54.6	56.3	58.0	59.9	62.6	65.7	69.8	74.0	75.7
本土（昭和39年）	55.1	56.9	58.8	61.0	63.6	66.7	71.1	74.7	77.3

(2) 学校種別疾病異常およびり患率

1964年4月

区分	小学校			中学校			高等学校		
	計	男	女	計	男	女	計	男	女
栄養要注意	0.29	0.31	0.26	0.23	0.24	0.22	0.50	0.50	0.50
胸郭異常	0.34	0.42	0.25	0.16	0.20	0.12	—	0.14	—
伝染性の皮フ疾患	1.58	2.06	1.10	2.92	5.00	0.83	0.28	0.26	0.29
目　近視	1.79	0.21	3.36	6.21	5.03	7.39	8.15	6.30	10.00
弱視（両眼）	0.27	0.25	0.28	0.71	0.59	0.83	0.75	0.58	0.91
色神異常	0.74	1.24	0.24	1.06	1.66	0.51	1.12	1.58	0.65
トラホーム	7.64	7.58	7.70	6.09	6.18	5.99	1.99	2.40	1.57
その他	1.65	1.61	1.68	1.25	1.60	0.9	0.82	1.10	0.53
耳　難聴（両耳）	0.36	0.40	0.32	0.36	0.40	0.31	0.21	0.30	0.11
中耳炎	0.55	0.73	0.37	0.12	0.14	0.09	—	—	0.02
その他	0.71	0.74	0.67	0.10	0.12	0.08	—	—	0.04
鼻及び咽頭　せん様増殖症	0.09	0.08	0.10	0.06	0.03	0.08	—	—	—
蓄のう症	0.12	0.14	0.10	0.03	0.02	0.03	0.19	0.19	0.18
へんとう線肥大	2.95	3.06	2.84	2.98	3.08	2.83	0.61	0.86	0.36
その他	2.45	3.00	1.90	0.46	0.52	0.40	0.15	0.24	0.06
歯　処置完了	2.66	2.57	2.75	7.31	6.75	7.87	17.85	12.56	23.14
未処置歯	82.72	83.54	81.90	62.11	59.29	64.93	44.60	45.02	44.17

(3) 地区別疾病異常およびり患率

ヨ　小学校

1964年4月

区分		計	北部	中部	那覇	南部	宮古	八重山
伝染性の皮フ疾患	男	2.06	2.24	2.25	1.89	0.96	0.95	5.33
	女	1.10	1.12	1.25	0.92	0.72	0.47	2.81
近視	男	2.75	1.53	2.24	4.80	1.96	1.26	1.96
	女	3.36	1.64	2.83	5.99	2.36	1.96	2.44
色神異常	男	2.75	1.68	1.59	1.51	0.73	0.12	0.43
	女	0.24	0.22	0.21	0.43	0.15	0.05	0.15
トラホーム	男	7.58	12.7	9.69	5.66	5.31	3.69	8.17
	女	7.70	8.88	11.30	6.53	5.48	2.78	7.41
難聴（両耳）	男	0.40	4.38	0.44	0.44	0.47	0.17	0.26
	女	0.32	0.39	0.33	0.37	0.39	0.12	0.15
中耳炎	男	0.73	0.72	1.04	0.55	0.81	0.23	0.97
	女	0.37	0.46	0.63	0.22	0.26	0.12	0.28
へんとう線肥大	男	3.06	3.97	3.01	3.61	1.62	0.11	6.34
	女	2.84	3.61	3.14	2.84	1.32	0.12	6.18
虫歯処置完了	男	2.57	5.04	1.55	2.53	3.98	1.18	2.20
	女	2.75	5.83	11.32	2.86	4.01	3.66	2.33
虫歯未処置	男	83.54	77.35	87.16	84.82	82.01	76.99	84.04
	女	81.90	79.37	87.19	74.55	81.03	80.70	86.32

b 中学校　　　　　　　　　　　　　　　　　　　　　　1964月4月

区　分		計	北部	中部	那覇	南部	宮古	八重山
伝染性の皮フ疾患	男	1.48	2.69	1.37	1.34	1.40	1.29	1.27
	女	0.83	1.74	0.62	0.81	0.65	1.52	0.09
近視	男	5.00	4.17	4.45	7.96	3.05	2.45	2.20
	女	7.39	4.02	7.07	10.08	6.25	5.38	6.36
色神異常	男	1.60	1.93	1.90	1.78	1.25	1.07	0.38
	女	0.51	1.79	0.64	0.30	0.16	0.03	0.09
トラホーム	男	6.18	13.31	7.45	3.31	7.30	2.61	5.00
	女	5.99	11.92	7.63	2.82	7.43	2.27	6.09
難聴（両耳）	男	0.40	0.39	0.48	0.31	0.44	0.52	0.25
	女	0.31	0.23	0.40	0.27	0.28	0.23	0.36
中耳炎	男	0.14	0.47	0.05	0.15	0.18	0.03	—
	女	0.09	0.16	0.09	0.09	0.05	—	0.09
へんとう線肥大	男	3.08	3.68	2.33	1.99	1.40	0.09	17.55
	女	2.88	3.81	1.45	2.20	1.20	0.03	17.82
虫歯処置完了	男	6.75	6.16	4.70	7.18	8.09	9.03	7.16
	女	7.87	10.18	5.20	7.70	8.83	9.49	9.52
虫歯未処置	男	59.32	57.47	58.77	59.24	62.28	52.59	69.10
	女	64.93	63.49	61.05	64.66	64.93	58.43	89.68

(4) 学校給食のための経費（政府支出金）1964会計年度

①準要保護者の児童生徒の給食費補助　$13,655

区　分	人員	校数	補助額
パン、ミルク給食費	11,361	小学校/中学校	¢0.95の1/2補助 ¢1.15の1/2
完全給食費	539	小学校/中学校	$0.05の〃 〃

②完全給食設備費補助
完全給食実施教育区への補助　$5,682

③学校給食会補助　　　　　　　　$60,545
給食物資の港湾荷役、保管、
陸上及び海上輸送費　　　　　　$51,200
給食会の維持運営費　　　　　　　$9,345

(5) 学校給食に消費される物資（年間）1964会計年度

品目	数量	単位	※単価	換算数量	金額	備考
			$		$	
メリケン粉	12,384,547	袋（100ポンド入）	5.00	123,846袋	610,230.00	小中高校用
ミルク	4,539,836	箱（54ポンド入）	6.72	84,072袋	564,963.84	幼小中高校用
アラー	26,516	袋（100ポンド入）	6.45	266袋	1,715.70	高校定時制用
コーンミール	77,126	〃	5.95	772袋	4,593.40	〃 〃
ショートニング	27,419	箱（36ポンド入）	8.31	762箱	6,332.22	〃 〃
チーズ	266,122	〃 （42 〃 ）	15.00	6,336箱	95,040.00	小中校用
計	17,321,566				1,196,836.00	

※那覇港渡しの価格（FOB価格）

(6) 給食実施状況

1964.10現在

校　種	校　数	給食をうけている人員
幼稚園	※ 202	8,106 人
小学校	226	155,127
中学校	152	82,205
高校定時	17	3,883
	計	249,321

※ 未公認の幼児のため施設を含む

(7) 疾病異常罹患（図）

(8) 疾病異常罹患率		4	5	6	7	8	9	10%
伝染性の皮膚疾患	小学校							
	中学校							
	高等学校							
近視	小学校							
	中学校							
	高等学校							
トラホーム	小学校							
	中学校							
	高等学校							
寄生虫	小学校							
	中学校							
う歯未処置	小学校							
	中学校							
	高等学校							

　　10　20　30　40　50　60　70　80　90

13 へき地教育

(1) 級別へき地指定校数　　　　　　　　　　　(1965年5月1日現在)

区　分	準級地	1級地	2級地	3級地	4級地	5級地	計
小　学　校	7	17	19	10	3	4	60
小学校分校	—	—	—	1	—	1	2
中　学　校	6	14	15	9	—	—	44
分校	—	—	1	—	—	—	1
小中併置校(再掲)	(5)	(7)	(14)	(7)	(3)	(2)	(38)
高　等　学　校	—	1	—	—	—	—	1
計	13	32	35	20	3	5	108

(2) へき地学校数，学級数，教員数，児童生徒数　　(1964年1月25日現在)

区　分	学校数	学級数	教員数	児童生徒数	備　考
小　学　校	62	460	519	16,691	
中　学　校	45	222	394	8,132	
高　等　学　校	1	14	28	580	他に助手 2,農夫1,給仕1
計	108	696	941	25,403	

(3) へき地振興法に基づく補助金の交付額　(小中校のみ)　　(弗)

種類＼会計年度	58	59	60	61	62	63	64
へ き 地 手 当	12,360	12,380	20,500	22,900	21,780	35,815.10	95,546
へき地教育文化備品費	—	—	5,500	10,000	10,000	10,000	10,000
へき地衛生材料費	—	—	—	1,000	1,000	—	—
複 式 手 当	—	1,150	1,150	3,684	3,456	3,456	3,012
開拓地学校運営補助金	—	3,029	3,000	1,500	3,000	2,122	1,841
へき地教員住宅料	—	—	—	—	—	7,920	6,360

14 特殊教育（盲聾学校）

(1) 児童生徒数, 学級数, 教員数　　　1964年5月1日現在

		総数				小学部			中学部				高等部			
		在籍	学級	教員本務	兼務	在籍	学級	本務	在籍	学級	教員本務	兼務	在籍	学級	教員本務	兼務
総 数	男女	174 127	33	33	2	102 84	19	17	44 18	7	8	8	23 15	7	8	9
盲学校	男女	54 31	13	12	2	28 18	6	6	15 6	3	3	4	9 4	4	3	4
聾学校	男女	120 96	20	21	—	74 66	13	11	29 12	4	6	4	14 11	3	5	5

(2) 児童生徒1人あたり教育費本土との比較　（弗）

会計年度	59	60	61	62	63	64
本土	337.18	359.49	431.34	554.41	708.93	
沖縄	142.27	199.47	247.64	261.39	346.65	351.19

(3) 在学者の通学状況

区分	総数	寄宿舎	家庭（下宿を含む）	児童福祉施設
総数	301	203	83	15
盲学校	85	66	13	6
聾学校	216	137	70	9

15 産業教育

(1) 産業教育備品の年次別資金内訳　　　（単位弗）

校種	資金源	1961年度まで	1962	1963	1964	累計
中学校	琉球	249,821	—	31,440	32,223	313,484
	米国	2,307	207,850	225,000	174,500	6906,57
	計	252,128	207,850	256,440	206,723	923,141
高等学校	琉球	399,135	20,000	70,000	78,400	567,535
	日政	—	—	—	22,889	22,889
	米国	760,000	11,250	—	35,500	806,750
	計	1,159,135	31,250	70,000	136,789	1,397,174
合計	琉球	648,956	20,000	101,440	110,623	881,019
	日政	—	—	—	22,889	22,889
	米国	762,307	219,100	225,000	210,000	1,416,407
	計	1,411,263	239,100	326,440	343,552	2,320,315

(2) 産業教育備品費の学科別の目標額と投入額

教科別	目標	64年度までの投入額	%	65年度割当	65年度までの投入額	%
農業	$1,886,632	$263,184	13.94	$15,314	$278,498	14.76
工業	2,776,838	456,166	16.43	83,248	539,414	19.42
商業	529,863	148,463	28.01	9,024	157,487	29.72
水産	738,781	248,444	33.63	7,702	256,146	34.67
家庭	547,185	145,353	26.56	6,384	151,737	27.73
計	6,479,299	1,261,610	19.47	121,672	1,383,282	21.34

(3) 水産高校練習船の性能

	海邦丸	翔南丸
建造年月(竣工)	1959.4.23	1963.11.30
総屯数	207.75屯	280屯
主機関	デイーゼル550馬力 1	デイーゼル700馬力 1
補助機関	65馬力 2	95馬力 2
速力	10ノット	11ノット
燃料油漕容積		150立方米
魚倉容積		140立方米
乗組員数	62名	59名(船員25,教員2,生徒22)
発電機	35KVA 2台	75KVA 2台
冷凍機		22KW(1) 37KW(1)
おもな装置	レーダ1,ローラン,ジヤイロコンパス,電動測深機,電気式風向風速計	レーダー、ローラン、ジヤイロコンパス、遠隔操業装置、主機関リモートコントローラー、造水機,電動測深機、電気式風向風速計
無線装置	250W主送信機,50W補助送信機,方向探知機	250W主送信機,75W補助送信機,方向探知機,全波受信機,フアクスミリー

16 大 学 教 育

(1) 年度別学生数

学 校 名	1959 計	1960 計	1961 計	1963 計	1964 計	男	女	昼	夜
学 生 総 数	4,048	4,461	4,468	4,174	4,620	3,365	1,255	3,377	1,243
大　　学	2,152	2,268	2,735	3,244	3,830	2,901	929	3,093	737
琉 球 大 学	2,152	2,268	2,356	2,484	2,672	1,832	840	2,672	—
沖 縄 大 学	—	—	379	573	925	845	80	379	546
国 際 大 学	—	—	—	187	233	224	9	42	191
短 期 大 学	1,896	2,193	1,733	930	790	464	326	284	506
沖縄短期大学	1,271	1,149	754	476	433	253	180	150	283
国際短期大学	595	998	936	414	297	197	100	74	223
沖縄キリスト教学院短期大学	30	46	43	40	60	14	46	60	—

(2) 学科系統別学部学生数　　　　　　　　　　1963年5月1日現在

学 校 名	計	文理	法商政経	工学	農学	家政	教養員成	その他
総　　数	4,620	1,400	1,726	234	269	133	826	32
大　　学	3,830	1,020	1,348	234	269	133	826	—
琉 球 大 学	2,672	764	446	234	269	133	826	—
沖 縄 大 学	925	187	738	—	—	—	—	—
国 際 大 学	233	69	164	—	—	—	—	—
短 期 大 学	790	380	378	—	—	—	—	32
沖縄短期大学	433	173	260	—	—	—	—	—
国際短期大学	297	179	118	—	—	—	—	—
沖縄キリスト教学院短期大学	60	28	—	—	—	—	—	32

(3) 年度別卒業者,入学者,入学志願者

学校名 ＼ 年度別 区分	1958 卒業者	1959 卒業者	1960 卒業者	1961 卒業者	1962 卒業者	1963 卒業者	1963 入学者	1963 入学志願者	1964 入学志願者	1964 入学者	1964 卒業者
総　　数	409	446	889	1,278	1,017	2,786	1,389	994	2,690	1,482	939
大　　学	409	446	440	434	469	2,283	997	642	2,234	1,090	672
琉 球 大 学	409	446	440	434	469	1,815	630	553	1,899	798	520
沖 縄 大 学	—	—	—	—	—	294	266	89	273	242	97
国 際 大 学	—	—	—	—	—	138	101	—	62	50	55
短 期 大 学	—	—	449	844	548	503	392	352	456	392	267
沖縄短期大学	—	—	449	496	326	245	203	213	252	231	150
国際短期大学	—	—	—	328	204	208	157	126	158	130	93
沖縄キリスト教学院短期大学	—	—	—	20	18	50	32	13	46	31	24

(4) 職名別教員数　　　　　　　　　　　　　　　　　　　　　　1965年4月1日現在

学校名	総数	本務者						兼務者					
		計	学長	教授	助教授	講師	助手	計	学長	教授	助教授	講師	助手
総数	428	226	3	43	75	96	9	202	1	21	44	136	—
大学	321	211	1	40	75	85	9	110	—	14	26	70	—
琉球大学	234	180	1	37	68	65	9	54	—	8	18	28	—
沖縄大学	46	14	—	—	3	11	—	32	—	4	5	23	—
国際大学	41	17	1	3	4	9	—	24	—	2	3	19	—
短期大学	107	13	1	3	—	11	—	92	1	7	18	66	—
沖縄短期大学	30	9	—	—	—	9	—	21	—	2	1	18	—
国際短期大学	41	—	—	—	—	—	—	41	—	5	7	28	—
沖縄キリスト教学院短期大学	36	6	1	3	—	2	—	30	—	—	10	20	—

(5) 卒業後の状況（64年3月卒業者）

　a　卒業者の進路状況　　　　　　　　　　　　　　　　　　　　1964年6月

学校名	計	進学者	就職者	就職進学者	インターン	無業者	死亡	不詳
卒業者総数	939	67	707	31	—	16	—	118
大学	672	26	551	—	—	3	—	92
琉球大学	520	25	413	—	—	3	—	79
沖縄大学	97	1	84	—	—	—	—	12
国際大学	55	—	54	—	—	—	—	1
短期大学	267	41	167	31	—	13	—	26
沖縄短期大学	150	36	71	19	—	—	—	24
国際短期大学	93	3	72	12	—	4	—	2
沖縄キリスト教学院短期大学	24	2	13	—	—	—	—	—

　b　卒業者の就職状況　（64年3月卒業者）　　　　　　　　　　1964年6月

学校名	計	技術者	教員				その他の専門的職業従事者	管理的職業従事者	事務従事者	サービス事業従事者	販売従事者	その他
			小校	中校	高校	その他						
就職者総数	738	36	115	134	87	9	16	6	258	9	13	55
大学	551	33	110	119	84	5	12	4	154	3	3	24
琉球大学	413	33	104	112	75	3	9	1	60	2	1	13
沖縄大学	84	—	4	1	3	2	3	—	63	1	2	6
国際大学	54	—	2	6	6	—	—	3	31	—	—	—
短期大学	187	3	5	15	3	4	2	2	104	6	10	31
沖縄短期大学	90	3	1	9	—	—	2	—	62	—	5	11
国際短期大学	84	3	4	6	3	1	—	1	36	5	5	20
沖縄キリスト教学院短期大学	13	—	—	—	3	3	—	—	6	1	—	—

C 卒業者の就職状況(産業別)　　　　　　1664年6月1日現在

学校名	計	農業	漁産業養殖水	建設業	製造業	卸売業	小売業	金融保険業	運輸業	通信業	電気ガス水道業	サービス業	公務	その他
就職者総数	738	2	—	—	14	35	35	74	38		14	375	86	65
大学	551	1	—	7	24	20	43	28		5	330	61	32	
琉球大学	413	1	—	4	20	12	20	15	—		302	24	15	
沖縄大学	84	—	—	1	3	6	11	9	—		12	23	11	
国際大学	54	—	—	2	1	2	4	4	5		16	14	6	
短期大学	187	1	—	7	11	15	31	10		9	45	25	33	
沖縄短期大学	90	—	—	1	8	10	22	6		4	11	17	11	
国際短期大学	84	1	—	4	1	5	9	4		5	25	8	22	
沖縄キリスト教学院短期大学	13	—	—	2	2	—	—	—	—		9	—	—	

(6) 校地校舎
　　a 校地 (m²)　　　　　　　　　　　　　　　1964年5月1日現在

学校名	計	用途別土地面積					学校林
		校舎敷地	屋外運動場敷地	寄宿舎敷地	附属実験実習場	その他	
総面積	2,178,685.61	38,112.05	17,825.94	7,341.77	2,092,260.94	23,144.91	79,742.00
琉球大学	2,143,706.73	33,639.63	6,086.94	7,222.76	2,092,260.94	4,496.46	—
沖縄大学	14,704.00	2,965.00	11,739.00	—	—	—	79,742.00
国際大学	1,889.28	991.73	—	119.01	—	778.54	
沖縄キリスト教学院短期大学	18,385.60	515.69	—	—	—	17,869.91	

　　b 校舎等建物 (m²)　　　　　　　　　　　　1964年5月1日現在

学校名	計	一般校舎				図書館	体育施設	寄宿舎	その他
		教室	研究室	実験実習室	管理関係その他				
総面積	39,873.52	5,421.37	2,992.18	6,954.17	8,604.38	2,989.72	3,053.49	7,317.93	1,906.18
琉球大学	33,400.10	3,335.61	2,992.18	6,939.30	6,384.90	2,458.50	3,053.49	7,102.92	1,906.18
沖縄大学	3,563.00	1,399.00	—	—	1,933.00	231.00	—	96.00	—
国際大学	2,394.73	328.04	—	—	144.38	300.22	—	119.01	—
沖縄キリスト教学院短期大学	515.69	358.72	—	14.87	142.10	—	—	—	—

(7) 図　書

a　和漢書　（冊）　　　　　　　　　　　　　　　　1964年5月1現在

学校名	計	総記	哲学	歴史科学	社会科学	自然科学	工学	産業	芸術	語学	文学	未分類
総　数	115,428	4,762	8,006	9,139	30,918	12,971	11,267	9,318	4,799	4,438	19,407	408
琉球大学	84,036	3,889	4,925	7,394	21,589	10,862	9,642	8,077	3,876	2,950	10,819	13
沖縄大学	13,203	411	449	940	3,857	978	841	482	429	615	3,806	395
国際大学	13,222	360	752	753	4,977	981	754	735	309	662	2,939	—
沖縄キリスト教学院短期大学	4,967	102	1,880	52	490	150	30	24	185	211	1,843	—

b　洋書　（冊）　　　　　　　　　　　　　　　　1964年5月1日現在

学校名	計	総記	哲学	宗教	社会科学	語学	純粋科学	有用技術	美術	文学	歴史	未分類
総　数	31,531	1,979	1,316	3,957	5,351	4,309	2,237	1,459	788	2,550	5,264	2,319
琉球大学	25,236	1,613	1,193	3,704	4,792	4,012	2,020	1,309	696	1,125	4,769	3
沖縄大学	2,915	201	93	32	444	156	217	115	73	948	320	316
国際大学	2,700	104	15	12	106	51	—	35	19	405	175	1,978
沖縄キリスト教学院短期大学	480	61	15	211	9	90	—	—	—	92	—	22

(8)　奨　学　制　度　　　　　　　　　　　　　　1964年4月現在

```
琉　球　大　学                                   322
    琉球大学財団奨学金    給費生                  30
    〃                   貸費生                  24
    〃                   特別奨学生（研究生）       6
    琉球政府教員志望奨学生 高等学校教員             55
    〃                   教員養成                34
    琉球育英会奨学金      大学貸与奨学生          151
    〃                   一般貸与生              13
    学徒援護会奨学金給費生                         7
    那覇市奨学金給費生                            2

嘉数学園奨学金
（沖縄大学）
    特待生                           7
    〃給費生                         11
    〃貸費生                          4
    そ　の　他
    陸軍輸送部隊将校婦人クラブ        5
```

(9) 琉球大学歳入予算の推移

(a) 歳入予算の推移

(単位弗)

事項 年度	歳入予算額	教育歳出予算及補助金				そ の 他 の 収 入					
		民政府	琉球政府	小計	計	学内収入	前年度余金	借入金	小計	計
1952	359,389.48	100% 359,389.48	0	359,389.48	100% 359,389.48	0	0	0	0	
1953	254,972.35	97.6% 248,924.35	0	248,924.35	97.6% 248,924.35	2.4% 6,048.00	0	0	2.4% 6,048.00	
1954	319,678.38	20.3% 65,000.00	67.8% 216,666.67	281,666.67	88.1% 281,666.67	5.8% 18,462.95	6.1% 19,548.76	0	11.9% 38,011.71	
1955	382,322.50	23.5% 90,000.00	66.4% 253,750.00	343,750.00	89.9% 343,750.00	9.4% 35,998.33	0.7% 2,574.17	0	10.1% 38,572.50	
1956	489,371.67	11.9% 58,333.33	76.6% 375,000.00	433,333.33	88.5% 433,333.33	8.8% 42,718.34	2.7% 13,320.00	0	11.5% 56,038.34	
1957	600,560.00	4.2% 25,000.00	81.9% 491,666.67	516,666.67	86.1% 516,666.67	8.3% 50,431.67	5.6% 33,461.66	0	13.9% 83,893.33	
1958	599,384.17	1.7% 10,000.00	85.5% 512,833.33	522,833.33	87.2% 522,833.33	9.5% 57,191.67	3.3% 19,359.17	0	12.8% 76,550.84	
1959	865,372.00	22.0% 190,000.00	31.0% 529,167.00	719,167.00	83.0% 719,167.00	7.3% 62,758.00	1.6% 13,447.00	8.1% 70,000.00	17.0% 146,205.00	
1960	767,704.00	0	84.0% 645,000.00	645,000.00	84.0% 645,000.00	8.5% 65,464.00	0	7.5% 57,240.00	16.0% 122,704.00	
1961	994,633.00	22.6% 225,000.00	70.2% 697,670.00	922,670.00	92.8% 922,670.00	6.2% 61,839.00	1.0% 10,124.00	0	7.2% 71,963.00	
1962	1,101,756.00	35.9% 395,422.00	56.4% 621,153.00	1,016,575.00	92.3% 1,016,575.00	6.2% 68,938.00	1.5% 16,243.00	0	7.7% 85,181.00	
1963	1,198,443.00	26.2% 315,000.00	65.5% 784,562.00	1,099,562.00	91.7% 1,099,562.00	6.4% 76,968.00	1.9% 21,913.00	0	8.3% 98,881.00	
1964	1,205,731.00	0	90.9% 1,096,215.00	1,096,215.00	90.9% 1,096,215.00	6.7% 81,114.00	2.4% 28,402.00	0	9.1% 109,516.00	
1965	1,334,375.00	0	90.5% 1,206,825.00	1,206,825.00	90.5% 1,206,825.00	7.1% 95,386.00	2.4% 32,164.00	0	9.5% 127,550.00	
合計	10,473,692.55	1,982,069.16	7,430,508.67	9,412,577.83		723,317.96	210,556.76	127,240.00	1,061,114.27	

— 34 —

(b) 歳出予算の推移

(単位 邦)

年度	歳出予算額	経費					備品費	施設費
		人件費	運営費	小計				
1952	359,389.48	23.9% 85,713.57	26.0% 93,373.53	49.6% 179,147.10		22.4% 80,546.55	27.7% 99,695.83
1953	254,972.35	37.6% 95,932.00	15.7% 40,152.35	53.3% 136,084.35		15.2% 38,677.00	31.5% 80,211.00
1954	319,678.38	39.1% 124,894.68	15.5% 49,465.08	54.6% 174,359.76		10.6% 33,954.71	34.8% 111,363.91
1955	382,322.50	44.3% 169,389.17	18.9% 72,160.83	63.2% 241,550.00		11.4% 43,692.50	25.4% 97,080.00
1956	489,371.67	38.0% 185,885.00	19.8% 96,929.17	57.8% 282,814.17		12.7% 62,221.67	29.5% 144,335.83
1957	600,560.00	37.7% 226,128.33	16.8% 101,134.17	54.5% 327,262.50		10.5% 63,283.34	35.0% 210,014.16
1958	599,384.17	45.0% 269,480.83	17.4% 104,559.17	62.4% 374,040.00		12.4% 74,529.17	25.2% 150,815.00
1959	855,372.00	35.4% 306,604.00	13.6% 117,258.00	49.0% 423,862.00		6.3% 54,196.00	44.7% 387,314.00
1960	767,704.00	46.2% 354,899.00	19.3% 147,790.00	65.5% 502,689.00		8.9% 38,750.00	25.6% 196,265.00
1961	994,633.00	39.5% 393,019.00	19.7% 195,091.00	59.2% 588,101.00		7.8% 78,000.00	33.0% 328,523.00
1962	1,101,756.00	45.3% 498,726.00	12.8% 140,687.00	58.1% 639,413.00		20.0% 220,500.00	21.9% 241,843.00
1963	1,198,443.00	50.4% 604,419.00	12.2% 146,024.00	62.6% 750,443.00		21.9% 262,250.00	15.5% 185,750.00
1964	1,205,731.00	55.9% 673,749.00	14.4% 174,232.00	70.3% 847,981.00		8.0% 96,150.00	21.7% 261,600.00
1965	1,334,375.00	65.1% 868,149.00	14.2% 188,889.00	79.3% 1,057,038.00		6.7% 90,000.00	14.0% 187,337.00
合計	10,473,692.55	4,857,068.58	1,667,745.33	6,524,793.88		1,266,750.94	2,682,147.73

— 35 —

社会教育

1. 青年学級

a 青年学級　　　　　　　　　　　　　　　1964年6月

区　分	一般学級	職場学級	計
学　級　数	51	7	58
生　徒　数	2,346	364	2,710
男	1,307	62	1,369
女	1,039	202	1,241

b 学習内容および時間数

区分	一般学級	職場学級	計
総　時　間　数	5,814	980	6,794
一　般　教　養	3,060	280	3,340
職　　　業	1,020	280	1,300
家　　　庭	1,734	420	2,154

2. 公民館

a 連合区別設置状況　　　　　　　　　　　（1965年6月）

区　分	全琉	北部	中部	那覇	南部	宮古	八重山
設　置　数	600	158	142	44	145	53	58

b 施設補助金および運営補助金の状況

年度	一館平均運営補助金	一館平均施設補助金	計
1959	$18.01	$32.25	$50.26
1960	15.40	20.53	35.93
1961	14.31	18.11	32.42
1962	15.22	19.46	34.68
1963	20.17	14.58	34.75
1964	18.00	15.00	33.00
1965	18.00	15.00	33.00

3. 社会教育関係団体

a 団体数および会員数　　　　　　　　　（1965年3月）

事項 団体名	団体数	会員数 総数	男	女
青年会	中央 1 郡単位 6 市町村単位 60	35,000人	20,000	15,000
婦人会	中央 1 地区単位 14 市町村単位 59	79,450人		
PTA	中央 1 地区単位 14 単位団体数 416	160,100人		

b 指導者の育成状況　　　　　　　　　　　　　　　　（1965会計年度）

地域 区分	中央		ブロック		市町村		計	
	回数	養成人員	回数	養成人員	回数	養成人員	回数	養成人員
青年会	1	130	6	480	59	3,500	66	4,170
婦人会	1	130	6	480	59	3,560	66	4,170
PTA	1	200	6	300	—	—	7	500

4. 社会体育施設　　　　　　　　　　　　　　　　（1965年6月）

区分	施設総数	設置者別内訳		
		政府	地方公共団体	その他団体
野球場	3	2	1	—
第一種公認競技場	1	1	—	—
第二種公認競技場	1	—	1	—
その他の競技場	6	6	—	—
水泳プール	5	—	5	—
相撲場	1	—	1	—
弓道場	1	—	—	1
庭球コート	1	1	—	1

5. 教育区社会教育主事設置状況　　　　　　（1965年3月現在）

連合区	教育区数	設置教育区数	社会教育主事数	設置教育区
北部	16	11	11	国頭，東，久志，羽地，今帰仁，本部，伊平屋，伊是名，名護，金武
中部	14	9	9	恩納，与那城，具志川，コザ，読谷嘉手納，宜野湾，中城，西原
那覇	6	4	4	浦添，那覇，仲西，具志川
南部	14	7	8	玉城，大里，与那原，東風平，座間味，豊見城，糸満（2人）
宮古	6	3	3	城辺，伊良部，下地
八重山	3	3	3	石垣，竹富，与那国
計	59	37	38	

6. 各種学校

課程別	在学生徒数						教員数					
	昼間			夜間			本務			兼務		
	男	女	計	男	女	計	男	女	計	男	女	計
和洋裁	—	1,493	1,493	—	1,413	1,413	3	92	95	8	31	39
編物手芸	—	213	213	—	176	176	—	18	18	—	—	—
料理	—	287	287	—	427	427	—	7	7	2	2	4
タイピスト	13	98	111	25	132	157	5	2	7	1	4	5
語学	542	485	1,027	638	411	1,049	10	1	11	26	—	26
簿記珠算	46	118	164	454	718	1,172	14	1	15	15	—	15
無線通信	206	3	209	193	—	193	4	—	4	20	—	20
自物車	80	20	100	—	—	—	9	1	10	—	—	—
計	807	2,647	1,302	1,314	3,277	2,382	45	122	167	72	37	109

(注) 資料は1964学年度「学校基本調査」によった。調査票未提出校は省いた。

7 琉球政府立図書館の現状　　　　　(1964年12月現在)

事項\館名	職員数				建物面積	蔵書数
	専門	非専門	その他	計		
中央図書館	—	4	—	4	653.4m²	9,171冊
宮古図書館	—	2	—	2	163.5m²	5,776
八重山図書館	1	1	—	2	78m²	6,656
計	1	7	—	8	894.9m²	21,603

8 琉球政府立博物館の現状

　　職員　　館長1　主事1　事務員4　作業職1　計7
　　面積　　479m²
　　収蔵品

(1964年4月現在)

収納点数	陶器	漆器	織物	書画	木彫刻	金属	石彫	雑	図書	計
総数	877	221	371	493	49	102	56	898	178	3,235
購入	320	125	285	357	8	15	0	749	104	1,963
寄贈	336	72	81	102	18	61	0	132	74	876
蒐集	221	14	5	34	23	26	56	17	—	396

　　利用者　(登館者)1日平均490名

教 育 施 設

1 年度別校舎建築費の推移

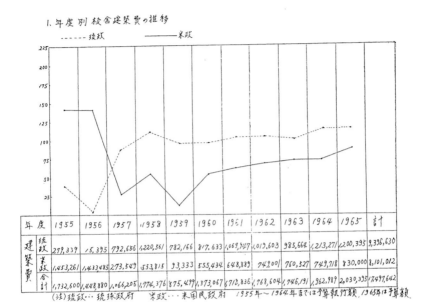

1. 年度別校舎建築費の推移
　　　------ 琉政　　　―― 米政

年度		1955	1956	1957	1958	1959	1960	1961	1962	1963	1964	1965	計
建築費	琉政	279,339	15,395	792,656	1,220,561	782,166	817,633	1,069,747	1,019,603	985,664	1,213,271	1,200,395	9,396,630
	米政	1,453,261	1,433,485	273,549	553,815	93,333	555,434	648,889	748,001	760,527	749,718	830,000	8,101,012
	合計	1,732,600	1,448,880	1,066,205	1,774,376	875,499	1,373,067	1,712,836	1,768,604	1,746,191	1,962,989	2,030,395	17,497,642

（注）琉政…琉球政府　米政…米国民政府　1955年～1964年までは予算執行額、1965年は予算額

2 政府立、公立小、中、高等学校校舎建築状況

a 公立小・中学校

(1964年5月1日現在)

連合教育区	基準面積	小学校 保有面積 計	政府補助	自力	達成率	中学校 基準面積	保有面積 計	政府補助	自力	達成率
公立	434,288.42	356,963.96	324,575.68	32,388.28	82.2%	275,015.41	883,811.86	161,421.11	22,390.75	66.8
北部	68,140.51	58,515.21	49,946.54	8,568.67	85.9	45,395.56	32,753.21	27,857.69	4,895.52	71.7
中部	123,680.39	100,343.79	91,092.27	9,251.52	81.1	74,306.30	49,804.40	43,408.11	6,396.29	67.0
那覇	115,727.68	94,049.74	87,517.33	6,532.41	81.3	75,402.05	49,869.40	43,921.10	5,948.30	66.1
南部	58,211.86	46,466.97	42,172.82	4,294.15	79.8	36,969.53	24,484.60	19,967.74	2,516.86	60.8
宮古	37,288.15	31,282.95	29,077.57	2,205.38	83.9	22,983.17	15,370.13	13,660.20	1,709.93	66.9
八重山	31,239.83	26,305.30	24,769.15	1,536.15	84.2	19,658.80	13,530.12	12,606.27	923.85	68.8

(注) 1 基準面積は1964年11月中教委規則により、1964年5月1日現在の児童生徒数を基として算出。

b 政府立学校

学校種別	基準面積	政府立小・中・高等学校 保有面積 計	政府	自力	達成率
高等学校	163,406.30	98,761.35	94,074.03	4,687.32	60.44%
中学校(松島中)	1,921	2,379.76	2,379.76	—	—
小中学校(瑞井稲冲)	121.18	445.32	445.32	—	—

3 学校種別保有面積,基準面積および生徒1人当り面積

a 保有面積
(1964年5月現在)

校種	在籍	基準面積	保有面積	基準達成率	現有生徒1人当り面積
		m^2	m^2		m^2
小学校	155,127	434,288.42	356,963.96	82.2%	2.301
中学校	82,205	275,015.41	183,811.86	66.8%	2.236
高等学校	36,165	163,406.30	98,761.35	60.4%	2.731
盲ろう学校	301	3,848.72	2,015.09	52.3%	6.695
澄井・稲沖小中校	37	121.18	445	—	12.02

b 保有総面積 618,777m^2

基準面積(児童生徒1人当り)中央教育委員会規則

	m^2
小学校	2.970
中学校	3.564
高等学校(普通科)	4.752
盲ろう学校(小中学部)	8.415
盲ろう学校(高等部)	13.035

(注)高等学校の普通科以外の学科については普通科の基準面積に次のような補正を行って基準面積とする。
農工 5.082m^2増, 水産 1.419m^2増,
商業 0.363m^2増, 家庭 0.264m^2増

c 児童生徒1人当り面積の本土との比較

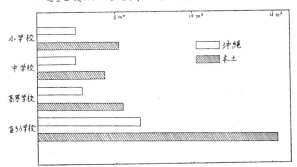

(注)ここでいう校舎とは,教室,実験実習室,管理関係その他の合計面積である。

4 小中高等学校理科備品,年次別支出額並びに基準達成率

(1) 小・中・高等学校年次別支出額

年度	理科備品費支出額	
	小中学校	高等学校
	$	$
1953~1959	132,185.00	17,804.00
1960	8,170.00	4,155.00
1961	25,000.00	16,994.00
1962	30,000.00	15,000.00
1963	30,000.00	15,000.00
1964	68,528.00	5,000.00
1965	118,914.00	75,000.00
計	412,797.00	193,953.00

※ 小中学校へ米国援助1964年、65年で160,000弗 高等学校へ125,000弗 これらの額を小中校においては$\frac{1}{4}$・高等学校は$\frac{1}{5}$の額を実額とみなす。

したがつて,実額総額は小中校は 約282,797弗
高等学校は 約103,000弗

(2) 基準達成率

a 小中学校理科教育のための設備の基準総額 $ 1,188,953

基準達成率 $\frac{282,797}{1,188,953} \times 100 = 23.8\%$

b 高等学校理科教育のための設備の基準総額 $ 368,332

基準達成率 $\frac{103,000}{368,332} \div 30\%$

教育財政

1 分野別教育費の負担区分 (1963会計年度)

教育分野	総額	公費 政府支出金	公費 地方教育区支出金	私費
	$	$	$	$
総額	15,729,480	12,823,539	2,016,573	889,368
A 学校教育費	14,486,849	12,103,479	1,634,922	748,448
1幼稚園	153,537	80.00	121,900	31,557
2小学校	6,896,224	5,657,630	889,355	349,239
3中学校	4,933,158	4,099,177	622,687	211,294
4特殊学校(盲ろう)	106,768	106,302	—	466
5高等学校(全日)	2,171,777	2,032,762	980	138,035
6高等学校(定時)	225,385	207,523	—	17,857
B 社会教育	393,242	219,773	32,548	140,921
C 教育行政	849,389	500,287	349,102	—

2 総教育費総額の支出項目別実額と百分比

区分	1963会計年度 実額	百分比
	$	
総教育費総額	15,729,480	100%
A 消費的支出	12,413,923	78.9%
1教職員の給与	8,872,989	56.4%
2その他の消費的支出	3,540,934	22.5%
B 資本的支出	3,274,944	20.8%
1建築費	2,125,786	13.5%
2その他の資本的支出	1,149,158	7.3%
C 債務償還費	40,613	0.3%

3 学校教育費の支出項目別実額と百分比 (含教育区)

区分	1963会計年度 実額	百分比
	$	
学校教育費総額	14,486,849	100%
A 消費的支出	11,459,820	79.1%
1教職員の給与	8,872,989	61.2%
2その他の消費的支出	2,586,831	17.9%
B 資本的支出	3,004,005	20.7%
1建築費	2,125,786	14.7%
2その他の資本的支出	878,219	6.0%
C 債務償還費	40,613	0.3%

1 分野別教育費の負担区分 1964会計年度

教育分野	総額	公費 政府支出金	公費 教育区支出金	私費
	$	$	$	$
総額	18,627,981	15,271,176	2,337,714	1,019,091
A 学校教育費	17,211,642	14,359,291	1,921,112	931,239
1幼稚園	182,446	5,089	150,677	26,680
2小学校	7,660,994	6,199,154	7,270,271	390,723
3中学校	5,680,319	4,700,308	699,318	280,723
4特殊学校	113,378	113,378	—	759
5高等学校(全日制)	3,306,827	3,090,700	3,090,700	216,127
6高等学校(定時制)	266,919	250,662	—	16,257
B 社会教育費	392,981	265,286	39,843	87,852
C 教育行政費	1,023,358	646,599	376,759	—

2 総教育費総額の支出項目別実額と百分比

区分	1964会計年度	
	$	%
総教育費総額	18,672,981	100.0%
A 消費的支出	14,422,419	77.4%
1教職員の給与	10,149,132	54.4%
2その他の消費的支出	4,283,287	23.0%
B 資本的支出	4,165,184	22.4%
1建築費	2,444,628	13.1%
2その他の資本的	1,720,556	9.3%
C 債務償還支出費	40,378	0.2%

3 学校教育費の支出項目別実額と百分比

区分	1964会計年度 実額	百分比
	$	%
総教育費総額	17,211,642	100.0%
A 消費的支出	13,289,132	77.2%
1. 教職員の給与	10,149,132	59.0%
2. その他の消費的支出	3,140,545	18.2%
B 資本的支出	3,895,645	22.6%
1. 建築費	2,444,628	14.2%
2. その他の資本的支出	1,510,434	8.4%
C 債務償還費	140,378	0.2%

4 児童生徒1人あたり教育費の本土との比較（私費を含む）

校種別	1963 会計年度		本土を100としたときの沖縄の指数
	A 沖縄	B 本土	
	$ ¢	$ ¢	%
幼稚園	28.07	57.65	49
小学校	42.34	83.00	51
中学校	65.78	89.13	74
特殊学校（盲ろう）	346.65	708.93	49
高等学校（全日）	109.63	202.70	54
高等学校（定時）	75.48	142.36	53

5 政府一般会計才出予算額、決算額の推移 （総額と文教局）

最終才出予算現額 （弗）

年度	政府総額 A	1955年を100とした指数	文教局 B	1955年を100とした指数	$\frac{B}{A} \times 100$
	$		$		%
1955	16,421,012	100	4,694,878	100	28.59
56	17,104,606	104	5,113,842	109	29.90
57	20,571,403	125	5,388,521	115	26.19
58	22,616,698	138	6,897,233	147	30.50
59	23,189,990	141	7,117,306	152	30.69
60	25,834,929	157	8,366,259	178	32.38
61	27,348,305	167	9,540,588	203	34.89
62	33,352,853	203	12,137,171	259	36.39
63	42,633,488	260	14,340,574	305	33.64
64	49,793,477	303	16,324,920	348	32.79
65	55,849,549	340	19,369,021	413	34.68

決算額 （支出済額十翌年への繰越額） （弗）

年度	政府総額 C	1955年を100とした指数	文教局 D	1955年を100とした指数	$\frac{D}{C} \times 100$
	$		$		%
1955	16,113,581	100	4,673,371	100	29.00
56	16,687,237	104	5,052,488	108	30.28
57	20,029,199	124	5,333,586	114	26.63
58	22,068,115	137	6,829,722	146	30.95
59	22,522,953	140	7,077,784	151	31.42
60	25,546,831	159	8,349,678	179	32.68
61	26,966,203	167	9,524,14	204	35.32
62	32,936,144	204	12,109,878	259	36.77
63	42,078,088	261	14,256,757	305	33.88
64	48,729,536	302	16,121,856	345	33.08

（注）1. 資料はいずれも各年度の政府歳入歳出決算報告書より。
2. 決算額の弗未満は四捨五入してある。

6 教育税

(1) 教育税の年次別調定額収入額収入率

(当該年度分)

会計年度	調定額	収入額	収入率
	$	$	%
1956	396,936	271,512	68.4
1957	434,576	315,854	72.7
1958	622,964	491,435	78.9
1959	767,805	572,217	74.5
1960	863,138	705,224	81.7
1961	999,217	827,583	82.8
1962	1,183,087	982,350	83.0
1963	1,381,203	1,192,346	86.3
1964	1,609,586	1,411,472	87.7

(2) 教育税の年次別教育分野別支出実額および百分比

会計年度	支出総額		学校教育費		社会教育費		教育行政費	
	実額	百分比	実額	百分比	実額	百分比	実額	百分比
	$	%	$	%	$	%	$	%
1956	372,957	100.0	264,629	71.6	14,836	4.0	93,491	25.1
1957	420,587	100.0	326,675	77.7	19,304	4.6	74,608	17.4
1958	597,338	100.0	488,619	81.8	10,367	1.7	98,352	16.5
1959	651,560	100.0	510,021	78.3	14,088	2.2	127,451	19.5
1960	889,242	100.0	693,314	78.0	17,434	1.9	178,494	20.1
1961	1,036,983	100.0	740,750	71.4	21,842	2.1	274,391	26.5
1962	1,149,890	100.0	852,443	74.1	27,003	2.4	270,444	23.5
1963	1,363,059	100.0	997,245	73.1	29,908	2.0	337,906	24.8
1964	1,66 ,17	100.0	1,268,700	76.2	37,078	2.2	3 .73	21.6

(注) 1 上表の各欄の数字はそれぞれ弗未満の数字を四捨五入したため総額と内訳が一致しないこともある。

2 支出総額は過年度分も含む。

育英事業

1　国費学生の年次別入学者, 在籍者, 卒業者数　(1964年4月現在)

学科		1961 入学	在籍	卒業	1962 入学	在籍	卒業	1963 入学	在籍	卒業	1964 入学	在籍	卒業	入学者累計	卒業者累計
医	学	24	75	6	24	91	8	34	116	9	34	143	7	180	37
歯	学	9	15	2	6	19	2	5	23	1	5	27	1	33	6
薬	学	2	11	3	3	8	5	2	6	14	2	7	7	28	21
工	学	13	44	13	12	47	9	15	46	16	14	53	4	130	77
理	学	7	23	4	11	29	5	7	32	4	5	33	4	74	41
商	船	1	3	—	1	4	—	1	5	—	3	7	1	14	15
農	学	6	23	6	6	23	5	3	20	6	3	15	8	53	38
獣医		1	3	—	—	3	—	—	3	—	—	—	—	7	4
畜産		1	1	1	—	1	—	—	1	—	—	—	—	4	4
水産		—	2	—	—	6	—	—	5	1	—	3	2	11	8
法	学	2	6	2	2	7	1	1	4	4	1	3	2	25	22
文	学	1	12	2	2	9	5	1	8	3	3	8	5	38	30
経済		1	6	4	2	4	3	1	3	5	1	1	12	26	24
商	学	—	4	1	—	5	1	—	5	—	1	1	—	12	8
美	術	—	3	—	—	1	—	—	6	1	—	1	—	7	2
音	楽	—	1	—	1	2	—	1	2	—	—	3	—	3	—
体育		—	1	—	2	3	—	1	4	1	1	5	—	5	—
家政		—	4	1	1	4	1	1	4	—	1	3	1	9	5
外国語		1	9	3	—	7	2	1	4	4	1	5	1	14	11
計		75	251	50	75	277	49	75	297	55	75	325	42	674	353

2　自費学生の年次別入学者, 在籍者, 卒業者数　(1964年4月現在)

学科		1961 入学	在籍	卒業	1962 入学	在籍	卒業	1963 入学	在籍	卒業	1964 入学	在籍	卒業	入学者累計	卒業者累計
医	学	7	100	—	4	82	22	16	88	10	17	105	—	137	32
歯	学	2	22	—	2	21	3	5	25	—	5	30	—	34	4
薬	学	7	23	6	5	23	6	9	27	—	9	36	—	57	21
工	学	22	74	14	18	77	15	41	97	21	44	130	11	205	75
理	学	4	18	6	7	20	5	10	22	8	13	27	8	64	37
商	船	2	6	1	1	3	4	2	4	1	—	4	—	13	9
農	学	6	22	2	5	22	5	7	24	6	5	25	3	45	20
獣医		—	1	—	—	1	—	—	1	—	—	—	—	4	4
畜産		—	2	2	—	1	1	—	1	1	—	1	—	5	3
水産		—	2	—	—	—	2	—	—	—	—	1	—	—	—
法	学	2	15	6	3	12	5	6	9	9	5	9	5	50	41
文	学	2	7	2	1	8	2	5	6	7	4	8	4	29	21
経済		1	11	1	3	10	3	6	9	4	4	9	2	36	27
商	学	1	10	1	2	12	2	9	7	4	2	6	1	33	16
美	術	—	1	1	—	1	—	1	1	—	1	4	—	5	2
音	楽	—	1	—	—	1	—	2	2	—	—	2	—	2	2
体育		—	1	—	—	1	—	—	2	—	1	2	—	2	—
家政		—	12	1	1	11	1	1	9	2	1	7	1	15	6
外国語		3	9	3	1	3	—	1	1	—	3	11	—	17	—
計		65	336	51	57	315	78	121	350	86	125	427	44	764	339

3 琉球育英会の給与貸与事業 (1964年4月現在)

項 目	学校種別	人員	単価	1カ月の支出額	年間支出額
貸費学生奨学費	本土大学在学生	21	$8.33	$174.93	$2,099.16
〃	琉球大学在学生	9	8.33	74.97	899.64
計		32		266.56	3,198.72

4 国費学生の卒業後の状況 (1964年4月現在)

部門＼卒業年次	1960	1961	1962	1963	1964	計
教　員(大学を除く)	11	10	13	10	9	53
大　　　学	—	—	1	2	4	7
公　務　員	15	11	9	6	10	51
金　　　融	3	3	—	—	—	6
公　　　社	3	2	1	2	2	10
軍　関　係	1	—	—	—	—	1
会　　　社	1	5	8	7	2	23
本 土 公 務 員	1	1	1	7	2	12
進　　　学	9	11	13	18	4	55
計	44	43	46	52	33	218

5 市町村育英事業（資金段階別） (1964年4月現在)

資　　金	1,000弗未満	1,000弗～5,000弗	5,000弗～10,000弗	10,000弗以上	計
育英団体数	4	14	9	8	35

6 高等学校特別奨学生

(1964年4月現在)

区分	学年 課程	全日制 1年	2年	3年	計	定時制 1年	2年	3年	4年	計	合計
奨学生総数		183	181	165	529	—	1	5	6	12	541
学科別	普通	176	171	145	462	—	1	5	5	11	503
	農業	—	—	—	—	—	—	—	—	—	—
	工業	2	6	11	19	—	—	—	—	—	19
	商業	5	4	5	14	—	—	—	1	1	15
	水産	—	—	4	4	—	—	—	—	—	4
	家庭	—	—	—	—	—	—	—	—	—	—
男女別	男	100	104	91	295	—	1	1	1	3	298
	女	83	77	74	234	—	—	4	5	9	243
通学別	自宅通学者	173	171	155	499	—	—	3	6	9	508
	下宿通学者	10	10	10	30	—	1	2	—	3	33

7 昭和39学年度国費・自費学生在学生数

(1) 昭和39学年度国費学生学科別年次別調

(1964年4月現在)

学科 \ 年次	大学 1年	2年	3年	4年	5年	6年	インターン	計	大学院 1年	2年	3年	4年	計	合計
インターン	—	—	—	—	—	—	11	11	—	—	—	—	—	11
医学	34	37	22	25	9	9	—	136	5	7	3	4	19	155
歯学	5	6	6	7	2	—	—	26	1	—	—	—	1	27
薬学	2	1	2	3	—	—	—	8	—	—	—	—	—	8
工学	13	16	11	13	—	—	—	53	1	1	—	—	2	55
理学	5	6	5	8	—	—	—	24	1	2	3	—	6	30
数学	1	2	1	—	—	—	—	4	5	—	—	—	5	9
商船	2	2	1	2	—	—	—	7	—	—	—	—	—	4
電気通信	2	3	—	2	—	—	—	4	—	—	—	—	—	4
農学	3	3	5	7	—	—	—	18	—	—	—	—	—	18
獣医	—	—	—	1	1	—	—	2	—	—	—	—	—	2
水産	—	1	—	2	—	—	—	3	—	—	—	—	—	3
法学	3	1	3	—	—	—	—	7	—	2	—	—	2	9
文学	3	1	1	—	—	—	—	5	1	—	—	—	1	6
経済学	1	1	2	—	—	—	—	3	1	—	1	—	2	5
商学	1	—	—	—	—	—	—	3	1	—	—	—	1	4
家政	—	—	1	—	—	—	—	1	—	—	—	—	—	1
外国語	—	1	1	2	—	—	—	4	—	—	—	—	—	4
美術	—	—	1	—	—	—	—	1	—	—	—	—	—	1
地理	—	—	—	—	—	—	—	—	—	—	—	—	—	—
図体育	—	—	—	—	—	—	—	—	—	—	—	—	—	—
音楽	—	1	2	2	—	—	—	5	—	—	—	—	—	5
教	—	—	1	—	—	—	—	3	—	—	—	—	—	3
計	74	82	68	78	11	9	11	333	11	10	10	5	36	369

(2) 昭和39学年度自費学生学科別年次別調　　　　　　(1964年4月現在)

学科＼年次	大学							計
	1年	2年	3年	4年	5年	6年	インターン	
インターン	―	―	―	―	―	―	13	13
医　　学	16	16	5	9	10	13	―	69
歯　　学	5	3	4	3	5	5	―	25
薬　　学	9	11	10	6	―	―	―	36
工　　学	43	44	37	42	―	―	―	166
理　　学	16	10	11	3	―	―	―	40
商　　船	―	2	1	1	―	―	―	4
農　　学	5	5	6	6	―	―	―	22
獣　　産	―	―	―	―	―	―	―	―
畜　　産	―	―	―	―	―	―	―	―
法　　学	5	9	8	4	―	―	―	26
文　　学	4	6	6	4	―	―	―	20
経　　済	4	7	8	6	―	―	―	25
商　　学	7	5	13	8	―	―	―	33
美　　術	2	1	1	―	―	―	―	4
音　　楽	―	2	―	―	―	―	―	2
体　　育	1	―	1	―	―	―	―	2
家　　政	1	1	2	3	―	―	―	7
外　国　語	3	1	4	8	―	―	―	16
政　　治	―	―	―	―	―	―	―	―
新　　聞	―	―	―	―	―	―	―	―
計	121	123	116	104	15	18	13	510

8　琉球育英会運営の寮一覧

寮　　名	人員	寮費	所　在　地
	人	円	
沖縄学生会館	80	4,500	千葉県 習志野市谷津町5の1846
沖　英　寮	45	5,000	東京都世田谷区2の1180
南　灯　寮	74	7,700	東京都北多摩郡狛江町岩戸1390
福　岡　寮	18		福岡市箱崎米一丸町2201
熊　本　寮	11	4,500	熊本市京町2の276
宮　崎　寮	8		宮崎市神宮西町95
鹿　児　島　寮	8	4,000	鹿児島市薬師町269
大　阪　寮	14		大阪市吹田市山田下2013

文化財保護事業

幼稚園

1 文化財保護事業費の年次別推移

(弗)

年度 経費	1956	1957	1958	1959	1960	1961	1962	1963	1964
文化財保護費	11,993	11,938	12,500	12,000	12,092	11,748	17,125	18,686	14,203

2 文化財保護法による指定件数

(a) 美術工芸品建造物等　　　1964年6月現在

区　　分	特別重要文化財	重要文化財
建　造　物	9件	13件
彫　　刻	6	4
絵　　画	0	1
工　　芸	4	12
古文書典籍	3	4
計	22	34

(b) 史跡名勝天然記念物　　　1964年6月現在

区　　分	指定件数
史　　　跡	40
名　　　勝	6
天　然　記　念　物	33
埋　蔵　文　化　財	17
計	96

1 公立私立の園数,学級数,園児数,教員数

1964年5月1日現在

教育区別および 市　町　村　別	園数	学級数	園児数	教員数 本務者	教員数 兼務者	職員数
全　　　　　琉	52	202	8,106	208	58	36
公　　　　　立	40	169	7,028	169	52	26
石　　　川	3	10	391	10	3	—
読　　　谷	2	8	297	8	2	—
嘉　手　納	1	4	189	4	1	—
北　　　谷	2	8	295	8	2	—
那　　　覇	21	111	4,716	111	33	23
北　大　東	1	1	27	1	1	—
平　　　良	1	5	224	5	1	—
石　　　垣	5	15	606	15	5	3
大　　　浜	2	4	146	4	2	—
与　那　国	2	3	137	3	2	—
私　　　　　立	12	33	1,078	39	6	10
石　川　市	1	2	69	3	—	—
美　里　村	1	5	170	4	—	1
那　覇　市	5	14	418	16	3	6
与　那　原　町	2	6	189	7	1	—
平　良　市	1	3	115	4	1	1
石　垣　市	2	3	117	5	1	—

教育区別資料

1　教育区別教職員給料平均額　（単位弗）
1964.11.1現在

教育区	小学校	中学校	教育区	小学校	中学校	教育区	小学校	中学校	教育区	小学校	中学校
国頭	87.04	87.06	勝連	84.46	79.49	玉城	97.18	76.10			
大宜味	88.62	93.10	具志川	94.63	82.96	知念	89.36	88.07			
東	77.10	80.23	ザコ	92.72	85.81	佐敷	101.33	90.03			
羽地	100.15	95.15	読谷	91.22	85.14	与那原	95.01	90.19			
屋我地	93.49	91.60	嘉手納	98.04	83.90	大里	90.90	82.77			
今帰仁	86.81	90.92	北谷	94.46	88.92	南風原	95.64	83.99			
上本部	99.48	92.06	北中城	88.21	77.27	渡嘉敷	77.02	77.44			
本部	87.02	96.83	中城	90.59	81.93	座間味	79.62	57.00			
名護	95.44	87.49	宜野湾	93.03	82.99	粟国	70.32	85.05			
久志	99.70	85.70	西原	85.72	97.51	渡名喜	84.14	86.14			
宜野座	79.47	82.65	那覇	98.07	87.85	平良	96.36	93.18			
金武	96.14	84.98	浦添	91.66	84.68	下地	86.61	97.35			
伊江	92.25	81.36	南東風平	69.59	78.50	上野	92.29	91.29			
伊平屋	88.50	80.27	北大里	76.53	80.43	城辺	93.40	86.39			
伊是名	78.87	88.16	大仲	95.41	89.98	伊良部	85.76	79.89			
	74.04	76.60	具志川	104.00	86.11	多良間	94.77	90.88			
恩納	79.69	87.03	糸満	93.00	84.51	石垣	88.41	80.86			
石川	98.50	81.92	豊見城	94.44	80.20	竹富	72.09	83.67			
美里	93.78	79.14	東風平	90.98	86.99	与那国	81.61	80.02			
与那城	80.77	79.64	具志頭	101.41	86.66						

2　学校一覧

小学校
1964年5月1日現在

教育区	学校名	1年	2年	3年	4年	5年	6年	男	女	児童数	学級数	教員数
国頭	奥間 小	69	58	67	75	66	71	209	197	406	12	14
〃	辺土名 〃	81	82	90	99	98	104	280	274	554	12	15
〃	佐手 〃	21	25	18	24	24	19	72	59	131	5	7
〃	辺野喜分校	26	29	34	34	24	33	103	73	176	6	7
〃	北国 小	40	37	30	43	46	36	42	132	112	244	6	8
〃	奥 〃	17	24	26	24	31	30	69	83	152	6	8
〃	楚洲 〃	10	8	11	10	12	9	35	25	60	2	3
〃	安田 〃	13	8	12	10	19	9	27	48	54	102	2	3
〃	安波 〃	15	20	15	18	10	17	43	52	95	3	3
	計	292	295	322	349	310	352	991	929	1,920	55	65
大宜味	津波 小	22	30	17	35	29	38	85	86	171	6	7
〃	塩屋 〃	60	58	67	68	73	86	201	211	412	11	13
〃	大宜味 〃	36	31	33	49	28	39	115	101	216	6	9
〃	喜如嘉 〃	52	45	66	44	67	58	164	168	332	8	8
	計	170	164	183	196	197	221	565	566	1,131	31	37
東	高江 小	11	11	14	12	10	8	29	37	66	2	2
〃	東 〃	58	57	59	61	60	65	58	171	187	358	11	13
〃	有銘 〃	30	38	39	37	31	46	111	110	221	6	7
	計	99	106	112	110	106	112	311	334	645	19	22
羽地	羽地 小	85	114	83	111	115	111	295	324	619	15	20
〃	稲田 〃	41	49	45	63	53	70	155	166	321	8	11
〃	真喜屋 〃	53	60	64	71	70	79	203	194	397	11	14
〃	源河 〃	36	23	43	44	40	49	113	122	235	6	7

教育区	学校名			1年	2年	3年	4年	5年	6年	男	女	児童数	学級数	教員数
		計		215	246	235	289	278	309	766	806	1,572	40	52
屋我地	屋我地		小	81	79	88	102	84	98	286	246	532	12	14
		計		81	79	88	102	84	98	286	246	532	12	14
今帰仁	今帰仁		小	114	114	122	124	127	140	409	332	741	19	21
〃	天底		〃	84	117	110	89	90	99	306	283	589	13	18
〃	兼次		〃	101	124	97	113	139	125	363	331	699	17	20
〃	古宇利		〃	32	23	31	29	28	30	75	98	173	6	7
〃	湧川		〃	49	58	49	49	48	47	166	134	300	7	8
		計		380	436	409	404	432	441	1,324	1,178	2,502	62	74
上本部	謝花		小	30	25	29	23	22	30	89	70	159	6	8
〃	豊川		〃	34	27	45	34	32	46	116	102	218	6	8
〃	新里		〃	68	77	92	94	105	120	282	274	556	13	16
		計		132	129	166	151	159	196	487	446	933	25	32
本部	本部		小	182	177	197	251	241	256	677	627	1,304	28	32
〃	健堅	分校		37	43	42	—	—	—	60	62	122	3	3
〃	伊野波		小	48	41	41	62	40	58	159	131	290	7	7
〃	崎本部		〃	45	45	48	45	57	62	154	148	302	8	9
〃	瀬底		〃	57	46	59	63	61	57	178	165	343	9	10
〃	水納		〃	2	5	3	4	5	6	8	17	25	2	2
〃	伊豆味		〃	46	53	59	47	62	60	152	175	327	9	10
〃	浜元		〃	50	44	34	58	49	39	129	145	274	7	9
		計		467	454	483	532	514	537	1,517	1,470	2,987	73	83
星部	屋部		小	44	64	51	65	75	93	206	186	392	10	12
〃	中山	分校		8	14	12	8	—	—	20	22	42	2	2
〃	安和		小	45	57	44	45	58	62	148	163	311	9	11
		計		97	135	107	118	133	155	374	371	745	21	25
名護	名護		小	176	205	171	225	227	188	619	573	1,192	27	31
〃	大宮		〃	115	116	104	123	108	121	329	358	687	16	18
〃	東江		〃	144	180	149	167	168	150	488	476	964	21	25
〃	瀬喜田		〃	35	43	46	47	49	62	138	144	282	7	8
		計		470	544	470	562	552	527	1,574	1,551	3,125	71	82
久志	久辺		小	64	91	79	73	69	84	210	250	460	12	13
〃	久志		〃	34	47	46	44	42	51	137	127	264	6	9
〃	嘉陽		〃	20	21	18	18	28	18	54	69	123	5	6
〃	天仁屋		〃	8	27	8	14	12	11	31	49	80	3	3
〃	三原		〃	22	35	21	30	31	27	93	73	166	6	7
		計		148	221	172	179	182	191	525	568	1,093	32	38
宜野座	宜野座		小	62	43	59	62	62	61	179	170	349	12	16
〃	漢那		〃	23	31	30	30	25	25	85	79	164	6	8
〃	松田		〃	29	30	34	30	35	26	99	85	184	6	8
		計		114	104	123	122	122	112	363	334	697	24	32
金武	嘉芸		小	35	43	59	36	58	38	137	132	269	8	10
〃	金武		〃	127	143	151	175	144	173	448	465	913	21	23
〃	中川		〃	19	25	23	22	22	29	56	84	140	4	5
		計		181	211	233	233	224	240	641	681	1,322	33	38
伊江	伊江		小	105	125	119	137	102	118	347	359	706	16	18
〃	西		〃	145	147	142	140	139	124	450	387	837	18	20

教育区	学校名	1年	2年	3年	4年	5年	6年	男	女	児童数	学級数	教員数
	計	250	272	261	277	241	242	797	746	1,543	34	38
伊平屋	伊平屋小	44	47	67	70	109	114	226	225	451	11	13
〃	田名 〃	24	27	128	35	—	—	53	61	114	4	4
〃	島尻 〃	21	36	—	—	—	—	30	27	57	2	2
〃	野甫 〃	16	13	13	12	15	12	38	43	81	3	3
	計	105	123	108	117	124	126	347	356	703	20	22
伊是名	伊是名小	174	170	180	178	157	172	503	528	1,031	23	26
〃	具志川島小	1	3	2	1	3	—	3	7	10	1	1
	計	175	173	182	179	160	172	506	535	1,041	24	27
(北部連合区合計)		3,376	3,692	3,654	3,920	3,818	4,031	11,374	11,117	22,491	576	681
恩納	恩納小	65	76	82	95	88	91	261	236	497	12	13
〃	仲泊 〃	35	59	48	52	55	39	153	135	288	7	8
〃	山田 〃	50	58	54	48	74	59	175	168	343	9	10
〃	安富祖 〃	35	36	36	35	43	47	114	118	232	6	7
〃	喜瀬武原 〃	23	20	22	22	21	21	73	56	129	5	5
	計	208	249	242	252	281	257	776	713	1,489	39	43
石川	城前小	118	128	141	155	168	167	452	425	877	19	23
〃	宮森 〃	134	144	168	206	182	203	526	511	1,037	22	25
〃	伊波 〃	128	125	145	132	137	145	429	383	812	18	20
	計	380	397	454	493	487	515	1,407	1,319	2,726	59	68
美里	美里小	235	264	230	249	251	231	753	707	1,460	32	37
〃	美東 〃	129	134	143	129	149	159	445	398	843	20	23
〃	高原 〃	80	119	118	120	115	122	334	340	674	17	19
〃	北美 〃	82	77	78	81	84	77	242	237	479	12	14
	計	526	594	569	579	599	589	1,774	1,682	3,456	81	93
与那城	伊計小	21	39	28	26	37	34	89	96	185	6	7
〃	宮城 〃	70	59	62	71	76	80	210	208	418	12	13
〃	桃原 〃	22	23	25	25	29	22	69	77	146	6	8
〃	平安座 〃	76	73	114	88	97	99	261	286	547	13	14
〃	与那城 〃	267	282	285	288	302	306	892	838	1,730	36	40
	計	456	476	514	498	541	541	1,521	1,505	3,026	73	82
勝連	南原小	52	62	64	69	52	73	191	181	372	10	12
〃	勝連 〃	137	137	137	120	146	125	397	405	802	18	20
〃	平敷屋 〃	90	139	115	92	120	84	334	306	640	15	17
〃	津堅 〃	62	65	58	60	57	51	190	163	353	10	11
〃	浜 〃	31	44	44	47	40	36	141	101	242	6	7
	計	372	447	418	388	415	369	1,253	1,156	2,409	59	67
具志川	川崎小	102	114	96	113	122	105	321	331	652	15	17
〃	天願 〃	62	73	77	81	82	92	227	240	467	12	14
〃	金武湾 〃	71	67	90	89	91	100	264	244	508	12	14
〃	兼原 〃	191	200	217	188	207	228	611	620	1,231	25	29
〃	高江洲 〃	171	163	144	178	157	189	518	484	1,002	21	24
〃	田場 〃	120	138	139	143	177	169	456	430	886	20	22
〃	あげだ 〃	223	235	212	235	228	230	689	674	1,363	28	31
	計	940	990	975	1,027	1,064	1,113	3,086	3,023	6,109	133	151
コザ	島袋小	114	92	95	96	126	117	332	308	640	15	17
〃	越来 〃	186	178	213	196	227	222	611	611	1,222	26	29
〃	コザ 〃	200	226	217	231	231	247	704	648	1,352	30	35

教育区	学校名		1年	2年	3年	4年	5年	6年	男	女	児童数	学級数	教員数
コザ	安慶田	小	207	264	237	238	266	267	788	691	1,479	31	34
〃	諸見	〃	220	214	226	224	234	243	688	673	1,361	29	33
〃	中の町	〃	277	292	272	273	279	304	864	833	1,697	37	40
	計		1,204	1,266	1,260	1,258	1,363	1,400	3,987	3,764	7,751	168	188
読谷	読谷	小	114	129	156	144	137	158	432	406	838	19	21
〃	渡慶次	〃	152	166	170	169	167	168	490	502	992	23	27
〃	古堅	〃	177	211	192	183	211	207	610	571	1,181	24	28
〃	喜名	〃	84	113	87	113	113	115	316	309	625	16	18
	計		527	619	605	609	628	648	1,848	1,788	3,636	82	94
嘉手納	嘉手納	小	194	170	177	186	214	189	580	550	1,130	25	29
〃	宮前	〃	215	225	192	239	216	204	655	636	1,291	27	31
	計		409	395	369	425	430	393	1,235	1,186	2,421	52	60
北谷	北谷	小	123	119	135	131	143	138	390	399	789	18	20
〃	北玉	〃	171	198	170	187	193	192	530	581	1,111	25	27
	計		294	317	305	318	336	330	920	980	1,900	43	47
北中城	北中城	小	184	199	170	196	205	229	588	595	1,183	25	28
	計		184	199	170	196	205	229	588	595	1,183	25	28
中城	津覇	小	115	116	142	147	147	145	413	399	812	17	21
〃	南上原分校		19	22	—	—	—	—	21	20	41	1	1
〃	中城	小	152	166	211	156	174	204	542	521	1,063	22	25
〃	北上原分校		23	19	—	—	—	—	26	16	42	1	1
	計		309	323	353	303	321	349	1,002	956	1,958	41	48
宜野湾	普天間	小	383	368	421	418	404	393	1,223	1,164	2,387	51	55
〃	宜野湾	〃	93	139	146	130	144	170	409	413	822	18	21
〃	嘉数	〃	163	172	169	152	165	176	520	477	997	22	26
〃	大山	〃	164	187	165	183	173	188	553	507	1,060	24	28
	計		803	866	901	883	886	927	2,705	2,561	5,266	115	130
西原	西原	小	170	197	199	192	226	212	610	586	1,196	25	28
〃	坂田	〃	82	96	99	94	101	86	291	267	558	12	14
	計		252	293	298	286	327	298	901	853	1,754	37	42
(中部連合区合計)			6,864	7,431	7,433	7,515	7,883	7,958	23,003	22,081	45,084	1,007	1,141
那覇	高良	小	196	203	208	242	254	250	726	627	1,353	28	32
〃	小禄	〃	202	208	230	241	277	259	714	703	1,417	29	34
〃	垣花	〃	122	105	113	109	117	131	345	352	697	17	19
〃	城岳	〃	391	419	424	467	496	518	1,342	1,373	2,715	58	62
〃	開南	〃	310	283	322	312	392	405	1,021	1,003	2,024	44	51
〃	神原	〃	341	353	361	404	386	418	1,139	1,124	2,263	46	56
〃	壺屋	〃	246	298	305	322	334	360	925	941	1,866	38	42
〃	久茂地	〃	207	200	212	239	241	303	713	689	1,402	30	33
〃	前島	〃	196	180	187	208	208	226	655	550	1,205	26	31
〃	若狭	〃	325	292	317	338	317	381	1,002	968	1,970	43	47
〃	泊	〃	233	230	234	243	232	262	754	680	1,434	31	34
〃	安謝	〃	291	297	282	298	312	287	883	884	1,767	38	41
〃	与儀	〃	385	374	432	417	437	432	1,310	1,167	2,477	49	54
〃	真嘉比	〃	114	119	89	124	101	125	330	342	672	14	16
〃	真和志	〃	360	371	330	425	404	427	1,168	1,149	2,317	48	54
〃	識名	〃	164	201	178	208	203	203	589	568	1,157	25	30
〃	大道	〃	255	308	284	320	347	380	945	949	1,894	41	46

教育区	学校名	1年	2年	3年	4年	5年	6年	男	女	児童数	学級数	教員数
那覇	松川 〃	368	394	400	462	436	487	1,326	1,221	2,547	54	59
〃	城西 〃	209	252	272	253	306	302	863	731	1,594	32	36
〃	城南 〃	156	141	135	168	183	153	476	460	936	20	23
〃	城北 〃	171	189	200	200	221	230	607	604	1,211	28	36
〃	愛護園	19	16	8	15	14	9	40	41	81	8	8
	計	5,261	5,433	5,524	6,015	6,218	6,548	17,873	17,126	34,999	747	844
浦添	浦添小	194	237	259	318	302	328	811	827	1,638	34	38
〃	西原分校	55	90	—	—	—	—	66	79	145	3	3
〃	仲西小	374	392	341	392	382	340	1,097	1,128	2,225	46	52
〃	神森 〃	80	88	86	95	79	90	243	269	512	12	14
	計	703	802	689	805	763	758	2,217	2,303	4,520	95	107
南大東	南大東小	89	87	74	113	118	113	298	296	594	15	16
	計	89	87	74	113	118	113	298	296	594	15	16
北大東	北大東小	38	26	28	37	31	30	85	105	190	6	7
	計	38	26	28	37	31	30	85	105	190	6	7
仲里	仲里小	87	115	114	116	119	115	340	326	666	17	19
〃	奥武分校	10	12	10	7	—	—	18	21	39	2	2
〃	美崎小	75	86	79	79	90	73	246	236	482	12	13
〃	比屋定 〃	33	46	45	49	44	59	133	143	276	7	8
〃	久米島 〃	61	71	78	69	81	81	212	229	441	12	14
	計	266	330	326	320	334	328	949	955	1,904	50	56
具志川	大岳小	59	76	59	79	68	61	202	200	402	12	14
〃	清水 〃	96	115	102	83	114	103	331	282	613	13	15
	計	155	191	161	162	182	164	533	482	1,015	25	29
(那覇連合区合計)		6,512	6,892	6,802	7,452	7,646	7,941	21,955	21,267	43,222	938	1,059
糸満	糸満小	224	215	235	279	265	278	769	727	1,496	32	36
〃	糸満南 〃	176	184	196	205	190	185	545	591	1,136	24	27
〃	喜屋武 〃	72	71	74	70	66	77	218	212	430	12	14
〃	真壁 〃	168	153	167	179	147	168	513	469	982	22	25
〃	米須 〃	63	79	75	72	70	78	219	218	437	12	15
〃	高嶺 〃	114	115	115	119	108	121	367	325	692	17	19
〃	兼城小	127	126	154	168	167	168	451	459	910	21	24
	計	944	943	1,016	1,092	1,013	1,075	3,082	3,001	6,083	140	160
豊見城	座安小	167	188	174	177	179	167	538	514	1,052	24	27
〃	上田小	67	77	63	81	68	74	227	203	430	12	15
〃	長嶺 〃	63	68	64	93	72	91	210	241	451	12	15
	計	297	333	301	351	319	332	975	958	1,933	48	57
東風平	東風平小	273	259	292	283	307	306	858	862	1,720	36	39
	計	273	259	292	283	307	306	858	862	1,720	36	39
具志頭	具志頭小	146	167	156	161	166	168	491	473	964	21	24
〃	新城 〃	52	47	60	44	52	59	159	155	314	8	11
	計	198	214	216	205	218	227	650	628	1,278	29	35
玉城	玉城小	131	123	139	142	145	154	416	418	834	18	20
〃	百名 〃	63	87	80	94	85	85	258	236	494	12	14

教育区	学校名		1年	2年	3年	4年	5年	6年	男	女	児童数	学級数	教員数
船越	船越	〃	61	88	76	76	76	76	235	218	453	12	15
	計		255	298	295	312	306	315	909	872	1,781	42	49
知念	知念	小	144	183	157	174	185	184	504	523	1,027	22	27
〃	久高	小	17	18	19	17	24	14	56	53	109	3	3
	計		161	201	176	191	209	198	560	576	1,136	25	30
佐敷	佐敷	小	198	247	239	238	254	250	762	664	1,426	30	34
	計		198	247	239	238	254	250	762	664	1,426	30	34
与那原	与那原	小	202	227	241	270	271	276	736	751	1,487	32	36
	計		202	227	241	270	271	276	736	751	1,487	32	36
大里	大里南	小	128	167	146	144	145	139	455	414	869	20	24
〃	大里北	〃	59	71	50	73	64	68	182	203	385	11	13
	計		187	238	196	217	209	207	637	617	1,254	31	37
南風原	南風原	小	249	272	280	287	297	282	816	851	1,667	35	41
	計		249	272	280	287	297	282	816	851	1,667	35	41
渡嘉敷	渡嘉敷	小	25	35	24	43	27	29	89	94	183	6	8
〃	阿波連分校		4	7	6	5	8	7	20	17	37	3	3
	計		29	42	30	48	35	36	109	111	220	9	11
座間味	座間味	小	14	29	36	29	19	26	81	72	153	6	7
〃	阿嘉	〃	16	18	22	24	19	19	59	59	118	4	4
〃	慶良間	〃	4	7	12	7	7	9	24	22	46	2	2
	計		34	54	70	60	45	54	164	153	317	12	13
粟国	粟国	小	71	58	64	63	63	70	221	168	389	12	13
	計		71	58	64	63	63	70	221	168	389	12	13
渡名喜	渡名喜	小	38	39	49	52	36	48	135	127	262	6	7
	計		38	39	49	52	36	48	135	127	262	6	7
(南部連合区合計)			3,136	3,425	3,465	3,669	3,582	3,676	10,614	10,339	20,953	487	562
平良	平良第一	小	252	250	339	275	326	327	893	876	1,769	39	42
〃	北	〃	200	180	217	221	215	197	618	612	1,230	27	34
〃	久松	〃	93	93	120	100	102	113	327	294	621	14	16
〃	鏡原	〃	58	66	75	67	70	73	206	203	409	12	14
〃	宮原	〃	45	57	59	57	40	61	169	150	319	10	12
〃	西辺	〃	118	98	103	91	85	94	313	276	589	12	13
〃	狩俣	〃	35	41	42	70	47	62	142	155	297	8	9
〃	宮島分校		27	26	28	20	—	—	49	32	81	3	3
〃	大神	小	4	7	8	5	4	7	16	19	35	2	2
〃	池間	〃	74	63	92	74	75	74	225	227	452	12	13
	計		906	881	1,083	960	964	1,008	2,958	2,844	5,802	139	158
下地	下地	小	136	163	166	146	152	160	452	471	923	22	27
〃	来間	〃	10	15	26	15	17	18	47	54	101	3	3
	計		146	178	192	161	169	178	499	525	1,024	25	30

教育区	学校名	1年	2年	3年	4年	5年	6年	男	女	児童数	学級数	教員数
上野	上野小	122	150	167	138	144	167	432	456	888	20	22
	計	122	150	167	138	144	167	432	456	888	20	22
城辺	砂川小	122	108	134	127	121	142	369	385	754	17	19
〃	西城〃	129	143	154	125	142	149	427	415	842	19	21
〃	城辺〃	126	108	170	115	125	119	366	397	763	18	21
〃	福嶺〃	115	113	148	99	132	123	366	364	730	17	19
	計	492	472	606	466	520	533	1,528	1,561	3,089	71	80
伊良部	伊良部小	177	184	185	168	169	151	512	522	1,034	23	26
〃	佐良浜〃	176	186	195	184	146	147	506	528	1,034	22	25
	計	353	370	380	352	315	298	1,018	1,050	2,068	45	51
多良間	多良間小	97	60	104	57	83	74	256	219	475	12	14
〃	水納分校	1	1	1	—	—	—	3	—	3	1	1
	計	98	61	105	57	83	74	259	219	478	13	15
(宮古連合区合計)		2,117	2,112	2,533	2,134	2,195	2,258	6,994	6,655	13,349	313	356
石垣	川平小	21	22	23	26	28	29	84	65	149	6	7
〃	崎枝〃	20	12	17	15	13	15	46	46	92	3	3
〃	吉原〃	10	10	16	10	15	7	40	28	68	3	3
〃	富野〃	11	19	10	6	14	12	34	38	72	3	3
〃	石垣〃	312	325	337	341	346	362	1,040	983	2,023	44	48
〃	登野城〃	310	354	412	329	414	439	1,089	1,169	2,258	49	53
〃	名蔵小	26	34	34	24	43	32	101	92	193	6	7
	計	710	776	849	751	873	896	2,434	2,421	4,855	113	123
大浜	平真小	42	36	50	45	48	51	140	132	272	6	8
〃	大浜〃	62	67	64	75	100	88	224	232	456	12	14
〃	川原小	21	26	21	27	20	23	76	62	138	5	6
〃	真栄里分校	4	5	4	6	6	8	12	21	33	2	2
〃	宮良小	58	47	62	53	58	67	165	180	345	10	12
〃	白保〃	61	75	81	80	79	92	235	233	468	12	15
〃	伊野田〃	47	36	46	42	40	46	142	115	257	6	8
〃	平久保〃	42	26	32	32	30	34	102	94	196	6	8
〃	明石〃	21	26	24	27	30	26	76	78	154	6	8
〃	野底〃	43	36	53	36	36	47	120	131	251	6	7
	計	401	380	437	423	447	482	1,292	1,278	2,570	71	88
竹富	竹富小	14	18	15	15	21	23	53	53	106	4	4
〃	由布〃	1	4	5	4	3	6	11	12	23	2	6
〃	黒島〃	30	26	28	29	30	26	81	88	169	6	7
〃	小浜〃	30	21	38	31	27	32	93	86	179	6	7
〃	波照間〃	44	49	57	46	50	56	148	154	302	7	7
〃	鳩間〃	14	8	10	4	14	9	35	24	59	3	3
〃	上原〃	22	23	24	20	32	23	79	65	144	6	7
〃	船浦〃	9	5	13	13	7	25	23	48	3	3	
〃	大原〃	41	54	39	51	40	42	123	144	267	8	8
〃	上地見〃	3	6	3	6	4	2	16	8	24	2	3
〃	古西表〃	6	10	3	5	7	6	17	20	37	2	3
〃	白浜〃	25	21	25	20	25	20	64	72	136	6	7
〃	船浮〃	11	17	12	16	14	18	54	34	88	6	3
〃	網取〃	3	2	4	1	4	2	8	8	16	1	1
〃	〃	4	4	3	5	4	1	10	11	21	1	1
	計	257	268	279	254	288	273	817	802	1,619	57	66
与那国	与那国小	89	90	103	103	73	94	280	272	552	12	14

教育区	学校名	1年	2年	3年	4年	5年	6年	男	女	児童数	学級数	教員数
〃	久部良 〃	50	42	48	49	43	50	128	154	282	6	8
〃	比 川 〃	14	14	9	14	11	6	37	31	68	3	3
	計	153	146	160	166	127	150	445	457	902	21	25
八重山連合区合計		1,521	1,570	1,725	1,594	1,735	1,801	4,988	4,958	9,946	262	302
公立	小学校	23,526	25,099	25,612	26,284	26,859	27,665	78,628	76,417	155,045	3,583	4,101
政府立	小学校	2	—	1	3	5	7	10	8	18	3	3
	瑳井小	1	—	1	3	3	6	7	7	14	2	2
	稲沖小	1	—	—	—	2	1	3	1	4	1	1
私立	小学校	37	7	6	6	5	3	37	27	64	4	5
	佐敷教会小	5	7	6	6	5	3	21	11	32	3	3
	海星小	32	—	—	—	—	—	16	16	32	1	2
小学校 総計		23,565	25,106	25,619	26,293	26,869	27,675	78,675	76,452	155,127	3,590	4,109

中 学 校

1964年5月1日現在

教育区	学校名	1年 男	1年 女	2年 男	2年 女	3年 男	3年 女	男	女	生徒数	学級数	教員数
国頭	国頭中	90	87	98	82	82	87	270	256	526	12	19
〃	佐手 〃	30	26	17	21	35	16	82	63	145	3	6
〃	北国 〃	19	22	27	31	29	28	75	81	156	5	9
〃	奥 〃	16	13	9	16	17	17	42	46	88	3	6
〃	楚洲 〃	7	8	2	6	8	3	17	17	34	2	5
〃	安田 〃	8	6	10	9	12	10	30	25	55	2	5
〃	安波 〃	14	11	7	5	11	10	32	26	58	2	5
	計	184	173	170	170	194	171	548	514	1,062	29	55
大宜味	津波中	16	12	11	20	17	13	44	45	89	3	5
〃	塩屋 〃	39	34	38	36	40	36	117	106	223	6	9
〃	大宜味 〃	22	23	32	18	23	13	77	54	131	3	6
〃	喜如嘉 〃	35	34	28	35	29	33	92	102	194	6	9
	計	112	103	109	109	109	95	330	307	637	18	29
東	高江中	6	6	7	6	4	3	17	15	32	2	5
〃	東 〃	28	31	35	43	29	31	92	105	197	6	9
〃	有銘 〃	23	13	14	24	24	17	61	54	115	3	5
	計	57	50	56	73	57	51	170	174	344	11	19
羽地	羽地中	130	133	148	121	122	135	400	389	789	17	26
〃	源河 〃	17	20	29	20	29	29	75	69	144	4	7
	計	147	153	177	141	151	164	475	458	933	21	33
屋我地	屋我地中	61	51	46	46	43	45	150	142	292	7	11
	計	61	51	46	46	43	45	150	142	292	7	11

教育区	学校名		1年		2年		3年		男	女	生徒数	学級数	教員数
			男	女	男	女	男	女					
今帰仁	今帰仁	中	114	138	138	122	136	112	388	372	760	15	23
〃	兼次	〃	69	78	71	70	66	73	206	221	427	9	14
〃	古宇利	〃	21	12	22	7	21	11	64	30	94	3	6
〃	湧川	〃	27	22	32	30	37	23	96	75	171	5	9
	計		231	250	263	229	260	219	754	698	1,452	32	52
上本部	上本部	中	101	79	86	87	90	91	277	257	534	12	19
	計		101	79	86	87	90	91	277	257	534	12	19
本部	本部	中	142	120	116	139	148	139	406	398	804	17	27
〃	伊野波	〃	18	19	31	35	22	26	71	80	151	4	7
〃	崎本部	〃	29	24	31	27	34	28	94	79	173	5	10
〃	瀬底	〃	26	24	35	23	29	29	90	76	166	5	8
〃	水納	〃	1	1	1	3	1	2	3	6	9	3	3
〃	伊豆味	〃	39	24	31	20	31	22	101	66	167	4	7
〃	浜元	〃	29	31	32	27	33	26	94	84	178	4	10
	計		284	243	277	274	298	272	859	789	1,648	42	72
屋部	屋部	中	64	63	71	80	68	63	203	206	409	9	14
	計		64	63	71	80	68	63	203	206	409	9	14
名護	名護	中	277	274	267	258	269	255	813	787	1,600	33	49
〃	瀬喜田	中	23	25	30	19	31	29	84	73	157	4	8
	計		300	299	297	277	300	284	897	860	1,757	37	57
久志	久辺	中	34	33	44	43	34	35	112	111	223	6	9
〃	久志	〃	24	23	29	28	28	30	81	81	162	5	8
〃	嘉陽	〃	10	8	15	9	13	14	38	31	69	3	5
〃	天仁屋	〃	10	11	5	5	7	9	22	25	47	2	4
〃	三原	〃	14	15	15	14	10	16	39	45	84	3	6
	計		92	90	108	99	92	104	292	293	585	19	32
宜野座	宜野座	中	71	60	61	64	77	68	209	192	401	9	15
	計		71	60	61	64	77	68	209	192	401	9	15
金武	金武	中	118	120	138	142	108	121	364	383	747	16	26
	計		118	120	138	142	108	121	364	383	747	16	26
伊江	伊江	中	132	117	135	134	98	98	365	349	714	15	22
	計		132	117	135	134	98	98	365	349	714	15	22
伊平屋	伊平屋	中	49	73	50	56	54	60	153	189	342	8	12
〃	野甫	〃	2	6	4	6	5	5	11	17	28	2	4
	計		51	79	54	62	59	65	164	206	370	10	16
伊是名	伊是名	中	80	85	93	79	63	65	236	229	465	11	18
〃	具志川島	〃	1	1	1	1	—	2	2	4	6	1	3
	計		81	86	94	80	63	67	238	233	471	12	21
(北部連合区合計)			2,086	2,016	2,142	2,034	2,067	1,978	6,295	6,061	12,356	299	493
恩納	恩納	中	50	44	51	42	41	36	142	122	264	6	9
〃	仲泊	〃	27	33	22	20	24	40	73	93	166	5	9
〃	山田	〃	29	30	35	24	26	17	90	71	161	5	9

教育区	学校名		1年		2年		3年		男	女	生徒数	学級数	教員数
			男	女	男	女	男	女					
恩納	安富祖	中	16	17	22	24	19	21	57	62	119	3	6
〃	喜瀬武原	〃	9	8	7	9	7	5	23	22	45	2	5
	計		131	132	137	119	117	119	385	370	755	21	38
石川	石川	中	273	240	270	252	262	228	805	720	1,525	31	45
	計		273	240	270	252	262	228	805	720	1,525	31	45
美里	美里	中	168	177	156	139	157	112	481	428	909	18	31
〃	美東	〃	168	138	165	152	160	135	493	425	918	19	29
	計		336	315	321	291	317	247	974	853	1,827	37	60
与那城	伊計	中	17	14	18	15	14	12	49	41	90	3	5
〃	宮城	〃	48	33	56	58	33	41	137	132	269	7	12
〃	平安座	〃	47	48	67	67	25	36	139	151	290	7	11
	計		112	95	141	140	72	89	325	324	649	17	28
勝連	津堅	中	26	24	35	32	14	25	75	81	156	4	7
〃	浜	中	22	22	15	18	32	26	69	66	135	4	8
〃	与勝	〃	325	303	263	279	286	267	874	849	1,723	33	51
	計		373	349	313	329	332	318	1,018	996	2,014	41	66
具志川	あげな	中	256	254	276	267	237	220	769	741	1,510	30	44
〃	具志川	〃	193	203	193	177	177	176	563	556	1,119	23	36
〃	高江洲	〃	88	88	88	97	70	89	246	274	520	11	17
	計		537	545	557	541	484	485	1,578	1,571	3,149	64	97
コザ	山内	中	167	166	157	159	120	145	444	470	914	20	29
〃	越来	〃	309	259	290	300	277	277	876	836	1,712	32	52
〃	コザ	中	246	240	278	259	235	241	759	740	1,499	31	46
	計		722	665	725	718	632	663	2,079	2,046	4,125	83	127
読谷	読谷	中	193	214	206	213	162	154	561	581	1,142	24	34
〃	古堅	〃	107	108	100	109	86	71	293	288	581	11	18
	計		300	322	306	322	248	225	854	869	1,723	35	52
嘉手納	嘉手納	中	204	188	228	202	185	177	617	567	1,184	24	35
	計		204	188	228	202	185	177	617	567	1,184	24	35
北谷	北谷	中	150	149	152	140	186	184	488	473	961	20	30
	計		150	149	152	140	186	184	488	473	961	20	30
北中城	北中城	中	106	91	105	97	96	86	307	274	581	12	18
	計		106	91	105	97	96	86	307	274	581	12	18
中城	中城	中	182	167	151	164	167	138	500	469	969	19	31
	計		182	167	151	164	167	138	500	469	969	19	31
宜野湾	普天間	中	255	261	265	250	238	207	758	718	1,476	29	44
〃	嘉数	〃	208	181	212	199	161	174	581	554	1,135	23	34
	計		463	442	477	449	399	381	1,339	1,272	2,611	52	78
西原	西原	中	160	155	152	157	153	126	465	438	903	18	30

教育区	学校名	1年 男	1年 女	2年 男	2年 女	3年 男	3年 女	男	女	生徒数	学級数	教員数
	計	160	155	152	157	153	126	465	438	903	18	30
(中部連合区合計)		4,049	3,855	4,035	3,921	3,650	3,466	11,734	11,242	22,976	474	735
那覇	療護園	―	6	2	3	5	3	7	12	19	3	4
〃	小禄中	274	269	286	256	254	223	814	748	1,562	28	48
〃	垣花〃	61	56	77	55	78	57	216	168	384	9	15
〃	上山〃	392	364	410	388	395	370	1,197	1,122	2,319	46	65
〃	那覇〃	506	420	502	484	478	474	1,486	1,379	2,865	49	82
〃	古蔵〃	239	246	234	254	203	213	676	683	1,359	28	42
〃	安岡〃	143	146	141	146	138	122	422	414	836	17	27
〃	神原〃	414	390	474	456	409	407	1,297	1,253	2,550	44	69
〃	真和志〃	553	550	520	553	504	512	1,577	1,615	3,192	54	87
〃	寄宮〃	375	324	382	345	317	292	1,074	961	2,035	40	60
〃	首里〃	410	401	408	374	437	377	1,255	1,152	2,407	47	67
	計	3,387	3,143	3,436	3,314	3,218	3,050	10,021	9,507	19,528	365	566
浦添	浦添中	139	153	142	148	122	160	403	461	864	18	27
〃	仲西〃	230	235	198	249	198	192	626	676	1,302	26	38
	計	369	388	340	397	320	352	1,029	1,137	2,166	44	65
南大東	南大東中	46	46	38	36	41	44	125	126	251	6	9
	計	46	46	38	36	41	44	125	126	251	6	9
北大東	北大東中	16	21	11	17	20	16	47	54	101	3	6
	計	16	21	11	17	20	16	47	54	101	3	6
仲里	仲里中	107	85	102	83	85	101	294	269	563	12	18
〃	比屋定〃	32	26	18	21	9	21	59	68	127	3	5
〃	久米島〃	36	34	43	43	39	41	118	118	236	6	9
	計	175	145	163	147	133	163	471	455	926	21	32
具志川	具志川中	88	83	110	112	82	99	280	294	574	12	22
	計	88	83	110	112	92	99	280	294	574	12	22
(那覇連合区合計)		4,061	3,826	4,098	4,023	3,814	3,724	11,973	11,573	23,546	451	700
糸満	糸満中	266	245	250	252	252	244	768	741	1,509	31	47
〃	三和〃	149	143	143	148	143	110	435	401	836	17	27
〃	高嶺〃	44	61	84	61	62	53	190	175	365	8	13
〃	兼城〃	78	77	91	109	85	80	254	266	520	11	17
	計	537	526	568	570	542	487	1,647	1,583	3,230	67	104
豊見城	豊見城中	180	159	176	162	139	169	495	490	985	20	30
	計	180	159	176	162	139	169	495	490	985	20	30
東風平	東風平中	150	168	151	143	152	118	453	429	882	19	29
	計	150	168	151	143	152	118	453	429	882	19	29
具志頭	具志頭中	111	88	125	100	87	99	323	287	610	13	21
	計	111	88	125	100	87	99	323	287	610	13	21
玉城	玉城中	176	139	164	151	158	133	498	423	921	20	31

教育区	学校名		1年		2年		3年		男	女	生徒数	学級数	教員数
			男	女	男	女	男	女					
		計	176	139	164	151	158	133	498	423	921	20	31
知念	知念	中	91	81	103	76	94	91	288	248	536	12	18
〃	久高	〃	9	9	8	9	6	6	23	24	47	2	5
		計	100	90	111	85	100	97	311	272	583	14	23
佐敷	佐敷	中	131	113	134	144	102	106	367	363	730	15	24
		計	131	113	134	144	102	106	367	363	730	15	24
与那原	与那原	中	158	141	145	137	145	129	448	407	855	18	29
		計	158	141	145	137	145	129	448	407	855	18	29
大里	大里	中	111	115	107	122	101	76	319	313	632	14	21
		計	111	115	107	122	101	76	319	313	632	14	21
南風原	南風原	中	154	132	138	139	144	134	436	405	841	18	28
		計	154	132	138	139	144	134	436	405	841	18	28
渡嘉敷	渡嘉敷	中	15	14	15	16	12	14	42	44	86	3	5
〃	阿波連分校		3	3	4	4	5	3	12	10	22	3	4
		計	18	17	19	20	17	17	54	54	108	6	9
座間味	座間味	中	10	18	14	17	16	17	40	52	92	3	5
〃	阿嘉	〃	12	11	9	11	13	9	34	31	65	3	5
〃	慶良間	〃	4	6	3	5	6	7	13	18	31	2	5
		計	26	35	26	33	35	33	87	101	188	8	15
粟国	粟国	中	40	25	50	34	32	34	122	93	215	6	9
		計	40	25	50	34	32	34	122	93	215	6	9
渡名喜	渡名喜	中	17	23	31	26	17	18	65	67	132	3	5
		計	17	23	31	26	17	18	65	67	132	3	5
(南部連合区合計)			1,909	1,771	1,945	1,866	1,771	1,650	5,625	5,287	10,912	241	378
平良	平良	中	269	243	271	272	236	210	776	725	1,501	30	43
〃	久松	〃	54	47	60	61	57	56	171	164	335	8	15
〃	鏡原	〃	52	42	56	74	56	51	164	167	331	7	12
〃	西辺	〃	46	36	51	56	40	46	137	138	275	6	9
〃	狩俣	〃	28	24	31	32	26	27	85	83	168	4	7
〃	大神	〃	—	3	3	5	1	1	4	9	13	1	3
〃	池間	〃	42	35	41	29	36	32	119	96	215	6	10
		計	491	430	513	529	452	423	1,456	1,382	2,838	62	99
下地	下地	中	98	81	87	68	79	76	264	225	489	10	16
〃	来間	中	14	9	10	3	7	7	31	19	50	2	4
		計	112	90	97	71	86	83	295	244	539	12	20
上野	上野	中	93	80	85	86	70	60	248	226	474	11	17
		計	93	80	85	86	70	60	248	226	474	11	17
城辺	砂川	中	56	62	69	74	60	65	185	201	386	9	15

教育区	学校名	1年 男	1年 女	2年 男	2年 女	3年 男	3年 女	男	女	生徒数	学級数	教員数
城辺	西城中	59	53	61	75	76	64	196	192	388	9	14
〃	城辺〃	59	64	52	77	63	55	174	196	370	9	14
〃	福嶺〃	59	56	70	73	77	43	206	172	378	9	14
	計	233	235	252	299	276	227	761	761	1,522	36	57
伊良部	伊良部中	89	75	85	74	70	74	244	223	467	10	16
〃	佐良浜〃	87	86	89	83	81	66	257	235	492	11	17
	計	176	161	174	157	151	140	501	458	959	21	33
多良間	多良間中	35	36	49	46	31	32	115	114	229	6	10
	計	35	36	49	46	31	32	115	114	229	6	10
(宮古連合区合計)		1,140	1,032	1,170	1,188	1,066	965	3,376	3,185	6,561	148	236
石垣	川平中	25	9	27	27	17	15	69	51	120	3	6
〃	崎枝〃	5	5	8	10	5	7	18	22	40	2	4
〃	富野〃	10	5	7	2	5	8	22	12	34	2	5
〃	名蔵〃	16	14	17	13	20	14	53	41	94	3	6
〃	石垣第一〃	203	183	429	436	397	365	1,029	984	2,013	41	60
〃	石垣第二〃	208	208	—	—	—	—	208	208	416	8	13
	計	467	421	488	488	444	409	1,399	1,318	2,717	59	94
大浜	大浜中	109	118	114	110	126	123	349	351	700	15	22
〃	白保〃	39	35	51	41	42	34	132	110	242	6	10
〃	伊原間〃	81	71	79	70	68	60	228	201	429	9	15
	計	229	224	244	221	236	217	709	662	1,371	30	47
竹富	竹富中	13	7	13	5	6	14	32	26	58	2	5
〃	黒島〃	13	11	10	19	10	12	33	42	75	3	6
〃	小浜〃	13	12	19	16	20	16	52	44	96	3	6
〃	波照間〃	23	24	46	22	12	29	81	75	156	4	8
〃	鳩間〃	2	7	6	5	4	3	12	15	27	2	5
〃	上原〃	9	10	7	11	12	4	28	25	53	1	5
〃	船浦〃	4	6	1	4	4	—	9	10	19	5	3
〃	大原〃	25	27	29	28	28	31	82	86	168	5	10
〃	西表〃	11	9	11	16	10	11	32	36	68	2	6
〃	白浜〃	9	7	7	7	6	5	21	20	41	2	5
〃	船浮〃	1	3	1	—	2	2	4	5	9	1	3
〃	網取〃	1	2	2	3	—	—	3	5	8	1	3
	計	124	125	152	135	113	129	389	389	778	30	65
与那国	与那国中	37	47	38	61	55	39	130	147	277	6	10
〃	久部良中	14	14	24	26	31	17	69	57	126	4	8
	計	51	61	62	87	86	56	199	204	403	10	18
八重山連合区合計		871	831	946	931	879	811	2,696	2,573	5,269	129	224
公立	中学校	14,116	13,331	14,336	13,996	13,247	12,594	41,699	39,921	81,620	1,742	2,766
政府立	中学校	95	82	106	99	82	94	283	275	558	14	26
	澄井	2	3	5	2	4	—	11	5	16	2	2
	稲沖	—	—	—	—	2	1	2	1	3	1	1
	松島	93	79	101	97	76	93	270	269	539	11	23
私立	中学校	4	2	5	3	7	6	16	11	27	2	2
	ミッション中	4	2	5	3	7	6	16	11	27	2	2
中学校総合計		14,215	13,415	14,447	14,098	13,336	12,694	41,998	40,207	82,205	1,758	2,794

3　1965年度教育区歳入歳出予算　（当初）

(1) 歳入

（単位弗）

教育区	総額	1 教育税	2 教育税以外の自己財源	3 政府補助	4 市町村補助	5 その他収入
全琉球	14,213,508.16	1,927,331.51	483,762.33	11,492,916.32	102,432.05	207,065.95
国頭	235,332.45	14,143.84	6,342.85	213,374.76	1,300.00	171.00
大宜味	125,440.02	7,740.00	3,511.30	114,146.72	1.00	41.00
東	82,243.72	3,470.00	2,033.90	74,974.82	1,754.00	11.00
羽地	156,775.20	12,532.00	5,660.00	137,233.20	—	1,350.00
屋我地	52,307.00	5,050.00	2,138.00	45,116.00	1.00	2.00
今帰仁	243,579.68	22,577.78	8,446.90	211,965.00	—	590.00
上本部	89,869.00	7,670.00	3,844.00	78,334.00	—	21.00
本部	300,377.00	20,360.00	9,480.00	270,533.00	1.00	3.00
屋部	85,817.00	6,976.00	2,277.00	76,561.00	1.00	2.00
名護	325,066.00	80,652.00	9,130.00	232,644.00	2,500.00	140.00
久志	134,868.27	8,151.00	3,334.00	114,257.27	9,000.00	126.00
宜野座	97,760.00	3,720.00	2,365.00	80,597.00	11,075.00	3.00
金武	133,910.00	100,700.00	3,902.00	113,671.00	5,230.00	407.00
伊江	146,797.00	27,260.00	4,690.00	114,808.00	—	39.00
伊平屋	77,724.40	4,390.40	2,221.00	71,112.00	—	1.00
伊是名	92,038.63	8,543.45	3,107.20	80,386.98	—	1.00
恩納	146,590.00	7,100.00	4,109.00	129,078.00	6,300.00	3.00
石川	246,802.11	28,500.00	8,676.50	204,388.61	1,001.00	4,236.00
美里	303,541.00	30,496.00	10,686.00	261,529.00	800.00	30.00
与那城	244,011.48	20,217.53	15,576.19	208,132.72	0.01	85.03
勝連	147,773.45	14,320.90	4,777.16	126,213.37	400.00	2,062.02
具志川	480,035.48	49,000.00	18,856.30	406,057.18	720.00	5,402.00
コザ	581,971.00	97,860.00	25,448.30	452,354.70	6,245.00	63.00
読谷	282,474.00	25,798.00	11,261.00	230,322.00	11,300.00	3,793.00
嘉手納	236,742.00	36,907.00	8,342.00	165,840.00	11,450.00	14,203.00
北谷	162,124.00	11,934.00	2,305.00	137,017.00	7,500.00	3,368.00
北中城	79,796.50	11,987.00	4,735.90	61,021.60	1.00	2,051.00
中城	156,731.00	13,730.00	5,951.00	136,704.00	290.00	56.00
宜野湾	446,182.63	61,000.00	16,867.78	366,042.93	0.01	4,272.01

教育区	総額	1 教育税	2 教育税以外の自己財源	3 政府補助	4 市町村補助	5 その他の収入
西 原	148,210.00	15,033.00	5,007.00	127,209.00	782.00	179.00
浦 添	326,844.60	54,000.00	13,949.20	252,694.90	5,000.00	1,200.50
那 覇	3,225,933.00	683,565.00	106,468.00	2,303,980.00	15,000.00	116,920.00
(久)具志川	114,957.00	10,140.00	3,116.00	100,174.00	1.00	1,526.00
仲 里	187,018.69	15,841.03	6,677.00	164,420.66	—	80.00
北 大 東	23,019.33	3,500.00	0.02	18,708.28	300.00	511.03
南 大 東	44,349.81	9,418.80	101.00	32,249.29	1.00	2,579.72
豊 見 城	195,232.00	41,934.00	6,543.00	143,162.00	1.00	3,592.00
糸 満	511,555.11	75,505.00	18,704.84	417,242.27	1.00	102.00
東 風 平	136,497.00	13,710.00	5,704.00	116,682.00	1.00	400.00
具 志 頭	106,881.00	10,632.00	3,587.00	92,590.00	1.00	71.00
玉 城	150,897.00	14,000.00	6,901.00	126,994.00	1,000.00	2,002.00
知 念	116,437.54	7,660.00	3,556.93	104,943.48	0.01	277.12
佐 敷	124,954.01	12,300.00	4,690.04	107,881.80	0.01	82.16
与 那 原	137,711.00	16,067.00	4,952.00	111,293.00	1.00	5,398.00
大 里	123,528.00	13,466.00	4,045.00	106,014.00	1.00	2.00
南 風 原	146,777.70	21,650.33	6,306.50	105,576.47	2,900.00	11,244.40
渡 嘉 敷	31,424.90	1,599.48	505.52	29,319.90	—	—
座 間 味	56,140.45	1,680.00	1,038.00	53,103.45	200.00	119.00
粟 国	37,709.00	2,884.00	1,175.00	33,592.00	1.00	57.00
渡 名 喜	37,888.00	2,500.00	1,773.00	33,612.00	—	3.00
平 良	552,960.00	72,694.94	18,018.00	459,647.06	—	2,600.00
城 辺	272,380.00	27,585.82	10,305.00	234,079.18	—	410.00
下 地	111,870.00	15,013.43	3,207.00	92,875.60	0.01	773.96
上 野	82,450.00	8,176.64	2,745.00	71,403.36	—	125.00
伊 良 部	180,865.00	12,939.84	6,098.00	161,602.16	—	225.00
多 良 間	52,790.00	5,646.30	—	45,183.70	—	1,960.00
石 垣	738,417.00	85,553.00	23,539.00	617,264.00	1,050.00	11,011.00
竹 富	256,101.00	10,445.00	2,502.00	243,051.00	1.00	102.00
与 那 国	87,030.00	9,404.00	2,473.00	73,952.00	220.00	981.00

(2) 歳　出　　　　　　　　　　　　　　　　　　（単位弗）

教育区	総額	1 学校教育費	2 社会教育費	3 教育行政費	4 その他
全琉球	14,213,508.16	13,487,559.00	90,458.20	403,383.09	232,107.87
国頭	235,332.45	224,910.62	1,707.51	7,465.32	1,249.00
大宜味	125,440.02	119,735.98	1,253.84	3,364.39	1,085.81
東	82,243.72	75,717.40	803.54	3,309.94	2,412.84
羽地	156,775.20	149,550.10	986.00	5,158.10	1,081.00
屋我地	52,307.00	48,955.00	695.00	2,225.00	432.00
今帰仁	243,579.68	233,948.24	1,849.56	5,696.88	2,085.00
上本部	89,869.00	85,374.00	746.00	3,196.00	553.00
本部	300,377.00	289,716.90	1,886.00	6,656.00	2,118.10
屋部	85,817.00	81,464.00	807.00	3,013.00	533.00
名護	325,066.00	305,312.00	4,738.00	11,516.00	3,500.00
久志	134,868.27	126,636.61	1,329.30	5,459.87	1,442.49
宜野座	97,760.00	91,592.00	1,550.00	4,082.00	536.00
金武	133,910.00	126,080.00	1,229.00	5,705.00	896.00
伊江	146,797.00	136,008.00	765.00	4,356.00	5,668.00
伊平屋	77,724.40	72,093.40	1,584.00	3,623.00	424.00
伊是名	92,038.63	86,017.54	921.92	4,429.67	669.50
恩納	146,590.00	137,357.00	2,425.00	6,246.00	562.00
石川	246,802.11	228,527.19	1,993.00	9,240.82	7,041.10
美里	303,541.00	293,679.00	1,092.00	6,521.00	2,249.00
与那城	244,011.48	232,161.72	1,512.31	5,767.56	4,569.89
勝連	147,773.45	135,959.43	1,974.16	6,301.70	3,538.16
具志川	480,035.48	461,547.53	5,169.04	10,363.32	2,955.59
コザ	581,971.00	554,252.00	2,793.80	17,468.80	7,456.40
読谷	282,474.00	260,774.00	2,212.00	8,095.00	11,393.00
嘉手納	236,742.00	202,493.00	700.00	7,729.00	25,820.00
北谷	162,124.00	155,203.00	554.00	4,384.00	1,983.00
北中城	79,796.50	74,642.90	1,145.60	2,132.40	1,875.60
中城	156,731.00	148,143.00	837.00	5,721.00	2,030.00
宜野湾	446,182.63	437,571.63	1,462.61	9,498.47	4,649.90

教 育 区	総 額	1 学校教育費	2 社会教育費	3 教育行政費	4 その他
西 原	148,210.00	140,220.00	1,399.00	5,007.00	1,584.00
浦 添	326,844.60	307,140.50	1,708.00	11,559.10	6,437.00
那 覇	3,225,933.00	3,109,535.00	8,313.00	58,614.00	49,471.00
(久)具 志 川	114,957.00	106,924.00	987.00	5,059.00	1,987.00
仲 里	187,018.69	175,463.01	1,298.00	6,636.68	3,621.00
北 大 東	23,019.33	20,954.72	183.06	1,430.52	451.03
南 大 東	44,349.81	41,948.53	50.00	1,621.28	730.00
豊 見 城	195,232.00	184,745.00	2,265.00	5,308.00	2,914.00
糸 満	511,555.11	489,086.28	3,062.20	14,926.46	4,480.17
東 風 平	136,497.00	129,157.00	1,264.00	4,659.00	1,417.00
具 志 頭	106,881.00	102,423.00	669.00	2,753.00	1,036.00
玉 城	150,897.00	141,483.00	2,057.00	5,770.00	1,587.00
知 念	116,437.54	112,209.92	580.00	2,496.06	1,151.56
佐 敷	124,954.01	119,295.02	922.72	3,495.11	1,241.16
与 那 原	137,711.00	127,152.00	1,686.00	7,387.00	1,486.00
大 里	123,528.00	116,651.00	1,385.00	4,434.00	1,058.00
南 風 原	146,777.70	139,708.94	1,703.00	3,968.20	1,397.56
渡 嘉 敷	31,424.90	29,633.32	248.00	1,376.00	167.58
座 間 味	56,140.45	52,156.87	605.00	3,156.58	222.00
粟 国	37,709.00	35,656.00	310.00	1,454.00	289.00
渡 名 喜	37,888.00	35,986.00	174.00	1,552.00	166.00
平 良	552,960.00	532,033.87	1,830.00	10,474.45	8,621.68
城 辺	272,380.00	257,301.32	1,900.01	8,779.26	4,399.41
下 地	111,870.00	101,715.93	1,365.00	6,851.57	1,937.50
上 野	82,450.00	77,019.94	560.01	3,792.98	1,077.07
伊 良 部	180,865.00	170,642.36	1,255.01	5,644.36	3,323.27
多 良 間	52,790.00	48,975.28	430.00	2,733.24	651.48
石 垣	738,417.00	694,785.00	2,952.00	17,344.00	23,336.00
竹 富	256,101.00	241,909.00	1,825.00	9,937.00	2,430.00
与 那 国	87,030.00	77,224.00	740.00	6,438.00	2,628.00
計	1,081,548.00	1,013,918.00	5,517.00	33,719.00	28,394.00

沖縄教育の概観

Bird's-Eye View of Education in Okinawa

別冊 4

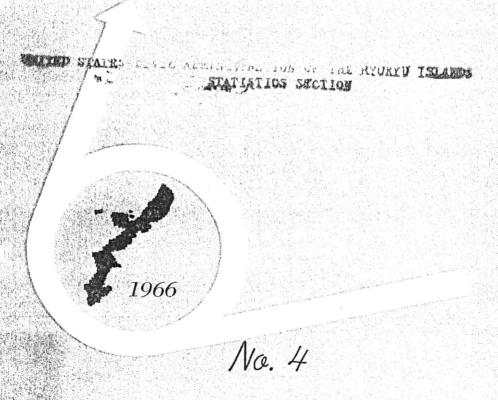

1966

No. 4

琉球政府文教局調査計画課
Research & Planning Section,
Education Department, Government
of the Ryukyu Island

まえがき

ここに「沖縄教育の概観」第4号をおとどけします。

今回から編集内容を大幅にかえて，できるだけ解説と資料をみひらきに収めて沖縄教育の現状を大略ではありますが，より理解していただけるに十分な内容にしぼってみました。この小冊子が広く教育関係者のご活用により，沖縄教育の推進に役立つことを願ってやみません。今後とも内容の充実を期していきたいと思いますので，一層のご協力とご叱声をいただきたい。

文教局長　赤　嶺　義　信

"Bird's-Eye View of Education in OKinawa, 4th Edition" has been compiled. In this edition we have largely changed its contents and summarized it so that readers may understand the present conditions of education in Okinawa through reading the explanations and expanded graphic expression and data in the following pages.

The Director of Education will be gratified if this publication proves to be of use and value to all the teachers and persons concerned to promote the education in Okinawa.

Suggestions given to the editorial staff will be gratefully received and will continue to be welcomed.

Yoshinobu Akamine
Director of Education Department

── も　く　じ ──

1. 教 育 行 政 ………………………………………………… 1
    (1) 教育行政組織 ……………………………………… 1
    (2) 中央教育委員会と文教局 ………………………… 3
    (3) 地方教育委員会 …………………………………… 3
2. 教 育 財 政 ………………………………………………… 5
    (1) 教育財政制度 ……………………………………… 5
    (2) 教 育 費 …………………………………………… 7
3. 学 校 制 度 ………………………………………………… 9
4. 学 校 教 育 ………………………………………………… 11
    (1) 学校概況 …………………………………………… 11
    (2) 小 学 校 …………………………………………… 13
    (3) 中 学 校 …………………………………………… 15
    (4) 高 等 学 校 ………………………………………… 17
    (5) 特 殊 学 校 ………………………………………… 19
    (6) 大　　　学 ………………………………………… 21
    (7) 幼 稚 園 …………………………………………… 23
    (8) 各 種 学 校 ………………………………………… 23
5. 児 童 生 徒 ………………………………………………… 25
    (1) 体　　　位 ………………………………………… 25
    (2) 学 校 給 食 ………………………………………… 25
    (3) 学　　　力 ………………………………………… 25
    (4) 卒業後の状況 ……………………………………… 27
6. 教 職 員 …………………………………………………… 29
    (1) 概　　　況 ………………………………………… 29
    (2) 免許状所持状況 …………………………………… 31
    (3) 教員の平均給料 …………………………………… 31
7. 教育条件の整備 …………………………………………… 33
    (1) 学 校 施 設 ………………………………………… 33
    (2) へき地教育 ………………………………………… 35
    (3) 特 殊 教 育 ………………………………………… 35
8. 育 英 事 業 ………………………………………………… 37
9. 社 会 教 育 ………………………………………………… 39
10. 文化財保護事業 …………………………………………… 39

CONTENTS

1. Educational Administration 1
   (1) Organization of Educational Administration 1
   (2) The Central Board of Education and Education Department, GRI 3
   (3) District Board of Education 3
2. Educational Finance 5
   (1) Educational Finance System 5
   (2) Total Expenditures for Public Education 7
3. The School System 9
4. School Education 11
   (1) Summary of School Statistics 11
   (2) Elementary Schools 13
   (3) Junior High Schools 15
   (4) Senior High Schools 17
   (5) Special Schools for Handicapped Pupils 19
   (6) Universities 21
   (7) Kindergartens 23
   (8) Miscellaneous Schools 23
5. Status of Pupils 25
   (1) Average Physical Measurements 25
   (2) School Lunch program 25
   (3) Scholastic Achievement 25
   (4) Graduates 27
6. Status of School Teachers 29
   (1) Summary Status of School Teachers 29
   (2) Types of Teachers Certificates and Qualifications 31
   (3) Average Salaries of Public School Teachers 31
7. Improvement of Educational conditions 33
   (1) School Buildings 33
   (2) Education in Isolated Areas 35
   (3) Special Education 35
8. Scholarship Program 37
9. Social Education 39
10. Protection of Cultural Properties 39

1. 教育行政

(1) 教育行政組織

沖縄の教育行政組織は本土とかなり異なっている。教育行政がすべて委員会制度によって運営されていることは本土と同じであるが，大学を除くすべての中央の教育行政は琉球政府行政府の長である行政主席より独立した中央教育委員会が最高の責任を負っている。中央教育委員は6つの選挙区から区教育委員の選挙によって選出され，委員数は11人，任期は4年，2年毎にその半数が改選される。

　地方教育については，市町村を同一区域とする法人格を持つ教育区が設定されており，教育区住民により公選される教育委員の構成する区教育委員会がこれを担当している。委員数は各教育区5人（那覇は7人）で，任期は4年，2年毎に半数が改選される。さらに，これら59の教育区は，地方教育の指導管理を一層効率的に行なうため，6つの連合教育区を組織している。連合教育区も法人で，連合委員会は連合区を構成する教育区の委員の代表によって組織されている。

　大学教育行政は，行政主席の任命による琉球大学委員，私立大学委員が構成するそれぞれの委員会によって運営されている。

1. EDUCATIONAL ADMINISTRATION

(1) Organization of Educational Administration

　　The organization of Educational Administration is rather different from that of Japan. In one respect it is the same as that of Japan in that the Educational Administration is all organized and conducted by the Board of Education. The Central Board of Education which is independent of the Chief Executive, the GRI has its responsibilities for its final education policy except for universities. It consists of eleven members. Each member from six districts is elected by the members of District Board of Education. They hold office for four years and half of its members are elected every two years. Each city, town or village has a District Board of Education. It consists of five members (seven members in Naha) They are elected by the people of the districts, hold office for four years and half of its members are also elected every two years. These fifty-nine Districts Boards of Education are combined into six Union District Boards to administrate schools more intensively. Its members consist of representatives of each District Board of Education Members of the committees of the University of the Ryukyus and private universities are appointed by the Chief Executive, the GRI.

1 教育行政
EDUCATIONAL ADMINISTRATION

(1) 教育行政組織
Organization of Educational Administration　　　（教育区・市町村）

住　THE PEOPLE　民

- 連合区教育委員会 D
  - 委員 G
  - 教育長 H
- 区教育委員会 C
  - 委員 G
- 市町村 B
  - 長 F
- 市町村議会 A
  - 議員 E
- 中央教育委員会 K
  - 委員 (11) G
- 琉球大学委員会 J
  - 委員 (7) G
- 私立大学委員会 I
  - 委員 (9) G
- 立法院 O
  - 議員 (32) E
- 行政府 L
  - 行政主席 N
  - 文教局長 M

➡ 公選 General Election　　→ 任命 Appointment
⇢ 互選 Election　　⋯→ 推せん Nomination
--→ 同意 Consent

A = Municipal assembly
B = Municipal mayor's office
C = District school Board
D = Union district school board
E = Members of assembly
F = Mayor
G = Members of Board
H = Superintendent of Education
I = Committee of private Universities
J = Committee of University of the Ryukyus
K = Central Board of Education
L = Government of the Ryukyus
M = Director of Education
N = Chief Executive
O = Legislative

(2) 中央教育委員会と文教局

　中央教育委員会のおもな業務は，教育政策の樹立，教育課程の基準の設定，政府立教育機関の管理，地方教育委員会への指導助言などとなっている。

　文教局長は中央教育委員会の推せんを得て，行政主席が任命し，中央教育委員会へ教育専門家としての助言をなすと同時に中央教育委員会の設定した教育政策の執行者任者でもある。

従って文教局は行政府の一機関であり，かつ，中央教育委員会の事務局ともなっている。文教局は3部10課で組織され，132人の教育専門職員・事務職員が勤務している。

(3) 地 方 教 育 委 員 会

　区教育委員会は中央教育委員会の教育政策に基づき教育区内の公立学校（幼稚園・小学校・中学校）の管理・運営ならびに社会教育を行なっている。

　地方教育委員会には，それぞれ教育長が置かれているが，連合区教育委員会の教育長は，構成する教育区の教育長をも兼ねている。教育長は中央における文教局長と同じく，地方教育委員会への助言者であり，事務執行責任者でもある。連合教育委員,会事務局にも指導主事・管理主事等の教育専門職員が配置されており管下の教育区の教育指導・管理事務を担当している。

(2) The Central Board of Education and Education Department, GRI.

　The duties of the Central Board of Education are to establish the education policy and standard curriculum of education, to administrate all government institutions and to give adequate consultants and advice to district school boards.

The Director of Education, the GRI is appointed by the Chief Executive with the nomination of the Central Board of Education. He is the advisor to the Central Board of Education as an education specialist and the highest executive of its education policy. The Education Department is, therfore, not only one of the departments of the GRI, but also the office of the Central Board. It consists of three divisions and ten sections. One hundred and thirty-two, including administrators, specialists and clerical workers, staff the office.

(3) District Board of Education

　The duties of the District Boards of Education is to administrate the schools concerned and the social education in its district. The Superintendent of the Union District Boards of Education is appointed by the members of the board. He is also the advisor and the executive as Director of Education. His office also has education consultants and administrative advisors.

(2) 中央教育委員会と文教局
The Central Board of Education & Education Dept, the GRI

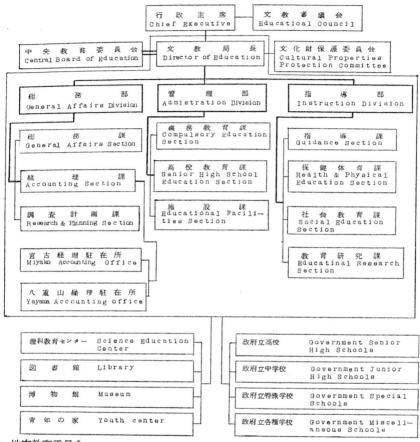

(3) 地方教育委員会
District Board of Education

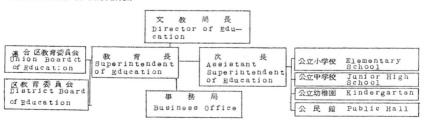

2 教育財政

(1) 教育財政制度

　教育財政制度は，中央・地方とも教育費の一般需要に応ずる独自の財源はもたず，政府・市町村の一般財源の一部が充当されるという形をとっている。予算制度は中央・地方ともほぼ似ているが，中央の教育予算が政府の一般会計予算に包括されているに対し，地方では市町村予算と別個な教育予算を編成している。

　予算編成の過程としては，中央の教育予算は文教局長がその見積書を作成し中央教育委員会の承認を得て，行政主席の統合調整に供し，行政主席が一般会計予算案として立法院の審議に付すという順序に対し，地方の教育予算は区教育委員会が見積書を作成して市町村長に送付し，市長村長が市町村予算との財源上の調整をして市町村議会の審議に付すという過程となっている。

　中央の教育予算の内容は，政府立学校運営費，公立学校の教育補助，社会教育費，育英事業費，文化財保護事業費などが含まれ，1967会計年度の財源区分では自己財源47％，日政援助25％，米政援助28％となっている。一方，教育区の予算はその財源の80％が政府補助，15％が市町村の負担金となっており，所管の学校教育費，社会教育費などに使われている。

2. EDUCATIONAL FINANCE

(1) Educational Finance System

　The Central and the District Boards of Education do not have their own revenues. The GRI educational budget is included into the general fund of the GRI, while each district has its own educational budget besides the general fund of each city, town or village. Chart(a) shows that the Director of Education makes its estimated budget with the approval of the Central Board of Education and submits it to the Chief Executive, who after adjusting it with the other budgets, sends it to the legislature to be discussed. In the city, the District Board of Education makes its estimated budget and submits it to the mayor, who after adjustment, sends it to the municipal assembly to be discussed. Educational expenditures of the GRI include the direct expenditures for government schools, subsidy for district public schools and the expenditures for social education, scholarship program, and protection of cultutral properties.

　According to the rati of revenues in 1967 Fiscal Year, 47% is the GRI, 25% Japanese Government Aid and 28% U.S.A. Aid. Of the expenditures of the District Board of Education, 80% is subsidy of government funds and each city shares only 15% of it, which is spent for educational activities and social education.

2 教育財政
EDUCATION FINANCE

(1) 教育財政制度
Educational Finance System

a 中央（文教局）の予算編成過程
　The Process of How Education Department makes up its budget.

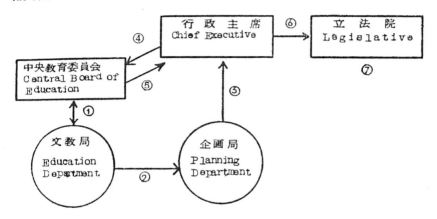

b 地方教育区の予算編成過程
　The process of how District Board of Education makes up its budget.

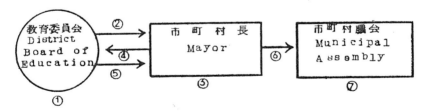

① 予算見積書の作成 ……………… ① making its estimated budget
② 予算見積書の送付 ……………… ② sending to planning Dept. or Mayor
③ 統合調整 ………………………… ③ adjustment
④ 減額修正の場合に意見を求める … ④ requiring advices when decrease
⑤ 減額修正に対する意見書の送付 … ⑤ sending advice for the above
⑥ 議会へ送付 ……………………… ⑥ submission to legistrative or assembly
⑦ 審議決定 ………………………… ⑦ settlement

(2) 教　育　費

　　1965年度の沖縄の公共機関から支出された教育費の総額は約2千300万ドルで，同年度の国民所得の約6.5%に当っている。この比率は国民経済の中の教育費の占める比重を表わすもので，本土（昭和38年度5.8%）や諸外国と比べても決して低い数字ではなく，それだけ住民が教育に対し最大の努力を払っていることを示している。

　　政府の教育関係予算額は1967年度で約3千万ドル，これは政府一般会計予算総額の約35%を占めている。また，地方の教育予算額も，教育財政制度の改革などもあって近年大幅に増加してきている。

　　このようなことがらにもかかわらず，教育財政水準を示すといわれる生徒（人口）1人当り公教育費は，本土に比べると，小学校で50%台，中学校・高等学校で60%台という低い水準しか保持されていない。このような結果は　①教育人口が本土に比べて，その比率が高い　②政府・地方を通ずる財政力が弱いこと　などに起因しており，日米両政府よりの援助の大幅増加などの財政的措置なくしては，沖縄の教育水準の本土並み引上げは至難であるとみられている。

(2) Total Expenditures for Public Education

　　Total expenditures for public education paid by the public body in Fy 1965 is about $ 23,000,000 and the percentage of the national income for education is 6.5% (Japan 5.8% in 1963). This shows that the people make a great effort toward education.

　　The total amount of the education budget of the GRI in FY 1967 is $ 30,000,000, which is 35% of the GRI total budget. The local budget is also increasing year by year. Nevertheless, educational expense per pupil is, compared with that of Japan, 50% in Elementary School, 60% in Junior and Senior High Sehool, of those of Japan. The reason being that the population which receives education is large and that financial conditions are comparatively low.

　　It is considered impossible to promote educational standards like that of Japan without the aid of both the Japanese and American Governments.

(2) 教　育　費
Total Expenditures For Public Education

a 国民所得の中に占める公教育費
　Total Expendutres for Public Education in relation to national income

単位　千ドル
(Unite $1,000)

会計年度 F・y	国民所得 A Notional Income	公教育費総額 B Total expenditures for public education	比率 B/A×100
1965	340,000	22,918	6.5%

b 政府および地方の教育予算 (1967会計年度)
　Central & local Budget (Fy1967)

単位　千ドル
(Unite $1,000)

中央 Central

区分 classification	予算額 budget
計 Total	30,402
文教局 Education Department	28,052
琉球大学 University of the Ryukyus	2,350

地方 Local

区分 Classification	予算額 budget
計 Total	23,252
教育区 District Board of Edu.	22,844
連合区 Union District Board of Edu.	408

(注)　教育区の予算中、連合区分担金163千ドルが含まれている。
$163,000 for Union District Board is included into budget of the each District Board of Education.

c 生徒（人口）1人当り公教育費の本土比較
　Comparison per pupil expenditures with that of Japan

区分 Classification	沖縄(Okinawa) F1965	本土(Japan) F1964
幼稚園 Kindergarten	25.89 $	61.21 $
小学校 Elementary schools	52.94	96.63
中学校 J. H. schools	74.50	99.20
特殊学校 Special Schools	764.79	748.81
高等学校(全日) S.H.S.(Full Time)	117.84	180.69
〃 (定時) S.H.S.(Part Time)	75.83	150.02
社会教育 Social Education	0.30	0.72
教育行政 Educational Administration	1.32	1.05

3 学　校　制　度

戦後まもない1948年に6・3・3制度が確立されて以来，本土と全く同じ教育制度及び教育内容で学校教育が行なわれている。すなわち，小学校の6か年と中学校の3か年の計9か年は義務教育で，その就学率は99.7％に達している。

中学校より高等学校への入学は選抜試験が実施されているが，中学卒業者の半数以上が高等学校に進学している。高等学校から大学へは，沖縄内の5つの大学のほかに，本土の大学にも約4,500人が在学している。

小・中学校では普通教育が，高等学校では高等普通教育及び専門教育が行なわれており，このほかに幼稚園教育，心身の障害ある者のための特殊教育も実施されているが，これらの分野の学校教育は，まだじゅうぶん充実した状態にはなく，今後の整備がのぞまれている。

高等学校以下の教員は免許制度がとられており，大学卒で教職の科目を履修した者に免許状が与えられ，かつ，原則として文教局の行なう教員候補者選考試験に合格した者が採用されることになっている。

3 THE SCHOOL SYSTEM

The modern school system, quite similar to that of Japan, was founded in 1948. The hatched part of the chart represents compulsory education and the percentage of attendance is 99.7%.
More than half of the graduates of junior high schools are admitted to senior high schools upon passing the entrance examinations. Graduates of senior high schools are admitted to the five universities in Okinawa and about 4,500 students now attend universities in Japan.

In elementary and junior high schools, they offer the normal education required for the completion of the curriculum. In senior high schools there are various courses such as academic, agricultural, technical, commercial, fishery, etc. The coditions are not wellee quipped for kindergartens and special education for hand icapped pupils.

The teachers of all schools, except universities, should have a teachers' certificate and pass the examination given by the Education Department.

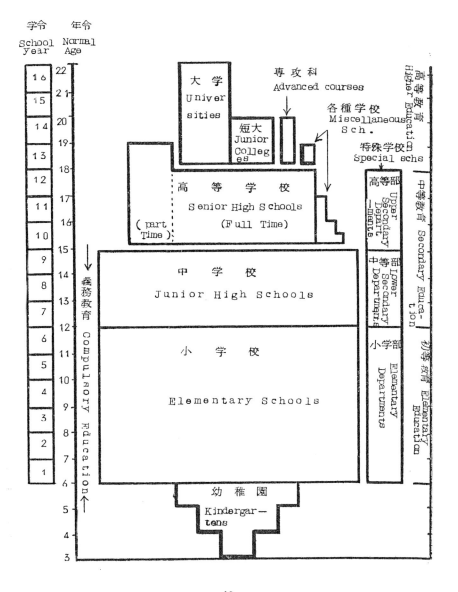

4 学校教育

(1) 学校概況

幼稚園から大学までの学校数は,1966年5月現在で503校を数えており,幼児・児童・生徒・学生の数は約29万人,教員数は約1万人である。沖縄内で就学している全生徒数は人口の31.2%に及んでいる。

学校の設置者別では,幼稚園,小・中学校は公立(教育区立)がそのほとんどを占めており,高等学校は政府立30校,私立4校,特殊学校はすべて政府立である。大学は政府立琉球大学のほかに私立の大学・短大が4校設置されている。

沖縄の学校教育の特色の一つは,義務教育就学者数が極めて多いことである。本土では小・中学校生徒数の全人口に占める比率が15.4%であるに対して,沖縄では24.7%と極めて高い比率を示している。このことは,現段階において,教育条件の本土並み引上げを遅らせる原因の一つともなっている。

なお,産業教育の振興を促進するため,政府立各種学校が2校(工業・商業)が開設され生徒270人が就学しているが,後期中等教育の新らしい分野として,その成果が期待されている。

4. SCHOOL EDUCATION

(1) Summary of School Statistics

The chart on the next page shows the number of schools, pupils, classes and teachers according to the type of school. The total number of all schools is 503. They have about 290,000 students and about 10,000 teachers in all. The percentage of all the pupils who attend school in the Ryukyus to the whole poplulation is 31.2%. Most of the elementary & junior high schools are public. Thirty senior high schools are established by the GRI and four senior high schools are private. Four special schools are established by the government. There is one government University of the Ryukyus and two private universities and two private colleges.

One of the characters /of school education in Okinawa is that the number of pupils who receive compulsory education is large compared with that of Japan. The percentage of pupils to all population in Japan is 15.4%, but 24.7% in Okinawa. This is one of the reasons why educational conditions are behind that of Japan. Besides the above schools, Commercial Institute and Trade and Vocational Institute, both government, are newly opened with 270 students and are expected in the future.

4 学校教育
SCHOOL EDUCATION

(1) 学校概況
Summary of School Statistics

1966年5月1日
May 1. 1966

区　分 Classification	学校種別 Kind of school		計 Total	政府立 Government School	公立 Public School	私立 Private School
学校数 Number of Schools (503)	幼稚園	Kindergartens	64	—	52	12
	小学校	Ele. Schools	241	2	237	2
	中学校	J. H. Schools	155	3	151	1
	高等学校	S. H. Schools	34	30	—	4
	大学	Universities	5	1	—	4
	特殊学校	Special Schools	4	4	—	—
児童・生徒数 Number of pupils (292,285)	幼稚園	Kindergartens	9,591	—	8,390	1,201
	小学校	Ele. Schools	148,941	9	148,793	139
	中学校	J. H. Schools	81,446	649	80,777	20
	高等学校	S. H. Schools	45,744	39,580	—	6,164
	大学	Universities	5,930	3,157	—	2,773
	特殊学校	Special Schools	633	633	—	—
学級数 Number of classes	幼稚園	Kindergartens	252	—	215	37
	小学校	Ele. Schools	3,715	1	3,708	6
	中学校	J. H. Schools	1,828	16	1,810	2
	高等学校	S. H. Schools	994	876	—	118
	大学	Universities	—	—	—	—
	特殊学校	Special Schools	70	70	—	—
教員数 Number of Teachers (9,984)	幼稚園	Kindergartens	261	—	215	46
	小学校	Ele. Schools	4,379	1	4,371	7
	中学校	J. H. Schools	3,036	30	3,002	4
	高等高校	S. H. Schools	1,950	1,721	—	229
	大学	Universities	262	207	—	55
	特殊学校	Special Schools	96	96	—	—

政府立各種学校 (Government Miscellaneous Schools)

	生徒数(Students)	教員数(Teachers)
産業技術学校 Trade and Vocational Institute	149	19
商業実務専門学校 Commercial Institute	121	12

(2) 小　学　校

　小学校の全児童数は1966年5月現在で，約14万9千人で，ベビー・ブームの影響による児童数ピーク時の1961学年度児童数約16万5千人から毎年約4千人程度減少していく傾向を示しており，1971学年度には約13万2千人台になることが推計されている。

　政府立・公立小学校の学級数は3,709学級，教員数は4,372人で，1学級当り児童数は40.1人（本土：34.5人），1教員当り児童数は34.0人（本土：27.6人）となっている。本土に比べて，1学級当り，1教員当り児童数がいずれも大きいのは，教育条件が本土よりよくないことを示しており，沖縄の教員は本土の教員より重い負担をしていることになる。

　このような教員の負担をより軽くし，教育効果を一層高めるため，義務教育諸学校の学級編制及び教職員定数の基準の改善計画がすすめられており，1968年学年度までに本土が5か年計画で実施中の改善計画に，3年計画で追いつくよう66学年度を1年次とする計画の第一歩が既に踏み出されている。

(2) Elementary Schools

　The number of pupils in all elementary schools is 149,000 from the Report of School Statistics, May 1, 1966.

　Since the 165,000 pupils of the Baby-Boom year, 1961, there is a decrease of about 4,000 pupils each year and accordingly 132,000 pupils are estimated in the 1971 school year.

　There are 3,709 classes in government and public elmentary schools and 4,372 teachers. The number of pupils per teacher is 40.1 (34.4 in Japan). This shows that Okinawan teachers have more of a burden than teachers in Japan.

　A new program for class size in compulsory education and new standards of legally fixed numbers of teachers have been carried on in order to abolish these burdens and to improve educational effects. It is expected that we will catch up with the Japan ,which has five year program, with three year program started in the 1966 school year and finish in 1968.

(2) 小　学　校
Elementary Schools
May I. 1966

a　児童数の推移（全琉）
Change of the No. of Pupils (All the Ryukyus)

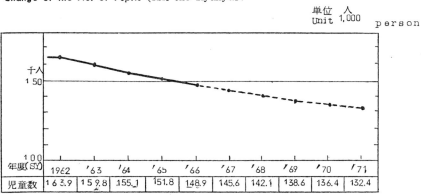

単位　人
Unit 1,000 person

年度(SY)	1962	'63	'64	'65	'66	'67	'68	'69	'70	'71
児童数	163.9	159.8	155.1	151.8	148.9	145.6	142.1	138.6	136.4	132.4

b　1学級当りの児童数　　（公立、政府立小学校）
Average Class Size　（Public & Gov't Elementary sch.）

c　教員1人当り児童数　　（公立、政府立小学校）
Number of Pupils per Teacher　（Public & Gov't Elementary sch.）

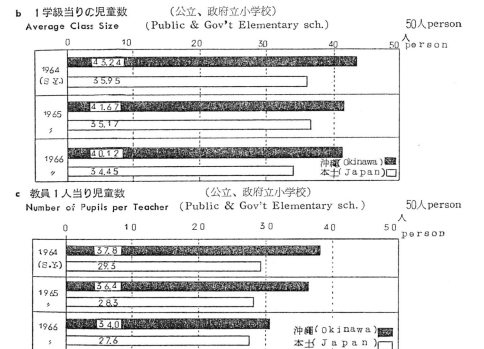

(3) 中　学　校

　中学校の全生徒数は1966年5月現在で8万1千人である。中学校の生徒数も小学校と同様に，ピークを通り越して漸減の傾向にある。

　政府立・公立中学校の学級数は1,826学級，教員数は3,032人，1学級当り生徒数は44.6人，（本土：39.8人）1教員当り生徒数は26.9人（本土：23.8人）で，いずれも本土より大きいことは小学校の場合と同じである。

　1学級当り生徒数が小学校より大きいのは，中学校では，小学校に比べて特殊学級の設置が少ない（特殊学級数：小学校126学級，中学校9学級）ためである。

(3) Junior High Schools

　The chart shows 81,000 junior high school students according to the Report of School Statistics, May 1, 1966. The number of students are also decreasing each year similarly to the elementary schools.

There are 1,826 classes in government and public junior high schools and 3,032 teachers. The number of students per class is 44.6 (39.8 in Japan). The number or students per teacher is 26.9 (23.8 in Japan). These are the same conditions as in the elementary schools.

　The reason why the number per class is larger than that in the elementary schools is that in junior high school there are fewer special classes for feeble minded pupils than in elementary school. (126 special classes for these pupils in elementary school and 9 classes in junior high school.)

(3) 中　学　校
Junior High Schools
May 1, 1966

a 生徒数の推移　　　　　（全琉）
　Change of the No. of Students　(All Ryukyus)

単位 1000人 person

年度(SY)	1962	'63	'64	'65	'66	'67	'68	'69	'70	'71
生徒数	73.9	78.3	82.2	83.4	81.4	79.8	77.6	75.6	72.5	71.5

b 1学級当り生徒数　　　（政府立，公立中学校）
　Average Class Size　(Public & Gov't J.H.S)

50人 Person

	Okinawa	Japan
1964 (R.Y.)	46.8	42.3
1965 〃	46.7	42.0
1966 〃	44.6	39.8

沖縄(Okinawa)
本土(Japan)

c 教員1人当り生徒数　　（政府立，公立中学校）
　Number of Students per Teacher　(Public & Gov't J.H.S)

50人 person

	Okinawa	Japan
1964 (R.Y.)	29.4	26.8
1965 〃	29.1	25.1
1966 〃	26.9	23.8

沖縄(Okinawa)
本土(Japan)

(4) 高 等 学 校

　高等学校の学校数は，1966年5月現在で，政府立30校，私立4校計34校で生徒総数は約4万6千人を数えている。中学校の卒業者数は今後漸減していくが，社会の要請や高等学校進学希望者の増加の現象などで，高等学校教育の量的拡充の必要性がますます高まっていく傾向にあり，1971学年度までには中学校卒業者の高等学校への進学率は75％以上になることが予定されており，生徒数も5万6千人に達する見込みである。

　生徒数の設置者別では，政府立86，私立14，男女別では全くの半々，課程別では全日制89に対し定時11の割合となっている。

　学科別生徒数の構成割合は，普通科の47に対して職業科53となっており普通科・職業科の比率は本土と逆になっている。（本土：普通科60，職業科40）職業科では，商業科が最も多く次いで家庭，農業，工業，水産の順となっており，商業科，農業科が多く工業科が少ないのは，沖縄の経済構成（基地経済及び工業化の未発達）をそのまま反映しているとみることができる。

(4) Senior High Schools

　The chart on the next page shows 30 government and 4 private senior high schools. There are 46,000 students. The number of raduates from junior high school is decreasiug but the expansion of senior high schools is requested to increase because of social demands and the increased number of students who apply to senior high school. In 1971, the percentage of students who apply to sinior high school is expected to be 75% and there will be 56,000 students.

　There are 87% of the students in government schools and 14% in private schools. The ratio between enrolled boys and girls is almost the same. Out of every 100 students there are 89 full time students and 11 part-time. The ratio between academic preparatory courses and vocational courses shows 47 students in the former and 53 students in the latter (in Japan 60 in the former and 40 in the latter). Out of the vocational courses, the commercial course has the largest number of students and next followed, home-domestic, agricultural, technical and fishery. It seems to reflect social economic conditions prevailing on the American Military Bases and the undevelopment of the industrial field.

(4) 高等学校
Senior High Schools

a 生徒数の推移　（政府立高等学校）
Change of the No. of Students　(Gov't & Private S.H.S)　単位 Unit 1000 人 person

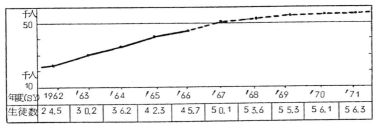

年度(SY)	1962	'63	'64	'65	'66	'67	'68	'69	'70	'71
生徒数	24.5	30.2	36.2	42.3	45.7	50.1	53.6	55.3	56.1	56.3

b 高等学校生徒数
Number of Students　　1966年5月1日 May 1, 1966

class-ification	性別 sex			課程別 course		学科別 vocational Courses						
	計 Total	男 Male	女 Female	全日制 Full.	定時制 Part	普通 Acade	農業 Agri.	工業 Engi	商業 Comm	水産 Fishe-ry	家庭 Home domes	その他 Others
計 Total	45,744 (100)	22,835 (49.9)	22,909 (50.1)	40,757 (89.1)	4,937 (10.9)	21,481 (47.0)	4,522 (9.9)	3,505 (7.6)	10,256 (22.4)	1,283 (2.8)	4,656 (10.2)	40 (0.1)
政府立 Gov't	39,530	19,831	19,747	34,733	4,847	18,080	4,522	3,081	8,168	1,283	4,406	40
私立 Private	6,164	3,004	3,160	6,024	140	3,401	—	425	2,088	—	250	—

（ ）内の数字はその構成比（％）を示す。
No. in parenthsis shows its per cent.

c 教員1人当り生徒数　（政府立高等学校）
Number of Students per Teacher　(Gov't S.H.S)

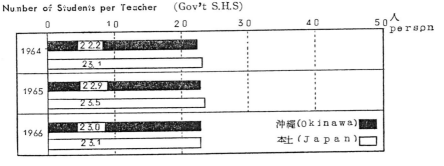

(5) 特殊学校

　心身の障害ある青少年に普通教育並びにその欠陥を補なうための職業教育を施し，一人前の社会人に育てあげるための特殊教育は，その重要性は認識されておりながら，現実としては，その施設は戦前，戦後を通じて盲学校，聾学校のみであつたが，1965年4月に精薄児及び肢体不自由児のための養護学校がそれぞれ1校ずつ既設され，この面の教育もようやく軌道に乗ってきた。

　特殊学校在学児童生徒数も，1962年度には110人程度であつたが，1966年5月現在では600人以上が4つの特殊教育諸学校に在学し勉学に励んでいる。特殊教育の一層の振興を図るため，今後とも施設を拡充整備して，1971学年度までには1,100人を収容する予定となつている。と同時に，学級編制の改善や教職員数の増加等の質の改善も行なわれる必要がある。

(5) Special Schools for Handicapped Pupils

　The importance of special education for the handicapped pupil is highly recognized and is aimed to give them general and technical vocational education. However, there were only one school for the blind and one for the deaf. In April 1965, the special schools for the feeble-minded and for the hysically handicapped pupils were established, one for each.

There were 110 students in 1962 school year, but more than 600 students now attend these four schools May 1, 1966. In 1971, 1,100 students are expected to be enrolled in these schools and they are expected to be well equipped in the future. According to the same program, it is necessary to improve the class-size and to increase the number of teachers.

(5) 特 殊 学 校
Special Schools

a 児童生徒数の推移
Change of the No. of pupils

単位 人
Unit　Person

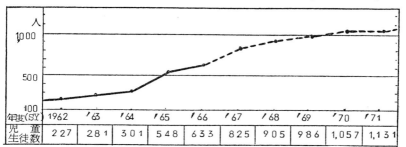

b 1学級当りの児童生徒数
Average Class Size

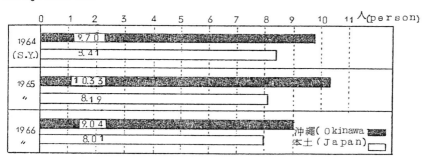

c 教員1人当り児童生徒数
No. of Pupils per Teacher

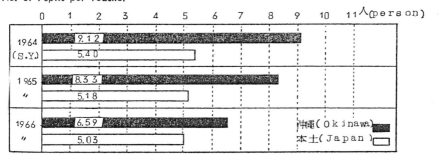

(6) 大　　学

　沖縄内の大学は，琉球大学が1950年に開設されたのを初めとして，現在学校数は政府立1校，私立4校（うち2校は短期大学）で，学生数は約6千人に及んでいる。学部・学科別の学生数は文科系が圧倒的に多く，理工農学系は全体の16％にすぎない。医学系は開設されていないため，医師・薬剤師の養成は，もっぱら本土大学に頼っている。

　大学の管理については，琉球大学は琉球大学委員会，私立大学は私立大学委員会がこれを行なっている。両委員会とも行政主席任命の委員で構成される行政委員会で，文教局や中央教育委員会とは直接のつながりはないが琉球大学委員会には文教局長と中央教育委員1人が職責委員となっており，私立大学委員会では，委員9人のうち，文教局の推せんする者，中央教育委員会の推せんする者各3人が委員に任命されるようになっている。

　なお，大学院はまだ開設されていないが，近い将来において琉球大学に大学院及び医学部（または保健学部）が開設されるよう計画されている。

(6) Universities

　The University of the Ryukyus was established as (only one) a public university in 1950. There are two other universities offering four-year courses, two-year courses, and part-time courses. Beside these, two other colleges were opened as private institutions. The total number of students in these schools is over 6,000 now. Most of the students are enrolled in the literary or law department. The number or students enrolled in technology, agriculture, etc. is only 16%. The Medical Department is not open. The education of medical science mainly depends on universities in Japan.

　The University of the Ryukyus is governed by a committee whose members are appointed by the Chief Executive, the GRI. The Director of Education and one of the members of the Central Board of Education are included in this committee. The Chief Executive also appoints the members of the committee of the private university. Out of nine members, three are nominated by the Director of Education and three are nominated by the Central Board of Education. They have no post-graduate course, but in the future a medical science or post-graduate course is expected to open in the University of the Ryukyus.

(6) 大　学
Universities

a　大学組織
Organization of University-Administration

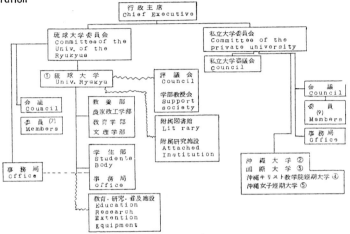

b　大学学生数
Number of Students

1966年5月1日
May 1, 1966

区　分 classification			計 Total	大　学 University	短期大学 J.College
総　数 Total			5,930	4,840	1,090
①琉球大学 Univ. of the Ryukyus			3,157	3,157	—
	文理学部 Dept.	Literature Science	1,458	1,458	—
	教育学部 Dept.	Education	885	885	—
	農家政工学部 Dept	Agriculture Domestic-science technology	814	814	—
②沖縄大学 Oki. University			1,828	1,318	510
	文学部 Dept.	Literature	325	325	—
	法経商学部 Dept.	Law commerce economy	993	993	—
③国際大学 Kokusai University			763	365	398
	法文学部 Dept	Law Literature	255	255	—
	商学部 Dept.	Commerce	110	110	—
④ 沖縄キリスト教学院短期大学		Oki.christian J.college	84	—	84
⑤ 沖縄女子短期大学		Oki. women's J.college	98	—	98

(7) 幼　稚　園

　義務教育（6歳～14歳）就学前の幼児教育の機関としての幼稚園は，施設の未整備，教員の不足，地方財政の問題等で，同じく非義務制である後期中等教育（高等学校教育）に比べて，未整備の状態にあり，就園率（小学校1学年入学者中の幼稚園修了者の比率）も36％程度（本土：44％）となっている。しかしながら，幼稚園就学者は近年急激に高まりつつあり，政府としても積極的に幼稚園教育の助成に力を注いでいるので，就園率も遠からず50％台に達するものとみられている。

　1966年5月現在，幼稚園の設置されている教育区数は14で，園数64，園児数約9,600人となっている。幼稚園には3歳児から5歳児までが就園しているが，5歳児が全体の89％で，残りの11％が3・4歳児となっている。

(8) 各　種　学　校

　学校教育に類する教育を行なうための施設としての各種学校は政府立2校，私立44校があり，中学校卒業者高等学校卒業者の青少年を対象に，主として職業技術教育が行なわれている。修業年数は3ヵ月から3ヵ年と多様に互っている。

(7) Kindergartens

　The education in the kindergartens is not compulsory. It is not well equipped because of the lack of municipal finance and teachers. The percentage of attendance is 36% (44% in Japan). The number of attendance is so rapidly increasing that the Education Department makes efforts to promote it.

　According to the data, Report of School Statistics, May 1, 1966, 14 District Board of Education have their own kindergartens. There are about 9,600 pupils. The age of attendance is between three and five years, among whom 89% of the pupils are five years old and rest are below four years old.

(8) Miscellaneous Schools

　Two vocational institutions were established as government schools to teach mainly technical or business subjects to senior high school graduates and junior high school graduates. Besides these two institutions, there are 44 private schools where they teach mainly vocational education.

(7) 幼　稚　園
Kindergartens

(7) 幼稚園教育の推移
Status of Kindergartens

年　度 School year	幼　稚　園　数 Number of Kindergarten			園　児　数 Number of children			就園率 attendance %
	計 Total	公　立 public	私　立 private	計 Total	公　立 public	私　立 private	
1958	23	22	1	3,333	3,295	38	14.8
1959	36	31	5	5,334	4,956	378	17.9
1964	52	40	12	8,106	7,028	1,078	27.6
1965	53	41	12	8,573	7,421	1,152	30.0
1966	64	52	12	9,591	8,390	1,201	35.8

(8) 各　種　学　校
Miscellaneous schools

(8) 各　種　学　校
Miscellaneous schools

区　　　　分 Clasification		学校数 Number of schools	在学者数 Number of pupils	備　考 Remark
政府立	Government schools	2	270	
工業関係	technical	1	149	電気、機関、自動車、その他
商業関係	commercial	1	121	秘書、経営管理、販売
私　立	Private schools	44	7,087	
工業関係	technical	1	470	通信、ラジオ
商業関係	commercial	9	1,327	珠算、簿記、タイプ
家庭関係	home domestic science,	29	4,204	和洋裁、編物手芸
その他	others	5	1,086	外国語、予備校

(注)　政府立各種学校は1966年5月1日現在、私立各種学校は1965年5月1日現在の数である。

・ From the Report of May 1,1966 for government school
・ From the Report of May 1,1965 for private school

5 児童生徒

(1) 体位

児童・生徒の体位は，戦後の家庭における食生活の改善，学校給食の普及などで著しく向上してきた。しかしながら，これを本土平均に比べると，まだ若干の見劣りはあるけれども，その差は漸次縮まっている。

(2) 学校給食

1955年以降，外国宗教団体よりのミルク給食用物資の寄贈がつづけられており，これにより，幼稚園，小・中学校，高等学校定時制の全学校が現在ミルク給食を行なっている。これに加えて，近年完全給食を実施する学校が急速に増してきており，小学校の約24％，中学校約8％，高等学校（定時制）の全校が完全給食を実施している。

(3) 学力

児童・生徒の学力は教育条件の整備と指導力の強化により，その向上を見ることができるといわれているが，残念ながら，両者とも本土に較べて，大きな立遅れがあり，これがそのまま学力の較差となって現われている。

最近の全国学力調査の結果によると，小・中学校とも素点で比較して本土の75％台に止まっている。

5. STATUS OF PUPILS

(1) Average Physical Measurements

Average physical measurements have been much improved because of the promotion of food conditions and school lunch program. It is still found that in Okinawa the pupils are inferior to the Japanese, but its inferiority is gradually becoming small.

(2) School Lunch Program

The school lunch program has been operated mainly in kindergarten, elementary, junior high and in all part-time courses in senior high schools with milk supplied by foreign religious missions since 1955. About one-fourth of all the elementary and one-tenth of junior high and all part-time courses in the senior high schools are completely furnished with lunch.

(3) Scholastic Achievement

Scholastic achievement is supposed to be much improved by the efforts of teachers and promotion of educational conditions. However, they are still inferior to Japanese students and the elementary and junior high school students' achievement is still 75% of the Japanese.

5 児童生徒 STATUS OF PUPILS

(1) 体位 Anerage physical measurements
児童生徒の年別発育状況の本土比較 （身長）
Averege phycical measurements of pupils by ages (as compared with Japan)

(1965)

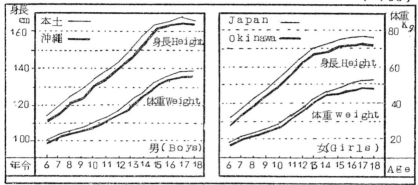

(2) 学級給食 School lunch program
学校給食実施状況
How is the school lunch program conducted

1966年10月
October 1966

区分 Classification		学校総数 Number of schools (A)	完全給食実施校 No. of schools completely supplied (B)	B/A×100 %	完全給食を受 けている人員 No. of pupils
小学校	Ele. sch.	229	56	24.4	57,622
中学校	J.H.S.	154	13	8.4	11,885
高校(定時)	S.H.S(part-time)	17	17	100.0	4,987
計	Total	400	86	21.5	74,494

(3) 学力 Scholastic achievement
全国学力調査結果の本土比較
National achievement Survey by ministry of education　　　(1966)

区分 Classific- ation	小学校 Ele. school			中学校 Junior High school				
学年 Grades	国語 Japane- se	算数 Math.	音楽 Music	国語 Japanese		数学 Math.		技術家庭 A 男 M ／ 女 F
	5	5	5	1	3	1	3	3 ／ 3
本土 Japan	54.8	39.5	55.8	67.2	45.6	44.5	43.2	48.5 ／ 46.0
沖縄 Okinawa	43.2	23.5	40.9	52.6	35.2	30.5	24.4	39.0 ／ 38.0

A=Ind. Art & Home Eco.

(4) 卒業後の状況

　1966年3月中学校卒業者数は28,115人で，うち高等学校に進学した者（就職進学者を含む）は15,038人，進学率は53.5％となっている。これは同年度の本土の進学率72.3％に比べてかなり低い。一方，就職者（就職進学者を含む）は6,714人で，産業部門別には第3次・第2次産業がそれぞれ38％で，第1次産業就職者は毎年減少の傾向にある。なお，沖縄外就職者（本土就職者）は1,154人で，全就職者の17％を占めている。

　高等学校の卒業者は12,361人で，うち大学へ進学した者は2,769人で，進学率は22.4％（本土：24.5％）となっている。就職者は5,093人で，産業部門別には第3次産業が61％と圧倒的に多く，第2次産業が30％で，第1次産業就職者数は10％をみたない。
全就職者の13％にあたる672人が本土で就職している。

　大学卒業者に748人，短期大学（短期大学部を含）卒業者は260人となっている。大学卒業者のうち，大学院へ進学した者は僅か3人で，残りの大部分が就職している。就職者552人のうちでは，その半数以上の261人が教員となっている。

(4) Graduates

　Out of 28,115 graduates from junior high school in March 1966, 15,038 students were enrolled in higher level schools and the percentage is 53.5% (72.3% in Japan.) Most of the employed graduates were engaged in second or third industrial fields and in the first industrial field, like agriculture, there were less. Out of 1,150 graduates, 17% were employed in Japan.

　Of the 12,361 graduates from senior high schools in 1966, 2,769 graduates were advanced to higher level schools and the percentage is 22.4% (24.5% in Japan), 5,093 graduates were mostly employed in the third industrial field (3rd—60%, 2nd—30%, and 1st—10%).

　There were 748 university graduates and 260 college graduates. Three graduates were admitted to post-graduate courses. The rest were all employed. Of all graduates 261 have become teachers.

(4) 卒業後の状況
   Graduates

a 中 学 校 Junior High School

卒業年度 year graduated	卒業者数 Total	進学者 A	就職者 B	就職進学者 C	無職 D	その他 E	進学率 F
1964年3月 March. 1964	23,313	12,281	6,063	503	3,771	685	54.9 %
1965年3月 March. 1965	25,826	13,250	6,413	347	5,079	737	52.6
1966年3月 March. 1966	28,115	14,582	6,258	456	6,075	744	53.5
内訳 男 M	14,220	7,090	3,221	171	3,318	420	51.1
女 F	13,895	7,492	3,037	285	2,757	324	56.0

b 高 等 学 校 Senior High School

卒業年数 year graduated	卒業者数 Total	進学者 A	就職者 B	就職進学者 C	無業 D	その他 E	進学率 F
1964年3月 March. 1964	9,509	1,575	3,309	123	1,743	159	19.9 %
1965年3月 March. 1965	7,599	1,610	3,718	151	1,802	318	23.2
1966年3月 March. 1966	12,361	2,608	4,932	161	3,921	739	27.4
内訳 政府立	10,477	2,198	4,177	47	3,464	591	21.4
私立	1,884	410	755	104	457	148	27.8
全日制	11,676	2,564	4,365	140	3,877	730	23.2
定時制	685	44	567	21	44	9	9.5
男	6,146	1,359	2,520	85	1,931	251	23.5
女	6,215	1,249	2,412	26	1,990	488	21.3

note : A=Advanced to Higher Level schools　B=Employed　C=Advanced to Higher Level schools with part-time Job　D=Unemployed　E=Others　F=Percentage of Advancement

6 教職員

(1) 概況

　高等学校以下の学校の本務教員数は 9,461 人（1966年5月現在）で，うち，政府立・公立学校の教員数は 9,221 人である。職名別には教諭が最も多く，助教諭（勤務している学校の教員普通免許状をもつていないもの は），全教員の2％にすぎない。養護教諭の配置率は まだ低く，小・中学校の約1/5の学校に配置されているに止まつている。

　政府立・公立学校の総職員数は 1,651 人で，うち 事務職員が 414 人，その他の職員が 1,237 人となつている。その他の職員は，小・中学校では学校用務員，給食関係職員がその大部分を占めており，高等学校では．実習助手や産業教育専門職員等がこれに含まれている。

　教員の男女別構成状況については．小学校では，女子が圧倒的に多く，その構成比は 7：3 であるのに対して，逆に中学校，高等学校では男子がその大部分を占めている。特に，小学校における女子教員は年々増加の傾向にあり，今後の初等教育においての，この現実を反映した新らしい学校経営や教育指導のあり方の研究の必要性が強調されている。

6. STATUS OF SCHOOL TEACHERS

(1) Summary Status of School Teachers

　Classification of school personnel were listed in the chart (a) and categorized according to school level. The number of teachers employed in all schools except universities and kindergartens was 9,461 in May 1, 1966.

　Out of these teachers 9,221 are employed by the government or public schools. Those not having a teachers certificate is only 2%. Nursery teachers were appointed to only one-fifth of all elementary and junior high schools.

　Other employees in the government or public schools shown in chart (b) are 414 clerical workers and 1,237 employees engaged as custodian, cook helpers or assistant teachers in senior high schools.

　According to the chart (c) the ratio between men teachers and women teachers in elmentary schools is 7:3 per every ten teachers. In junior and senior high schools they have more men teachers than women. Especially in elementary schools the number of women teachers are increasing every year and new methods of administratjng schools should be carried on based accotding to this ratio.

6 教職員 STATUS OF SCHOOL TEACHERS

(1) 概況 Summary Status of School Teachers

a 職名別教員数 (本務) Number of Teachers by Position (Full-time)

1966年5月1日 May 1 1966

区分 classification		計 Total	校長 Principals	教諭 Teachers	助教諭 Assistant Teachers	養護教諭 Nurse Teachers	講師 Lecturers
小学校 Ele. School	計 (Total)	4,379	155	4,052	117	55	—
	政府立 (GOV.sch)	1	—	1	—	—	—
	公立 (Public)	4,371	154	4,045	117	55	—
	私立 (Private)	7	1	6	—	—	—
中学校 J.H. School	計 (Total)	3,036	152	2,848	12	22	2
	政府立 (GOV.sch)	30	3	25	1	1	—
	公立 (Public)	3,002	149	2,822	10	21	—
	私立 (Private)	4	—	1	1	—	2
高等学校 S.H. School	計 (Total)	1,950	34	1,822	60	1	33
	政府立 (GOV.sch)	1,721	30	1,655	22	1	13
	私立 (Private)	229	4	167	38	—	20
政府立特殊学校 (Special sch)		96	4	87	3	2	—

b 職員数その他の職員 (政府立, 公立学校) Number of clerical employee (Gov't. & Public school)

1966年5月1日 May 1 1966

区分 Classification		計 Total	小学校 Ele.sch.	中学校 J.H.S	高等学校 S.H.S	特殊学校 Special sch.
計	Total	1,651	804	394	419	34
事務職員	Clerical	414	148	136	126	4
その他の職員	others	1,237	656	258	293	30

c 男女教員数 Number of teachers by sex

1966年5月1日 May 1 1966

小学校 (Ele.sch.): 男 30.9% / 女 69.1%
中学校 (J.H.S.): 男 72.7% / 女 27.3%
高等学校 (S.H.S.): 男 86.2% / 女 13.8%

男 (men) ■
女 (women) □

教員の年令構成は本土に較べて若く，特に，中・高等学校では，29才未満の教員が全体のほぼ半数を占めており，それだけ教職経験年数も低く，現職教育による教員の資質の向上が教育充実の重要な要素となっている。一方，60才以上の高年者も比較的多いのは，高年者に対する勧奨退職制度はあるが，財政上の措置がじゅうぶんなされていないためである。

(2) 免許状所持状況

教員の普通免許状は一級，二級，仮の3種があるが，小・中学校では約2/3が，高等学校では約1/3が一級普通免許状所持者となっている。臨時免許状所持者は高等学校に多く，全体の約4％を占めているが，これは工業関係の専門教科に多い。(大学において教職関係の単位を修得しなかったため。)

(3) 教員の平均給料

1966年7月現在の政府立・公立学校本務教員の平均給料は，小学校約121ドル，中学校約110ドル，高等学校約113ドルとなっている。 小学校がほかの学校種別より平均給料の高いのは，小学校教員の平均勤務年数が他に比べて大きいためである。

The number of teachers by age is shown in the next chart (d). Compared with that of Japan, Okinawan teachers are younger. Half of the teachers in junior and senior high school are below 29 years old, which means they lack teaching experience. On the other hand, owing to the deficits of financial aid, we have comparatively more teachers over 60, though there is a public school teacher pension system.

(2) Types of Teachers Certificates and Qualifications

Teachers certificates are classified as regualar, temporary and emergency. The former are subdivided into first and second class certificates (chart a) .

Two-thirds of the elmentary and junior high school tcachers and one-third in senior high school have obtained first class certificates. In senior high school, 4% have emergency certificates and these are mostly teachers of technical subjects.

(3) Average Salaries of Public School Teachers

The chart (3) shows average salaries of public school teachers in Okinawa. The reason why teachers of elementary schools get a higher average salary is that they are more experienced teachers compared with others.

(1) 年令別教員数及び構成比
Number of teachers by age and its percentage

1966年5月1日
May 1. 1966

区　分 Classification	計 Total	～29才 (age)	30～39	40～49	50～59	60～
小学校 Ele.Sch.	4,379 100%	1,161 26.5%	1,795 41.1%	838 19.1%	483 11.0%	102 2.3%
中学校 J.H.S	3,036 100%	1,523 50.2%	923 30.4%	353 11.6%	199 6.6%	38 1.2%
高等学校 S.H.S	1,950 100%	924 47.4%	749 38.4%	145 7.4%	83 4.3%	49 2.5%

(2) 免許状所持状況
Types of teachers certificates and qualification therefor

1966年5月1日
May 1. 1966

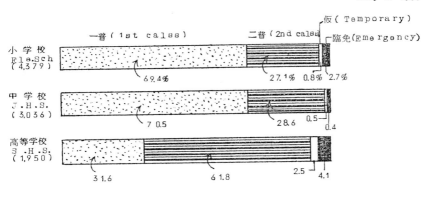

(3) 教員の平均給料　（政府立、公立）
Average Salaries of Public School teachers

1966年7月
July. 1966

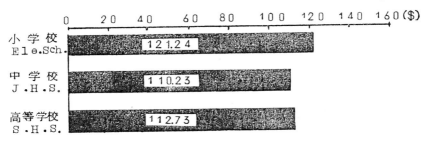

7 教育条件の整備

(1) 学校施設

　第2次世界大戦により，壊滅した教育施設の再建については，住民・政府が一体となり今日まで多大の努力を重ねてきたにもかかわらず，いまだに本土との格差のもっとも大きい分野の一つとなっている。

　校舎は，どの学校種別でも1966年6月末現在では、中央教育委員会の定めた基準（文部省の基準と同じ）の60％台の基準達成率であり，従って，生徒1人当り校舎保有面積も小・中学校で本土の約半分，高等学校で約70％にすぎない。

　校舎の建設については，政府立学校はもとより，公立学校もすべて政府の負担として義務づけられており，政府も毎年多額の予算を投入して整備に力を入れているが，現状では基準到達にあと数年を要するものとみられている。

　校舎の構造別では，沖縄の地理的条件もあって，1954年以降ほとんど鉄筋ブロックが建築されているため，木造・その他の占める比率は，わずか10％未満となっている。なお，校舎以外の学校施設，屋内運動場，水泳プール等は皆無に等しく，これからその整備に力を注ぐといったところである。

7. IMPROVEMENT OF EDUCATIONAL CONDITIONS

(1) School Buildings

　One of the most serious educational problems in Okinawa is an acute shortage of school buildings. Most of the school buildings were destroyed during World War II. In spite of all the efforts made by the government and the people, it is still a serious problem which shows an inferiority to Japan.

All types of school building do not cover the 60% of the standard area appointed by the Central Board of Education (same as that of Japan). Accordingly, per pupil, floor area in elementary and junior high school is half of that in Japan and 70% of that of Japan in senior high schools. The government is under obligation to build not only government schools but public schools. It is expected to take several years more to build the sufficient number school buildings required by law. Since 1954, most of the buildings have been built of reinforced Concrete About 10 percent of all are wooden now. Halls, gymnasiums and swimming pools are expected to be built in the future. Few schools have such an establishment at this time.

7 教育条件の整備
IMPROVEMENT OF EDUCATINAL CONDITIONS

I 学校施設
School Buildings

a 校舎の基準達成率
Present Area of School buildings and percentage in relation to standard area　1966年6月 June 1966

区分 Classification	基準面積 A Standard area m^2	保有面積 B Present area m^2	達成率 B/A×100 %
公立小学校 Public Ele, Sch	536,718	358,874	66.8
公立中学校 Public J.H.S	341,336	210,060	61.5
政府立高等学校 Gov't S.H.S	201,061	128,052	63.7
盲聾学校 Blind & Deaf sch.	4,351	2,413	55.5
養護学校 Sch. for the handicapped	3,405	2,666	78.3

b 生徒1人当り校舎保有面積 （政府立・公立）
Per pupil floor area of school buildngs (Gov't & public)　(1965)

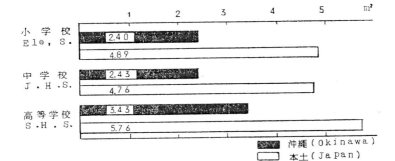

小学校 Ele, S.　沖縄 2.40　本土 4.89
中学校 J.H.S.　沖縄 2.43　本土 4.76
高等学校 S.H.S.　沖縄 3.43　本土 5.76

凡例: 沖縄 (Okinawa)　本土 (Japan)

c 校舎の構造別保有面積
Present area of School Buildings classified By its material used　1966年6月 June 1966

保有面積 A Present of school building m^2	鉄筋造 B Reinforced Concrete m^2	木造・その他 C Wooden & others m^2	Percent B/A×100 %	Percent C/A×100 %
702,065	633,298	68,767	90.2	9.8

(2) へ き 地 教 育

　教育の機会均等の確保を図るため，教育条件の整備の一つとしてのへき地教育の振興は教育における最も主要な分野の一つである。現在，へき地教育振興法で指定されているへき地学校数は112校で，児童生徒数も約2万4千人を数えている。これらのへき地学校の教育振興については，教職員のへき地手当の支給，教員住宅料の補助，教員住宅の建設，へき地文化備品の購入補助，へき地教員奨学生制度の実施等の施策ならびに予算措置が講ぜられている。

(3) 特 殊 教 育

　特殊教育の振興をはかるため，特殊教育諸学校の整備充実は当然の施策であるが，と同時に，現在，公立学校に設置されている特殊学校の増設も底辺を拡げ機会均等を推進するための要件となつている。1966年5月現在において，このような特殊学級（促進学級を含む）は小学校126学級，中学校9学級である。中学校が小学校に比べて少ないのは校施設の関係にも基因するが，今後小学校並みの充実が計画されている。なお，促進学級は，主として何らかの条件で学習不振児となつているものを対象に，個別指導等の強化により，これを正常に戻し，原学級に復させるために開設されているものである。

(2) Education in Isolated areas

　　Promotion of education in isolated areas is one of the most important problems. The number of schools, pupils, classes and teachers in areas defined as isolated by ordinances are as shown in the chart (2). In order to raise the educational standards, the Law for Promotion of Education in Isolated Areas was enacted. The GRI budget includes a special allowance for teachers, construction of teachers residences, and scholarship programs for the future teachers in these isolated areas.

(3) Special Education

　　Not only the promotion of Special Education for handicapped pupils but also the improvement and promotion of special classes for feeble-minded pupils and retarded pupils attached to public schools is an important problem of equal opportunity in education. As of May 1966, there were 126 classes in elementary schools and 9 classes in junior high school as shown in chart (b). There are less classes in junior because of the lack of buildings. Class for retarded pupils is set up so that they can be transferred to the normal class by intensive individual education.

(2) へき地教育
Education in Isolated Areas

May 1. 1966

区分 Classification	学校数 Number of schools	児童生徒数 Number of pupils	学級数 Number of classes	教員数 Number of teachers	備考 Remark
計 Total	112	24,479	688	971	
小学校 Ele. Sch	62	16,023	458	545	
中学校 J.H.S	49	7,782	215	396	
高等学校 S.H.S	1	674	15	30	

(3) 特殊教育
Speciaesl Education

a 特殊学校 Special schools for handicapped pupils

May 1. 1966

区分 Classification	児童・生徒数 Number of pupils				学級数 Number of Classes	教員数 Number of teachers	職員数 Number of other employees
	計 Total	小学部 Elementary	中学部 Junior	高等部 Senior			
総数 Total	633	324	253	56	70	96	34
盲学校 Blind	88	37	29	22	16	24	10
ろう学校 Deaf	242	143	65	34	24	31	17
養護学校 Handicapped	303	144	159	—	30	41	7

b 特殊学級促進学級に在学する児童生徒数
No. of Pupils attending special classes for feeble minded Pupils

May 1, 1966

区分 classification	総数 Total	特殊学級 No. of feeble minded pupils	促進学級 No. of retarded pupils	全児童生徒数に占める特殊学級・促進学級児童生徒数の割合 A %
計 Total	1,462	1,170	292	0.64
小学校 Ele, Sch.	1,369	1,0771	292	0.93
中学校 J.H.S	93	93	—	0.11

A = Percentage of no. of Feeble & retarded pupils to total.

8 育英事業

沖縄の復興はまず人材の養成からということから育英奨学事業は戦後直ちに開始された。すなわち，当時本土の大学または専門学校を戦争のため途中で学業の中退を余儀なくされ帰郷した学生を，米政府の援助で学資の全額を支給して本土の大学に再就学されるという契約学生制度が，1949年に発足した。以来，薄資英才の生徒を本土大学に入学せしめ，卒業後沖縄の指導者として育て上げていく，このような制度及び事業は，年々拡大充実され，沖縄のすべての青少年の夢と希望をささえて今日を至つている。

現在，沖縄の高校生を文部省で試験を実施し，本土の国・公立大学に配置し，学資を国費で支給している国費学生が毎年150人も採用されており、総数では555人（大学院を含む）に達している。また。採用・配置は国費学生と同じで，自費で学業をつづけている自費学生も557人に及んでいる。このほか，奨学制度として，高校，大学特別奨学制度が本土政府の援助で実施されており，沖縄内の高校生609人，大学生366人がこの恩をうけ，学業に励んでいる。

このような育英奨学事業は，特殊法人である琉球育英会がすべての業務を担当している。

8. SCHOLARSHIP PROGRAM

It was popularly said that the rehabilitation of postwar Okinawa began with the education of youth. The student aid system started immediately after World War II. For example, students who had to quit universities or colleges and then came back home after the war were able to return to school again with the help of the USCAR budget, by starting the scholarship program in 1949. Since then, a scholarship program has been promoted for the purpose of having more able leaders, by receiving higher education in the universties of Japan. The high school graduates can take examinations given by the Ministry of Education in Japan. Every year 150 freshmen students are admitted into the Japanese national universities by scholarship. There are 555 students, on scholarship, in total number. On the other hand, 557 students are now attending universities by the recommendation of the Ministry of Education, Japan, by their own expense. In addition, chart (2) shows the number of students of high schools and universities located in Okinawa who receive the scholarships given by Japan National Scholarship Society. The Ryukyu Scholarship Society coordinates this program with Japan.

8 育英事業 SCHOLARSHIP PROGRAM

(1) 国費,自費,大学院沖縄学生数
Number of students supported by Japan scholarship society

学年度 School year 区分 Classification		1964	1965	1966
計	Total	894 (224)	964 (244)	1,112 (306)
国費学部学生	University students	339 (74)	409 (125)	510 (150)
国費大学院学生	Post-graduate students	33 (21)	43 (12)	45 (12)
自費学部学生	Students by their on expense	522 (129)	512 (107)	557 (144)

(2) 奨学学生数
No. of students specially supported by Japan scholarship society.

学年度 school year 区分 classification		1964	1965	1966
計	Total	573 (290)	954 (405)	1,066 (369)
高校特奨生	High school students	544 (177)	643 (284)	639 (215)
大学特奨生	University students	148 (77)	254 (105)	366 (136)
貸与学生	Loan students	29 (20)	27 (11)	30 (11)
依託学生	Suppoted by civil firms	32 (16)	30 (5)	31 (7)

注:
1. ( )内の数字はその年度の採用人員で内数である。
   The number in parenthesis is number of students admitted in the year.
2. 学生数は1964・1965年度は3月末日現で1966年度は9月現在の数
   The number of students in 1964・1965 due to the report of May 1966 due to the report of September.
3. 国費,自費学生共にインターン生を含む
   Medical Intern students are included in national scholarship students.

9 社会教育

　社会教育も学校教育と同じように，振興の障害となっている幾多の問題点をかかえている。その最も大きなものとして施設の未整備があげられる。

　現在，主なる社会教育施設としては，政府立の博物館1，図書館3，青年の家1が開設されているにすぎない。公民館は600舘あり，地方の社会教育活動の中心となってはいるが，系統的，効率的な活動の推進を図るため，市町村単位の公民館設置が強く望まれている。社会体育施設も貧弱で，整備の途上にある総合競技場のほかには地方の社会体育施設は皆無といってよい。

　指導者の養成を中心とする中央の社会教育活動は文教局が行なっているが，地方では，連合教育区に社会教育主事49人が配置され，地方の社会教育振興の推進役として活動している。

10 文化財保護事業

　文化財保護行政は，文教局の外局である文化財保護委員会が担当している。現在，文化財として指定されている件数は56件で，史跡・名勝・天然記念物として指定されている件数は97件となっている。

9. SOCIAL EDUCATION

　Social education has many obstacles and problems as well as school education. The biggest one is the shortage of establishments. The number of establishments or buildings are shown on the chart on the next page. Six hundred public halls are built in local villages. Therefore, it is desired that one city or united villages, (Son,) has its own big hall to promote social education intensively. Establishments for sports are also very poor. There is only one central stadium. The other four local stadiums are very poorly established. The Education Department of the GRI has the responsibility to take control of social education and to train leaders. In the union District Board of Education, they appoint 49 social education supervisors to promote their local social education.

10. PROTECTION OF CULTURAL PROPORTIES

　Cultural Properties Preservation committee takes care of the preservation of cultural and historical properties. The number of properties is shown in the chart on the next page.

9 社会教育 SOCIAL EDUCATION	10 文化財保護事業 PROTECTION OF CULTURAL PROPERTIES

社会教育 Social Education

施設 Establishments (1966)

公民館 Public hall	博物館 Museum	図書館 Library	青年の家 Youth center	母子福祉センター Child & Mothernal center	沖縄少年会館 Okinawa Juvenile center	総合競技場 central stadium	地方体育施設 local stadium
600	1	3	1	1	1	1	4

学級 Classes

区分 Classification	青年学級 Youth class	社会学級 Adult class	家庭教育学級 Mother class
学級数 Number of classes	37	217	30
学級生数 Number of pupils	1,554	11,446	1,500

文化財 Cultural Properties (1965)

美術工芸品建造物等 Historical Buildings & others

区分 Classification	指定件数 No. of designation
計 Total	56
建造物 Historical buildings	23
彫刻 Sculptures	9
絵画 Picture	1
工芸 Industrial arts	16
古文書典籍 Ancient manuscripts and books	7

史跡・名勝天然紀念物 Historical sites & others

区分 Classification	指定件数 No.. of designation
計 Total	97
史跡 Histrical sites	41
名勝 scenic beauties	6
天然紀念物 Natural monuments	33
埋蔵文化財 Burried cultural properties	17

番号 No.	教育区名 District School Board		人口 Population 1965.10	公立学校数 Public Sch. 小学校 Ele.S.	公立学校数 Public Sch. 中学校 J.H.S	番号 No.	教育区名 District School Board		人口 Population 1965.10	公立学校数 Public Sch 小学校 Ele.S.	公立学校数 Public Sch 中学校 J.H.S
	総計	Total	934,176	237	151		那覇連合区	Naha Union District Sch. Board	305,940	35	19
	北部連合区	Northern Union District Sch. Board	118,912	63	43	31	浦添	Urasoe	30,821	4	2
1	国頭	Kunigami	9,192	9	7	32	那覇	Naha	257,177	22	11
2	大宜味	Ogimi	5,552	4	4	33	具志川	Gushikawa	5,922	2	1
3	東	Higashi	2,721	3	3	34	仲里	Nakazato	8,124	5	3
4	羽地	Haneji	8,365	4	2	35	北大東	Kitadaito	962	1	1
5	屋我地	Yagaji	3,349	1	1	36	南大東	Minamidaito	2,934	1	1
6	今帰仁	Nakijin	12,531	5	4		南部連合区	Southern Union District Sch. Board	115,805	30	21
7	上本部	Kamimotobu	4,589	3	1	37	豊見城	Tomigushiku	11,082	3	1
8	本部	Motobu	15,068	8	7	38	糸満	Itoman	34,065	7	4
9	屋部	Yabu	4,345	3	1	39	東風平	Kochinda	9,499	1	1
10	名護	Nago	19,601	4	2	40	具志頭	Gushikami	6,713	2	1
11	久志	Kushi	5,935	5	5	41	玉城	Tamagushiku	9,532	3	1
12	宜野座	Ginoza	3,944	3	1	42	知念	Chinen	5,765	1	2
13	金武	Kin	9,191	3	1	43	佐敷	Sashiki	8,000	1	1
14	伊江	Ie	7,059	2	1	44	与那原	Yonabaru	8,740	1	1
15	伊平屋	Iheya	3,083	4	2	45	大里	Ozato	6,771	2	1
16	伊是名	Izena	4,387	2	1	46	南風原	Haebaru	9,913	1	1
	中部連合区	Central Union District Sch. Board	271,682	54	29	47	渡嘉敷	Tokashiki	1,039	2	2
17	恩納	Onna	7,783	5	5	48	座間味	Zamami	1,428	3	3
18	石川	Ishikawa	15,958	3	1	49	粟国	Aguni	2,011	1	1
19	美里	Misato	21,785	4	2	50	渡名喜	Tonaki	1,247	1	1
20	与那城	Yonashiro	15,014	5	3		宮古連合区	Miyako Union District Sch. Board	69,825	21	17
21	勝連	Katsuren	12,228	5	3	51	平良	Hirara	32,591	10	7
22	具志川	Gushikawa	35,453	7	3	52	城辺	Gusukube	14,559	4	4
23	コザ	Koza	55,923	6	3	53	下地	Shimoji	5,206	2	2
24	読谷	Yomitan	20,537	4	2	54	上野	Ueno	4,603	1	1
25	嘉手納	Kadena	14,392	2	1	55	伊良部	Irabu	10,263	2	2
26	北谷	Chatan	9,957	2	1	56	多良間	Tarama	2,603	2	1
27	北中城	Kitanakagusuku	8,668	1	1		八重山連合区	Yaeyama Union District Sch. Board	52,012	34	22
28	中城	Nakagusuku	10,091	4	1	57	石垣	Ishigaki	41,315	17	9
29	宜野湾	Ginowan	34,573	4	2	58	竹富	Taketomi	7,026	14	11
30	西原	Nishihara	9,320	2	1	59	与那国	Yonaguni	3,671	3	2

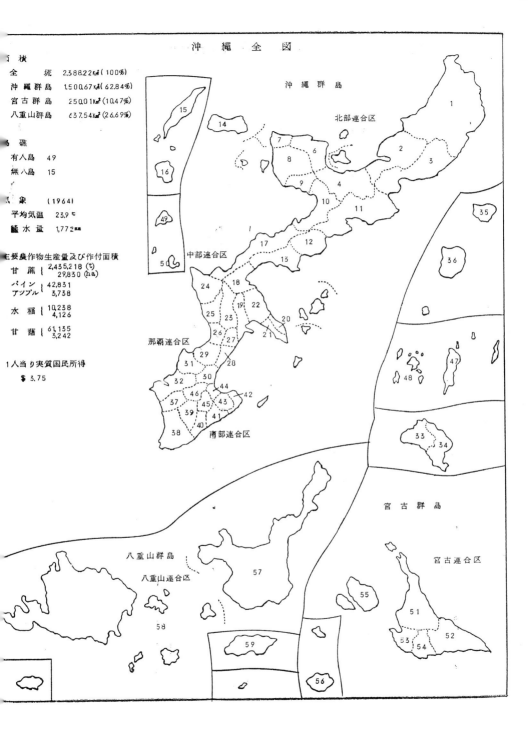

沖縄教育の概観

Bird's-Eye View of Education in Okinawa

別冊 5

'68

No. 5

琉球政府文教局
Education Department, Government
of the Ryukyu Islands

まえがき

「沖縄教育の概観・第5号」をお送りします。今回は特に第1部と第2部に分け，第1部では沖縄教育の現況を統計資料に基づいて解説し，第2部では総まとめとして，現在の沖縄教育におけるもっとも早急に解決すべき諸問題を取り上げ，今後の沖縄教育の推進の手がかりを示したものであります。

この小冊子が教育関係者はもとより，広く一般の方々にも利用していただくとともに，今後の沖縄教育のための問題解決にご協力いただければ，この上もない喜こびであります。

1968年3月

文教局長　赤　嶺　義　信

Foreword

This is the fifth edition of " Bird's-Eye View of Education in Okinawa", the contents of which are divided into two parts, Part I and Part II: Part I presents a general description of present education in Okinawa with statistics; Part II gives the summary of existing educational problems to be put early solusion, and provides cues for the promotion of its future education.

It is highly appreciated if this publication be used in wide range among the general public as well as the educational exparts and if they will give close co-operation in solving these problems facing future education in Okinawa.

Mar. 1968

Yoshinobu, Akamine
The director of Education
The Government of the
Ryukyu Islands (GRI)

── も く じ ──

I 沖縄教育の概況
1. 教育行政 …………………………………………………… 1
   (1) 教育行政組織 ……………………………………… 1
   (2) 中央教育委員会と文教局 ………………………… 3
   (3) 地方教育委員会 …………………………………… 3
2. 教育財政 …………………………………………………… 5
   (1) 教育財政制度 ……………………………………… 5
   (2) 教育予算 …………………………………………… 7
   (3) 教育費 ……………………………………………… 9
3. 学校制度 …………………………………………………… 11
4. 学校教育 …………………………………………………… 13
   (1) 学校概況 …………………………………………… 13
   (2) 小学校 ……………………………………………… 15
   (3) 中学校 ……………………………………………… 17
   (4) 高等学校 …………………………………………… 19
   (5) 特殊学校 …………………………………………… 21
   (6) 大学 ………………………………………………… 23
   (7) 幼稚園 ……………………………………………… 25
   (8) 各種学校 …………………………………………… 25
5. 児童生徒 …………………………………………………… 27
   (1) 体位 ………………………………………………… 27
   (2) 学校給食 …………………………………………… 27
   (3) 学力 ………………………………………………… 27
   (4) 卒業後の状況 ……………………………………… 29
6. 教職員 ……………………………………………………… 31
   (1) 概況 ………………………………………………… 31
   (2) 教員の年令別構成 ………………………………… 33
   (3) 免許状所持状況 …………………………………… 33
   (4) 教員の平均給料 …………………………………… 33
7. 教育条件の整備 …………………………………………… 35
   (1) 学校施設 …………………………………………… 35
   (2) 学校備品 …………………………………………… 37
   (3) へき地教育 ………………………………………… 39
   (4) 特殊教育 …………………………………………… 39
8. 育英事業 …………………………………………………… 41
9. 社会教育 …………………………………………………… 43
10. 文化財保護事業 …………………………………………… 43
II 沖縄教育の課題と将来への展望 ……………………………… 45

CONTENTS

Part I. Outline of Education in Okinawa

1. Educational Administration 1
   (1) Organization of Educational Administration 1
   (2) The Central Board of Education and Education Department, GRI ... 3
   (3) District Board of Education 3
2. Educational Finance 5
   (1) Educational Finance System 5
   (2) Educational Budget 7
   (3) Educational Expenditure 9
3. The School System 11
4. School Education 13
   (1) Summary of School Statistics 13
   (2) Elementary Schools 15
   (3) Junior High Schools 17
   (4) Senior High Schools 19
   (5) Special Schools for Handicapped Pupils 21
   (6) Universities 23
   (7) Kindergartens 25
   (8) Miscellaneous Schools 25
5. Status of Pupils 27
   (1) Average Physical Measurements 27
   (2) School Lunch program 27
   (3) Scholastic Achievement 27
   (4) Graduates 29
6. School Teachers 31
   (1) Summary Status 31
   (2) Number of Teachers by Age 33
   (3) Types of Teachers Certificates and Qualifications 33
   (4) Average Salaries of Public School Teachers 33
7. Improvement of Educational conditions 35
   (1) School Buildings 35
   (2) School Equipment 37
   (3) Education in Isolated Areas 39
   (4) Special Education 39
8. Scholarship Program 41
9. Social Education 43
10. Protection of Cultural Properties 43

Part II. Present Educational Problems to be solved & a 46
Vision of Future Education in Okinawa

I 沖縄教育の概況 (Outline of Education in Okinawa)

1. 教育行政

(1) 教育行政組織

沖縄の教育行政組織は本土とかなり異なっている。教育行政がすべて委員会制度によって運営されていることは本土と同じであるが，大学を除くすべての中央の教育行政は琉球政府行政府の長である行政主席より独立した中央教育委員会が最高の責任を負っている。中央教育委員は6つの選挙区から区教育委員の選挙によって選出され，委員数は11人，任期は4年，2年毎にその半数が改選される。

地方教育については，市町村を同一区域とする法人格を持つ教育区が設定されており，教育区住民により公選される教育委員の構成する区教育委員会がこれを担当している。委員数は各教育区5人（那覇は7人）で，任期は4年，2年毎に半数が改選される。

さらに，これら59の教育区は，地方教育の指導管理を共同処理することにより行政の効率化を図るため6つの連合教育区を組織している。

連合教育区も法人で，連合委員会は連合区を構成する教育区の委員の代表によって組織されている。

大学教育行政は，行政主席の任命による琉球大学委員，私立大学委員が構成するそれぞれの委員会によって運営されている。

1. EDUCATIONAL ADMINISTRATION

(1) Organization of Educational Administration

The educational administration in Okinawa is all organized and conducted by or under the authority of the Board of Education, which is much the same as that of Japan. But there is great difference in its organization between Japan and Okinawa. The Central Board of Education, independent of the Chief Executive, has its highest responsibilities for its final education policy except for universities. It consists of eleven members from six districts, who are elected by the members of District Board, hold office for four years and half of them are also elected every two years.

As to local education, each city, town or village has a District Board of Education which consists of five members (seven in Naha). They are elected by the people of the Districts, hold office for four years and half of its members are also elected every two years. These fifty nine District Boards are combined into six Union District Boards in order to produce satisfactory result toward the betten administration of schools under mutual cooperation.

Members of the committees of the University of the Ryukyus and the private universities are appointed by the Chief Excecutive, of the Government of the Ryukyu Islands (GRI).

1 教 育 行 政
EDUCATIONAL ADMINISTRATION

(1) 教育行政組織

Organization of Educational Administration

(教育区・市町村)

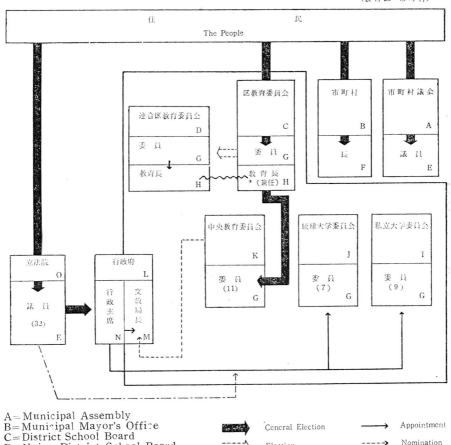

A = Municipal Assembly
B = Municipal Mayor's Office
C = District School Board
D = Union District School Board
E = Members of Assembly
F = Mayor
G = Members of Board
H = Superintendent of Education
I = Committee of private Universities
J = Committee of University of the Ryukyus
K = Centural Board of Education
L = Government of the Ryukyus
M = Director of Education
N = Chief Executive
O = Legislative

▶ General Election
--▷ Election
-・-▷ Consent
⟶ Appointment
----▷ Nomination
∼ * Additional Office

(2) 中央教育委員会と文教局

中央教育委員会のおもな業務は，教育政策の樹立，教育課程の基準の設定，政府立教育機関の管理，地方教育委員会への指導助言などとなっている。

文教局長は中央教育委員会の推せんを得て，行政主席が任命し，中央教育委員会へ教育専門家としての助言をなすと同時に中央教育委員会の設定した教育政策の執行者任者でもある。従って文教局は行政府の一機関であり，かつ，中央教育委員会の事務局ともなっている。文教局は3部10課で組織され，132人の教育専門職員・事務職員が勤務している。

(3) 地方教育委員会

区教育委員会は中央教育委員会の教育政策に基づき教育区内の公立学校（幼稚園・小学校・中学校）の管理・運営ならびに社会教育を行なっており所轄の学校の教職員の人事権をも有している。

地方教育委員会には，それぞれ教育長が置かれているが，連合区教育委員会の教育長は，構成する教育区の教育長をも兼ねている。教育長は中央における文教局長と同じく，地方教育委員会への助言者であり，事務執行責任者でもある。連合教育委員会事務局にも指導主事・管理主事等の教育専門職員が配置されており管下の教育区の教育指導・管理事務を担当している。

(2) The Central Board of Education & Education Department, G.R.I.

The duties of the Central Board of Education are to establish education policy and standard curriculum of education, to administrate all government institutions and to give adequate consultants and advice to district school boards. The Director of Education is appointed by the Chief Executive with the nomination of the Central Board of Education. He is the advisor to the Central Board of Education as an education specialist and the highest executive of its education policy. The Education Department is, therfore, not only one of the departments of the GRI, but also the office of the Central Board. It consists of three divisions and ten sections, and is staffed with one hundred and thirty-two, including administrators, specialists and clerical workers.

(3) District Board of Education

The District Board of Education administrates the public schools (kindergartens, elementary and junior high schools) and the social education in its area. The appointment and dismissal of teachers of the schools within its area are performed by the District Board of Education. The Superintendent of the Union District Board of Education is appointed by the members of the Board. He is such a advisor and a executive as the Director of Education. His office also has educational consultants and administrative advisors.

(2) 中央教育委員会と文教局
The central Board of Education and Education Department, G.R.I

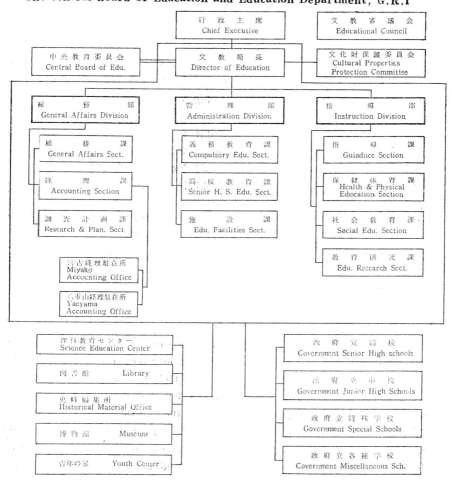

(3) 地方教育委員会
District Boardi of Education

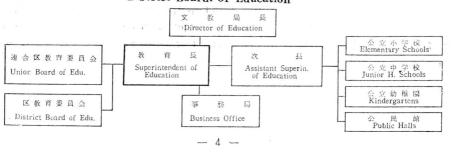

2 教育財政

(1) 教育財政制度

教育財政制度は，中央・地方とも教育費の一般需要に応ずる独自の財源はもたず，政府・市町村の一般財源の一部が充当されるという形をとっている。予算制度は中央・地方ともほぼ似ているが，中央の教育予算が政府の一般会計予算に包括されているに対し，地方では市町村予算と別個の教育予算を編成している。

予算編成の過程としては，中央の教育予算は文教局長がその見積書を作成し中央教育委員会の承認を得て，行政主席の統合調整に供し，行政主席が一般会計予算案として立法院の審議に付すという順序に対し，地方の教育予算は区教育委員会が見積書を作成して市町村長に送付し，市長村長が市町村予算との財源上の調整をして市町村議会の審議に付すという過程となっている。

中央の教育予算の内容は，政府立学校運営費，公立学校の教育補助，社会教育費，育英事業費，文化財保護事業費などが含まれる。教育区の予算はその財源の78%が政府補助によってまかなわれており，教育区予算の大部分が学校教育費（95%）に使われている。

2. EDUCATIONAL EINANCE

(1) Educational Finance System

The Central and the District Boards of Education do not have their own revenues. The GRI educational budget is included into the general fund of the GRI, while each district has its own educational budget besides the general fund of each city, town or village. Chart (a) shows that the Director of Education makes its estimated budget with the approval of the Central Board of Education and submits it to the Chief Fxecutive, who, after adjusting it with the other budgets, sends it to the legislature to be discussed. In the city, the District Board of Education makes its estimated budget and submits it to the mayor, who, after adjustment, sends it to the municipal assembly to be discussed.

Educational expenditures of the GRI include the expenditures for government schools, subsidy for district public schools, expenditures for scholarship program expenditures for protection of cultural properties, and expenditures for social education. 78% of the educational budget of District Board of Education is from the subsidy of the GRI, and most of its educational budget is spent on the expenditures for school education.

2　教育財政
EDUCATION FINANCE

(1) 教育財政制度
Education Finance System

a　中央（文教局）の予算編成過程
The Process of How Education Department makes up its budget.

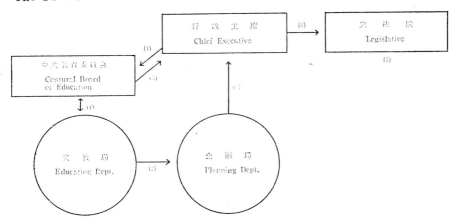

b　地方教育区の予算編成過程
The process of how District Board of Education makes up its budget.

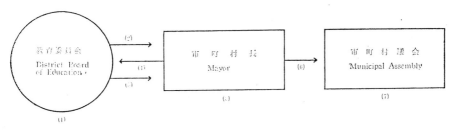

(1) 予算見積書の作成 ………………(1) Making its estimated budget
(2) 予算見積書の送付 ………………(2) Sending to planning Dept. or Mayor
(3) 統合調整 …………………………(3) Adjustment
(4) 減額修正の場合に意見を求める…(4) Requiring advices when decrease
(5) 減額修正に対する意見書の送付…(5) Sending advice for the above
(6) 議会へ送付 ………………………(6) Submission to Legislative or Assembly
(7) 審議決定 …………………………(7) Settlement

(2) 教育予算

　政府の教育関係予算額は1968年度で約3千7百万ドルで，政府一般会計予算総額1億2千万ドルの約31％を占めている。教育予算のうち幼稚園から大学までの学校教育費が3千5百万ドルでその大部分を占めている。財源区分では琉球政府の自己財源が約2千3百万ドル，日本政府援助が約1千万ドル，米国政府援助が約4百万ドルとなっている。

　日本政府の教育援助は，1967年以後，義務教育諸学校教職員給与費の半額援助をはじめとして，大幅に増加され，それにより沖縄の教育財政も一段と充実されつつある。地方の教育予算も，近年における財政制度の改革により，自主財源の大幅な伸びを示している。

(2) Education Budget

　The amount of FY 1968 GRI Educational Budget totals $ 37,000,000, which is about 31% of the FY 1968 Grand Total of GRI Generl Acoount Budget, $ 120,000,000. Most of this educational budget, $ 35,000,000 are for the school education from kindergarten to university.

　As to the classification of Educational Source of Receipts, GRI Funds totals $ 23,000,000, Gonernment of Japan Aid Funds $ 10,000,000, and U.S. Aid Funds $4,000,000. Half of the salaries & allowances of the teachers in compulsory education have been subsidized with this Government of Japan Aid Founds, which also has expanded assistance to many other fields, and promoted the expantion of educational finance.

On the other hand, the local education budget has been to large extent improved through Educational System Reform.

(2) 教育予算
Educational Budget

a 政府および地方の教育予算 (1968会計年度)　　　　　　　　単位千ドル
Central & Local Educational Budget　(FY 1968)　　　Unit $1,000

中央 Central		地方 Local	
区分 Classification	予算額 Amount	区分 Classification	予算額 Amount
計 Total	37,316	計 Total	28,778
文教局 Edu. Dept	34,838	教育区 District Edu. Board	28,435 (211)
琉球大学 Ryukyu University	2,478	連合区 Union Dist. Edu Board	554

(注) 教育区の予算中、連合区分担金211千ドルが含まれている。
　　$ 211,000 for Union District Board of Education is included into the Budget of each District Board of Education.

b 教育予算の分野別区分 (1968会計年度)　　　　　　　　単位千ドル
Classification of Educational Budget　　　　　　　Unit $1,000

中央 Central		地方 Local	
区分 Classification	予算額 Amount	区分 Classification	予算額 Amount
計 Total	37,316	教育区計 Total	28,435
学校教育費 Sch. Education	34,815	教育総務費 Board of Edu.	706
幼稚園 Kindergarten	251	小学校費 Ele. School	15,754
小学校 Ele. School	13,716	中学校費 Junior H. Sch.	10,706
中学校 Junior H. Sch.	9,432	幼稚園費 Kindergarten	668
特殊学校 Special Sch.	508	社会教育費 Social Edu.	142
高等学校 Senior H. Sch.	7,230	諸支出金 Miscellaneous	402
各種学校 Miscellaneous	1,200	予備費 Reserve	57
大学 University	2,478	連合区 Union District Board of Edu.	554
社会教育費 Social Edu.	494		
教育行政費 Edu. Administration	1,672		
育英事業費 Scholarship Edu.	335		

c 中央の教育予算の財源別区分 (1968会計年度)　　　　　　単位千ドル
Classification of Central Edu. Budget by Source of Receipts.　Unit $1,000

区分 Classification	予算額 Amount	構成比 Percentage
計 Total	37,316	100.0%
琉球政府 The GRI Funds	23,168	62.1
日本政府 Japan Aid Funds	10,048	26.9
米国政府 U.S. Funds	4,100	11.0

(3) 教　育　費

　沖縄の公共機関から支出された教育費の総額は1966年度で約2千6百万ドルで，この額は同年度の国民所得約4億2百万ドルの6.5％を占めている。この比率は国民の教育に対する関心や経済的努力の度合を示すものといわれており，沖縄の場合は本土（昭和39年度5.5％）や諸外国と比べても決して低い数字ではなく，それだけ住民が教育に対して経済的に最大の努力を払っていることを示している。公教育費総額のうち，大学関係経費を除いた額は約2千480万ドルで，このほかに私費負担による教育費は151万ドルにのぼっている。
　一方，教育財政水準を示すといわれている生徒（人口）1人当りの公教育費を本土と比べると，小学校で49％，中学校55％，高等学校全日制75％という極めて低い水準しか保持されていない。このような結果は①教育人口が本土に比べて，その比率が高いこと②政府・地方を通ずる財政力が弱いこと　などに起因しており，日米両政府よりの援助の大幅増加などの財政的措置なくしては，沖縄の教育水準の本土並み引上げは至難であるとみられている。

(3) **Educational Expenditures**

　The total amount of the FY 1966 Educational Expenditures disbursed from the public Bodies in Okinawa is about $ 26,000,000, which amount is equivalent to 6.5% of all the F.Y. 1966 National Income. This percentage, which shows how much the people of the country are interested in education, and make economical efforts toward educational development, is not low even if compared with that of Japan, or of other countries. This fact shows that the people of Okinawa have made great economical efforts toward educational development. The educational expenditures included in public accounting except for universities amount about $ 24,800,000 in total, and the other educational expenditures not included in public accounting amount $1,510,000.
　On the other hand, the percentage of Per Pupil Educational Expenditures included in public accounting is, compared with that of Japan, 49% for elementary school, 55% for Junior High school, and 75% for senior high school full-time course. This is because the number of pupils is larger, and because both the government and the local finance are in poor condition. Therefore the integration of the educational standard in Okinawa to that of Japan can not be carried out without the expantion of Japan Aid Funds and U.S. Aid Funds.

(3) 教 育 費
Educational Expenditures

a 国民所得の中に占める公教育費　　　　　　(単位1000ドル) Unit $1,000

Expenditures for Public Education compared with Notional Imcome

会計年度 Fiscal Year	国民所得(A) National Income	公教育費総額(B) Expenditures for Public Education	比率 B÷A×100
1966	401,900	26,150	6.5

b 教育分野別教育費総額 (大学経費は除く)
(Except for University)　　　　　　　　　単位千ドル

Grand Educatisnal Ependitures by Area of Education　　Unit $1,000

	教育分野 Area of Education	公費 Public	私費 Private	計 Total
	総額 Grand Total	24,583	1,509	26,092
A	学校教育費 School Education	22,825	1,421	24,426
	幼稚園 Kindergarten	286	44	330
	小学校 Ele. School	10,556	599	11,155
	中学校 Junior H. School	6,728	396	7,124
	特殊学校 Special School.	295	3	298
	高校(全日) Senior H.S. (Full-time)	4,424	354	4,778
	〃 (定時) Senior H.S. (Part-time)	355	23	378
	各種学校 Miscellaneous School	181	2	183
B	社会教育費 Social Education	301	88	389
C	教育行政費 Edu. Administration	1,457	0	1,457

C 生徒(人口)1人当り公教育費の本土比較

Conparison of per pupil Expenditures with that of Japan.

区分 Classificaton	沖縄Okinawa Fy1966	本土Japan Fy1965
幼稚園 Kindergarten	33.50 $	81.97 $
小学校 Elementary school	67.58	137.01
中学校 Junior High School	78.15	141.23
特殊学校 Special School	546.28	1,048.25
高校(全日) Senior H.Sch. (Full-time)	135.55	181.59
〃 (定時) Senior H.Sch. (Part-time)	78.91	167.84
社会教育 Social Education	0.31	1.02
教育行政 Educational Administration	1.50	1.42

3　学　校　制　度

　戦後まもない1948年に6・3・3制度が確立されて以来，本土と全く同じ教育制度及び教育内容で学校教育が行なわれている。すなわち，小学校の6か年と中学校の3か年の計9か年は義務教育で，その就学率は99.7%に達している。
　中学より高等学校への入学は選抜試験が実施されているが，中学卒業者の半数以上が高等学校に進学している。高等学校から大学へは，沖縄内の5つの大学のほかに，本土の大学にも約4,700人が在学している。
　小・中学校では普通教育が，高等学校では高等普通教育及び専門教育が行なわれており，このほかに幼稚園教育，心身の障害ある者のための特殊教育も実施されているが，これらの分野の学校教育は，まだじゅうぶん充実した状態にはなく，今後の整備がのぞまれている。
　高等学校以下の教員は免許制度がとられており，大学卒で教職の科目を履修した者に免許状が与えられ，かつ，原則として文教局の行なう教員候補者選考試験に合格した者が採用されることになっている。

3　THE SCHOOL SYSTEM

　The modern school system, quite similar to that of Japan, was founded in 1948. The hatched part of the chart represents compulsory education. The percentage of attendance is 99.7 %.

　More than half of the graduates from junior high schools are admitted to senior high schools through entrance examination, and senior high school graduates advance to five universities in Okinawa and universities in Japan. The number of the university students attending in Japan totals about 4,000.

　In elementary and Junior high schools, normal education is given. In senior high schools, there are various courses such as academic, agricultural, commercial, fishery, and etc. The present educational conditions for kindergartens and special education for handicapped pupils are not welle equipped.

　Teachers for all schools, except for university, should have a teacher certificates, which are given to the university graduates who acquired the prescribed number of credits in each subject group: general educational subjects, teaching subjects, and professional subjects, and they also should pass the examination given by the Education Department of the GRI.

3 学校制度
ORGANIZATION OF THE SCHOOL SYSTEM

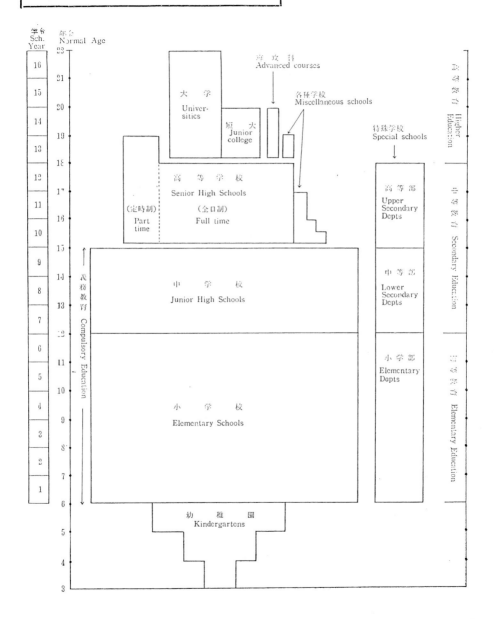

4 学校教育

(1) 学校概況

　幼稚園から大学までの学校数は，1967年5月現在で520校を数えており，幼児・児童・生徒・学生の数は約29万人，教員数は約1万人である。沖縄内で就学している全生徒数は人口の31.5%に及んでいる。

　学校の設置者別では，幼稚園，小・中学校は公立（教育区立）がそのほとんどを占めており，高等学校は政府立33校，私立4校，特殊学校はすべて政府立である。大学は政府立琉球大学のほかに私立の大学・短大が4校設置されている。

　沖縄の学校教育の特色の一つは，義務教育就学者数が極めて多いことである。本土では小・中学校生徒数の全人口に占める比率が15.0%であるに対して，沖縄では21.1%と極めて高い比率を示している。このことは，現段階において，教育条件の本土並み引上げを遅らせる原因の一つともなっている。

　なお，産業教育の振興を促進するため，政府立各種学校が2校（工業・商業）が開設され生徒704人が就学しているが，後期中等教育の新らしい分野として，その成果が期待されている。

4. SCHOOL EDUCATION

(1) Summary of School Statistics

The number of all the schools from kindergarten to university totals 520, of all the pupils attending these schools about 290,000, and of all the teachers about 10,000. The percentage of all these pupils to the whole population is 31.5%.

Most of the elementary and junior high schools are public, 33 senior high schools are under the GRI. There is one government university, two private universities, and two junior colleges.

One of the characteristics of school education in Okinawa is that the number of pupiles receiving compulsory education is larger than in Japan. In Japan, the percentage of the pupiles to all population is 15.0%, but, in Okinawa, 24.1%. This is one of the reasons that the educational conditions in Okinawa are largely behind those of Japan.

For the promotion of industrial education, two government miscellaneous schools (technicl & commercial) are newly opened with 270 students.

4 学 校 教 育
SCHOOL EDUCATION

(1) 学 校 概 況
Summary of School Statistics

1967年5月1日
May 1. 1967

区 分 Classification	学 校 種 別 Kind of school		計 Total	政府立 Government School	公立 Public School	私立 Private School
学 校 数 Number of Schools (520)	幼稚園	Kindergartens	78	—	66	12
	小学校	Ele. Schools	241	2	237	2
	中学校	J. H. Schools	155	3	151	1
	高等学校	S. H. Schools	37	33	—	4
	大 学	Universities	5	1	—	4
	特殊学校	Special Schools	4	4	—	—
児童・生徒数 Number of pupils (294,341)	幼稚園	Kindergartens	11,507	—	10,092	1,415
	小学校	Ele. Schools	144,781	10	144,589	182
	中学校	J. H. Schools	79,931	734	79,177	20
	高等学校	S. H. Schools	50,532	44,156	—	6,376
	大 学	Universities	6,895	3,607	—	3,288
	特殊学校	Special Schools	695	695	—	—
学 級 数 Number of classes	幼稚園	Kindergartens	299	—	260	39
	小学校	Ele. Schools	3,764	2	3,755	7
	中学校	J. H. Schools	1,901	20	1,879	2
	高等学校	S. H. Schools	1,088	966	—	122
	大 学	Universities	...	...	...	...
	特殊学校	Special Schools	83	83	—	—
教 員 数 Number of Teachers (10,711)	幼稚園	Kindergartens	312	—	261	51
	小学校	Ele. Schools	4,565	2	4,555	8
	中学校	J. H. Schools	3,290	34	3,252	4
	高等学校	S. H. Schools	2,135	1,919	—	216
	大 学	Universities	290	220	—	70
	特殊学校	Special Schools	119	119	—	—

政府立各種学校 (Government Miscellaneous Schools)

	生徒数 (Students)	教員数 (Teachers)
産業技術学校 Trade and Vocational Institute	559	48
商業実務専門学校 Commercial Institute	145	14

(2) 小　　学　　校

　小学校の全児童数は1967年5月現在で，約14万5千人で，ベビー・ブームの影響による児童数ピーク時の1961学年度児童数約16万5千人から毎年約4千人程度減少していく傾向を示しており，1972学年度には約12万7千人台になることが推計されている。
　政府立・公立小学校の学級数は3,757学級，教員数は4,557人で，1学級当り児童数は38.5人（本土：33.9人），1教員当り児童数は31.7（本土：26.9人）となっている。本土に比べて，1学級当り，1教員当り児童数がいずれも大きいのは，教育条件が本土よりよくないことを示しており，沖縄の教員は本土の教員より重い負担をしていることになる。このような教員の負担をより軽くし，教育効果を一層高めるため，義務教育諸学校の学級編制及び教職員定数の基準の改善計画がすすめられており，1968学年度までに本土が5か年計画で実施中の改善計画に，3年計画で追いつくよう66学年度を1年次とする計画が実施されており，来学年度で終了する。

(2) Eelementary Schools

　The number of all the elementary school pupiles is about 145,000 as of May, 1967. But there is a decrease of about 4,000 pupils every year since 1961, which was the baby boom year having about 165,000 pupils. Therefore the estimated number of the pupies in 1972 is about 127,000.

　The number of the government and public elementary school classes is 3,757, and of the teachers 4,557, and of the pupiles per teacher 38.5 (33.9 in Japan), which shows that the education in Okinawa is in poorer condition and the Okinawan teachers have more of a burden than the teachers in Japan.

　For the purpose of abolishing such burdens and conducting education more effectively, both the Class Size Program and the Standard of Fixed number of Teachers have been newly improved and carried out. Both of which have been in operation since 1966, and will be finished in 1968 so as to level up these programs to those of Japan, Five Year Program from 1964 to 1968.

(2) 小　学　校
Elementary Schools
(May 1. 1967)

a 児童数の推移（全琉）
Change of the No. of pupils (All the Ryukyus)

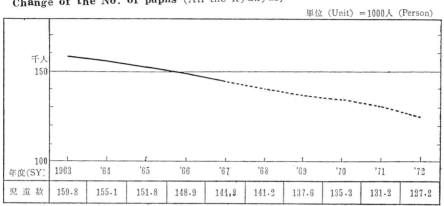

年度(SY)	1963	'64	'65	'66	'67	'68	'69	'70	'71	'72
児童数	159.8	155.1	151.8	148.9	144.8	141.2	137.6	135.3	131.2	127.2

b 1学級当りの児童数（公立、政府立小学校）
Average class Size (Public & Gov't Elementary sch.)

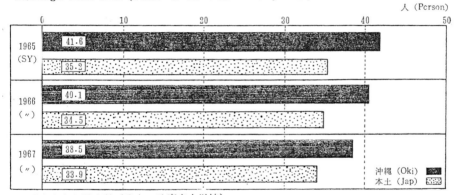

c 教員1人当り児童数（公立、政府立小学校）
Number of pupils per teacher (Public & Gov't Elementary sch.)

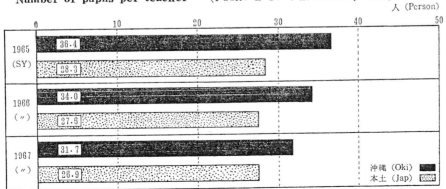

— 16 —

(3) 中　学　校

　中学校の全生徒数は1967年5月現在で8万人である。中学校の生徒数も小学校と同様に、ピークを通り越して漸減の傾向にある。

　政府立・公立中学校の学級数は1,899学級、教員数は3,286人、1学級当り生徒数は42.1人、(本土:38.7人) 1教員当り生徒数は24.3人（本土:22.7人) で、いずれも本土より大きいことは小学校の場合と同じである。

　1学級当り生徒数が小学校より大きいのは、中学校では、小学校に比べて特殊学級の設置が少ない（特殊学級数 : 小学校142学級，中学校19学級）ためである。

(3) **Junior High Schools**

　The unmber of the junior high school pupils totals 80,000, as of May 1967, which number is also decreasing each year similary to that of elementary school pupils.

　The number of all the classes in the government and the public junior high schools amounts 1,899, of all the teachers 3,286, of the students per class 42.1 (38.7 in Japan), and of the students per teacher 24.3 (22.7 in Japan). These numbers as well as those in elementary schools are larger than in Japan.

　The reason why the number of pupils per class is larger than in elementary schools is that junior high schools have fewer special classes for feeble minded pupils than elementary schools have. (142 special classes in elementary, and 19 classes in junior high schools)

(3) 中学校
Junior High Schools
(May 1, 1967)

a 生徒数の推移 (全琉)
Change of the No. of Students (All Ryukyus)

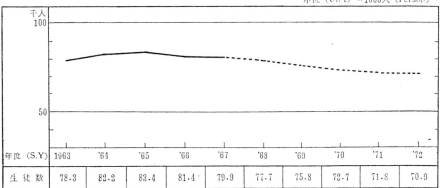

年度 (S.Y)	1963	'64	'65	'66	'67	'68	'69	'70	'71	'72
生徒数	78.3	82.2	83.4	81.4	79.9	77.7	75.8	72.7	71.8	70.9

b 1学級当り生徒数 (政府立, 公立中学校)
Average Class Size (Public & Gov't J.H.S)

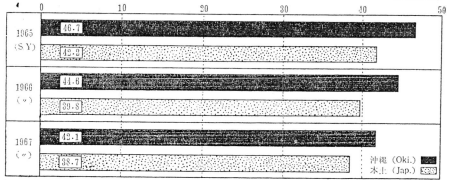

1965 (S.Y) — 沖縄 (Oki.) 46.7 / 本土 (Jap.) 42.2
1966 (〃) — 44.6 / 39.8
1967 (〃) — 42.1 / 38.7

c 教員1人当り生徒数 (政府立, 公立中学校)
Number of Students per Teacher (Public & Gov't J.H.S)

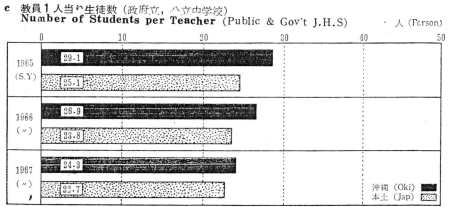

1965 (S.Y) — 沖縄 (Oki) 29.1 / 本土 (Jap) 25.1
1966 (〃) — 26.9 / 23.8
1967 (〃) — 24.3 / 22.7

— 18 —

(4) 高 等 学 校

　高等学校の学校数は，1967年5月現在で，政府立33校，私立4校計37校で生徒数は約5万1千人を数えている。中学校の卒業者数は今後漸減していくが，社会の要請や高等学校進学希望者の増加の現象などで，高等学校教育の量的拡充の必要性がますます高まっていく傾向にあり，1972学年度までには中学校卒業者の高等学校への進学率は75％以上になることが予定されており，生徒数も5万4千人に達する見込みである。

　生徒数の設置者別では，政府立87：私立13　男女別では男49：女51，課程別では全日制89に対し定時11の割合となっている。

　学科別生徒数の構成割合は，普通科の49に対して職業科51となっており普通科・職業科の比率は本土と逆になっている。（本土：普通科59，職業科41）職業科では，商業科が最も多く次いで家庭，農業，工業，水産の順となっており，商業科，農業科が多く工業科が少ないのは，沖縄の経済構成（基地経済及び工業化の未発達）をそのまま反映しているとみることができる。

(4) **Senior High Schools**

There are 33 governement, and 4 private senior high schools, and 51,000 students in all. The number of the graduates from junior high schools is decreasing and will decrease, but because of social demands and the increased number of students who apply to senior high school, the number of senior high schools is requested to increase. The percentage of the students expected to apply to senior high schools at 1972 is estimated to be 75% of all the graduates from junior high schools, and there will be 54,000 students.

The percentage of government school pupils to private school pupils is 87% to 13%, and of full-time course pupils to part-time course pupils is 89% to 11%, and of men-pupils to women-pupils is 49% to 51%.

The ratio between academic preparatory courses and vocational courses is 49% to 51% (In Japan, 59 in the former, 41 in the latter). Out of the vocational courses, the commercial course has the largest number of students, and next followed home-donestic, agricultural, technical and fishery. This seems to be influenced by the social economic conditions prevailing on the American Military Bases, and undeveloped industrial fields.

(4) 高 等 学 校
Senior High Schools

a 生徒数の推移（全琉） (May 1, 1967)
Change of the No. of Students (All Ryukyus)

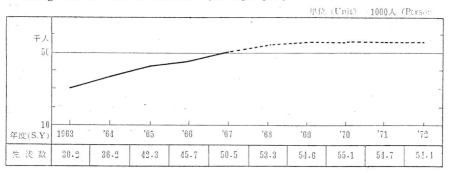

年度(S.Y)	1963	'64	'65	'66	'67	'68	'69	'70	'71	'72
生徒数	30.2	36.2	42.3	45.7	50.5	53.3	54.6	55.1	54.7	54.1

b 高等学校生徒数
Number of Students

classification	性別 sex			課程別 course		学科別 vocational Courses						
	計 Total	男 Male	女 Female	全日制 Full.	定時制 Part	普通 Acade	農業 Agri.	工業 Engi	商業 Comm	水産 Fishery	家庭 Home domes	その他 Others
計 Total	50,532	24,803	25,729	44,912	5,620	24,865	4,604	3,670	10,711	1,288	5,314	80
	(100)	(49.1)	(50.9)	(88.9)	(11.1)	(49.2)	(9.1)	(7.3)	(21.2)	(2.5)	(10.5)	(0.2)
政府立 Gov't	44,156	21,867	22,289	38,668	5,488	21,199	4,604	3,259	8,642	1,288	5,084	80
私立 Private	6,376	2,936	3,440	6,244	132	3,666	—	411	2,069	—	230	—

( ) 内の数字はその構成比 (%) を示す。
Figures in parenthsis shows its per cent.

c 教員 1 人当り生徒数（政府立高等学校）
Number of Students per Teacher (Gov't S.H.S)

年度	沖縄 (Oki)	本土 (Jap)
1965 (S.Y)	22.9	23.5
1966 (〃)	23.0	23.1
1967 (〃)	23.0	22.0

(5) 特 殊 学 校

　心身の障害ある青少年に普通教育並びにその欠陥を補なうための職業教育を施し，一人前の社会人に育てあげるための特殊教育は，その重要性は認識されておりながら，現実としては，その施設は戦前，戦後を通じて盲学校のみであったが，1965年4月に精薄児及び肢体不自由児のための養護学校がそれぞれ1校ずつ開設され，この面の教育もようやく軌道に乗ってきた。
　特殊学校在学児童生徒数も，1962年度には110人程度であったが，1967年5月現在では695人が4つの特殊教育諸学校に在学し勉学に励んでいる。特殊教育の一層の振興を図るため，今後とも施設を拡充整備して，1972学年度までには1,300人を収容する予定となっている。と同時に，学級編制の改善や教職員数の増加等の質の改善も行なわれる必要がある。

(5) **Special Schools for Handicapped Pupils**

　The importance of special education for handicapped pupils is highly recognized and is aimed to give them general and technical vocational education, but, there were only one school for the blind and one for the deaf. In April 1965, the special schools for the feeble-minded and for the physically handicapped pupils were established, one for each.

　There were 110 students in 1962, but more than 695 students are now attending these four schools, May 1, 1967. In 1972, 1,300 students are expected to be enrolled in these schools and the school facilities are expected to be well equipped in the future. According to the same program, it is necessary to improve the class-size and to increase the number of teachers.

(5) 特 殊 学 校
Special Schools (May 1, 1967)

a 児童生徒数の推移
Cange of No. of Pupils

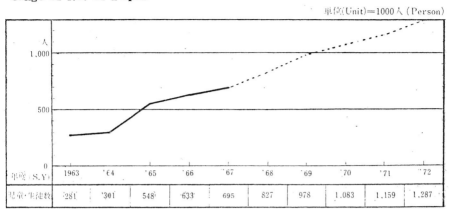

b 1学級当りの児童生徒数
Average Class Size

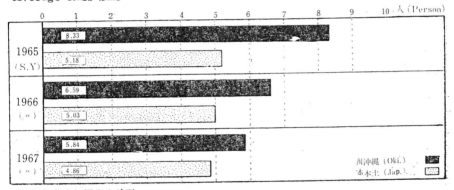

c 教員1人当り児童生徒数
No. of Pupils per Teacher

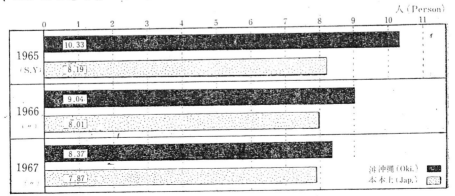

(6) 大　　　学

　沖縄内の大学は，琉球大学が1950年に開設されたのを初めとして，現在学校数は政府立1校,私立4校（うち2校は短期大学）で,学生数は約7千人に及んでいる。学部・学科別の学生数は文科系が圧倒的に多く,理工農学系は全体の 15.5%にすぎない。医学系は開設されていないため，医師・薬剤師の養成はもっぱら本土大学に頼っている。

　大学の管理については,琉球大学は琉球大学委員会,私立大学は私立大学委員会がこれを行なっている。両委員会とも行政主席任命の委員で構成される行政委員会で，文教局や中央教育委員会とは直接のつながりはないが琉球大学委員会には文教局長と中央教育委員1人が職責委員となっており，私立大学委員会では,委員9人のうち,文教局の推せんする者,中央教育委員会の推せんする者各3人が委員に任命されるようになっている。

　なお,大学院はまだ開設されていないが，近い将来において琉球大学に大学院及び医学部（または保健学部）が開設されるよう計画されている。

(6) **Universities**

　The University of the Ryukyus was first established as a public university in 1950. There are two other universities with four-year courses, two-year courses, and part-time courses. Besides these, two other colleges were opened as private institutions. The total number of students in these schools is over 7,000 now. Most of the students are enrolled in the literary or law department. The number or students enrolled in technology, agriculture, etc. is only 15.5%. The Medical Department is not open. The education of medieal science mainly depends on universities in Japan.

　The Universtiy of the Ryukyus is governed by a committee whose members are appointed by the Chief Executive. The Director of Education and one of the members of the Central Board of Education are included in this committee. The Chief Executive also appoints the members of the committee of the private university. Out of nine members, three are nominated by the Director of Education and three are nominated by the Central Board of Education. these schools have no post-graduate courses, but in the future medical science or post-graduate course is expected to open in the University of the Ryukyus.

(6) 大学
Universities

a 大学組織
Organization of University-Administration

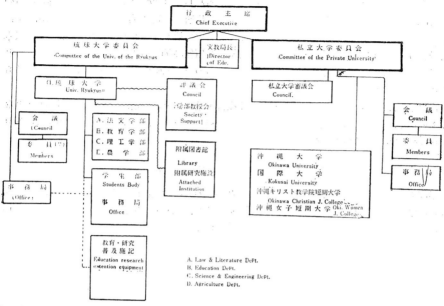

b 大学学生数
Number of students

1967年5月1日
May 1, 1967

区分 classification			計 Total	大学 University	短期大学 J.College
総数 Total			6,895	5,402	1,493
① 琉球大学 Univ. of the Ryukyus			3,607	3,414	193
	法文学部 Dept	Literature / Law	1,259	1,259	—
	教育学部 Dept	Education	946	946	—
	理工学部 Dept	Science / Technology	596	596	—
	農学部 Dept	Agricualture	613	613	—
② 沖縄大学 Oki. University			2,036	1,536	500
	文学部 Dept	Literature	387	387	—
	法経商学部 Dept	Law / Commerce / Economy	1,149	1,149	—
③ 国際大学 Kokusai University			936	452	484
	法文学部 Dept	Law / Literature	330	330	—
	商学部 Dept	Commerce	122	122	—
④ 沖縄キリスト教学院短期大学		Cki. Christian J. college	110	—	110
⑤ 沖縄女子短期大学		Oki. womens J. college	206	—	206

(7) 幼　稚　園

　義務教育（6歳～14歳）就学前の幼児教育の機関としての幼稚園は，施設の未整備，教員の不足，地方財政の問題等で，同じく非義務制である後期中等教育（高等学校教育）に比べて，未整備の状態にあり，就園率（小学校1学年入学者中の幼稚園修了者の比率）も43％程度（本土：44％）となっている。しかしながら，幼稚園就学者は近年急激に高まりつつあり，政府としても積極的に幼稚園教育の助成に力を注いでいるので，就園率も遠からず50％台に達するものとみられている。

　1967年5月現在，幼稚園の設置されている教育区数は18で，園数78，園児数約11,507人となっている。幼稚園には3歳児から5歳児までが就園しているが，5歳児が全体の90％で，残りの10％が3・4歳児となっている。

(8) 各　種　学　校

　学校教育に類する教育を行なうための施設としての各種学校は政府立2校，私立44校があり，中学校卒業者や高等学校卒業者の青少年を対象に，主として職業技術教育が行なわれている。修業年数は3カ月から3カ年と多様に互っている。

(7) **Kindergartens**

　The education in the kindergartens is not compulsory. It is not well equipped becuse of the lack of municipal finance and teachers. The percentage of attendance is 43% (44% in Japan). The number of attendance is so rapidly increasing that the Education Department makes efforts to promote it.

　According to the data, May 1st, 1967, the number of District Board of Education which have their own kindergartens is 18, and of the kindergartens 78, and of the pupils 11, 507.

　The age of attendance is from three to five, and 90% of the pupils are five years old and the rest are below four years old.

(8) **Miscellaneous Schools**

　Two vocational institutions were established as government schools to teach mainly technical or business subjects to senior high school graduates and junior high school graduates. Besides these two institutions, there are 44 private schools where they teach mainly vocational education.

(7) 幼　稚　園
Kindergartens

(7) 幼稚園教育の推移
Status of Kindergartens

年　度 School year	幼 稚 園 数 Number of Kindergarten			園 児 数 Number of children			就園率 attendance %
	計 Total	公立 public	私立 private	計 Total	公立 public	私立 private	
1958	23	22	1	3,333	3,295	38	14.8
1964	52	40	12	8,106	7,028	1,078	27.6
1965	53	41	12	8,573	7,242	1,152	30.0
1966	64	52	12	9,591	8,390	1,201	35.8
1967	78	66	12	11,507	10,092	1,415	42.8

(8) 各　種　学　校
Miscellaneous schools

(8) 各　種　学　校
Miscellaneous schools

区　分 Clasification		学校数 Number of schools	在学者数 Number of pupils	備考 Remark
政府立 Government schools		2	704	
	工業関係 technical	1	559	電気、機関、自動車、その他
	商業関係 commercial	1	145	秘書、経営管理、販売
私立 Private schools		37	7,776	
	工業関係 technical	1	663	通信、ラジオ
	商業関係 commercial	8	1,305	珠算、簿記、タイプ
	家庭関係 home domestic science,	24	4,237	和洋裁、編物手芸
	その他 others	4	1,571	外国語、予備校

(注)　政府立各種学校は1967年5月1日現在，私立各種学校は1966年5月1日現在の数である。
- From the Reprt of May 1,1966 for government school
- From the Report of May 1,1965 for private school

5 児童生徒

(1) 体位

児童・生徒の体位は，戦後の家庭における食生活の改善，学校給食の普及などで著しく向上してきた。しかしながら，これを本土平均に比べると，まだ若干の見劣りはあるけれど，その差は漸次縮まっている。

(2) 学校給食

1955年以来，外国宗教団体よりのミルク給食用物資の寄贈がつづけられており，これにより，幼稚園，小・中学校，高等学校定時制の全学校が現在ミルク給食を行なっている。これに加えて，近年完全給食を実施する学校が急速に増してきており，小学校の32％，中学校約18％，高等学校定時制課程の全校が給食を実施している。

(3) 学力

児童・生徒の学力は教育条件の整備と指導力の強化により，その向上を見ることができるといわれているが，残念ながら，両者とも本土に比べて，大きな立ち遅れがあり，これがそのまま学力の較差となって現われている。

最近の全国学力調査の結果によると，小・中学校とも素点で比較して本土の75％台に止まっている。

5. STATUS OF PUPILS

(1) Average Physical Measnrements

Average physical measurements have been much improved thanks to the promotion of food conditions and school lunch program.
Compared with those of Japan, they are to some extent inferior, but its inferiority is gradually becoming small.

(2) School Lunch Program

Since 1955, the school lunch grogram has been operated mainly in kindergarten, elementary, junior high and in all part-time courses in senior high schools with milk supplied by foreign religious missions. The schools which have school lunch program have been recentry increasing in number. At present 32 % of all elementary schools, 18% of junior high schools, and all of the senior high school part-time courses are furnished with lunch.

(3) Scholastic Achievement

Scholastic achievement is supposed to be much improved by the efforts of teachers and the promotion of educational conditions. However, they are still inferior to Japanese students and the elementary and junior higr school students, achievement is still 75% of the Japanese.

5 児童生徒 STATUS OF PUPILS

(1) 体位 Anerage physical measurements
児童生徒の年別発育状況の本土比較（身長）　　　1966
Averege phycical measurements of pupils by ages (as compared with Japan)

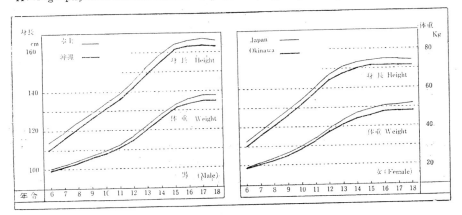

(2) 学級給食 School lunch program
学校給食実施状況　　　　　　　　　　　　　　1967年12月
How is the school lunch program conducted　　December 1967

区分 Classification	学校総数 Number of schools (A)	完全給食実施校 No. of schools completely supplied (B)	B/A×100	完全給食を受けている人員 No. of pupils
小学校 Ele sch.	237	77	32.5	71,492
中学校 J.H.S.	151	27	17.9	22,545
高校(定時) S.H.S (part-time)	17	17	100.0	5,488
計 Total	405	121	29.9	99,525

(3) 学力 Scholastic achievement
全国学力調査結果の本土比較
Netional achievement Survey by ministry of education　　(1966)

区分 Classification	小学校 Ele. school			中学校 Junior High school				
	国語 Japanese	算数 Math.	音楽 Music	国語 Japanese	数学 Math.		家庭技術 A	
							男 M	女 F
学年 Grades	5	5	5	1	3	1	3	3	3
本土 Japan	58.4	39.5	55.8	67.2	45.6	44.5	43.2	48.5	46.0
沖縄 Okinawa	43.2	23.5	40.9	52.6	35.2	30.5	24.4	39.0	38.0

A = Ind. Art & Home Eco.

(4) 卒業後の状況

1967年3月中学校卒業者数は21,148人で，うち高等学校に進学した者（就職進学者を含む）は16,037人，進学率は59.1%となっている。これは同年度の本土の進学率74.5%に比べてかなり低い。一方，就職者（就職進学者を含む）は6,016人で，産業部門別には第2次産業が最も多く42.6%で，第1次産業就職者は毎年減少の傾向にある。なお，沖縄外就職者（本土就職者）は1,127人で，全就職者の18.7%を占めている。

高等学校の卒業者は12,336人で，うち大学へ進学した者は2,675人で，進学率は21.7%（本土：23.7%）となっている。就職者は5,411人，産業部門別には第3次産業が51.5%と圧倒的に多く，第2次産業が33.2%で，第1次産業就職者数は5.5%となっている。
全就職者の14.4%にあたる779人が本土で就職している。

大学卒業者は1,009人，短期大学（短期大学部を含む）卒業者は509人となっている。大学卒業者のうち，大学院へ進学した者は僅か3人で，残りの大部分が就職している。大学卒業者の就職者の870人のうちでは，およそ40%の347人が教員となっている。短期大学卒業者の就職者では325人のうち事務従事者が148人でその比率は45.5%となっている。

(4) Graduates

The number of S.Y. 1967 junior high school graduates totals 270,00. Out of them, 16,037 students were enrolled in higher level schools, which percentage is 59.1 (74.5 in Japan), and the other 6,016 students were employed mainly in the second industrial field (42.6%), next in the third (30%). The number of the graduates employed in the first industial field is decreasing every year. The graduates employed in Japan are 1,127 (18.7%) in number.

The number of S.Y. 1967 senior high school graduates is 12,236, out of whom 2,675 graduates (21.7%, In Japan 23.7%) advanced to higher level schools. 51.5% of 5,411 employed graduates were employed in the third industrial field, 33.2% in the second, and 5.5% in the first.

There were 1,009 university graduates and 509 junior college graduates, out of whom only three graduates advanced to post-graduate course. 347 (40%) out of 870 employed university graduates have become teachers, and 148 (45.5%) of 325 employed junior college graduates have been in clerical work.

(4) 卒業後の状況
Graduates

a 中 学 校 Junior High School

卒業年度 year graduated	卒業者数 Total	進学者 A	就職者 B	就職進学者 C	無職 D	その他 E	進学率 F
1965年3月 March. 1965	25,826	13,250	6,413	347	5,079	737	52.6
1966年3月 March. 1966	28,115	14,582	6,258	456	6,075	744	53.5
1967年3月 March. 1967	27,148	15,422	5,401	615	5,346	364	59.1
内訳 男 M	13,964	7,301	2,927	207	3,310	219	53.8
内訳 女 F	13,184	8,121	2,474	408	2,036	145	64.7

b 高等学校 Senior High School

卒業年数 year graduated	卒業者数 Total	進学者 A	就職者 B	就職進学者 C	無業 D	その他 E	進学率 F
1965年3月 March. 1965	7,599	1,610	3,718	151	1,802	318	23.2%
1966年3月 March. 1966	12,361	2,608	4,932	161	3,921	739	22.4
1967年3月 March. 1967	12,336	2,393	5,134	277	3,799	728	21.7
政府立	10,716	2,055	4,415	165	3,353	728	20.7
私 立	1,620	343	719	112	446	—	28.1
全日制	11,349	2,369	4,366	223	3,726	665	22.8
定時制	987	29	768	54	73	63	8.4
男	6,020	1,211	2,514	166	1,842	287	22.9
女	6,316	1,187	2,620	111	1,957	441	20.6

note: A=Advanced to Higher Level Schools B=Employed C=Advanced to Higher Level Schools with part-time Job D=Unemployed E=Others
F=Percentage of Advancement

6 教職員

(1) 概況

　高等学校以下の学校の本務教員数は10,109人（1967年5月現在）で，うち，府政立・公立学校の教員数が9,881人である。職名別には教諭が最も多く，助教諭（勤務している学校の教員普通免許状をもっていないもの）は全教員の2.7％にすぎない。養護教諭の配置率はまだ低く，小・中学校の約$\frac{1}{4}$の学校に配置されているに止まっている。

　政府立・公立学校の総職員数は1,851人で，うち事務職員が428人，その他の職員が1,423人となっている。その他の職員は，小・中学校では学校用務員，給食関係職員がその大部分を占めており，高等学校では，実習助手や産業教育専門職員等がこれに含まれている。

　教員の男女別構成状況については，小学校では，女子が圧倒的に多く，その構成比は7：3であるのに対して，逆に中学校，高等学校では男子がその大部分を占めている。特に，小学校における女子教員は年々増加の傾向にあり，今後の初等教育においての，この現実を反映した新らしい学校経営や教育指導のあり方の研究の必要性が強調されている。

6. SCHOOL TEACHERS

(1) Summary Status

The number of the teachers employed in all schools except universities and kindergartens is 10,109 as of May, 1967. Out of these teachers, 9,881 are employed by the government or public schools. The percentage of all assistant teachers having no qualified teacher certificate is only 2%. Nursery teachers have been appointed to only one-fourth of all elementary and junior high schools.

The total number of government and public school personnels is 1,851, which includes 428 clerical personnels and the others. As to the other personnels, most of them are employed as janitor, custodian, school lunch personnel, and etc. in elementary and junior high schools, and, in senior high schools, as technical assistant, technical staff besides these kind of workers.

The ratio of men to women teachers is 7 to 3 in elementary schools, but in junior and senior high schools are for the most part men teachers. Especially in the case of elementary schools the number of women teachers is increasing every year, so that new teaching and school administration methods should be devised and carried out.

6 教職員 STATUS OF SCHOOL TEACHERS

(1) 概況 Summary Status of School Teachers
a 職名別教員数 (本務) Number of Teachers by position (Full-time)

1967年5月1日 May 1 1967

区分 classification			計 Total	校長 Principals	教諭 Teachers	助教諭 Assistant Teachers	養護教諭 Nurse Teachers	講師 Lecturers
小学校 Ele. School	計	(Total)	4,565	155	4,164	180	66	—
	政府立	(Gov.sch)	2	—	2	—	—	—
	公立	(Public)	4,555	155	4,154	180	66	—
	私立	(Private)	8	—	8	—	—	—
中学校 J.H. School	計	(Total)	3,290	153	3,060	42	33	2
	政府立	(Gov.sch)	34	3	30	—	1	—
	公立	(Public)	3,252	150	3,029	41	32	—
	私立	(Private)	4	—	1	1	—	2
高等学校 S.H. School	計	(Total)	2,135	37	2,029	52	1	16
	政府立	(Gov.sch)	1,919	33	1,855	23	1	7
	私立	(Private)	216	4	174	29	—	9
政府立特殊学校 (Special sch)			119	4	108	3	4	—

b 職員数その他の職員 (政府立、公立学校) Number of clerical employee (Gov't. & Public school)

1967年5月1日 May 1 1967

区分 Classification	計 Total	小学校 Ele.sch.	中学校 J.H.S	高等学校 S.H.S	特殊学校 Special sch.
計 Total	1,851	923	466	411	51
事務職員 Clerical	428	161	144	116	7
その他の職員 others	1,423	762	322	295	44

c 男女教員数 Number of teachers by sex

1967年5月1日 May 1 1967

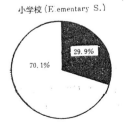

小学校 (Elementary S.) 70.1% / 29.9%

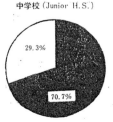

中学校 (Junior H.S.) 29.3% / 70.7%

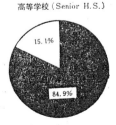

高等学校 (Senior H.S.) 15.1% / 84.9%

男 (Men) ■ 女 (Women) □

(2) 教員の年令別構成

教員の年令構成は本土に比べて若く, 特に, 中・高等学校では29才未満の教員が全体のほぼ半数を占めており, それだけ教職経験年数も低く, 現職教育による教員の資質の向上が教育充実の重要な要素となっている。一方, 60才以上の高年者も比較的多いのは, 高年者に対する勧奨退職制度はあるが, 財政上の措置がじゆうぶんなされていないためである。

(3) 免許状所持状況

教員の普通免許状は一級, 二級, の2種があるが, 小・中学校では約⅔が, 高等学校では約⅓が一級普通免許状所有者となっている。臨時免許状所持者は高等学校に多く, 全体の約4%を占めているが, これは工業関係の専門教科に多い。(大学において教職関係の単位を修得しなかったため。)

(4) 教員の平均給料

1967年7月現在の政府立・公立学校本務教員の平均給料は, 小学校約136ドル, 中学校約122ドル, 高等学校約122ドルとなっている。小学校がほかの学校種別より平均給料の高いのは, 小学校教員の平均勤務年数が他に比べて大きいためである。

(2) Number of Teachers by age

The number of teachers by age is shown in the next chart (2). Compared with that of Japan, Okinawan teachers are younger. Half of the teachers in junior and senior high schools are below 29 years old, which means the lack of teaching experience. On the other hand, owing to the deficits of financial aid, there are mang teachers over 60, though there being a public school teacher pension system.

(3) Types of Teachers Certificates and Qualifications

Teachers certificates are classified as regualar, temporary and emergency. The former are subdivided into first and second class certificates (chart 3).

Two-thirds of the elmentary and junior high school teachers and one-third in senior high school have obtained first class certificates. In senior high school, 4% have emergency certificates and these are mostly teachers of technical subjects.

(4) Average Salaries of Public School Teachers

The chart (3) shows average salaries of public school teachers in Okinawa. The reason why teachers of elementary schools get a higher average salary is that they are generally more experienced compared with others.

(2) 年令別教員数及び構成比　　　　　　　　1967年5月1日
Number of teachers by age and its percentage　　May 1. 1967

区　　分 Classification		計 Total	～29才 (age)	30～39	40～49	50～59	60～
小　学　校	Ele.Sch.	4,565 (100%)	1,231 27.0%	1,786 39.1%	922 20.2%	496 10.9%	130 2.8%
中　学　校	J.H.S	3,290 (100%)	1,591 48.4%	1,087 33.0%	370 11.3%	189 5.7%	53 1.6%
高等学校	S.H.S	2,135 (100%)	1,005 47.1%	856 40.1%	142 6.7%	82 3.8%	50 2.3%

(3) 免許状所持状況
Types of teachers certificates and qualification therefor

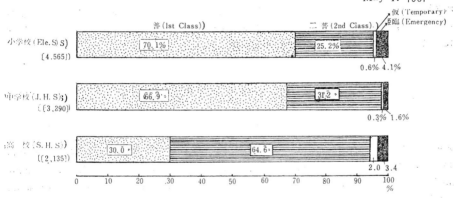

(4) 教員の平均給料（政府立、公立）　　　　　　　1967年7月
Average Salaries of Public School teachers　　July. 1967

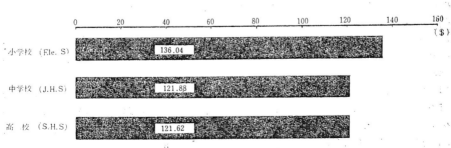

7 教育条件の整備

(1) 学校施設

第2次世界大戦により,壊滅した教育施設の再建については,住民・政府が一体となり今日まで多大の努力を重ねてきたにもかかわらず,いまだに本土との格差のもっとも大きい分野の一つとなっている。

校舎は,どの学校種別でも1967年6月末現在では,中央教育委員会の定めた基準(文部省の基準と同じ)の60%台の基準達成率であり,従って,生徒1人当り校舎保有面積も小・中学校で本土の約半分,高等学校で約70%にすぎない。

校舎の建設については,政府立学校はもとより,公立学校もすべて政府の負担として義務づけられており,政府も毎年多額の予算を投入して整備に力を入れているが,現状では基準到達にあと数年を要するものとみられている。

校舎の構造別では,沖縄の地理的条件もあって,1954年以降ほとんど鉄筋ブロックが建築されているため,木造・その他の占める比率は,わずか10%未満となっている。なお,校舎以外の学校施設,屋内運動場,水泳プール等は皆無に等しく,これからその整備に力を注ぐといったところである。

7. IMPROVEMENT OF EDUCATIONAL CONDITIONS

(1) School Buildings

An acute shortage of school buildings is still one of the most serious problems much inferior to those of Japan, in spite of all the efforts made by the government and the people in order to reconstruct the school buildings completely destroyed during World War II.

All types of school buildings barely cover the 60% of the standard appointed by the Centural Board of Education (same as that of Japan). Accordingly, in elementary and junior high schools, floor area per pupil is only half of that in Japan, and in senior high schools, 70%.

As to the construction of school buildings, the government is under obligation to build not only government schools but public schools. It is now expected to take several years more to build the sufficient school buildings required by law.

Since 1954, most of schools have been built of rainforced concrete. The ratio of outworn wooden buildings left is about 10% There are few schools which have other school facilities except buildings; such as gymnasiums, swimming pools, and etc., which facilities are expected to build hereafter.

7 教育条件の整備
IMPROVEMENT OF EDUCATINAL CONDITIONS

(1) 学校施設
School Buildings

a 校舎の基準達成率
Present Area of School buildings and percentage in relation to standard area

1967年6月
June1967

区分 Classification		基準面積 A Standard area m^2	保有面積 B Present area m^2	達成率 $B/A \times 100$ %
公立小学校	Public Ele,Sch	546,986	376,933	68.9
公立中学校	Public J.H.S	353,759	224,637	63.5
政府立高等学校	Gov't S.H.S	224,688	145,720	64.9
盲聾学校	Blind & Deaf sch.	4,906	2,583	52.6
養護学校	Sch. for the handicapped	3,809	3,155	82.8

b 生徒1人当り校舎保有面積 (政府立・公立)
per pupil floor area of school buildngs (Govt & public) (1966)

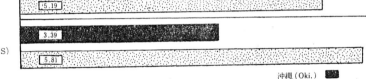

c 屋内運動場の保有状況 (公立) Percentage of Public Schools with Gymnasiun

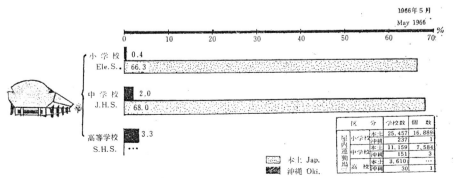

(2) 学校備品

　教育内容並びに教育方法の改善充実により教育効果をより一層高めていくために不可欠な学校備品についても，学校施設と同様に，その充足率は基準にははるかに及ばない現状である。

　一般教科備品については，文部省実施の学校設備調査による基準達成率は，1966年7月現在で小・中学校とも23％で，この達成率は本土の5年前の達成率にも及ばない。

　理科備品では，最近改訂された新基準による達成率は小学校26％，中学校18％，高等学校23％で，いずれも本土の2/3台の達成率に止まっている。

　学校教育における基本設備とまでいわれている学校図書館図書についても，児童・生徒1人当りの保有冊数は極めて少なく，今後における整備が大いに望まれている。

　このほか，産業教育備品，英語教育備品，一般校用備品の充実度も同様であるが，これらの備品については米国援助により整備がすすめられており，一方，1966年度より一般教科，理科視聴覚備品，図書については日本政府援助が実現して，継続実施されているので，今後は年を追って充実度が促進されるものと期待されている。

(2) School Equipment

As to school equipment indispensable for conducting education more effectively by improving the quality of education and teaching methods, the rate of its attainment to the standard is as low as school buildings: as of July 1966, in the case of school equipments for general subject except science, the percentage of attainment to the standard stated in the school-Equipment Survey by Ministry of Education of Japan is 23% for elementary and secondary high school, which percentage is below the rate of attainment in Japan five years ago. As to science quipments, the rate of attainment to the latest standard is 26% for elementary, 18% for secondary, and 23% for senior high school, each of which shows only about tow-third the rate of attainment in Japan. The number of school library materials per pupil is far under the standard, which materials are keenly requested to be completely equipped with.

In addition, the equipments for vocational, industrial and English education are at present in poor condition, but which equipments are now being expanded with United States Aid Funds. On the other hand, for the expantion of equipments for general subjects, for audio-visual science education, and for school library materials, Japan Aid Funds have been given since 1966, and will be continuously carried on. From this view-point, there seems to be a bright future towards the completion of these equipments.

(2) 学 校 備 品
School Equipment

(1966年)

a 理 科 備 品 Equipments for Science Education

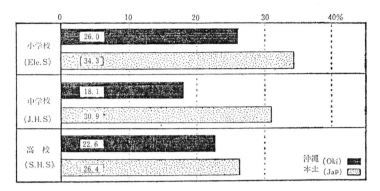

b 教 材 Teaching Materials

沖縄 (Oki) 1966
本土 (Jap) 1961

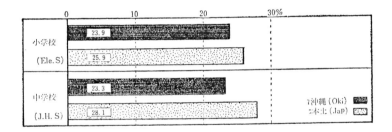

沖縄 (Oki) 1966
本土 (Jap.) 1961

c 生徒1人当り図書冊数　Library Materials per Pupil

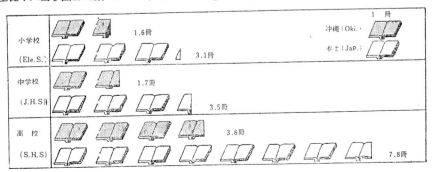

(3) へき地教育

　教育の機会均等の確保を図るため，教育条件の整備の一つとしてのへき地教育の振興は教育における最も主要な分野の一つである。現在，へき地教育振興法で指定されているへき地学校数は112校で，児童生徒数も約2万3千人を数えている。これらのへき地学校の教育振興については，教職員のへき地手当の支給，教員住宅料の補助，教員住宅の建設，へき地文化備品の購入補助，へき地教員奨学生制度の実施等の施策ならびに予算措置が講ぜられている。

(4) 特殊教育

　特殊教育の振興をはかるため，特殊教育諸学校の整備充実は当然の施策であるが，と同時に現在，公立学校に設置されている特殊学校の増設も底辺を拡げ機会均等を推進するための要件となっている。1967年5月現在において，このような特殊学級（促進学級を含む）は小学校142学級，中学校19学級である。中学校が小学校に比べて少ないのは校舎施設の関係にも基因するが，今後小学校並みの充実が計画されている。なお，促進学級は，主として何らかの条件で学習不振児となっているものを対象に，個別指導等の強化により，これを正常に戻し，原学級に復させるために開設されているものである。

(3) Education in Isolated areas

Promotion of education in isolated areas is one of the most important problems. The number of schoolls, classes and teachers in the areas defined as isolated by ordinances are as shown in the chart(2). In order to raise the educational standards, the Law for Promotion of Education in Isolated Areas was enacted. The GRI budget includes a special allowance for teachers, construction of teachers residences, and scholarship programs for the future teachers in these isolated areas.

(4) Special Education

Not only the promotion of Special Education for handicapped pupils but also the improvement and promotion of special classes for feeble-minded pupils and retarded pupils attached to public schools is an important problem to promote equal opportunity in education. As of May 1967, there were 142 classes in elementary school and 19 classes in junior high school as shown in chart (b). There are less classes in junior because of the lack of buildings. Class for retarded pupils is set up so that they can be transferred to the normal class by giving intensive individual education.

(3) へき地教育
Education in Isolatep Areas

1967年5月1日
May I. 1967

区　　　分 Classification	学校数 Number of schools	児童生徒数 Number of pupils	学級数 Number of classes	教員数 Number of teachers	備　考 Remark
計　Total	112	23,286	695	1,033	
小学校　Ele. Sch	62	14,955	459	559	
中学校　J.H.S	49	7,631	221	443	
高等学校　S.H.S	1	700	15	31	

(4) 特殊教育
Speciaesl Education

a 特殊学校　Special schools for hanpicapped pupils

1967年5月1日
May I. 1967

区　　分 Classification	児童・生徒数 Namber of pupils				学級数 Number of Classes	教員数 Number of teachers	職員数 Number of other employees
	計 Total	小学部 Elementary	中学部 Junior	高等部 Senior			
総　数　Total	695	327	308	60	83	119	51
盲学校　Blind	90	35	31	24	16	25	12
ろう学校　Deaf	241	142	63	36	29	38	20
養護学校　Handicapped	364	150	214	—	38	56	19

b 特殊学級・促進学級に在学する児童生徒数
No. of Pupils attending special classes for feeble minded Pupils

1967年5月1日
May 1, 1967

区　分 classification	総　数 Total	特殊学級 No. of feeble minded pupils	促進学級 No. of retarded pupils	全児童生徒数に占める特殊学級・促進学級児童生徒数の割合　A ％
計　Total	1,632	1,398	234	0.73
小学校　Ele, Sch.	1,456	1,222	234	1.01
中学校　J.H.S	176	176	—	0.22

A＝Percentage of no. of Feeble & retarded pupils to total.

8 育英事業

　沖縄の復興はまず人材の養成からということから育英奨学事業は戦後直ちに開始された。すなわち，当時本土の大学または専門学校を戦争のため途中で学業の中退を余儀なくされ帰郷した学生を，米政府の援助で学資の全額を支給して本土の大学に再就学されるという契約学生制度が，1949年に発足した。以来，学業成績の優秀な生徒を本土大学に入学せしめ，卒業後沖縄の指導者として育て上げていく，このような制度及び事業は，年々拡大充実され，沖縄のすべての青少年の夢と希望をささえて今日に至っている。
　現在，沖縄の高校生を文部省で試験を実施し，本土の国・公立大学に配置し，学資を国費で支給している国費学生が毎年170人も採用されており，総数では658人（大学院を含む）に達している。また，採用・配置は国費学生と同じで，自費で学業をつづけている自費学生も517人に及んでいる。このほか，奨学制度として，高校，大学特別奨学制度が本土政府の援助で実施されており，沖縄内の高校生746人，大学生448人がこの恩恵をうけ，学業に励んでいる。
　このような育英奨学事業は，特殊法人である琉球育英会がすべての業務を担当している。

8. SCHOLARSHIP PROGRAM

　From the viewpoint that the rehabilitation of postwar Okinawa should begin with the education of youth, the Student Aid System started immediately after World War II; the first scholarship program began with the assistance of the USCAR in 1949, under which program the students who were forced to quit universities and collages by the war were able to return to school again.
Since then, such a scholarship program has been promoted for the purpose of having more able leaders by receiving higher education in the universties of Japan. The high school graduates can take examinations given by the Ministry of Education in Japan. Every year 170 freshmen students are admitted into the Japanese national universities by scholarship. There are no less than 658 students on scholarship in total. On the other hand, 517 students are now attending universities by the recommendation of the Ministry of Education, Japan, by their own expense. In addition, chart (2) shows the number of students of high schools and universities located in Okinawa who receive the scholarships given by Japan National Scholarship Society. The Ryukyu Scholarship Society coordinates this program with Japan.

8 育英事業 SCHOLARSHIP PROGRAM

(1) 国費, 自費, 大学院沖縄学生数
Number of students supported by Japan scholar-Ship society

区分 Classification	学年度 School year	1965	1966	1967
計	Total	964 (244)	1,112 (306)	1,175 (292)
国費学部学生	University students	409 (125)	510 (150)	604 (170)
国費大学院学生	Post-graduate students	43 (12)	45 (12)	54 (12)
自費学部学生	Students by their on expense	512 (107)	557 (144)	517 (110)

(2) 奨学学生数
No. of students specially supported by Japan scholar-ship society.

区分 classification	学年度 school year	1965	1966	1967
計	Total	954 (405)	1,066 (369)	1,250 (506)
高校特奨生	High school students	643 (284)	639 (215)	746 (330)
大学特奨生	University students	254 (105)	366 (136)	448 (165)
貸与学生	Loan students	27 (11)	30 (11)	21 (−)
依託学生	Supported by civil firms	30 (5)	31 (7)	35 (11)

注：1　( ) 内の数字はその年度の採用人員で内数である。
　　　The number in parenthes is number of students admitted in the year.
　　2　学生数は　1965年度は3月末現在で1966年度は9月現在, 1967年度は7月1日現在の数である。
　　　The number of students in 1965 due to the report of May, 1966 due to the report of September, 1967 due to the report of July 1st.
　　3　国費, 自費学生共にインターン生を含む
　　　Medical Intern students are included in national scholarship students.

9 社会教育

　社会教育も学校教育と同じように，振興の障害となっている幾多の問題点をかかえている。その最も大きなものとして施設の未整備があげられる。

　現在，主なる社会教育施設としては，政府立の博物館1，図書館3，青年の家1が開設されているにすぎない。公民館は600館あり，地方の社会教育活動の中心となってはいるが，系統的，効率的な活動の推進を図るため，市町村単位の公民館設置が強く望まれている。社会体育施設も貧弱で，整備の途上にある総合競技場のほかには地方の社会体育施設は皆無といってよい。

　指導者の養成を中心とする中央の社会教育活動は文教局が行なっているが，地方では，連合教育区に社会教育主事49人が配置され，地方の社会教育振興の推進役として活動している。

10　文化財保護事業

　文化財保護行政は，文教局の外局である文化財保護委員会が担当している。現在，文化財として指定されている件数は59件で，史跡・名勝・天然記念物として指定されている件数は103件となっている。

9. SOCIAL EDUCATION

　Social education has many difficulties for its advancement as well as school education. The biggest one is the shortage of educational establishments. The number of establishments or buildings are shown on the chart on the next page. Six hundred public halls are built in local villages. Therefore, it is desired that one city or united villages has its own big hall to promote social education intensively. Establishments for sports are also very poor. There is only one central stadiam. The other four local stadiums are in very poor condition. The Education Department of the GRI is responsible for taking control of social eucation, and trainning leaders. In the Union District Eoard of Education, 49 social education supervisors are appointed to promote local social education.

10. PROTECTION OF CULTURAL PROPERTIES

　Cultural Properties Preservation committee takes care of the preservation of cultural and historical properties. The number of properties is shown in the chart on the next page.

| 9 社会教育 SOCIAL EDUCATION | 10 文化財保護事業 PROTECTION OF CULTURAL PROPERTIES |

9 社会教育 Social Education

施設 Establishments (1967)

公民館 Public hall	博物館 Museum	図書館 Library	青年の家 Youth center	母子福祉センター Child & Mother-nal center	沖縄少年会館 Okinawa Juvenile center	総合競技場 central stadium	地方体育施設 local stadium
600	1	3	1	1	1	1	4

学級 Classes (1967)

区分 Classification	青年学級 Youth class	社会学級 Adult class	家庭教育学級 Mother class
学級数 Number of classes	37	217	60
学級生数 Number of pupils	1,554	11,446	2,000

10 文化財 Cultural Properties (1967)

美術・工芸品・建造物等 Historical Buildings & others

区分 Classification	指定件数 No. of designation
計 Total	59
建造物 Historical buildings	23
彫刻 Sculptures	10
絵画 Picture	1
工芸 Industrial arts	16
古文書典籍 Ancient manuscripts and books	9

史跡・名勝・天然記念物 Historical sites & others

区分 Classification	指定件数 No. of designation
計 Total	103
史跡 Histrical sites	59
名勝 scenic beauties	8
天然記念物 Natural monuments	36

Ⅱ　沖縄教育の課題と将来への展望

　Ⅰにおいては，沖縄教育の各分野における現況を本土のそれと対比しつつ概観してきたが，結論としていえることは，沖縄教育の現況には，戦後二十有余年の間政府・教育関係者・全住民の懸命なる努力にもかかわらず，教育条件並びに教育環境の整備について，本土と比べて未だに大きな較差がみられることである。
　このことは沖縄問題懇談会の答申書にも指摘されているように，沖縄における教育財政の貧困さに基因するものであることは諸統計の示すところであり，疑いのない事実である。
　これら本土との教育上の較差を可及的速やかに是正し，他日，施政権の返還実現までの間に実質的な教育の本土との一体化をはかっていくことは沖縄教育の当面している至上課題となっている。
　教育環境の整備については，施設・設備の充足促進が先ず取り上げられる。基本施設である校舎においてさえ，基準の70％に満たない現状であり，屋内運動場・水泳プールの設置率の本土水準到達など学校施設の充実には多額の資金が必要とされている。設備・備品の充足についても同様である。
　さらに，教育内容の改善充実，教職員の資質の向上のための現職教育，教員養成，社会の要請にこたえるための後期中等教育の拡充並びに多様化，幼稚園教育の振興，特殊教育の拡充，大学教育の充実，社会教育の振興など，沖縄教育の推進向上をはかるために解決していかなければならない幾多の問題をかかえている。
　これらの課題を解決し，実質的な教育の一体化をはかっていくためには長期の展望に基づく教育振興のための総合計画の早急な確立が強く望まれているところである。
　もとより，これらの計画の実践には，それに伴なう財政的な裏付けが緊要であり，これをすべて琉球政府の力のみでするには，余りにも負担が過重となってくる。
　幸いにして，昨年11月の佐藤，ジョンソン会談における日米共同声明にもあるとおり，沖縄の祖国復帰を前提として，その間に復帰の際の困難を少くするため，沖縄の住民及びその制度の本土との一体化をすすめ，沖縄住民の経済的・社会的福祉を増進するための措置を講ずることについての合意が得られている現時点においてはこれらの計画の樹立並びに遂行についても極めて明かるい見通しが立てられているとみてもよい。
　従って，沖縄教育の将来は，この計画の実践を通して，制度的，内容的にも実質的な一体化がはかられていくかどうかにすべてがかかっているといっても過言ではない。

II Present Educational problems to be solved and A Vision of Future Education in Okinawa

The outline of the prevailing educational conditions in various fields in Okinawa may be followed in Part I in comparison with those of Japan, and it would be a logical conclusion that the education in Okinawa is decidedly inferior to that ef Japan especially in point of manpower and material resourses, in spite of all the efforts made by the government, educators and persons concerned, and all the people of Okinawa for the last over twenty years.

This is undoubtedly because of the shortage of educational finance as indicated on the statistics figures in part I. Now it is the most pressing problem for us to find a prompt solusion of such inferiorities in education and to integrate them to those of Japan before the US.A. administrative authorities over Okinawa is returned to home land.

As to the present educational conditions, it is the most important problem, on which greater emphasis to be given, to increase the adequete and perfect edudational facilities and quipment. The percentage of school buildings fundamental to all school facilities is below 70% of the standard fixed by law. In addition, a great outlay of funds are requested to build gymnasiums, swimming pools, and to furnish school facilities and equipment, toward attaining the level of those in Japan. The improvement and perfection of quality of education, in-service education and teacher trainning for the promotion of teacher' s ability, the diversity of upper secondary high school courses with the view to meeting social demands, the extension and perfection of kindergarten, special, social and university education,-- these prevailing pressing problems to be solved towards the betterment of education in Okinawa have been left unsolved.

For the purpose of solving these problems and equalizing them with those of Japan, here exists the importance of devising and carring out the All-out Education Program based on wider visions of future education in Okinawa. But needless to say, this program can not be carried foreward without providing sufficient educational finance, and at present it is beyond the financial ability of the Government of the Ryukyu Islands to extend this program and put it into sound practice.

Fortunately, as stated in Joint Communique between president Lyndo B. Johnson and prime Minister Seisaku Sato of Japan following talks in washigton D.C., the concerted measures to clear away all these educational difficulties which will arise at the time of Reversion of Okinawa to Japan, to integrate all the systems in Okinawa to the level of those in Japan, and to promote financial, social welfare, have been teken. Now there is a bright prospect of this program beeing actually realized, and it is no exageration to say that the future education in Okinawa may be greatly influenced by this Program.

番号 No.	教育区名 District School Board		人口 Population 1965.10	公立学校数 Public Sch 小学校 Ele.S	中学校 J.H.S	番号 No.	教育区名 District School Board		人口 Population 1965.10	公立学校数 Public Sch 小学校 Ele.S	中学校 J.H.S
	総計	Total	934,176	237	151		那覇	Naha Union District Sch. Board	305,940	35	1
	北部 連合区	Northern Union District Sch. Board	118,912	63	43	31	浦添	Urasoe	30,821	4	
1	国頭	Kunigami	9,192	9	7	32	那覇	Naha	257,177	22	1
2	大宜味	Ogimi	5,552	4	4	33	具志川	Gushikawa	5,922	2	
3	東	Higashi	2,721	3	3	34	仲里	Nakazato	8,124	5	
4	羽地	Haneji	8,365	4	2	35	北大東	Kitadaito	962	1	
5	屋我地	Yagaji	3,349	1	1	36	南大東	Minamidaito	2,934	1	
6	今帰仁	Nakijin	12,531	5			南部 連合区	Southern Union District Sch. Board	115,805	30	2
7	上本部	Kami-motobu	4,589	3		37	豊見城	Tomigushiku	11,082	3	
8	本部	Motobu	15,068	8	7	38	糸満	Itoman	34,065	7	
9	屋部	Yabu	4,345	3	1	39	東風平	Kochinda	9,499	1	
10	名護	Nago	19,601	4	2	40	具志頭	Gushikami	6,713	2	
11	久志	Kushi	5,935	5	5	41	玉城	Tamagushiku	9,532	3	
12	宜野座	Ginoza	3,944	1		42	知念	Chinen	5,765	2	2
13	金武	Kin	9,191	3	1	43	佐敷	Sashiki	8,000	1	
14	伊江	Ie	7,059	2		44	与那原	Yonabaru	8,740	1	
15	伊平屋	Iheya	3,083	4	2	45	大里	Ozato	6,771	1	
16	伊是名	Izena	4,387	2	1	46	南風原	Haebaru	9,913	1	
	中部 連合区	Central Union District Sch. Board	271,682	54	29	47	渡嘉敷	Tokashiki	1,039	2	2
17	恩納	Onna	7,783	5	5	48	座間味	Zamami	1,428	3	3
18	石川	Ishikawa	15,958	3	1	49	粟国	Aguni	2,011	1	
19	美里	Misato	21,785	4	2	50	渡名喜	Tonaki	1,247	1	1
20	与那城	Yonashiro	15,014	5	3		宮古 連合区	Miyako Union District Sch. Board	69,825	21	17
21	勝連	Katsuren	12,228	5		51	平良	Hirara	32,591	10	7
22	具志川	Gushikawa	35,453	7	3	52	城辺	Gusukube	14,559	4	4
23	コザ	Koza	55,923	6	3	53	下地	Shimoji	5,206	2	2
24	読谷	Yomitan	20,537	4		54	上野	Ueno	4,603	1	1
25	嘉手納	Kadena	14,392	2		55	伊良部	Irabu	10,263	2	2
26	北谷	Chatan	9,957	2		56	多良間	Tarama	2,603	2	1
27	北中城	Kitanakagusuku	8,668	1			八重山 連合区	Yaeyama Union District Sch. Board	52,012	34	22
28	中城	Nakagusuku	10,091			57	石垣	Ishigaki	41,315	17	9
29	宜野湾	Ginowan	34,573	4	2	58	竹富	Taketomi	7,026	14	11
30	西原	Nishihara	9,320	2	1	59	与那国	Yonaguni	3,671	3	2

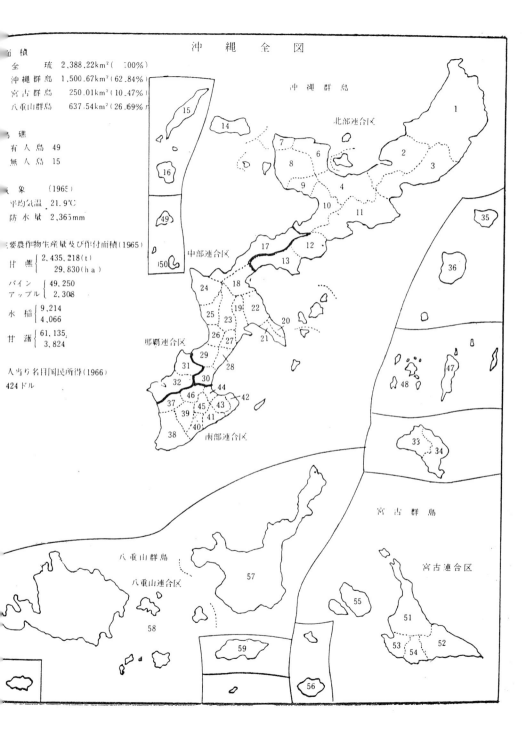

沖縄教育の概観

別冊6

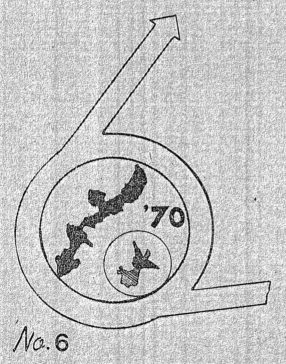

'No.6

文　教　局

1970年度

沖縄教育の概観

文 教 局

(注) ① 資料中、全国とは全国平均のことで、類似県とは本土における次の各県を便宜上類似県とみなし、その平均をとった。

(昭和43年)

区分		学校数					在学者数				
		幼稚園	小学校	中学校	高校	特殊学校	幼稚園	小学校	中学校	高校	特殊学校
類似県	島根	114	398	161	61	7	10,307	79,412	47,793	39,216	537
	徳島	239	338	146	58	4	14,812	79,652	48,738	39,591	635
	高知	29	440	209	56	6	3,050	73,831	43,093	33,720	645
	佐賀	100	231	100	40	3	9,992	95,533	57,238	48,073	606
	宮崎	108	328	167	56	4	10,675	124,919	73,568	53,281	595
沖縄		93	241	155	37	6	13,139	141,989	77,756	53,412	819

区分		面積(昭42.10) km²	人口(昭40.10)	人口密度(1km²あたり)	就業人口の産業別構成比			1人当り県民所得(昭40)
					第一次	第二次	第三次	
					%	%	%	ドル
類似県	島根	6,625.74	821,620	124	40.9	20.1	39.0	485
	徳島	4,143.47	815,115	197	38.3	26.6	35.1	522
	高知	7,105.52	812,714	114	38.5	19.2	42.1	521
	佐賀	2,408.04	871,885	362	36.7	22.9	40.4	498
	宮崎	7,732.62	1,080,692	140	42.3	18.4	39.1	481
沖縄		2,388.2	934,176	391	32.7	17.4	49.9	424

② 年度のとり方は学校基本調査関係はその年度の5月1日現在をとり、予算関係は本土はその年度の4月1日から翌年の3月31日まで、沖縄は前年度の7月1日からその年度の6月31日までの期間である。

は じ め に

　この小冊子は，現在の沖縄教育について解説したものであります。

　これまで教育諸条件の整備及び本土並み水準到達のため中央教育委員会によって樹立された主要施策に基づいて，文教行政を行なってまいりました。

　しかしながら，それにはなお一層の日米援助が必要であります。

　沖縄教育の向上は，ひとり文教局だけでなしうるものでなく，広く教育関係者はもとより全住民が文教施策および諸制度の趣旨を理解され，ご協力くだされることが最も必要なことだと考えます。

　この小冊子のご利用により深い認識とご協力を得たいと念願しております。

　　１９６９年１１月

　　　　　　　　　文教局長　　中　山　興　真

も く じ

1 沖縄の概要 …………………………………………………… 4
2 教育行政 ……………………………………………………… 6
　(1) 教育行政組織 …………………………………………… 6
　(2) 中央教育委員会と文教局 ……………………………… 8
　(3) 地方教育委員会 ………………………………………… 8
3 教育財政 ……………………………………………………… 10
　(1) 教育財政制度 …………………………………………… 10
　(2) 教育予算 ………………………………………………… 12
4 学校制度 ……………………………………………………… 18
5 学校教育 ……………………………………………………… 20
　(1) 学校概況 ………………………………………………… 20
　(2) 小・中学校 ……………………………………………… 22
　(3) 高等学校 ………………………………………………… 28
　(4) 特殊学校 ………………………………………………… 30
　(5) 大　学 …………………………………………………… 32
　(6) 幼稚園 …………………………………………………… 34
　(7) 各種学校 ………………………………………………… 34
6 学校保健 ……………………………………………………… 36
7 卒業後の状況 ………………………………………………… 38
　(1) 卒業後の進路別状況 …………………………………… 38
　(2) 進学状況 ………………………………………………… 38
　(3) 進学率 …………………………………………………… 38
8 教職員 ………………………………………………………… 40
　(1) 職名別教員数 …………………………………………… 40

	(2)	男女別教員構成……………………40
	(3)	負担別職員数………………………40
	(4)	教員の年令別構成……………………42
	(5)	免許状所持状況………………………42
	(6)	教員給料平均月額……………………42
9	学校施設設備………………………………44
	(1)	学校施設…………………………………44
	(2)	学校備品…………………………………46
10	育英奨学事業………………………………48
11	社会教育……………………………………50
	(1)	社会教育関係職員……………………50
	(2)	社会教育施設…………………………50
	(3)	社会教育学級…………………………50
	(4)	文化財保護事業………………………50

（参考資料）

1. 学校概況……………………………………54
2. 卒業後の状況………………………………60
3. 公教育費1人当り額………………………64
4. 戦後教育関係年表…………………………66

1　沖縄の概要

　沖縄（県）は，沖縄・宮古・八重山の3群島からなり，気候は亜熱帯気候に属している。総面積は2,388km²で，沖縄群島がその62.8％を占めている。耕地面積は総面積の24％で，砂糖きび・パイナップルが主要農作物となっている。また，沖縄における米軍用地は総面積の8.7％（沖縄本島では13.8％）を占めていることは注目すべきことである。

　総人口は約97万2千人（1968年）で年約1.3％も増加し，その約30％（28万3千人）が那覇市に集中している。

　政治的にみると，沖縄（県）は第二次世界大戦後，日本政府の行政権から分離され，1951年に調印された対日平和条約第3条に基づいて合衆国が施政権を行使している。この3条によって譲渡された三権（立法・行政・司法）は，合衆国大統領の指揮監督に従って国防長官が行使し，大統領行政命令によって，国防長官は琉球列島に関する外国および国際機構との交渉について責任を負うことが規定されている。国防長官の管轄のもとに琉球列島米国民政府（ユースカ）があり，その長であるとともに，沖縄における施政の最高責任者である高等弁務官は，沖縄駐留米国軍隊の司令官も兼ねている。

　沖縄住民の中央自治機構としては，琉球政府があり，地方自治としては59の市町村が置かれている。

　沖縄県民は日本国籍を有しながら，日本国憲法の適用外におかれ，戦後20余年もの間きわめて特異な状態のもとで，本土復帰の日を待ちつづけてきた。去る11月22日の日米共同声明によって1972年度中に本土復帰が実現することになり，復帰に備えてその体勢づくりが急がれている。

1 沖縄の概要

位置

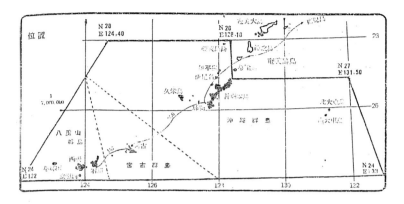

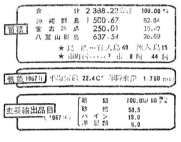

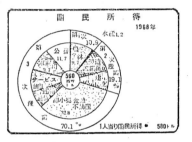

人口

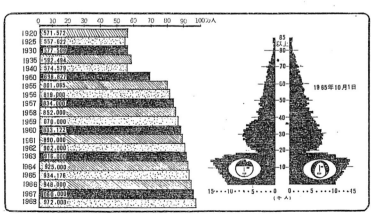

2 教育行政

(1) 教育行政組織

　沖縄の教育行政組織は本土とかなり異なっている。教育行政がすべて委員会制度によって運営されていることは本土と同じであるが、大学を除くすべての中央の教育行政は琉球政府行政府の長である行政主席より独立した中央教育委員会が最高の責任を負っている。中央教育委員会委員は6つの選挙区から区教育委員の選挙によって選出され、委員数は11人、任期は4年、2年毎にその半数が改選される。

　地方教育については、市町村を同一区域とする法人格を持つ教育区（59）が設定されており、教育区住民により公選される教育委員の構成する区教育委員の構成する区教育委員会がこれを担当している。委員数は各教育区5人（那覇教育区は7人）で、任期は4年で2年毎に半数が改選される。

　さらに、これら59の教育区は、地方教育の指導管理を共同処理することにより行政の効率化を図るため6つの連合教育区を組織している。

　連合教育区も法人で、連合委員会は連合区を構成する教育区の委員の代表によって組織されている。

　これまで概観したように、沖縄の教育行政制度は委員の公選制をはじめとして、委員会の組織、職務、権限等の上で、本土の場合とかなり相違していることになる。本土復帰の際には教育委員会制度の大幅な改組が必要となってくる。

　一方、大学教育行政は、行政主席の任命による琉球大学委員会、私立大学委員会が構成するそれぞれの委員会によって運営されている。

2 教育行政

(1) 教育行政組織

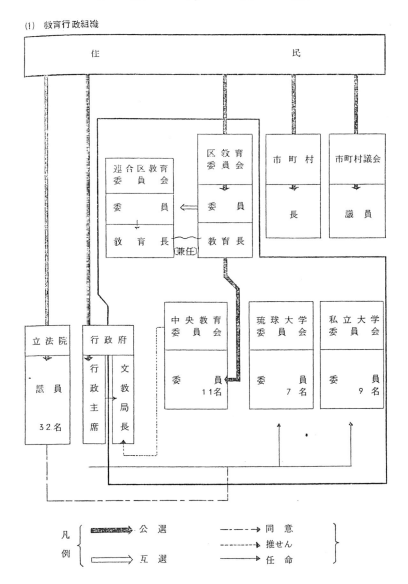

(2) **中央教育委員会と文教局**

　中央教育委員会の委員は6選挙区の教育長の事務管理のもとで、区教育委員の選挙によって選出される。選挙区は、北部地区（2人）、中部地区（3人）、南部地区（2人）、都市地区（2人）、宮古地区（1人）、八重山地区（1人）となっている。

　中央教育委員会のおもな業務は、教育政策の樹立・教育課程の基準の設定・政府立教育機関の管理・地方教育委員会への指導助言などとなっている。

　文教局長は中央教育委員会の推せんを得て、行政主席が任命し、中央教育委員会へ教育専門家としての助言をなすと同時に中央教育委員会の設定した教育政策の執行責任者でもある。従って文教局は行政府の一機関であり、かつ中央教育委員会の事務局ともなっている。文教局は3部10課で組織され131人の教育専門職員・事務職員が勤務している。

(3) **地方教育委員会**

　区教育委員会は中央教育委員会の教育政策に基づき、教育区内の公立学校（幼稚園・小学校・中学校）の管理運営ならびに社会教育を行なっており、所轄の学校の教職員の人事権を有している。

　地方教育委員会には、それぞれ教育長が置かれているが、連合区教育委員会の教育長は構成教育区の教育長をも兼ねている。教育長は中央における文教局長と同じく、地方教育委員会への助言者であり、事務執行責任者でもある。

　連合教育委員会事務局にも指導主事、管理主事等の教育専門職員が配置されており、管下の教育区の教育指導、管理事務を担当している。

(2) 中央教育委員会と文教局

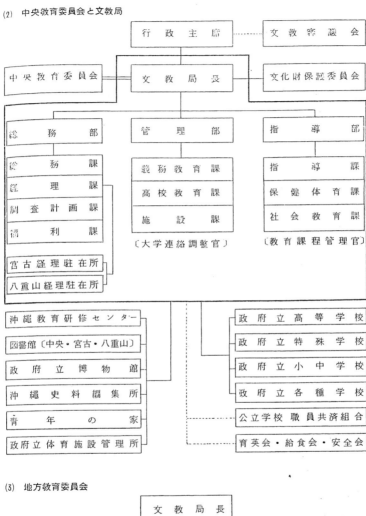

(3) 地方教育委員会

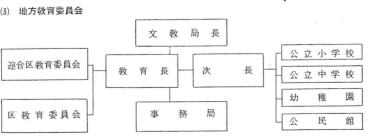

3 教育財政

(1) 教育財政制度

　教育財政制度は，中央・地方とも教育費の一般需要に応ずる独自の財源はもたず，政府・市町村の一般財源の一部が充当されるという形をとっている。

　予算制度は中央・地方ともほゞ似ているが，中央の教育予算が政府の一般会計予算に包括されているのに対し，地方では市町村予算と別箇の教育予算を編成している。

　予算編成の過程としては，中央の教育予算は文教局長が見積書を作成し，中央教育委員会の承認を得て行政主席の統合調整に供し，行政主席が一般会計予算案として立法院の審議に付すという順序で，これが一般に参考案と呼ばれ立法院での審議の後，可決を経て主席の署名公布となる。

　一方地方の教育予算は区教育委員会が見積書を作成して，市町村長に送付し，市町村長が市町村予算と財源上の調整をして市町村議会の審議に付すという過程を経る。地方教育区における教育費の財源は，政府補助金や教育区債などのその使途が決定もしくは限定された「特定財源」と市町村負担金やその教育区の諸収入のように教育区が独自に使用できる，いわゆる「一般財源」に大きく区分できる。市町村負担金は1967年度の教育税廃止に伴なう市町村交付税制度によるもので，教育区の財源の主体をなしている。市町村交付税制度は従来の教育税制度の中でその地域的較差のため困窮を極めていた教育区の財政に対し，一定の標準的行政水準が保てるように配慮された点は沖縄の教育振興の上で大きく寄与したといえよう。

3 教育財政

(1) 教育財政制度
　(ア) 中央（文教局）の予算編成過程

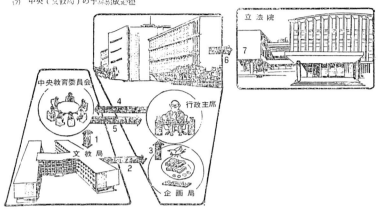

　(イ) 地方教育区の予算編成過程

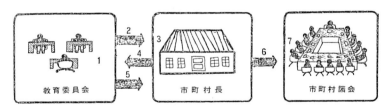

　　　1　予算見積書の作成
　　　2　予算見積書の送付
　　　3　統合調整
　　　4　減額修正の場合に意見を求める
　　　5　減額修正に対する意見書の送付
　　　6　議会へ送付
　　　7　審議決定

(2) 教育予算

(ア) 国民所得と公教育費総額

その地域における住民の教育に対する関心度や経済的努力の度合を示すものの一指標として，国民所得に占める公教育費総額の比率があげられる。

沖縄の公共機関から支出された教育費の総額は，1968年度は約4千3百万ドルで，この額は同年度の国民所得約5億6千万ドルの7.8％を占めている。この比率は本土（昭和41年度5.4％）や諸外国と比べても決して低い数字ではなく，それだけ住民が教育に対して経済的に最大の努力を払っていることを示している。

もとより貧困な琉球政府の予算規模や低い国民所得の中の比率で，教育に対する住民の関心度を比較することには異論もあろうが，開発すべき自然資源が現在のところ乏しいことや，今次大戦で多くの人材を失った歴史の中から，教育による人材養成が，いかに重要であるかを住民のひとりびとりが充分に理解しているといえよう。

(イ) 政府総予算と文教局予算

1970年度琉球政府一般会計歳出予算総額は170,785,000ドルで，このうち文教局予算額は48,332,167ドルで政府総予算に占める比率は28.3％となっている。

この比率を過去にさかのぼってみると，1962年度の36.8％を最高に，1957年度の26.6％を最低として大体30％台を前後している。

政府総予算の中においても教育予算は最優先され，行政府自体としてもかなりの努力を払っているとはいえ，政府予算の規模が本土相当県の水準に比較して小さい所に問題がある。

(2) 教育予算

(ア) 国民所得と公教育費総額

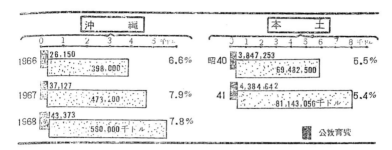

	沖縄		本土	
1966	26,150 / 398,000	6.6%	昭40 3,847,253 / 69,482,500	5.5%
1967	37,127 / 473,200	7.9%	41 4,384,642 / 81,143,056 千ドル	5.4%
1968	43,373 / 560,000 千ドル	7.8%		

公教育費

(イ) 政府総予算と文教局予算

年度	(政府総予算)	(文教局予算)	構成比
	千ドル	千ドル	%
1954	14,814	4,164	28.1
1955	16,114	4,673	29.0
1956	16,687	5,052	30.3
1957	20,029	5,334	26.6
1958	22,068	6,846	31.0
1959	22,523	7,092	31.5
1960	25,547	8,368	32.8
1961	26,966	9,541	35.4
1962	32,936	12,110	36.8
1963	42,128	14,257	33.8
1964	48,730	16,122	34.0
1965	54,756	18,618	33.0
1966	66,375	23,674	35.7
1967	92,350	30,391	32.9
1968	111,282	34,237	30.8
1969*	147,970	43,793	29.6
1970*	170,785	48,332	28.3

＊予算額

(ウ) 中央・地方の教育予算

　中央における教育関係予算は，1970年度で文教局，琉球大学を合わせて5千2百万ドルとなっている。これを琉球政府総予算額1億7千百万ドルの比率でみると30.4％となっている。次に前年度と比較すると，政府総予算が15.5％の伸長率を示しているのに対して，文教局10.6％・琉球大学21.4％の伸長率で教育関係全体としては11.1％の伸長率を示している。
　地方の教育予算は教育区の4千2百万ドルと連合区の80万ドルが計上されているが教育区予算に含まれている連合区分担金29万7千ドルが重複しているので，実質的な地方の教育予算は4千239万ドルになる。

(エ) 文教局および教育区予算の分野別・財源別区分

　文教局予算のうち，その91.6％（約4千430万ドル）が学校教育費（幼稚園・小学校・中学校・特殊学校・高等学校・各種学校）にあてられている。財源別にみると，琉球政府の自己財源が48.3％（2千333万ドル），日本政府援助が34.3％（1千658万ドル），米国政府援助が17.4％（843万ドル）となっており，とくに近年における本土政府援助の増加は沖縄の教育水準を高める上で大きな効果をもたらしている。しかしながら，教育諸条件のうちでも，学校施設・設備等については本土との較差是正の上から，より一層の援助が望まれている。
　一方，地方（教育区）の予算においても学校教育費が大部分（93.9％）を占めていることは中央と同じである。教育区の予算はその財源の75.9％を政府支出金が占め，更に交付税が含まれている市町村負担金まで考慮すると，地方教育に対する政府からの財源補充はかなり大きな比重を占めていることになる。

(ウ) 中央・地方の教育予算

1970年

中　央		地　方	
計	51 914 741	計	42 688 168
文 教 局	48,332,167	教 育 区	41,883,206
琉 球 大 学	3,582,574	連 合 区	804,962

(注) 教育区の予算中、連合区分担金 297 千ドルが含まれている。

(エ) 文教局および教育区予算の分野別・財源別区分

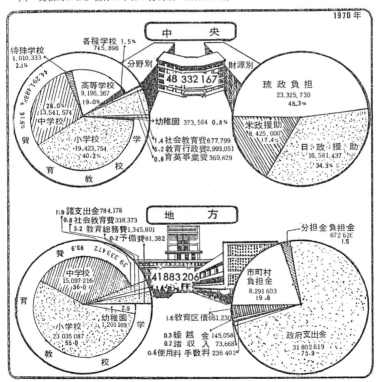

(オ) 文教局予算の支出項目別内訳

1970年度の文教局予算48,332,167ドルのうち,文化財保護委員会関係予算を除いた48,245,842ドルを支出項目別にみると,教職員給与や旅費,消耗品費などの消費的支出が全体の81.5％を占めている。一方,学校建設費や土地購入・備品費などの資本的支出は18.5％となっている。これらの項目のうち,教職員給与費及び学校建設費は政府がその負担を義務づけられたいわゆる義務経費であり,両者で86.4％もの大きな比重を占めていることになる。

(カ) 教育分野別教育費総額（大学経費を除く）

1968年度の教育費総額（大学経費を除く）は約4千177万ドルとなっている。このうち公共機関から支出されたいわゆる公費が95.7％,寄付金・PTA等父兄が負担した私費が4.3％となっている。教育分野別にみて,私費の占める割合が本土（1967年）より高いのは,小学校・中学校・特殊学校・高校通信制・社会教育の分野である。このうち,特に社会教育費について,沖縄の私費が高率を示しているのは,未公認幼稚園等の教職員給与費が社会教育費として計上され,私費のほとんどがこれに該当しているからである。

(キ) 生徒（人口）1人当り公教育費

教育財政水準を示すといわれている公教育費1人当り額を本土と比べると,小学校60％,中学校71％,高校全日86％でかなり低い水準にある。このような結果にある理由として沖縄の場合教育人口が本土に比べて比率が高いこと,政府・地方を通ずる財政力が弱いことなどがあげられる。

(サ) 文教局予算の支出項目別内訳（1970年）

計 (文化財を除く文教局予算)	40,245,842 ドル
消費的支出	39,298,757
1 教職員給与	35,003,423
2 そ の 他	4,295,334
資 本 的 支 出	8,947,085
1 学 校 建 設 費	6,670,762
2 そ の 他	2,276,323

(カ) 教育分野別教育費総額（大学経費を除く）

区　分	沖縄（1968年）					本土（1967年）	
	計 A	公費 B	私費 C	B/A	C/A	B/A	C/A
総　　額	41,767,451ドル	39,963,469	1,803,982	95.7%	4.3%	97.2%	2.8%
学 校 教 育 費	40,027,584	38,394,444	1,633,140	95.9	4.1	96.9	3.1
幼 稚 園	877,485	829,854	47,631	94.6	5.4	93.8	6.2
小 学 校	17,482,400	16,920,382	562,018	96.8	3.2	98.4	1.6
中 学 校	11,934,079	11,543,871	390,208	96.7	3.3	98.0	2.0
特 殊 学 校	603,420	594,497	8,923	98.5	1.5	99.4	0.6
高校（全日）	7,455,752	6,870,370	585,382	92.1	7.9	92.0	8.0
（定時）	621,735	590,435	31,300	95.0	5.0	94.1	5.9
（通信）	6,782	6,620	166	97.6	2.4	99.0	1.0
各 種 学 校	1,045,927	1,038,415	7,512	99.3	0.7	98.6	1.4
社 会 教 育 費	351,669	180,827	170,842	51.4	48.6	99.9	0.1
教 育 行 政 費	1,388,198	1,388,198	—	100.0	0.0	100.0	0.0

(キ) 生徒（人口）1人当り公教育費

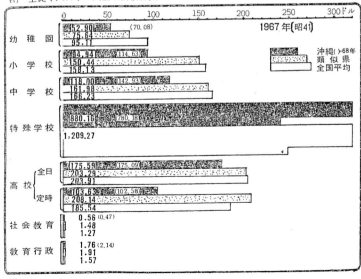

4 学校制度

　戦後まもない1948年に6・3・3制度が確立されて以来,本土と全く同じ教育制度及び教育内容で日本国民としての学校教育が行なわれている。

　すなわち,小学校の6か年と中学校の3か年の計9か年が義務教育で,その就学率は99.7％に達している。

　中学校より高等学校への入学には選抜試験が実施されているが,中学校卒業者の半数以上が高等学校に進学している。高等学校から大学へは,沖縄内の5つの大学のほかに,本土の大学にも5,000人前後の学生が在学している。

　本土の学校制度と若干異なっている部分に,沖縄には産業技術学校及び商業実務専門学校のいわゆる政府立各種学校がある。本土復帰をひかえ,現在これらの学校については高校への移行が検討されている。

　小・中学校では普通教育が,高等学校では高等普通教育及び専門教育が行なわれており,このほかに幼稚園教育,心身の障害ある者のための特殊教育も実施されているが,これらの分野における学校教育は,まだじゅうぶん充実した状態にはなく,今後の整備がのぞまれている。

　高等学校以下の学校の教員は免許制度がとられており,大学卒で教職の科目を履習した者に免許状が与えられ,かつ,原則として文教局の行なう教員候補者選考試験に合格した者が採用されることになる。

　なお,教員採用における任命権者は,政府立学校においては,中央教育委員会が,公立学校においては区教育委員会となっている。

4 学 校 制 度

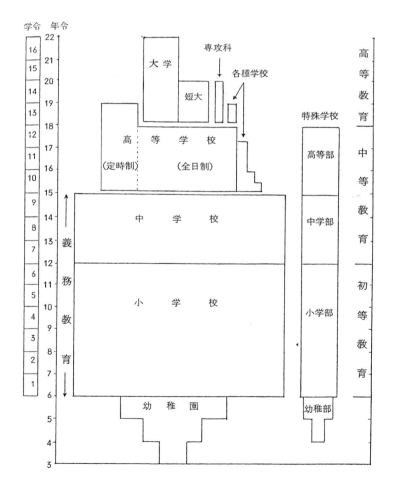

5　学校教育

(1) 学校概況

　幼稚園から大学までの学校数は，1969年5月現在で602校を数えており，幼児・生徒・学生の数は昨年度が約30万人であるのに対して1969年度は約31万人となっている。沖縄内で就学している全生徒数は人口の31％に及んでいる。教員数は約1 2万人となっている。

　学校の設置者別でみると，幼稚園・小・中学校は公立（教育区立）がそのほとんどを占めており，高等学校は政府立34校，私立4校，特殊学校はすべて政府立である。大学は政府立の琉球大学のほかに私立の大学・短大が4校設置されている。

　一般にいえることは，大学を除いて私立の学校が少ないことである。この点から，沖縄の場合政府立，公立の学校整備を進めるとともに，私立学校の振興を図ることが今後の大きな課題である。

　沖縄の学校教育のもう一つの特色は，義務教育就学者数が極めて多いことである。本土では小・中学校生徒数の全人口に占める比率が15％であるのに対して，沖縄では24％と極めて高い率を示している。沖縄は総人口，約93万人（1965年）に対し小中学校生徒数は約21万人（1969年）である。この生徒数に相当する県は三重県（151万人）や山口県（154万人）である。このことは，現段階において，教育にかかる経費をより多く必要とし，教育条件の本土並み引上げを遅らせている原因の一つともなっている。なお，産業教育の振興を促進するため，政府立各種学校が6校（工業5，商業1）が開設されているが生徒数は 1.378人となっている。

5 学校教育

(1) 学校概況　　　　　　　　　　　　　　　　( )晉は大学に併設数で内数

区分		学校数 計	学校数 本校	学校数 分校	学級数	教員数（本務）	在学者数
幼稚園	1968年度	〔93〕	〔93〕	〔―〕	〔354〕	〔360〕	〔13,139〕
	1969年度	107	107	―	393	410	14,963
	公立	93	93	―	348	349	13,331
	私立	14	14	―	45	61	1,632
小学校	1968年度	〔241〕	〔229〕	〔12〕	〔3,861〕	〔4,795〕	〔141,989〕
	1969年度	234	230	13	3,840	4,816	139,010
	政府立	2	2	―	3	3	9
	公立	239	226	13	3,828	4,803	138,766
	私立	2	2	―	9	10	235
中学校	1968年度	〔155〕	〔154〕	〔1〕	〔1,949〕	〔3,450〕	〔77,756〕
	1969年度	155	154	1	1,922	3,439	75,931
	政府立	3	3	―	17	34	674
	公立	151	150	1	1,902	3,401	75,160
	私立	1	1	―	3	4	25
高等学校	1968年度	〔37〕	〔37〕	〔―〕	〔1,154〕	〔2,260〕	〔53,412〕
	1969年度	38	38	―	1,193	2,419	54,271
全日制	小計	38	38		1,030	2,130	47,658
	政府立	34	34		917	1,907	41,891
	私立	4	4		113	223	5,767
定時制	小計	19	19		163	289	6,613
	政府立	18	18		161	287	6,566
	私立	1	1		2	2	47
	通信制	1	1	―	―	9	463
特殊学校	1968年度	〔6〕	〔4〕	〔2〕	〔97〕	〔156〕	〔819〕
	1969年度	6	4	2	109	166	903
	盲学校	1	1	―	17	27	102
	ろう学校	1	1	―	32	48	254
	養護学校	4	2	2	60	91	547
短期大学	1968年度	〔5〕	〔5(3)〕	〔―〕	〔―〕	〔24〕	〔1,937〕
	1969年度	5	5(3)	―	―	141	2,530
	政府立	1	1(1)	―	―	56	574
	私立	4	4(2)	―	―	85	1,956
大学	1968年度	〔3〕	〔3〕	〔―〕	〔―〕	〔278〕	〔6,309〕
	1969年度	3	3	―	―	504	6,924
	政府立	1	1	―	―	334	3,756
	私立	2	2	―	―	170	3,168
各種学校	1968年度	〔48〕	〔48〕	〔―〕	〔―〕	〔318〕	〔5,127〕
	1969年度	45	…	…	…	361	10,251
	政府立*	6	6	…	57	163	1,378
	私立	39	…	…	…	198	8,873

＊ 1968年

(2) 小・中学校
　(ア) 児童生徒数別学校数
　児童生徒数の多少は，その学校における教育効果の上で大きな関係をもっている。一般に学校教育上適正規模は全学級数が１２～１８学級であるとされ，児童生徒数では５００～７００人程度が望ましいことになる。沖縄の場合，小学校では大規模学校が，中学校では小規模及び大規模学校の占める比率が高い。

　本土と同様に人口の都市集中に伴なう過疎過密の現象は沖縄でも深刻化し，ここに学校の総合及び分離の問題が生じている。しかしながら，これらの問題はひとり教育行政当局のみの問題でなく，地域住民の教育的見地に立つ積極的な協力なくしては解決しえない問題である。

　(イ) 収容人員別学級数
　「義務教育諸学の学級編制及び教職員定数の基準に関する立法」の実施によって，児童生徒数の減少にもかゝわらず学級数は増加し，学級の標準規模も少なくなっているため，４６人以上の学級数も減少している。

　(ウ) 複式学級等児童生徒数
　複式学級及び単級に在籍している児童生徒数は小学校で，１,００７人，中学校で２２９人となっている。

　(エ) 特殊学級の設置状況
　特殊学級の設置状況をみると，学級数では小学校１４６，中学校３６学級となっている。児童生徒数では，小学校１,４５１人中学校３５３人で，その理由は精神薄弱によるものが多い。

(2) 小・中学校

(ア) 児童生徒数別学級数　　　　　　　　沖縄1969年　全国1968年（政府立/公立）

区　分		計	0〜49	50〜99	100〜199	200〜299	300〜499	500〜999	1,000〜1,499	1,500〜1,999	2,000〜3,000
小学校	実数	241	22	21	30	28	42	47	30	16	5
	比率	100.0	9.1	8.7	12.5	11.6	17.4	19.5	12.5	6.6	2.1
	(全国)	(100.0)	(15.1)	(11.6)	(18.5)	(13.2)	(15.0)	(17.9)	(7.1)	(1.5)	(0.1)
中学校	実数	154	23	17	25	15	20	29	15	8	2
	比率	100.0	14.9	11.0	16.2	9.8	13.0	18.8	9.8	5.2	1.3
	(全国)	(100.0)	(8.2)	(7.9)	(13.8)	(12.6)	(20.2)	(28.7)	(7.5)	(1.0)	(0.1)

（分校を含む）

(イ) 収容人員別学級数　　　　　　　　　　　　　　　　　　　１９６９年（公立）

区　分	小学校				中学校			
	計	単式学級	複式学級	特殊学級	計	単式学級	複式学級	特殊学級
計	3,828	3,618	64	146	1,902	1,852	14	36
15人以下	226	54	26	146	60	19	5	36
16〜20	88	70	18	—	30	26	4	—
21〜25	15	95	20	—	25	21	4	—
26〜30	261	261	—	—	77	76	1	—
31〜35	492	492	—	—	94	94	—	—
36〜40	1,188	1,188	—	—	373	373	—	—
41〜45	1,344	1,344	—	—	1,119	1,119	—	—
46	67	67	—	—	50	50	—	—
47	24	24	—	—	30	30	—	—
48	14	14	—	—	23	23	—	—
49	5	5	—	—	6	6	—	—
50	1	1	—	—	8	8	—	—
51人以上	3	3	—	—	7	7	—	—

（複式学級に単級を含む）

(ウ) 複式学級等児童生徒数（公立）1969年

区　分		小学校	中学校
複式学級	計	986	147
	2個学年	776	147
	3個学年	210	—
	4個学年	—	82
単級		21	82

(エ) 特殊学級の設置状況（公立）1969年

区　分			小学校	中学校
学級数	計		146	36
	精神薄弱		127	30
	混合		11	2
	促進		8	4
児童生徒数	学年別	計	1,451	353
		1年	1	146
		2年	90	116
		3年	282	91
		4年	405	—
		5年	413	—
		6年	260	—
	理由別	精神薄弱	1,299	312
		身体不自由	18	—
		身体虚弱	9	10
		弱視	4	—
		難聴	7	—
		促進	114	31

(オ) 児童生徒数の推移（全琉）

　小学校全児童数は１９６９年度で約１３万９千人，中学校全生徒数は７万６千人となっている。ベビーブームの影響による児童生徒数のピーク時（小学校は１９６１年約１６万５千人，中学校は１９６５年約８万３千人）がすぎ１９７４年までは毎年減少していく傾向を示している。１９７２学年度には，小学校約１２万８千人，中学校約７万１千人台になることが推計されている。

(カ) １学級当り児童生徒数（公立・政府立学校）

　公立小・中学校の学級編制基準の引き上げ計画は，１９６６学年度を初年次とする三ヵ年計画ではじめられた。その結果，１９６８学年の終了時点では，教職員定数及び学級編制基準は本土水準に到達した。

　政府立・公立小学校の学級数は３,８３１学級で，１学級当り児童数は３６.２人，中学校では学級数１,９１９学級で，１学級当り生徒数は３９.６人となっている。一学級当り児童生徒数で小学校より中学校が多いのは，特殊学級数が中学校は少ない（小学校１４６，中学校　６）ためである。

(キ) 教員１人当り児童生徒数（公立・政府立学校）

　政府立・公立小学校の教員は４,８０６人で教員１人当り児童数は２８.９人，中学校では教員３,４３５人に対して，教員１人当り生徒数は２２.１人となっている。

　教職員定数及び学級編制基準は本土と同一水準になっているが，小・中学校とも，学級当り児童生徒数及び教員１人当り児童生徒数に相異がみられるのは，沖縄と本土における学校の在籍数（学校規模）構成比の相異があるためである。したがって同一規模の学校間では本土沖縄でそれらについては相異はないことになる。

(ト) 児童生徒数の推移（全琉）

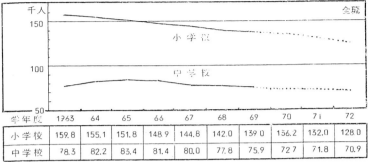

学年度	1963	64	65	66	67	68	69	70	71	72
小学校	159.8	155.1	151.8	148.9	144.8	142.0	139.0	136.2	132.0	128.0
中学校	78.3	82.2	83.4	81.4	80.0	77.8	75.9	72.7	71.8	70.9

(カ) 1学級当り児童生徒数（公立・政府立学校）

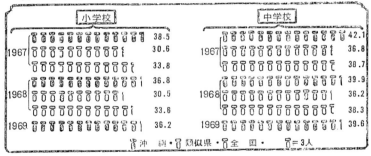

(キ) 教員1人当り児童生徒数（公立・政府立学校）

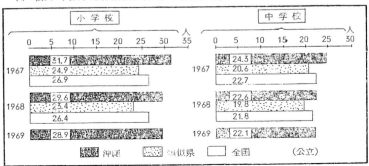

(ヌ)　へき地学校（公立）

①　学校概況

教育の機会均等の確保を図るため，教育条件の整備の一つとしてのへき地教育の振興は教育における最も主要な分野の一つである。現在，へき地教育振興法で指定されているへき地学校数は１２１校，児童生徒数は約２万２千人を数えている。

これは沖縄の全児童生徒数からみると約１０％もの児童生徒がへき地で教育を受けていることを示している。

文化・経済水準の遅れているへき地における経済は，またそれなりに困難な側面があり，教育振興策も特別な配慮が要求されよう。

②　へき地学校の施設設備

へき地教育で一つの問題点は教職員の住宅確保である。現在日米両政府の援助を得てへき地教員住宅建設に努力を重ねているが，１９６９年現在で必要棟数の約 $\frac{1}{4}$ を満たしているにすぎず，今後の大幅な建築増が望まれている。また，学校統合の推進も一つの課題となって，それに伴なうスクールバスや寄宿舎の整備も必要である。へき地文化備品等の整備も不充分な状況にある。

③　へき地教員の待遇

文化的に恵まれない子ども達の教育は都市地区以上の熱意が要求される。これらのへき地教員の努力にむくいるため，待遇も相応しなければならない。現在，不充分ながらへき地手当の支給，教員住宅料の補助などの措置がとられているほか，へき地教員奨学生制度が実施されている。

(ク) へき地学校（公立）

① 学校概要　　　　　　　　　　　　　　　　　　1969年（公立）

区分	小学校					中学校				
	学校数	児童数	学級数	教員数	職員数	学校数	生徒数	学級数	教員数	職員数
計	69	13,838	475	633	121	52	7,860	234	507	70
1級地	16	4,890	148	185	—	11	2,791	77	150	—
2級地	17	4,391	152	205	—	14	2,625	79	158	—
3級地	12	1,575	63	88	—	10	985	36	82	—
4級地	16	1,992	78	106	—	12	1,052	37	83	—
5級地	8	990	34	49	—	5	407	14	34	—
全体に占める比率	28.9%	10.0	12.4	13.2	12.0	34.4	10.5	12.3	14.9	14.7

② へき地学校の施設設備

へき地教員住宅　　　1969年5月

区分	必要数(棟)	保育		保有率
		棟数	収容人員	
北部	135	24	38	18
中部	61	11	24	18
那覇	102	19	41	19
南部	60	21	43	35
宮古	95	17	34	18
八重山	140	66	117	47
計	593	158	297	26

へき地文化備品　1969年5月

品目	保有台数
スクールバス	2
ボート	2
発電機	52
ビデオテープレコーダー	1

③ へき地教員の待遇

1　へき地手当

級地	手当数
1級地	給料額の8%
2　〃	12
3　〃	16
4　〃	20
5　〃	25

2　その他

へき地勤務教員のための特別昇給と月額5ドルのへき地住宅料補助がある。

(3) 高等学校

(ア) 生徒数の推移

　高等学校の学校数は，1969年5月現在で，政府立34校，私立4校の計38校，生徒数は約5万4千人を数えている。

　中学校の卒業者数は今後漸減していくが，社会の要請や高等学校進学希望者の増加現象などで，高等学校教育の量的拡充の必要性がますます高まっていく傾向にある。

(イ) 設置者別・課程別生徒数

　設置者別生徒数（本科のみ）をみると，政府立89：私立11となっている。これは本土（1968年，公立69.4：私立30.4：国立0.2）に比べて，私立の生徒数が少ないことになる。課程別生徒数（本科）では，全日制88：12で本土（1969年全日90：定時10）とほとんど同じ構成比となっている。性別生徒数の構成比では，男47：女53で本土（1968年男52：女48の場合と全く逆の構成比で，沖縄では女生徒が高い比率を示している。

(ウ) 教員1人当り生徒数

　教員1人当り生徒数は，1968年度で23.2（本土19.4），69年度で22.1とかなり改善されている。教職員定数の標準法の改正（1971年4月で本土水準になる三ヵ年計画）により，その改善はより推進されることになるが，現状では23.2人と19.4人以上に，沖縄では職業教育関係の生徒数比が高いため，教員負担は重いことになる。

(エ) 学科別生徒数の構成

　沖縄では普通科に比べ職業科の構成比が高く，本土と逆である。職業科の中でも商業科が多く，逆に工業科が少ない。沖縄の経済構成（基地経済及び工業化が低い）をそのまゝ反映しているとみることができる。

(3) 高等学校

(ア) 生徒数の推移

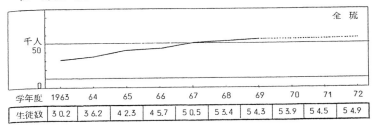

学年度	1963	64	65	66	67	68	69	70	71	72
生徒数	30.2	36.2	42.3	45.7	50.5	53.4	54.3	53.9	54.5	54.9

(イ) 設置者別・課程別生徒数　　　　　　　　　　　1969年

区　分	計	設置者別		課程別		性別	
		政府立	私立	全日制	定時制	男	女
計	54,734	48,920	5,814	47,658 (463)	6,613	25,762	28,972
本科 小計	54,223	48,409	5,814	47,610	6,613	25,516	28,707
普通	27,321	24,020	3,301	25,677	1,644	14,264	13,057
農業	4,629	4,629	－	4,206	423	3,169	1,460
工業	4,063	3,659	404	3,179	884	3,896	167
商業	11,132	9,165	1,967	7,470	3,662	2,955	8,177
水産	1,235	1,235	－	1,235	－	1,232	3
家庭	5,731	5,589	142	5,731	－	－	5,731
その他	112	112	－	112	－	－	112
専攻科	48	48	－	48	－	48	－
通信制	463	463	－	463		198	265

(ウ) 教員1人当り生徒数

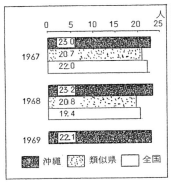

(エ) 学科別生徒数の構成　（公立）1968年

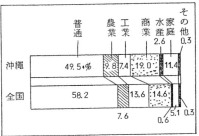

(4) 特　殊　学　校

　(ア)　児童生徒数の推移

　心身の障害ある青少年に普通教育並びに，その欠陥を補なうための職業教育を施し，一人前の社会人に育てあげるための特殊教育は，その重要性は認識されておりながら現実としては，その施設は戦前戦後を通じて盲学校のみであった。1965年4月に精簿児及び肢体不自由児のための養護学校がそれぞれ1校ずつ開設され，この面の教育もようやく軌道に乗ってきた。

　特殊学校在籍者数も，1957年度に118人程度であったが，1969年5月現在では903人となり，今後，施設設備の拡充をはかり1972年までには1,200人台の在籍者を収容することになっている。

　(イ)　学校別児童生徒数

　学校別の児童生徒数は，沖繩盲学校102人，沖繩ろう学校254人，太平洋養護学校218人，鏡が丘養護学校は分校をあわせて329人となっている。児童生徒の構成比は盲学校11：ろう学校28：養護学校61となっている。また，学部別では，幼稚園1：小学部45：中学部39：高等部15の構成比である。

　(ウ)　1学級当り児童生徒数及び教員1人当り児童生徒数

　学級当り児童生徒数本土比較では，1968年度が沖繩8.4人（本土7.6人）'69年度も8.4人となっている。一方教員1人当り児童生徒数では，沖繩5.3人（本土4.6人）である。学級あたり生徒数及び教員1人当り生徒数において，本土より約1人程度沖繩の方が多いことになっている。

(4) 特殊学校
　(ア) 児童生徒数の推移

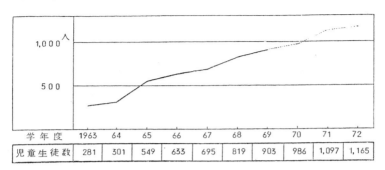

学年度	1963	64	65	66	67	68	69	70	71	72
児童生徒数	281	301	549	633	695	819	903	986	1,097	1,165

　(イ) 学校別児童生徒数

区分	児童生徒数						学級数					
	合計	小計	小学部	中等部	高等部	幼稚園	合計	小計	小学部	中学部	高等部	幼稚園
計	903	895	405	355	135	8	109(2)	107(2)	51	41	15(2)	2
沖縄盲学校	102	102	37	31	34	—	17	17(2)	6	5	6(2)	—
沖縄ろう学校	254	246	136	64	46	8	32	32	17	8	5	2
大平養護学校	218	218	—	163	55	—	20	20	—	16	4	—
鏡が丘養護学校	119	119	79	40	—	—	15	15	10	5	—	—
分校 整肢療護園	172	172	136	36	—	—	19	19	15	4	—	—
分校 兼城	38	38	17	21	—	—	6	6	3	3	—	—

( )書は専攻科学級数で内数

　(ウ) 1学級当り児童生徒及び教員1人当り児童生徒数

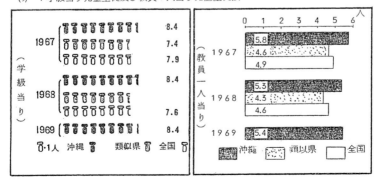

(5) 大　　学

(ア) 大学組織

　琉球大学は琉球大学委員会が管理し，一方私立大学及びこれを設置する学校法人は私立大学委員会を所轄庁としている。両委員会とも行政主席の任命による委員で構成される行政委員会で，文教局中央教育委員会とは直接のつながりはないが，琉球大学委員会には文教局長と中央教育委員1人が職責委員となっており，私立大学委員会では，委員9人のうち，文教局の推せんする者，中央教育委員会の推せんする者各3人が委員に任命されるようになっている。なお大学院はまだ開設されていない。

(イ) 大学学生数

　沖繩の大学は，琉球大学が1950年に開設されたのを初めとして，現在学校数は政府立1校，私立4校（うち2校は短期大学）で，学生数は約9千人に及んでいる。学部・学科別の学生数は文科系が圧倒的に多く，理工農学系は全体の約15％にすぎない。医学系のうち保健学部がようやく1968年度から開設しているにすぎず，医師・薬剤師の養成はもっぱら本土の大学に頼っている現状で，本土に比べて沖繩の医師不足とあわせて，その養成機関の開設が強く望まれている。

(ウ) 設置者別学生数の比率

　大学における設置者別学生数は政府立57：私立43（本土，国立25：私立75）で，ここでも本土に比べて私立の占める比率がかなり低い。短期大学部では政府立20：私立80（本土国立10：私立90）となっている。

(5) 大　学
　　㈦　大学組織

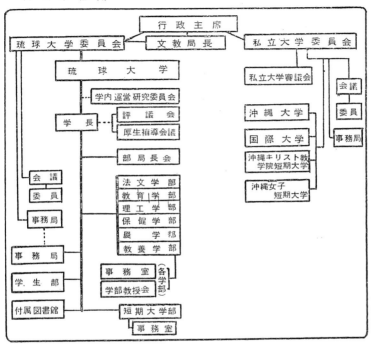

　㈥　大学学生数

1969年

区　分	計	大学	短大
計	9,454	6,924	2,530
琉球大学	4,330	3,756	574
法文学部		1,377	
教育学部		1,014	
理工学部		632	
保健学部		59	
農　学部		674	
沖縄大学	2,835	2,251	584
文　学部		530	
法経済学部		1,721	
国際大学	1,580	917	663
法経学部		584	
文　学部		333	
沖縄キリスト教学院短期大学	199	—	199
沖縄女子短期大学	510	—	510

㈸　設置者別学生数の比率

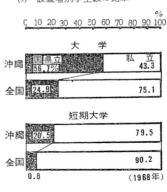

(6) 幼 稚 園

(ア) 設置者別園児数

　義務教育（6歳～14歳）就学前の幼児教育の機関としての幼稚園は，施設の未整備，地方財政の問題等もあって，同じく非義務制である高等学校教育に比べて未整備の状態にある。

　1969年5月現在，幼稚園の設置されている教育区は28で，公立93園，私立14園の計107園となっている。園児数は約1.5万人で，3歳児から5歳児までが就園しているが，5歳児が全体の約91％を占めている。

(イ) 教員1人当り園児数

　教員1人当り園児数は，1968年度で38.3人（本土28.0人）'69年38.2人で本土より約10人の差があり，沖縄における幼稚園教員の負担の重いことがうかがわれる。

(ウ) 就 園 率

　就園率（小学校1学年入学者中の幼稚園修了者の比率）は，本土全国平均には及ばないてが，68年度では類似県平均と同じになっている。しかしながら，本土の場合，保育所の設置率の高さや4才児及び3歳児の園児数も多いことを考慮すると，就学前教育を就園率のみで比較することには問題がある。

(7) 各 種 学 校

　学校教育に類する教育を行なうための施設として各種学校があるが，学校数は政府立6校，私立39校があり中学校卒業者や高等学校卒業者の青少年を対象に主として職業教育を行なっている。生徒数は政府立1,378人，私立8,873人で，就業年限は1～2年となっている。政府立各種学校については本土復帰に備えて高等学校への移行が検討されている。

(6) 幼稚園
　(ア) 設置者別の園児数

1969年

区　分	園数	園児数				学級数	教員数(本務)
		計	3才児	4才児	5才児		
計	107	14,963	163	1,193	13,607	393	410
公立	93	13,331	21	449	12,861	348	349
私立	14	1,632	142	744	746	45	61

　(イ) 教員1人当り園児数 (公立)　　(ウ) 収容率

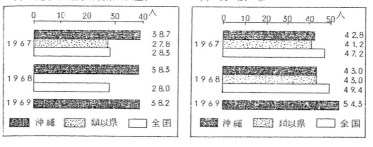

(7) 各種学校
　(ア) 政府立各種学校

1969年

区　分		生徒数				学科数	学級数	教員数
		計	1年	2年	昼間	夜間			
	計	1,378	1,093	208	1,237	141	35	57	163
政	北部産技学校	75	75	—	75	—	3	3	8
	中部産技学校	126	126	—	126	—	5	5	15
府	那覇産技学校	785	505	208	702	83	17	33	91
	南部産技学校	99	99	—	99	—	4	4	12
立	宮古産技学校	100	100	—	100	—	4	4	13
	商実専門学校	193	193	—	135	58	2	8	24

　(イ) 私立各種学校

1968年

区　分		生徒数						学校数	教員数
		計	〜1年	1〜2年	2〜3年	3年〜	昼間	夜間		
	計	8,873	5,930	2,379	518	46	4,060	4,813	39	198
	和洋裁	3,283	1,405	1,397	465	16	1,483	1,800	17	119
私	外国語	1,332	1,332	—	—	—	553	779	2	10
	簿記珠算英	1,320	874	427	19	—	339	981	4	13
	編物手芸	767	650	53	34	30	365	402	4	23
	電気通信	723	437	286	—	—	592	131	1	17
立	料理	597	467	130	—	—	297	300	2	6
	予備校	474	388	86	—	—	289	185	4	8
	タイプ	257	257	—	—	—	122	135	4	1
	建築	120	120	—	—	—	20	100	1	1

6　学校保健

(1) 児童生徒の体位

　児童生徒の体位は，戦後の家庭における食生活の改善，学校給食の普及などで著しく向上してきた。特に13歳から15歳にいたる中学校の生徒の体位向上は，男子，女子ともに著しいものがある。男子については，その後18歳（高等学校時代）までゆるやかではあるが向上しているといえるが，女子の体重は1953年と比べてほとんど同じ水準にあり，停滞ぎみである。

　沖縄における戦後の体位向上は著しいとはいえ，これを本土に比べると，まだ若干の見劣りがある。

(2) 学校給食の実施状況

　1955年以来，外国宗教団体よりのミルク給食用物資の寄贈が続けられており，これにより，幼稚園・小学校・中学校・高等学校定時制の全学校が現在ミルク給食を行なっている。このため給食実施率では本土より高くなっているが，完全給食の実施校率では本土より若干低くなっている。近年，給食室，給食センターなどの建設もすすみ，完全給食実施校が増えていく傾向にある。

(3) 学校保健関係職員の配置状況

　学校保健法によって，学校医・学校歯科医・学校薬剤師を置くことになっているが，財政上の問題や医師不足等の問題もあってその設置率は本土に比べてかなりの差がある。特に薬剤師の配置状況に較差がみられる。保健主事は小・中学校とも教頭が兼任することになっており配置状況は良好である。

6 学校保健

(1) 児童・生徒の体位

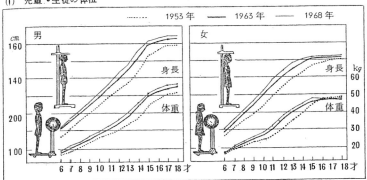

(2) 学校給食の実施状況　　沖縄（公立）1969年・全国（国公私立）1968年

区分		小学校		実施率(学校)		中学校		実施率(学校)	
		学校数	児童数	沖縄	全国	学校数	生徒数	沖縄	全国
総数		239	138,766	100.0	100.0	151	75,160	100.0	100.0
給食実施校	計	239	138,766	100.0 100.0	94.5 100.0	151	75,160	100.0 100.0	82.4 100.0
	完全給食	117	93,781	49.0 49.0	76.8 81.3	59	38,672	39.1 39.1	42.2 51.2
	補食給食	-	-	- -	3.3 3.5	-	-	- -	3.2 3.9
	ミルク給食	122	44,985	51.0 51.0	14.4 15.2	92	36,488	60.9 60.9	37.0 44.9

（分校も1校とする）

(3) 学校保健関係職員の配置状況　　（政府立）沖縄1969年　（公立）全国1968年

区分		配置人員				配置率			
		保健主事	学校医	歯科医	薬剤師	保健主事	学校医	歯科医	薬剤師
計	沖縄 全国	296 24,553	288 35,315	187 34,361	2 29,458	75.1 68.6	72.1 98.6	47.5 95.9	0.5 82.2
小学校	沖縄 全国	182 16,739	190 24,641	127 23,996	2 20,625	75.5 66.9	77.2 98.4	52.7 95.9	0.8 82.4
中学校	沖縄 全国	114 7,814	98 10,674	60 10,365	- 8,833	74.5 72.4	64.1 99.0	39.2 96.1	- 81.9

7 卒業後の状況

(1) 卒業後の進路別状況

中学校の卒業者総数は約2万6千人で，このうち進学者が約1万6千人で男女別にみると女子は卒業者数では49%であるのに進学者においては54%となっており女子の進学者が多い，一方就職者においては約4千人のうち女子は46%で男子より比率において低くなっている。沖縄においては無業の占める比率が21.3%と高く（本土1969年5.3%），これは進学率の低いことや各種学校関係の入学者もこれに含めていることに一因がある。

高等学校においても進学者は女子が58%と多くなっている。全定別でみると，全日制の生徒の進学率は27%であるのに対し定時制の場合は13%とかなり較差がみられる。
設置者別では進学率において政府立25%，私立33%で就職率は政府立36%，私立40%となっている。

(2) 進学状況

中学卒の全日制への進学者の割合は約88%で地域差はみられない。一方高校卒業者のうち普通科卒の進学者が全体の68.1%を占め，ついで商業科12.2%，家庭科11.0%がこれにつづいている。

(3) 進学率

中学校から高等学校への進学率は63.5%（本土79.4%）で年々上昇しているが，本土との較差はかなり存在している。

一方，高等学校卒業者の進学率は25.8%で本土（1969年23.2%）に比べてかなり上まわっている。これは中学校からの進学率が低いため，高校生数が少ないということにも一因がある。

7 卒業後の状況

(1) 卒業後の進路別状況

1969年3月卒業

区 分			卒業者総数	進学者	就職者	就職進学者	無 業	その他
中学校		計	26,011	15,944	3,890	574	5,530	73
	内訳	男	13,253	7,319	2,117	199	3,574	44
		女	12,758	8,625	1,773	375	1,956	29
高等学校		計	15,698	3,472	5,111	580	6,279	256
	内訳	政府立	13,626	2,889	4,395	473	5,623	246
		私立	2,072	583	716	107	656	10
		全日制	14,634	3,411	4,356	504	6,107	256
		定時制	1,064	61	755	76	172	−
		男	7,562	1,544	2,544	164	3,182	128
		女	8,136	1,928	2,567	416	3,097	128

(2) 進学状況

1969年3月卒業

中 学 校						高 等 学 校					
区 分		計	全日制		定時制		区 分		計	大学(学部)	短大(本科)	別科専攻科
			計	男	計	男						
計		16,518	14,637	6,819	1,881	699	計		4,052	2,329	1,413	310
							全日制	小計	3,915	2,254	1,357	304
								普通	2,721	1,790	777	154
公立	小計	16,380	14,515	6,764	1,865	695		農業	221	147	74	−
	北部	2,120	1,867	793	253	108		工業	64	34	25	5
	中部	4,680	4,115	1,862	565	211		商業	410	220	148	42
	那覇	5,395	4,873	2,328	522	214		水産	50	15	8	27
	南部	2,101	1,831	825	270	108		家庭	445	48	322	75
	宮古	1,124	989	518	135	31		その他	4	−	3	1
	八重山	960	840	438	120	23	定時制	小計	137	75	56	6
政府立		134	118	51	16	4		普通	38	24	13	1
私立		4	4	4	−	−		農業	5	3	2	−
								工業	9	5	1	3
								商業	85	43	40	2

※ 高専(3) … 別科(5)を含む

(3) 進学率

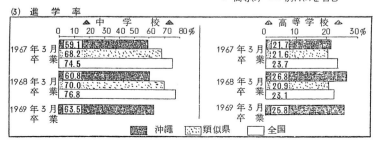

沖縄 類似県 全国

8 教職員

(1) 職名別教員数（本務）

　高等学校以下の学校の本務教員数は，10,846人（1969年）で，うち，政府立・公立学校の教員数は，10,601人である。職名別でみると，全体の93.2％が教諭で，助教諭（勤務している学校の教員普通免許状をもっていないもの）は全教員の1.9％（前年度は2.2％）にすぎない。

　養護教諭は147人で，政府立・公立学校のみに配置されている。政府立・公立の学校総数435（分校も含む）に対する養護教諭の配置率は33.8％で，小・中・高校（政府立・公立）の約1/3の学校に配置されているにすぎない。

(2) 男女別教員構成（公立）

　教員の男女別構成状況については，小学校では女子教員が圧倒的に多く，その構成比は7：3であるのに対して，逆に中学校・高等学校では男子教員が大部分をしめている。特に小学校における女子教員の占める比率は本土のそれより極めて高く，今後の初等教育においての，この現実に反映した新らしい学校経営や教育指導のあり方の研究の必要性が強調されている。

(3) 負担別職員数（政府立・公立）

　政府立・公立学校の総職員数は，2,050人でうち520人が事務職員，544人が給食職員とその大部分を占めている。PTA等のいわゆる私費負担の職員は214人でかなりの数にのぼっている。尚，区分上高校のその他の職員には技術職員・実習助手等が含めたため数が多くなっている。

8 教職員

(1) 職名別教員数（本務）

1969年（本務）

区　分		計	校長	教諭	助教諭	養護教諭	講師
計		10,846	352	10,108	203	147	36
小学校	小計	4,816	205	4,392	129	90(7)	-
	政府立	3	-	2	1	-	-
	公立	4,803	204	4,381	128	90(7)	-
	私立	10	1	9	-	-	-
中学校	小計	3,439	105	3,254	35	45	-
	政府立	34	3	29	1	1	-
	公立	3,401	102	3,221	34	44	-
	私立	4	-	4	-	-	-
特殊学校		166	4	151	5	6(2)	-
高等学校	小計	2,419	38	2,311	34	6	30
	政府立	2,194	34	2,124	13	6	17
	私立	225	4	187	21	-	13

（ ）は養護助教諭数で内数

(2) 男女別教員構成

1968年（公立）

	男	女
小学校 沖縄	30.2	69.8
小学校 全国	50.3	49.7
中学校 沖縄	68.8	31.2
中学校 全国	74.5	25.5
特殊学校 沖縄	32.1	67.9
特殊学校 全国	58.8	41.2
高校 沖縄	84.3	15.7
高校 全国	86.6	13.4

(3) 負担別職員数

（政府公立）　1969年（本務）

区　分		計	事務職員	教育区支弁の教員	給食職員	学校図書館事務員	学校世話人	その他
計		2,050	520	9	544	158	337	482
	公費による	1,836	466	9	493	96	335	437
	私費による	214	54	-	51	62	2	48
小学校	小計	1,007	203	1	422	85	227	69
	公費	923	188	1	383	61	226	64
	私費	84	15	-	39	24	1	5
中学校	小計	475	149	8	112	40	110	46
	公費	433	138	8	110	35	109	33
	私費	42	11	-	12	5	1	13
特殊学校	小計	66	10	-	-	-	-	56
	公費	66	10	-	-	-	-	56
	私費	-	-	-	-	-	-	-
高等学校	小計	502	158	-	-	33	-	311
	公費	414	130	-	-	-	-	284
	私費	88	28	-	-	33	-	27

(4) 教員の年令別構成（全琉）

　教員の年令構成は本土に比べて若く，特に中学校・高校では２９才未満の教員が全体のほぼ半数近くを占めており，それだけ教職経験年数も短かく，現職教育による教員の資質向上が教育振興の重要な要素となっている。一方，６０才以上の高年者も比較的多いのは，高年者に対する勧奨退職制度はあるが，財政上の措置がじゆうぶんなされていないためである。

(5) 免許状所持状況（公立）

　教員免許については，現職教員再教育講習会の受講や通信教育等によって，免許更新がなされ普通免許状所持者が増えている。小・中学校では教員の約７０％が一級普通免許状所持者となっている。

(6) 教員給料平均月額（政府立・公立）

　１９６９年４月現在で政府立・公立学校の教員給料は小学校が１６４.０８ドル，中学校１４７.３３ドル，高校１５０.１３ドルとなっている。小学校がほかの学校種別の平均給料より高いのは，平均勤務年数が他に比べて長いためである。

　最近時点での基本給は大体本土のそれと大差はない。むしろ初任給についてみれば沖縄は本土より若干高くなっている。

　しかしながら現行の給与制度が確立された１９５４年以前からの勤務者（大体３５～３６才以上）が，これに乗りうつる際に，勤務年数や学歴に対応する適正な位置づけがなされなかったためかなり低い給料となっている。これらの教員に対する給料の再査定と，本土並み諸手当の支給が教職員待遇の大きな課題となっている。

(4) 教員の年令別構成

1969年（全琉）

年齢才	小学校	中学校	高等学校
～24	6.8	11.0	10.9
25～29	17.5	30.0	32.4
30～34	14.5	28.7	29.8
35～39	22.5	12.2	15.4
40～44	13.1	6.3	3.0
45～49	10.0	5.9	3.3
50～54	5.5	2.1	1.4
55～59	5.2	2.0	1.4
60～	4.9	1.8	2.4

(5) 免許状所持状況

1969年（公立）

区分	小学校									中学校								
	校長㈠	校長㈡	小㈠	小㈡	小臨	小仮	養㈠	養㈡	計	校長㈠	校長㈡	中㈠	中㈡	中臨	中仮	養㈠	養㈡	計
北部	51	2	453	203	25	―	12	1	747	17	―	386	149	16	―	7	1	576
中部	52	7	995	272	―	2	14	2	1,344	20	1	681	208	5	1	9	2	927
那覇	30	3	1,016	182	6	2	18	5	1,262	17	―	625	143	8	3	9	2	807
南部	26	4	461	132	3	―	12	1	639	15	―	343	111	2	―	5	―	476
宮古	19	―	263	95	8	―	8	4	397	11	1	172	117	5	1	3	―	310
八重山	15	4	114	120	70	―	6	―	329	15	6	110	127	6	―	2	1	267
計	193	20	3,302	1,004	112	4	70	13	4,718	95	8	2,317	855	42	5	35	6	3,363

義務教育課の調査による（補充教員は除く）

(6) 教員給料平均月額（政府立・公立）　　　　単位（ドル）

区分	1962.10	1963.10	1964.10	1965.10	1966.10	1967.10	1968.10	1969.4
小学校	78.61	84.55	93.04	108.77	123.27	137.31	155.12	164.08
中学校	78.87	79.74	86.43	99.16	112.12	123.36	133.71	147.33
高等学校	80.03	84.73	90.25	101.64	113.77	123.46	140.55	150.13

9　学校施設・設備

(1)　学校施設
　(ア)　校舎の保有状況
　　第2次世界大戦により壊滅した教育施設の再建については住民・政府が一体となり，今日まで多大の努力を重ねてきたにもかかわらず，いまだに本土との較差のもっとも大きい分野の一つとなっている。
　　校舎は，どの学校種別でも1969年6月現在では，中央教育委員会の定めた基準（文部省の基準と同じ）の約40～65％台の保有率にとどまっている。
　(イ)　普通教室・特別教室の保有状況
　　教室別の保有状況は普通教室がようやく90％に達しているだけで，特別教室については必要室数の$\frac{1}{4}$～$\frac{1}{3}$の保有率にとどまっているにすぎない。普通教室についても，人口の都市集中に伴ない，都市及び都市近郊の学校ではいまだに間じきり教室を利用している学校もある。管理関係諸室の整備もかなり遅れている。
　(ウ)　屋内運動場・水泳プールの保有状況
　　屋内運動場・水泳プールの保有状況は学校施設の中でも最も較差がみられる分野である。従来，校舎建築については，政府立学校はもとより公立学校の施設についても，すべて政府の負担として義務を負い，その建築に努力を重ねて来ているが，貧困な琉球政府の財源では，最低必要限度の校舎充足すら困難な面をもち，この二・三年来ようやく屋内運動場・プールの建設がはじめられているにすぎない。

9 学校施設・設備

(1) 学校施設

(ア) 校舎の保有状況　　　　　（公立）沖縄 1969年／類似県 1968年

区分			学校数	児童生徒数	学級数	必要面積(A)	保有 面積(B)	$\frac{B}{A}\times 100$	不足 面積(C)	$\frac{C}{A}\times 100$
						㎡	㎡	%	㎡	%
校舎	小学校	沖縄	239	138,766	3,828	622,599	406,418	65.3	216,896	34.8
		類似県	346	89,865	2,951	447,590	502,972	112.4	24,364	5.4
	中学校	沖縄	151	75,160	1,902	398,289	251,203	63.1	147,308	37.0
		類似県	153	52,618	1,452	294,338	303,911	103.3	24,015	8.2
	特殊学校	沖縄	6	903	109	20,157	8,213	40.7	11,944	59.3
		類似県	4	584		13,133	9,290	70.7	4,424	33.7
	高等学校 計(全日制)	沖縄	34	41,891	917	376,445	169,007	44.9	207,438	55.1
		類似県	40	32,325	—	307,393	201,331	65.5	100,795	32.8
	一般校舎	沖縄	34	41,891		244,772	131,089	53.6	113,683	46.4
		類似県	40	32,325		211,179	157,038	74.4	—	
	産振校舎	沖縄	—	—		131,673	37,918	28.8	93,755	71.2
		類似県	—	—		96,214	44,293	46.0		

(イ) 普通教室・特別教室の保有状況　　（公立）沖縄 1969年 類似県 1968年

区分		普通教室					特別教室			
		必要室数	保有室数	率	不足室数	率	必要室数	保有室数	率	不足室数	率
小学校	沖縄	3,827	3,736	97.6	90	2.4	728	194	26.6	538	73.9
	類似県	2,951	3,202	108.5	9	1.3	712	608	85.4	290	40.7
中学校	沖縄	1,904	1,825	95.9	79	4.1	922	362	39.3	560	80.7
	類似県	1,452	1,568	108.0	17	1.2	838	739	88.2	212	25.3

(ウ) 屋内運動場・水泳プールの保有状況　（公立）沖縄 1969年 類似県 1968年

区分		屋内運動場 ( )=㎡					水泳プール ＊1967年				
		必要棟数	保有棟数	率	不足棟数	率	必要基数	保有基数	率	不足基数	率
小学校	沖縄	239	7	2.9	232	97.1	239	6	2.5	233	97.5
	類似県	346	220	63.3	126	36.4	＊304	＊62	20.4	242	79.6
中学校	沖縄	151	9	6.0	142	94.0	151	8	5.3	143	94.7
	類似県	153	103	67.3	50	32.7	＊148	＊24	16.2	124	83.8
特殊学校	沖縄	6	3	50.0	3	50.0	6	—		6	100.0
	類似県	(2,254)	(1,080)	47.9	(1,211)	53.7					
高等学校	沖縄	34	3	13.6	31	86.4	34	1	2.9	33	97.1
	類似県	(40,728)	(35,756)	87.8	(12,025)	29.5	＊35	＊10	28.6	225	71.4

(エ) 校舎1人当り面積（政府立・公立）

校舎の整備状況を1人当り保有面積という側面からみると各学校種別とも本土の約50％という水準にとどまっている。

(オ) 校舎の構造別比率（政府立・公立）

校舎の構造別では，沖縄の地理的条件もあって，1954年以降ほとんど鉄筋ブロックが建築されているため，木造等の比率はわずか10％未満となっている。

(2) 学校備品

近年の教育内容の多様性並びに教育方法の近代化及び教育技術の向上は，教育指導の目標を達成するためには必然的に教材，教具の整備と密接な関係をもつのであるが，その教材・教具の充足率は基準にははるかに及ばない現状である。

(ア) 教材についてみると，1969（昭和43）年度末公立小中学校では24％が整備されているのみで類似の高知県の80％，全国平均（推計）の69％に相当する。

(イ) 理科備品の充足率は，同時点で小学校40％，中学校30％で高知・徳島両県のそれとほゞ同じであるが，高校については24％で，同二県の67％相当が充足されていることになる。

(ウ) 高校視聴覚備品の充足率は視聴覚教材設備費補助金交付要綱による基準の27％が1970年度末で整備されることになり高知県が83％，徳島県が55％となり類似県の$\frac{1}{2}$ないし$\frac{1}{3}$が整備されているのみである。

そのほか，産業教育備品，学校図書館図書，英語教育備品及び一般校用備品の充足率も同様に低い。

(エ) 校舎1人当り面積　　　　　　　(オ) 校舎の構造別比率

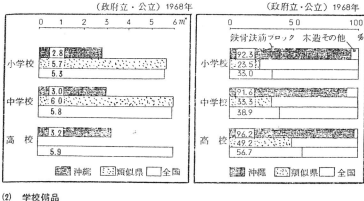

(2) 学校備品
　(ア) 教　材　　　　　　　　　　　　　　　　1969年公立

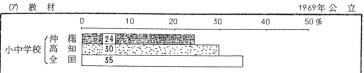

　(イ) 理科備品　　　　　　　　　　　　　　　1968年政府立/公立

（1966年の調査結果に各年度の投入金額を加えて推計した。但し減耗率は考慮していない。）

　(ウ) 視聴覚備品　　　　　　　　　　　　　　1970年政府立

10 育英奨学事業

　沖縄の復興は，まず人材の養成からということから育英奨学事業は戦後直ちに開始された。すなわち，当時本土の大学または専門学校を戦争のため途中で学業の中退を余儀なくされ帰郷した学生を，米政府の援助で学資の全額を支給して本土の大学に再就学させるという，契約学生制度が1949年に発足した。以来，学業成績の優秀な生徒を本土大学に入学せしめ，卒業後沖縄の指導者として育て上げていくというこのような制度は本土政府に引きつがれ，国費制度とかわっているが，この制度は年々拡大充実され，自費学生及び奨学生制度と沖縄の青少年の夢と希望をささえて今日に至っている。

　現在，沖縄の高校生に対して文部省で試験を実施し，本土の国，公立大学に配置し，学資を国費で支給している国費学生が毎年約170人採用されている。学費として，生活費及び図書教材，暖房費等が支給されるがこれらの経費を月平均額でみると，国費学部学生が44.97ドル（うち37.50ドルは本土政府負担で残り7.47ドルは琉球政府負担），大学院学生には月50.22ドル（うち47.22ドルは本土政府負担）が支給されている。また，採用，学校配置は国費学生と同じで，自費で学業をつづけている自費学生も年約100名前後が採用されている。このほか，奨学制度として，高校，大学特別奨学制度があり，これは本土政府の援助で，高校生は月8ドル33セント，大学生の自宅通学生13ドル88セント，自宅外22ドル22セントを支給している。現在これらの育英奨学事業は特殊法人である琉球育英会がすべての業務を担当している。

　本土復帰をひかえ，国費学生制度についてどのように改変していくか現在検討がすすめられている。

10 育英奨学事業

区分	合計	国費自費学生 計	国費学生 小計	国費学生 学部	国費学生 大学院	自費学部学生	奨学生 計	奨学生 高校	奨学生 大学	その他 計	その他 貸与学生	その他 依託学生
1953	38	38 (38)	38	38 (38)	—	—	—	—	—	—	—	—
1954	76	76 (38)	76	76 (38)	—	—	—	—	—	—	—	—
1955	185	185 (109)	126	126 (50)	—	59 (59)	—	—	—	—	—	—
1956	318	314 (130)	175	175 (50)	—	139 (80)	—	—	—	4 (4)	—	4 (4)
1957	425	416 (133)	194	194 (50)	—	222 (83)	—	—	—	9 (6)	—	9 (6)
1958	539	525 (134)	222	222 (50)	—	303 (84)	—	—	—	14 (8)	—	14 (8)
1959	602	572 (136)	227	227 (50)	—	345 (86)	—	—	—	30 (17)	6 (6)	24 (11)
1960	703	613 (135)	228	228 (50)	—	385 (85)	—	—	—	90 (66)	59 (53)	31 (13)
1961	1,253	637 (162)	261	255 (75)	6 (6)	376 (81)	537 (537)	537 (537)	—	79 (25)	61 (25)	18 (0)
1962	1,320	697 (198)	287	276 (75)	11 (5)	410 (118)	534 (181)	534 (181)	—	89 (42)	59 (27)	30 (15)
1963	1,433	761 (199)	320	303 (75)	17 (7)	441 (117)	610 (248)	544 (182)	66 (66)	62 (17)	32 (6)	30 (11)
1964	1,600	844 (216)	367	334 (74)	33 (21)	477 (121)	692 (258)	544 (177)	148 (81)	64 (36)	28 (20)	36 (16)
1965	1,918	964 (244)	452	409 (125)	43 (12)	512 (107)	897 (389)	643 (284)	254 (105)	57 (16)	27 (11)	30 (5)
1966	2,178	1,112 (306)	555	510 (150)	45 (12)	557 (144)	1,005 (351)	639 (215)	366 (136)	61 (18)	30 (11)	31 (7)
1967	2,425	1,175 (292)	658	604 (170)	54 (12)	517 (110)	1,194 (495)	746 (330)	448 (165)	56 (11)	21 (—)	35 (11)
1968	2,532	1,272 (289)	750	701 (168)	49 (12)	522 (109)	1,219 (410)	754 (240)	465 (170)	41 (15)	8 (—)	33 (15)
1969	2,507	1,136 (278)	623	579 (169)	44 (12)	513 (97)	1,334 (426)	755 (250)	579 (176)	37 (10)	4 (—)	33 (10)

1. ( )内の数字はその年度の採用人員で内数である。
2. 国費、自費学生ともにインターン生を含む。

11 社会教育

(1) 社会教育関係職員

　　指導者の養成を中心とする中央の社会教育活動は文教局が行なっている。現在，社会教育課には8人の主事が配置されている。一方、地方の教育区には49人の社会教育主事が配置され，地方の社会教育振興の直接的な推進役として活動している。

(2) 社会教育施設

　　社会教育振興の大きな障害となっている問題点の一つに，施設の未整備があげられる。現在，部落公民館は640館あり地方の社会教育活動の中心となっているものの，系統的,効率的な活動の推進を図る施設としての中央公民館は1970年6月までにようやく1館の建設予定があるだけである。

　　図書館，博物館についても，その館数はもとより，設備面の未整備がめだち，特に地方教育区の図書館などについては単に図書貸出しの室が併設されているだけのものである。

(3) 社会教育学級

　　社会教育の具体的な活動の一つに各種の学級があげられる。その代表的なものに，青年学級，社会学級，家庭教育学級があり，延べ289学級，12,767名の学級生が学習を続けている。

(4) 文化財保護事業

　　文化財保護行政は，文教局の外局である文化財保護委員会が担当している。現在，文化財として指定されている件数は59件で史跡名勝などの指定を受けているものが102件となっている。

11 社 会 教 育

(1) 社会教育関係職員

(専任) 沖縄 1969年 / 類似県 1968年

区　分	計	課長	社会教育主事	社会教育主事補	事務職員	その他
計	60	3	55	―	2	―
文教局	11	1	8	―	2	―
地方教育区	49	2	47	―	―	―
類似県平均	125	8	37	9	64	7

(2) 社会教育施設

沖縄 1970年 / 類似県 1968年

区　分		本館			分館			設置率		
		計	独立	併置	計	独立	併置	市町村数(A)	設置市町村(B)	B/A ×100
公民館	沖縄	1	1	0	0	0	0	59	1	1.7
	類似県平均	135	87	48	46	22	24	52	48	92.3
図書館	沖縄 計	7	1	0	3	2	1	―	―	―
	政府立	1	1	0	2	2	0	―	―	―
	教育区	6	0	6	1	0	1	59	6	10.2
	類似県平均	9	5	4	1	1	0	52	7	13.5
博物館	沖縄（1館）				類似県平均=県市町村立計（4館）					
体育館	沖縄（1館）				類似県平均=県市町村立計（7館）					
青少年教育施設	政府立	青年の家（2館）　羽地野外センター					─ 視聴覚ライブラリー (1)/(2)			
	その他	沖縄少年会館（1館）								

(3) 社会教育学級

1969年

区　分	計	青年学級	社会学級	家庭教育学級
学級数	289	32	217	40
学級生数	12,767	1,047	10,052	1,668

(4) 文化財保護事業

1969年

区　分		指定件数	区　分		指定件数
美術工芸品 建造物等	計	59	史跡名勝 天然記念物	計	102
	建造物	23		史跡	58
	彫刻	10		名勝	8
	絵画	1		天然記念物	36
	工芸品	16			
	古文書典籍	9			

参　考　資　料

1. 学校概況
小学校

区分		学校数				児童数			学	
		計	政府立	公立	私立	計	政府立	公立	私立	計	政府立
1957	昭32	232(9)	2	228(9)	2	129,554	22	129,353	179	3,079	2
1958	〃33	237(9)	2	233(9)	2	146,553	26	146,326	201	3,272	3
1959	〃34	240(9)	2	237(9)	1	160,963	25	160,923	15	3,596	3
1960	〃35	239(9)	2	236(9)	1	163,229	20	163,190	19	3,553	3
1961	〃36	238(9)	2	235(9)	1	165,415	21	165,368	26	3,623	2
1962	〃37	241(11)	2	238(11)	1	163,942	17	163,900	25	3,603	2
1963	〃38	240(11)	2	237(11)	1	159,817	16	159,774	27	3,611	3
1964	〃39	241(10)	2	237(10)	2	155,127	18	155,045	64	3,590	3
1965	〃40	240(12)	2	236(12)	2	151,810	12	151,697	101	3,646	3
1966	〃41	241(12)	2	237(12)	2	148,941	9	148,793	139	3,715	1
1967	〃42	241(12)	2	237(12)	2	144,781	10	144,589	182	3,764	2
1968	〃43	241(12)	2	237(12)	2	141,989	8	141,768	213	3,861	2
1969	〃44	243(13)	2	239(13)	2	139,010	9	138,766	235	3,840	3

中学校

区分		学校数				生徒数				学	
		計	政府立	公立	私立	計	政府立	公立	私立	計	政府立
1957	昭32	169	2	165	2	47,431	41	47,325	65	1,154	3
1958	〃33	166	2	162	2	41,465	39	41,375	51	984	3
1959	〃34	165	2	162	1	38,359	34	38,316	9	939	2
1960	〃35	164	2	161	1	48,387	22	48,360	5	1,100	2
1961	〃36	166	2	163	1	61,272	21	61,239	12	1,360	2
1962	〃37	165(2)	3	161	1	73,938	431	73,486	21	1,607	9
1963	〃38	158(2)	3	154(2)	1	78,329	506	77,799	24	1,686	13
1964	〃39	156(1)	3	152(2)	1	82,205	558	81,620	27	1,758	14
1965	〃40	155(1)	3	151(1)	1	83,422	638	82,765	19	1,789	14
1966	〃41	155(1)	3	151(1)	1	81,446	649	80,777	20	1,828	16
1967	〃42	155(1)	3	151(1)	1	79,931	734	79,177	20	1,901	20
1968	〃43	155(1)	3	151(1)	1	77,756	699	77,038	19	1,949	16
1969	〃44	155(1)	3	151(1)	1	75,931	746	75,160	25	1,922	17

級数		教員数				職員数				(政府立・公立)	
公立	私立	計	政府立	公立	私立	計	政府立	公立	私立	1学級当り児童数	教員1人当り児童数
3,071	6	3,244	2	3,236	6	218	—	218	—	42.1	40.0
3,263	6	3,536	3	3,527	6	297	—	297	—	44.8	41.5
3,592	1	3,918	2	3,912	4	321	—	321	—	44.8	41.1
3,548	2	3,845	3	3,838	4	430	—	430	—	46.0	42.5
3,619	2	3,947	2	3,943	2	462	—	462	—	45.7	41.9
3,599	2	3,938	2	3,933	3	409	—	409	—	45.5	41.7
3,605	3	4,138	3	4,132	3	530	—	530	—	44.3	38.6
3,583	4	4,109	3	4,101	5	506	—	504	2	43.2	37.8
3,638	5	4,176	3	4,167	6	638	—	636	2	41.7	36.4
3,708	6	4,379	1	4,371	7	805	—	804	1	40.1	34.0
3,755	7	4,565	2	4,555	8	925	—	923	2	38.5	31.7
3,851	8	4,795	2	4,783	10	979	—	976	3	36.8	29.6
3,828	9	4,816	3	4,803	10	1,010	—	1,007	3	36.2	28.9

※ 学校数欄中（ ）は分校で内数

級数		教員数				職員数				(政府立・公立)	
公立	私立	計	政府立	公立	私立	計	政府立	公立	私立	1学級当り生徒数	教員1人当り生徒数
1,146	5	1,700	2	1,692	6	143	—	143	—	41.2	28.0
977	4	1,511	3	1,502	6	251	—	251	—	42.3	27.5
935	2	1,471	3	1,464	4	259	—	259	—	40.9	25.5
1,097	1	1,654	4	1,646	4	277	—	277	—	44.0	29.3
1,356	2	2,050	4	2,044	2	303	—	303	—	45.1	29.9
1,596	2	2,371	23	2,346	2	322	2	320	—	46.1	31.2
1,671	2	2,674	23	2,649	2	326	4	322	—	46.5	29.3
1,739	2	2,794	26	2,766	2	305	3	302	—	46.6	29.4
1,773	2	2,865	27	2,836	2	324	3	321	—	46.7	29.1
1,810	2	3,036	30	3,002	4	394	3	391	—	44.6	26.9
1,879	2	3,290	34	3,252	4	466	5	461	—	42.1	24.3
1,930	3	3,450	34	3,413	3	499	5	494	—	39.9	22.6
1,902	3	3,439	34	3,401	4	476	6	469	1	39.6	22.1

※ 学校数欄中（ ）は分校で内数

高等学校

区分		学校数			生徒数			(うち定時制)			学級数		
		計	公立	私立	計	公立	私立	計	公立	私立	計	公立	私立
1957	昭32	26(12)	25(11)	1(1)	23,210	22,560	650	2,549	2,233	316	…	…	…
1958	〃33	27(11)	25(12)	2(2)	26,298	23,350	2,948	3,396	2,583	813	…	…	…
1959	〃34	27(16)	25(11)	2(2)	27,473	23,724	3,749	3,614	2,877	737	…	…	…
1960	〃35	27(16)	25(14)	2(2)	27,562	23,689	3,873	3,555	2,903	652	…	…	…
1961	〃36	27(16)	25(14)	2(2)	25,168	22,437	2,731	3,354	2,870	484	…	…	…
1962	〃37	28(17)	25(15)	3(2)	24,518	21,337	2,785	3,146	2,842	304	…	…	…
1963	〃38	29(18)	26(16)	3(2)	30,168	25,986	4,182	3,693	3,419	274	…	…	…
1964	〃39	30(18)	27(16)	3(2)	36,165	30,815	5,350	4,114	3,883	231	836	723	113
1965	〃40	32(18)	28(16)	3(2)	42,294	36,371	5,923	4,554	4,375	179	933	815	118
1966	〃41	34(17)	30(16)	4(1)	45,744	39,580	6,164	4,987	4,847	140	994	876	118
1967	〃42	37(18)	33(17)	4(1)	50,532	44,156	6,376	5,620	5,488	132	1,088	966	122
1968	〃43	37(19)	33(18)	4(1)	53,412	47,313	6,199	6,127	6,052	75	1,154	1,033	121
1969	〃44	38(19)	34(18)	4(1)	54,271	48,457	5,814	6,613	6,566	47	1,193	1,078	115

特殊学校

区分		学校数				児童生徒数				学級数	教員数	職員数	1学級当り生徒数	教員1人当り生徒数
		計	盲学校	ろう学校	養護学校	計	盲学校	ろう学校	養護学校					
1957	昭32	2	1	1	—	118	31	87	—	13	12	—	9.1	9.8
1958	〃33	2	1	1	—	128	32	96	—	12	13	1	10.7	9.8
1959	〃34	2	1	1	—	140	34	106	—	15	17	1	9.3	8.2
1960	〃35	2	1	1	—	186	46	140	—	20	21	14	9.3	8.9
1961	〃36	2	1	1	—	215	61	154	—	…	24	…	…	9.0
1962	〃37	2	1	1	—	255	77	178	—	27	27	18	9.4	9.4
1963	〃38	2	1	1	—	281	77	204	—	31	31	18	9.1	9.1
1964	〃39	2	1	1	—	301	85	216	—	33	33	19	9.1	9.1
1965	〃40	5(1)	1	1	3(1)	549	95	236	218	53	66	25	10.4	8.3
1966	〃41	5(1)	1	1	3(1)	633	88	242	303	70	96	33	9.0	6.6
1967	〃42	5(1)	1	1	3(1)	695	90	241	364	83	119	51	8.4	5.8
1968	〃43	6(2)	1	1	4(2)	819	95	251	383	97	156	58	8.4	5.3
1969	〃44	6(2)	1	1	4(2)	895	94(8)	254	547	107(2)	166	66	8.4	5.4

※ 盲学校の児童生徒数及び学級数欄( )は幼稚部で外数である

校数 (うち定時制)			教員数			(うち定時制)			職員数			(うち定時制)			教員1人当り生徒数(政府)
計	政府立	私立	計	政府立	私立	計	政府立	私立	計	政府立	私立	計	政府立	私立	
…	…	…	872	852	20	61	53	8	107	105	2	15	15	—	26.5
…	…	…	1,110	1,019	91	102	77	25	187	172	15	32	29	3	22.9
…	…	…	1,181	1,073	108	120	97	23	227	213	14	48	41	7	22.1
…	…	…	1,234	1,117	117	114	104	10	245	233	12	46	43	3	21.2
…	…	…	1,231	1,147	84	116	108	8	270	264	6	49	48	1	19.6
…	…	…	1,270	1,148	122	124	116	8	284	265	19	48	47	1	18.6
…	…	…	1,380	1,243	137	138	133	5	282	264	18	50	49	1	20.9
107	100	7	1,574	1,387	187	160	154	6	318	288	30	44	42	2	22.2
114	108	6	1,798	1,587	211	172	168	4	360	328	32	58	57	1	22.9
120	116	4	1,950	1,721	229	197	183	14	419	377	42	59	58	1	23.0
132	128	4	2,135	1,919	216	205	201	4	450	411	39	64	63	1	23.0
145	142	3	2,260	2,039	221	231	228	3	511	469	42	77	76	1	23.2
163	161	2	2,419	2,194	225	289	287	2	540	502	38	78	77	1	22.1

※ 学校欄中（ ）は定時制課程のおかれている学校数で外数

各種学校

区分		学校数			生徒数			教員数			職員数		
		計	政府立	私立	計	政府立	私立	計	政府立	私立	計	政府立	私立
1957	昭32	44(3)	—	44(3)	7,324	—	7,234			271			—
1958	〃33	44(5)	—	44(5)	6,210	—	6,210	116	—	116	53	—	53
1959	〃34	41(6)	—	41(6)	5,834	—	5,834	111	—	111	…	—	…
1960	〃35	41(6)	—	41(6)	6,349	—	6,349	97	—	97	…	—	…
1961	〃36	…	—	…	…	—	…	…	—	…	…	—	…
1962	〃37	…	—	…	…	—	…	…	—	…	…	—	…
1963	〃38	…	—	…	…	—	…	…	—	…	…	—	…
1964	〃39	44(6)	—	44(6)	8,191	—	8,191	167	—	167	140	—	140
1965	〃40	44(5)	—	44(5)	7,087	—	7,087	153	—	153	143	—	143
1966	〃41	39(·)	2	37(·)	8,046	270	7,776	183	25	158	134	11	123
1967	〃42	36(·)	2	34(·)	9,027	704	8,323	224	62	162	118	14	104
1968	〃43	43(·)	4	39(·)	9,940	1,067	8,873	318	120	198	212	49	163
1969	〃44	…	6	…	…	1,378	…	163	…	…	67	…	…

※ 学校欄中（ ）は分校で内数
　私立各種学校数は報告のあった学校のみの数

大学・短期大学

区 分		学 校 数						学 生			
		計	大 学			短 大		計			
			小計	政府立	私立	小計	政府立	私立	計	政府立	私立	小計
1957	昭32	2	1	1	—	1	—	1	1,918	1,918	—	1,918
1958	〃33	2	1	1	—	1	—	1	2,573	2,011	562	2,011
1959	〃34	4(2)	1	1	—	3(2)	—	3(2)	4,048	2,152	1,896	2,152
1960	〃35	4(2)	1	1	—	3(2)	—	3(2)	4,461	2,268	2,193	2,268
1961	〃36	5(2)	2	1	1	3(2)	—	3(2)	4,468	2,356	2,112	2,735
1962	〃37	6(2)	3	1	2	3(2)	—	3(2)	4,174	2,484	1,690	3,244
1963	〃38	6(2)	3	1	2	3(2)	—	3(2)	4,316	2,480	1,836	3,481
1964	〃39	6(2)	3	1	2	3(2)	—	3(2)	4,620	2,672	1,948	3,830
1965	〃40	6(2)	3	1	2	3(2)	—	3(2)	4,954	2,832	2,122	4,167
1966	〃41	7(2)	3	1	2	4(2)	—	4(2)	5,930	3,157	2,773	4,840
1967	〃42	8(3)	3	1	2	5(3)	1(1)	4(2)	6,895	3,607	3,288	5,402
1968	〃43	8(3)	3	1	2	5(3)	1(1)	4(2)	8,246	3,977	4,269	6,309
1969	〃44	8(3)	3	1	2	5(3)	1(1)	4(2)	9,454	4,330	5,124	6,924

幼稚園

区 分		園 数			園 児 数			学 級 数		
		計	公立	私立	計	公立	私立	計	公立	私立
1957	昭32	38	33	5	5,964	5,589	375	159	147	12
1958	〃33	23	22	1	4,677	4,598	79	117	113	4
1959	〃34	36	31	5	5,334	4,956	378	143	124	19
1960	〃35	35	30	5	5,252	4,850	402	137	122	15
1961	〃36	36	28	8	5,371	4,542	829	…	…	…
1962	〃37	41	29	12	5,460	4,590	870	149	118	31
1963	〃38	46	34	12	6,362	5,380	982	171	139	32
1964	〃39	52	40	12	8,106	7,028	1,078	202	169	33
1965	〃40	53	41	12	8,573	7,421	1,152	218	183	35
1966	〃41	64	52	12	9,591	8,391	1,201	252	215	37
1967	〃42	78	66	12	11,507	10,092	1,415	299	260	39
1968	〃43	93	81	12	13,139	11,672	1,467	354	314	40
1969	〃44	107	93	14	14,963	13,331	1,632	393	348	45

数					教　員　数			職　員　数		
大　学		短　　大			計	政府立	私立	計	政府立	私立
政府立	私立	小　計	政府立	私立						
1,918	—	—	—	—	134	134	—	…	…	…
2,011	—	562	—	562	139	139	—	…	…	—
2,152	—	1,896	—	1,896	199	156	43	220	200	20
2,268	—	2,193	—	2,193	211	167	44	247	200	47
2,356	379	1,733	—	1,733	228	168	60	258	202	56
2,484	760	930	—	930	239	175	64	…	…	…
2,480	1,001	835	—	835	237	171	61	…	…	…
2,672	1,158	790	—	790	226	180	46	269	209	60
2,832	1,335	787	—	787	239	193	46	277	209	68
3,157	1,683	1,090	—	1,090	262	207	55	291	234	57
3,414	1,988	1,493	193	1,300	290	220	70	308	251	57
3,579	2,730	1,937	398	1,539	302	226	76	312	262	50
3,756	3,168	2,530	574	1,956	316	240	76	333	282	51

教　員　数			職　員　数			（公　立）		就園率
計	公立	私立	計	公立	私立	学級当り園児数	教員1人当り園児数	
251	237	14	3	3	—	38.0	23.6	…
127	122	5	15	15	—	40.7	37.7	15.3
167	144	23	28	25	3	40.0	34.4	17.9
153	130	23	23	19	4	39.8	37.3	15.0
150	116	34	…	…	…	…	27.4	17.8
153	118	35	26	20	6	38.9	38.9	18.8
178	140	38	37	27	10	38.7	38.4	21.7
208	169	39	36	26	10	41.6	41.6	27.6
223	183	40	34	28	6	40.6	40.6	30.0
260	215	45	38	28	10	39.0	39.0	35.8
312	261	51	35	22	13	38.8	38.7	42.8
360	305	55	39	27	12	37.2	38.3	43.0
410	349	61	…	31	…	38.3	38.2	54.3

2 卒業後の状況
（進学率・志願率）

中学校

区分		卒業者	進学者	就職者	就職進学者	無業	その他	進学率		就職率	
								沖縄	本土	沖縄	本土
1957	昭32	16,852	6,865	6,279	154	2,824	730	41.7	51.4	38.2	43.3
1958	〃33	15,644	7,738	5,310	143	1,890	563	50.4	53.7	34.9	40.9
1959	〃34	15,932	7,452	4,817	152	3,004	507	47.7	55.4	31.2	39.8
1960	〃35	13,816	7,043	3,927	119	2,498	229	51.8	57.7	29.3	38.6
1961	〃36	10,304	5,598	3,286	114	1,129	177	55.4	62.3	33.0	35.7
1962	〃37	12,948	7,660	3,723	228	1,063	274	60.9	64.0	30.5	33.5
1963	〃38	23,803	13,301	6,898	468	2,736	400	57.8	66.8	30.9	30.7
1964	〃39	23,313	12,281	6,063	513	3,771	685	54.9	69.3	28.2	28.7
1965	〃40	25,826	13,250	6,413	347	5,079	737	52.6	70.6	26.2	26.5
1966	〃41	28,115	14,582	6,258	456	6,075	744	53.5	72.3	23.9	24.5
1967	〃42	27,148	15,422	5,401	615	5,346	364	59.1	74.5	23.2	22.9
1968	〃43	26,993	15,996	4,512	428	5,692	365	60.8	76.8	18.3	20.9
1969	〃44	26,011	15,944	3,890	574	5,530	73	63.5	79.4	17.2	18.7

高等学校

区分		卒業者	進学者	就職者	就職進学者	無業	その他	進学率		就職率	
								沖縄	本土	沖縄	本土
1957	昭32	5,604	1,109	2,659	17	978	841	20.1	16.1	47.8	58.4
1958	〃33	6,420	1,323	2,930	81	1,271	815	21.9	16.5	46.9	57.6
1959	〃34	7,142	1,079	2,840	47	2,550	626	15.8	16.9	40.4	58.1
1960	〃35	7,592	1,368	3,312	153	2,301	458	20.0	17.2	45.6	61.3
1961	〃36	8,403	1,177	4,356	55	2,324	491	14.7	17.9	52.5	64.0
1962	〃37	8,254	1,178	4,342	70	2,305	359	15.1	19.3	53.5	63.9
1963	〃38	7,754	1,272	3,761	78	2,221	422	17.4	20.9	49.5	63.4
1964	〃39	6,509	1,175	3,309	123	1,743	159	19.9	23.4	52.7	63.9
1965	〃40	7,599	1,610	3,718	151	1,802	318	23.2	25.4	50.9	60.4
1966	〃41	12,361	2,608	4,932	161	3,921	739	22.4	24.5	41.2	58.0
1967	〃42	12,336	2,398	5,134	277	3,799	728	21.7	23.7	43.9	58.7
1968	〃43	13,668	3,027	5,056	642	4,602	341	26.8	23.1	41.7	58.9
1969	〃44	15,698	3,472	5,111	580	6,279	256	25.8	23.2	36.3	58.9

中学校

卒業者a	入学志願者				志願率(b/a)		過年度卒業者の進学状況						d/c ×100
	総数b	全日制	定時制	高門等学校専校	沖縄	本土	志願者			進学者			
							計c	全日	定時	計d	全日	定時	
16,852	10,394	9,215	1,179	—	61.7	55.0	…	…	…	…	…	…	…
15,644	10,850	9,855	995	—	69.4	57.0	…	…	…	…	…	…	…
15,932	10,899	9,748	1,151	—	68.4	58.9	…	…	…	…	…	…	…
13,816	9,316	8,314	1,002	—	67.4	60.3	…	…	…	…	…	…	…
10,304	6,404	5,779	625	—	62.2	64.2	…	…	…	…	…	…	…
12,948	8,863	7,962	901	—	68.5	67.1	…	…	…	…	…	…	…
23,803	16,810	15,262	1,548	—	70.6	70.7	…	…	…	…	…	…	…
23,313	17,409	15,543	1,866	—	74.7	73.4	…	…	…	…	…	…	…
25,826	19,649	17,590	2,059	—	76.1	74.5	…	…	…	…	…	…	…
28,115	21,191	18,957	2,234	—	75.4	75.6	…	…	…	…	…	…	…
27,148	20,621	18,487	2,134	—	76.0	77.3	…	…	…	…	…	…	…
26,993	21,139	18,826	2,311	2	78.3	78.9	2,850	2,273	577	2,041	1,641	400	71.6
26,011	20,424	18,114	2,302	8	78.5	81.6	2,808	2,269	539	2,022	1,588	434	72.0

高等学校

卒業者a	入学志願者			志願率(b/a)		過年度卒業者の進学状況						d/c ×100
	総数b	大学	短大	沖縄	本土	志願者			進学者			
						計c	全日	定時	計d	全日	定時	
5,604	…	…	…	…	…	…	…	…	…	…	…	…
6,420	…	…	…	…	25.3	…	…	…	…	…	…	…
7,142	2,093	1,693	400	29.3	25.4	…	…	…	…	…	…	…
7,592	2,556	2,004	552	33.7	26.0	…	…	…	…	…	…	…
8,403	2,226	1,724	502	26.5	26.5	…	…	…	…	…	…	…
8,254	2,354	1,877	477	28.5	27.9	…	…	…	…	…	…	…
7,754	2,362	2,049	313	30.5	29.8	…	…	…	…	…	…	…
6,509	1,976	1,681	295	30.4	31.4	…	…	…	…	…	…	…
7,599	2,591	2,165	426	34.1	33.3	…	…	…	…	…	…	…
12,361	4,659	4,074	585	37.7	34.1	…	…	…	…	…	…	…
12,336	4,976	4,045	931	40.3	34.1	…	…	…	…	…	…	…
13,668	6,388	5,034	1,354	46.7	33.6	2,883	2,367	516	1,375	1,017	358	47.7
15,698	6,385	4,722	1,663	40.7	33.6	3,906	3,852	54	1,938	1,895	43	49.6

（就職状況）
中学校

区分	総数	第一次産業			第二次産業			
		農業	林・狩猟	漁・水産	小計	鉱業	建設業	製造業	小計
1957 昭32	6,428	3,435	22	117	3,574	20	100	420	540
1958 〃33	5,453	2,669	52	124	2,845	7	113	524	644
1959 〃34	4,969	2,235	17	125	2,377	10	138	573	721
1960 〃35	4,046	1,586	18	100	1,704	5	94	684	783
1961 〃36	3,400	1,145	5	45	1,195	6	102	825	933
1962 〃37	3,951	1,035	1	98	1,134	17	133	976	1,230
1963 〃38	7,366	1,768	12	166	1,946	18	228	1,630	1,876
1964 〃39	6,576	1,522	15	143	1,680	20	220	1,723	1,963
1965 〃40	6,760	1,715	10	136	1,861	37	218	2,259	2,514
1966 〃41	6,714	1,370	49	111	1,530	44	252	2,277	2,573
1967 〃42	6,016	1,121	32	91	1,244	36	225	2,303	2,564
1968 〃43	4,940	754	13	57	828	8	241	2,242	2,491
1969 〃44	4,464	614	3	62	679	5	270	2,210	2,485

高等学校

区分	総数	第一次産業			第二次産業			
		農業	林・狩猟	漁・水産	小計	鉱業	建設業	製造業	小計
1957 昭32	2,676	446	13	47	506	—	81	159	240
1958 〃33	3,011	501	1	101	603	—	116	184	300
1959 〃34	2,887	491	4	26	521	1	151	327	479
1960 〃35	3,465	485	4	50	539	—	146	561	707
1961 〃36	4,411	478	10	71	559	7	216	950	1,173
1962 〃37	4,412	331	4	63	398	6	140	885	1,031
1963 〃38	3,839	202	6	94	302	1	179	834	1,014
1964 〃39	3,432	184	14	54	252	—	181	903	1,084
1965 〃40	3,869	199	16	62	277	—	170	1,119	1,289
1966 〃41	5,093	322	—	112	434	1	215	1,322	1,538
1967 〃42	5,411	182	7	106	295	6	291	1,500	1,797
1968 〃43	5,698	165	5	83	253	1	199	1,656	1,856
1969 〃44	5,691	172	7	68	247	4	171	2,347	2,522

卸・小売	金保融険	不動産	運輸通信	電気ガス水道	サービス	公務	その他	小計	第一次	第二次	第三次
389	—	2	77	13	836	19	978	2,314	55.6%	8.4%	36.0%
318	—	1	96	39	847	32	631	1,964	52.2	11.8	36.0
384	2	—	60	25	903	11	486	1,871	47.8	14.5	37.7
374	—	7	45	7	806	12	308	1,559	42.1	19.4	38.5
263	4	—	50	6	625	5	319	1,272	35.1	27.4	37.5
414	5	—	88	10	803	11	362	1,587	28.7	31.1	40.2
971	3	—	273	58	1,547	14	678	3,544	26.4	25.5	48.1
756	1	5	281	31	1,254	7	598	2,933	25.5	29.9	44.6
637	—	4	241	40	953	6	504	2,385	27.5	37.2	35.3
681	—	1	232	70	1,167	9	451	2,611	22.8	38.3	38.9
523	—	—	151	53	1,081	8	392	2,208	20.7	42.6	36.7
499	6	—	93	33	717	11	266	1,625	16.8	50.4	32.8
327	—	—	24	27	705	2	215	1,300	15.2	55.7	29.1

卸・小売	金保融険	不動産	運輸通信	電気ガス水道	サービス	公務	その他	小計	第一次	第二次	第三次
295	291	1	151	39	301	322	530	1,930	18.9%	7.0%	72.1%
430	267	1	148	61	410	278	513	2,108	20.0	10.0	70.0
472	198	5	152	71	417	221	351	1,887	18.0	16.6	65.4
547	241	7	171	57	535	258	403	2,219	15.6	20.4	64.0
839	296	6	224	97	580	163	474	2,679	12.7	26.6	60.7
827	294	8	257	88	842	213	454	2,983	9.0	23.4	67.6
839	224	16	179	67	477	155	566	2,523	7.9	26.4	65.7
764	90	6	226	47	463	158	342	2,096	7.3	31.6	61.1
734	170	7	211	90	494	176	421	2,303	7.2	33.3	59.5
1,060	198	10	342	139	680	235	457	3,121	8.5	30.2	61.3
998	277	18	283	183	824	206	530	3,319	5.5	33.2	61.3
1,246	396	16	290	94	945	226	376	3,589	4.4	32.6	63.0
1,009	228	5	241	104	760	205	370	2,922	4.3	44.3	51.4

3 公教育費1人当り額

区分		幼稚園			小学校			中学校		
		沖縄	類似県	全国	沖縄	類似県	全国	沖縄	類似県	全国
1953	昭27	—	12.23	16.16	—	24.90	26.23	—	37.01	38.77
1954	〃28	—	13.31	18.14	—	29.35	31.85	—	41.94	42.86
1955	〃29	—	14.74	20.88	21.98	33.06	35.02	31.46	43.22	44.46
1956	〃30	—	15.68	21.43	22.85	32.19	33.97	25.87	41.66	42.52
1957	〃31	—	17.85	24.05	21.67	32.93	35.81	27.19	43.99	44.78
1958	〃32	—	22.20	27.65	27.27	34.70	39.07	37.58	48.08	50.21
1959	〃33	—	23.66	31.21	22.92	36.38	41.20	36.39	54.07	57.04
1960	〃34	—	25.49	32.51	27.14	39.63	44.26	44.03	57.85	63.48
1961	〃35	—	29.22	37.18	27.11	47.24	52.27	48.44	64.87	71.77
1962	〃36	19.62	35.68	44.61	32.94	57.02	63.28	54.04	70.95	78.67
1963	〃37	19.44	41.41	52.65	38.57	73.50	79.33	60.45	79.27	83.29
1964	〃38	23.79	45.00	61.21	44.03	88.53	96.63	65.97	96.33	99.20
1965	〃39	25.39	75.14	72.52	52.93	111.72	116.69	74.50	121.41	118.66
1966	〃40	33.50	60.66	81.97	67.58	129.47	137.02	78.15	141.54	141.24
1967	〃41	52.90	75.64	95.11	94.94	150.44	158.13	118.00	161.98	166.23
1968	〃42	70.08	—	—	114.63	—	—	142.93	—	—

(ドル)

特殊学校		高校（全日）			高校（定時）			社会教育			教育行政		
沖縄	全国	沖縄	類似県	全国	沖縄	類似県	全国	沖縄	類似県	全国	沖縄	類似県	全国
—	229.64	—	52.94	56.10	—	54.69	43.37	—	0.30	0.22	—	0.32	0.32
—	254.33	—	59.85	64.17	—	61.87	51.88	—	0.35	0.26	—	0.51	0.44
50.20	259.54	—	71.19	68.51	—	71.71	58.79	0.05	0.34	0.26	0.45	0.48	0.43
68.69	270.32	37.55	65.70	69.35	20.15	71.48	59.94	0.08	0.30	0.24	0.37	0.50	0.42
83.95	302.38	50.44	69.12	73.72	23.82	68.39	62.12	0.19	0.29	0.25	0.48	0.47	0.43
86.27	318.54	69.08	70.58	82.04	26.20	74.42	70.69	0.13	0.34	0.30	0.50	0.47	0.45
103.48	332.58	67.18	78.19	86.58	30.94	77.15	73.39	0.11	0.33	0.33	0.49	0.54	0.48
136.76	354.63	76.88	81.27	89.36	41.41	81.26	75.64	0.11	0.38	0.36	0.61	0.58	0.51
195.74	423.93	77.37	95.70	103.47	45.89	102.40	92.61	0.17	0.41	0.41	0.75	0.66	0.61
257.23	548.75	95.27	130.15	132.52	63.79	124.41	120.44	0.18	0.64	0.52	0.52	0.81	0.74
345.14	695.84	102.66	163.58	169.63	69.50	145.74	135.22	0.27	0.73	0.65	0.92	0.98	0.90
348.86	748.82	130.67	182.24	180.69	70.93	176.20	150.02	0.32	0.71	0.71	1.08	1.22	1.05
764.79	852.44	117.84	187.10	177.12	75.82	174.60	162.35	0.30	0.92	0.87	1.31	1.59	1.25
546.28	1,048.34	135.55	175.79	181.60	78.91	194.01	167.86	0.31	0.98	1.02	1.50	1.70	1.43
880.16	1,209.27	175.59	203.29	203.91	103.63	208.14	185.54	0.56	1.48	1.27	1.76	1.91	1.57
780.18	—	175.09	—	—	102.58	—	—	0.47	—	—	2.14	—	—

戦後教育関係年表

年	法による区分	教育	政治　経済　社会	政府による区分
1944	国民学校令戦時特例	学童疎開始まる（7・）	那覇空襲九割焼失（10・10）	日本（文部省）政府
1945	国民学校令戦時特例	中学校女学校生学徒隊として従軍（3・） 米軍軍政府教育部に沖縄教科書編纂所設置（8・1） 教育部の創立・教育部長の任命（8・29）	米軍沖縄本島上陸（4・1） 米軍布告第一号（ニミッツ布告）（4・） 沖縄戦終結（6・23） 沖縄諮詢会設立（8・29）	沖縄諮詢会
1946	初等学校令	沖縄文教部と改称（1・2） 初等学校令公布（4・） 沖縄文教学校創立（1・10） 幼稚園（1年）初等学校（8年）高等学校（4年）学制採用高等学校、初等学校職員に辞令交付 疎開学童引揚第1船帰還（10・5）　（4・13）	沖縄諮詢会石川より東恩納へ 沖縄民政府設立（4・24）（2・7） 賃金制実施（5・）	沖縄民政府
1947	初等学校令	実業高等学校設置	沖縄婦人連盟結成（10・1）	沖縄民政府
1948	初等学校令	米国留学生試験実施（2・3） 第1次日本留学生出発（2・25） 学制改革6・3・3制布かる（3・） 実業高校廃止（3・） 教育基本法・学校教育法制定公布（4・1）	新選挙法よる市町村長選挙（2・1） 沖縄民政府機構改革（4・1） 通貨切替（日円をB円）	沖縄民政府
1949	初等学校令	第一回契約学生派遣 成人学校開設（8・） 沖縄全島を10学区に分け教育長任命（12・9）	沖縄軍政府新設（4・1） 沖縄史跡保存会発足（10・31）	沖縄民政府
1950	初等学校令	教員訓練所・英語学校新設（4・） 第一回学力テスト実施（6・30） 戦後初の全島校長会（11・29） 指導主事制布かる（12・）	軍政府民間情報教育部新設 群島知事選挙（9・17）（1・30） 沖縄群島政府発足（11・4） 琉球列島米国民政府設立（USCAR）（12・15）	沖縄群島政府
1951	教育基本条例学校教育条例教育委員会条例	琉球大学開学（2・12） 文教審議会設置（2・21） 教育基本条例・学校教育条例・教育委員会条例公布（3・27） 臨時中央政府文教局発足（6・19）	琉球臨時中央政府開庁（4・1）	琉球臨時中央政府
1952	琉球教育法布令	琉球教育法（布令六六号）公布（2・28） 中央教育委員任命（4・14） 第一回研究教員派遣 教育区教育委員選挙（5・11） 教育税創設 全琉教育長（18名）中央教育委員会で決定 琉球育英会法公布（9・22）　（6・1）	第一回立法院議員選挙（3・2） 琉球政府創立（4・1） 那覇日本政府南方連絡事務所設置（8・13）	琉球政府
1953	琉球教育法布令	英語学校教訓学校廃止（4・1） 第1回公費学生送り出し 全琉教員夏期講習会本土講師招へい（7・20）	本土衆議員調査団来島（11・18） 奄美大島日本復帰（12・25）	琉球政府
1954	琉球教育法布令	教員校長教育長免許布令（134号）公布（6・8） 文化財保護法公布（6・29） 第一回大学入学資格検定試験（8・3）		琉球政府
1955	琉球教育法布令	沖縄教職員会第一次中央教研大会開催（1・17） 本土同胞から沖縄の児童生徒へ、愛の教具第一陣届く（10・7） 琉大志喜屋記念図書館献納式（12・10）	米極東軍沖縄視察団来（1・10） 軍用地調査委員会設置（1・14） 軍用地問題解決のため比嘉主席以下渡米代表団出発（5・23）	琉球政府

年	法による区分	教育	政治 経済 文化 社会	政府による区分
1956	六六号）	第一回中学校卒業資格認定試験（2・3） 全琉中学三年生義務教育学テ実施（2・5） 立法院可決の教育四法案廃案（2・24） 第一回基準教育課程委員会開催（9・18） 教育四法案再び廃案となる（10・25） 文部省学力調査全琉小中高校高学年に実施（9・29）	全琉臨時国勢調査（12・1） 軍用地問題プライス勧告発表（6・）	政
1957	教育法	教育法（布令一六五号）公布（3・2） 高等学校設置基準幼稚園設置基準設定（8・16） 教育法施行規則設定（8・19） 三度立法院教育四法可決（9・25） 高等学校教育課程設定（11・13）	新民法施行さる（1・1） 民政府内に渉外報道局設置（2・7） 日本復帰促進県民大会（4・27） 高等弁務官制布く（7・1）	
1958	民立法	教育四法高等弁務官承認公布（1・8） 沖縄短期大学設立認可（4・5） 第三回アジア大会聖火本島一周（4・22） へき地教育振興法公布（9・1） 教育職員免許法同法施行法公布（11・10） 中央教育委員第一回公選（12・6）	ドル切替（9・16）	
1959	法による教育四法	沖縄水産高校実習船海邦丸竣工沖縄入り（5・4） 国際短大設置認可（6・15） 日本生物教育大会始めて沖縄で開催（7・25） 第一回教育指導委員来島（9・16）	メートル法施行（1・1） 沖縄ユネスコ協会 発足（2・25） 皇太子殿下御成婚（4・10） 奥武山スポーツセンター野球場起工（7・14）	府
1960		パン給食始まる（1・18）第一回教員採用選考試験（3・13） 公立高校政府立へ移管（4・1） 第一回全琉小中学校長研修会（6・4） 学校給食法（6・15） 理科教育振興法（7・15）公布	南極観測船宗谷那覇寄港（4・16） アイゼンハワー大統領来島（6・19） 教職員共済会 八汐荘落成（6・26） 九州陸上沖縄大会（11・6）	
1961		沖縄大学（四年制）認可（2・18） 小学校新教育課程全面実施（4・1） 十四連合区を六連合区に統合・沖縄学校安全会許可（5・1） 特別奨学生（日政贈与）第一回試験（10・15）	ケネディ 池田共同声明 ケイセン調査団（10・5）（6・22） 小平総務長官来島（11・27）	
1962		文教局機構改（2・1）国際大学四年制認可（2・1） 中学校新教育課程全面実施（4・1） 政府立松島中学校開（4・10） 米国援助百万弗で教員給与改正（5・1） 文部省沖縄援助調査団来島（7・26）	琉球列島管理に関する行政命令を改正する行政命令（3・19） ケネデイ大統領の対琉球新政策に関する声明発表（3・20） 長谷川文部政務次官来島（4・15）	
1963		中教委教公二法案可決（1・21） 高等学校新教育課程学年進行で実施（4・1） 義務教育諸学校教科書無償（日政）給与（小学校）（4・1） スポーツ振興法公布（6・29） 荒木文部大臣（育英会十周年記念式典参列）来島（7・7） 水産高校実習船 翔南丸竣工（日政）（10・）	久米島航路みどり丸沈没（8・17）	

年	法による区分	教 育	政治 経済 文化 社会	政府による区分
1964		教公二法案廃案となる(6・30) オリンピック聖火リレー本島一周(9・7)	第一回青少年健全育成週間(4・6) 本土沖縄向マイク回線開通(9・1) オリンピック東京大会(10・10)	
1965		沖縄県教育重要課題期成会結成(6・10) 文教局機構改革 部長制しく(9・10) 私立学校法制定(9・10)	佐藤ジョンソン共同声明(1・14) 佐藤総理 中村文部大臣来島(8・19)	
1966		若人の集い建設沖縄大会(1・6) 学童集団健診実施(4・6) 政府立各種学校(商業実務 産業技術)開校(4・1) 教公二法案中教委で再可決(5・28) 教育委員会法一部改正により地方財政制度の改革 教育税廃止(7・1) 琉球大学政府立移管(7・1) 私立大学委員会設置(7・15)私立学校振興法公布(9・28) 博物館(米以)青年の家(日政)開館(所)(11・)	大統領行政命令改正に伴なう初の立法院議員選挙による行政主席選出(3・16) 裁判移送問題起こる(6・16) 第二宮古島台風襲来(9・5)	
1967		教公二法問題で教職員会10割年休行使など(2・24) 教育界大いに荒れ 立法院で廃案決定(11・22) 琉大に夜間部開設(4・) 幼稚園教育振興法公布(7・25) 沖大スト(9・) 高校入試5教科制決定(9・)	沖縄問題懇談会教育一体化で答申(7・) タクシー汚職問題起こる B52嘉手納滑走路と撤去運動(・)	
1968		教育の一体化に関して文教審議会開催(2・1) 公立学校職員共済組合法 同施行法公布(8・29) 政府立高校の教職員定数基準に関する標準法制定(8・) 夏の高校野球で初の準決勝進出(8・) 灘尾文部大臣来島(9・25) 沖縄教育研修センター庁舎落成(12・)	嘉陽小学校臨海学校(具志川海岸)で皮ふ炎(7・21) 八重山で人事・野国城小学校分離問題 大統領行政命令の改正により初の主席公選(11・)	
1969		風疹聴覚障害児指導のため本土政府第一次講師団来島(3・25) 定時制・造形教育全国沖縄大会開催(8・1~6) **日米共同声明により1972年度中に沖縄の本土復帰決定(11・22)**		

1969年12月25日印刷 1969年12月30日発行 　沖　縄　教　育　の　概　観 発行所　琉球政府文教局調査計画課 印刷所　松　本　タ　イ　プ 　　　　那覇市松山町2－120 　　　　　電話　8－5445

教育区	人口	公立学校数		教育区	人口	公立学校数	
		小学校	中学校			小学校	中学校
総計	934,176	239	151	那覇連合区	305,940	35	19
				31 浦添	30,821	4	2
北部連合区	118,912	63	43	32 那覇	257,177	22	11
1 国頭	9,192	9	7	33 具志川	5,922	2	1
2 大宜味	5,552	4	4	34 仲里	8,124	5	3
3 東	2,721	3	3	35 北大東	962	1	1
4 羽地	8,365	4	2	36 南大東	2,934	1	1
5 屋我地	3,349	1	1	南部連合区	115,805	30	21
6 今帰仁	12,531	5	4	37 豊見城	11,082	3	1
7 上本部	4,589	3	1	38 糸満	34,065	7	4
8 本部	15,068	8	7	39 東風平	9,499	1	1
9 屋部	4,345	3	1	40 具志頭	6,713	2	1
10 名護	19,601	4	2	41 玉城	9,532	1	1
11 久志	5,935	5	5	42 知念	5,765	2	2
12 宜野座	3,944	3	1	43 佐敷	8,000	1	1
13 金武	9,191	3	1	44 与那原	8,740	1	1
14 伊江	7,059	2	1	45 大里	6,771	2	1
15 伊平屋	3,083	4	2	46 南風原	9,913	1	1
16 伊是名	4,387	2	1	47 渡嘉敷	1,039	2	2
中部連合区	271,682	56	29	48 座間味	1,428	3	3
17 恩納	7,783	5	5	49 粟国	2,011	1	1
18 石川	15,958	3	1	50 渡名喜	1,247	1	1
19 美里	21,785	5	2	宮古連合区	69,825	21	17
20 与那城	15,014	5	3	51 平良	32,591	10	7
21 勝連	12,228	5	3	52 城辺	14,559	4	4
22 具志川	35,453	7	3	53 下地	5,206	2	2
23 コザ	55,923	6	3	54 上野	4,603	1	1
24 読谷	20,537	4	2	55 伊良部	10,263	2	2
25 嘉手納	14,392	2	1	56 多良間	2,603	2	1
26 北谷	9,957	2	1	八重山連合区	52,012	34	22
27 北中城	8,668	1	1	57 石垣	41,315	17	9
28 中城	10,091	4	1	58 竹富	7,026	14	11
29 宜野湾	34,573	5	2	59 与那国	3,671	3	2
30 西原	9,320	2	1				

※人口＝1965.10

行 政 区 分 図
=教育=

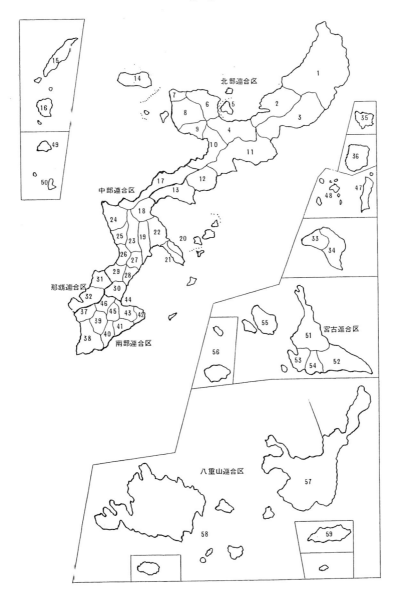

沖縄教育の概観

別冊 7

No.7

文　教　局

1971年度

沖縄教育の概観

文 教 局

注 ① 資料中,全国とは全国平均のことで,類似県とは本土における次の各県を便宜上類似県とみなし,その平均をとった。

区分		学校数					在学者数				
		幼稚園	小学校	中学校	高校	特殊学校	幼稚園	小学校	中学校	高校	特殊学校
類似県	島根	115	383	160	59	7	10,750	76,301	44,969	36,899	582
	徳島	238	331	136	57	4	15,930	76,927	46,174	37,055	708
	高知	32	429	202	56	9	8,273	71,845	40,698	31,615	684
	佐賀	104	228	100	40	3	10,583	91,670	53,812	46,558	619
	宮崎	109	324	165	57	4	11,257	119,341	70,394	51,655	585
沖縄		107	243	155	42	6	14,968	139,010	75,931	54,271	895

区分		面積 km² (昭42.10)	人口 (昭40.10)	人口密度 (km²あたり)	就業人口の産業別構成比			1人当り県民所得 (昭和40)
					第一次	第二次	第三次	
類似県	島根	6,625.74	821,620	124	40.9%	20.1%	39.0%	485ドル
	徳島	4,143.47	815,115	197	38.3	26.6	35.1	522
	高知	7,105.52	812,714	114	38.5	19.2	42.1	521
	佐賀	2,408.04	871,885	362	36.7	22.9	40.4	498
	宮崎	7,732.62	1,080,692	140	42.3	18.4	39.1	481
沖縄		2,388.2	934,176	391	32.7	17.4	49.9	424

② 年度のとり方は学校基本調査関係はその年度の5月1日現在をとり,予算関係は本土はその年度の4月1日から翌年の3月31日まで,沖縄は前年度の7月1日からその年度の6月30日までの期間である。

は じ め に

　この小冊子は，1970年度の沖縄教育についてその概要を解説したものであります。

　戦後26年間，祖国から切りはなされ，異民族の施政下にあって，沖縄教育の歩みはまことにいらただしい程遅々たるものでありました。そのため大きく開いた本土との教育諸条件の格差をいかにしてなくすかということが当面の課題であります。とくに′72年の本土復帰を前に，この課題は一層の重要性と緊急性をもって迫ってまいります。

　いうまでもなく，沖縄教育の向上発展は，文教当局だけでなく，広く教育関係者をはじめ全住民が文教施策及び諸制度ならびに教育の現況について充分な理解をもたれ，ご協力くださることが最も必要なことだと考えます。

　そのため資料はできるだけ過去のものも入れ，また，本土比較ができるよう全国平均や類似県平均の資料等も掲載するようつとめました。

　この冊子のご利用により，沖縄教育について深い認識とご協力をいただきたいと念願しております。

　1971年1月

　　　　　　　　　　　文教局長　中　山　興　真

もくじ

1 沖縄の概要 …………………………………………………… 4
2 教育行政 ……………………………………………………… 6
　(1) 教育行政組織 …………………………………………… 6
　(2) 中央教育委員会と文教局 ……………………………… 8
　(3) 地方教育委員会 ………………………………………… 8
3 教育財政 ……………………………………………………… 10
　(1) 教育財政制度 …………………………………………… 10
　(2) 教育予算 ………………………………………………… 12
4 学校制度 ……………………………………………………… 18
5 学校教育 ……………………………………………………… 20
　(1) 学校概況 ………………………………………………… 20
　(2) 小・中学校 ……………………………………………… 22
　(3) 高等学校 ………………………………………………… 28
　(4) 特殊学校 ………………………………………………… 30
　(5) 大　学 …………………………………………………… 32
　(6) 幼稚園 …………………………………………………… 34
　(7) 各種学校 ………………………………………………… 34
6 学校保健 ……………………………………………………… 36
7 卒業後の状況 ………………………………………………… 38
　(1) 卒業後の進路別状況 …………………………………… 38
　(2) 進学状況 ………………………………………………… 38
　(3) 進学率 …………………………………………………… 38
8 教職員 ………………………………………………………… 40
　(1) 職名別教員数 …………………………………………… 40
　(2) 男女別教員構成 ………………………………………… 40

	(3)	負担別職員数…………………………………	40
	(4)	教員の年令別構成…………………………	42
	(5)	免許状所持状況…………………………	42
	(6)	教員給料平均月額………………………	42
9		学校施設設備……………………………………	44
	(1)	学校施設………………………………………	44
	(2)	学校備品………………………………………	46
10		育英奨学事業…………………………………	48
11		社会教育………………………………………	50
	(1)	社会教育関係職員……………………………	50
	(2)	社会教育施設…………………………………	50
	(3)	社会教育学級…………………………………	50
	(4)	文化財保護事業………………………………	50

(参考資料)

1.	学校概況………………………………………	54
2.	卒業後の状況…………………………………	60
3.	公教育費1人当り額…………………………	64
4.	児童・生徒の疾病異常被患率………………	64
5.	公立学校教員の学歴構成……………………	65
6.	戦後教育関係年表……………………………	66

1　沖縄の概要

　沖縄（県）は，沖縄・宮古・八重山の3群島からなり，気候は亜熱帯気候に属している。総面積は2,388 km^2で，沖縄群島がその62.8％を占めている。耕地面積は総面積の24％で砂糖きび・パイナップルが主要農作物となっている。また，沖縄における米軍用地は総面積の8.7％（沖縄本島では13.8％）を占めていることは注目すべきことである。

　総人口は約94万5千人（1970年国勢調査速報）でその約30％（約27万7千人）が那覇市に集中している。

　政治的にみると，沖縄（県）は第二次世界大戦後，日本政府の行政権から分離され，1951年に調印された対日平和条約第3条に基づいて合衆国が施政権を行使している。この3条によって譲渡された三権（立法・行政・司法）は，合衆国大統領の指揮監督に従って国防長官が行使し，大統領行政命令によって，国防長官は琉球列島に関する外国および国際機構との交渉について責任を負うことが規定されている。国防長官の管轄のもとに琉球列島米国民政府（ユースカ）があり，その長であるとともに，沖縄における施政の最高責任者である高等弁務官は，沖縄駐留米国軍隊の司令官も兼ねている。

　沖縄住民の中央自治機構としては，琉球政府があり，地方自治としては55の市町村が置かれている。

　沖縄県民は日本国籍を有しながら，日本国憲法の適用外におかれ，戦後20余年もの間きわめて特異な状態のもとで本土復帰の日を待ちつづけてきた。1969年11月22のの日米共同声明によって1972年度中に本土復帰が実現することになり，復帰に備えてその体勢づくりが急がれている。

1 沖縄の概要

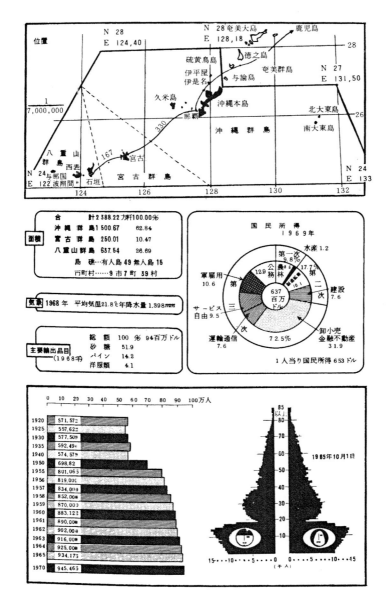

2 教育行政

(1) 教育行政組織

　沖縄の教育行政組織は本土とかなり異なっている。教育行政がすべて委員会制度によって運営されていることは本土と同じであるが，大学を除くすべての中央の教育行政は琉球政府行政府の長である行政主席より独立した中央教育委員会が最高の責任を負っている。中央教育委員会委員は6つの選挙区から区教育委員の選挙によって選出され，委員数は11人，任期は4年，2年毎にその半数が改選される。

　地方教育については，市町村を同一区域とする法人格を持つ教育区（55）が設定されており，教育区住民により公選される教育委員の構成する区教育委員会がこれを担当している。委員数は各教育区5人（那覇教育区は7人）で，任期は4年で2年毎に半数が改選される。

　さらに，これら55の教育区は，地方教育の指導管理を共同処理することにより行政の効率化を図るため6つの連合教育区を組織している。

　連合教育区も法人で，連合委員会は連合区を構成する教育区の委員の代表によって組織されている。

　これまで概観したように，沖縄の教育行政制度は委員の公選制をはじめとして，委員会の組織，職務，権限等の上で，本土の場合とかなり相違していることになる。本土復帰に際し教育委員会制度をどのようにするかが問題になり色々論議されたが中央教育委員会では現行制度を存続するよう要請することになった。

　一方，大学教育行政は，行政主席の任命による琉球大学委員会，私立大学委員会が構成するそれぞれの委員会によって運営されている。

2 教育行政

(1) 教育行政組織

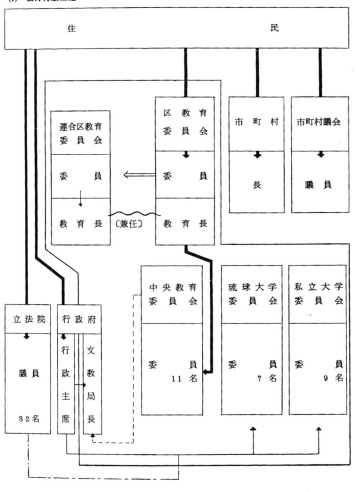

(2) 中央教育委員会と文教局

　中央教育委員会の委員は6選挙区の教育長の事務管理のもとで，区教育委員の選挙によって選出される。選挙区は，北部地区（2人），中部地区（3人），南部地区（2人），都市地区（2人），宮古地区（1人），八重山地区（1人）となっている。

　中央教育委員会のおもな業務は，教育政策の樹立・教育課程の基準の設定・政府立教育機関の管理・地方教育委員会への指導助言などとなっている。

　文教局長は中央教育委員会の推せんを得て，行政主席が任命し，中央教育委員会へ教育専門家としての助言をなすと同時に中央教育委員会の設定した教育政策の執行責任者でもある。従って文教局は行政府の一機関であり，かつ中央教育委員会の事務局ともなっている。文教局は3部10課1室で組織され136人の教育専門職員・事務職員が勤務している。

(3) 地方教育委員会

　区教育委員会は中央教育委員会の教育政策に基づき，教育区内の公立学校（幼稚園・小学校・中学校）の管理運営ならびに社会教育を行なっており，所轄の学校の教職員の人事権を有している。

　地方教育委員会には，それぞれ教育長が置かれているが，連合区教育委員会の教育長は構成教育区の教育長をも兼ねている。教育長は中央における文教局長と同じく，地方教育委員会への助言者であり，事務執行責任者でもある。

　連合教育委員会事務局にも指導主事，管理主事等の教育専門職員が配置されており，管下の教育区の教育指導，管理事務を担当している。

(2) 中央教育委員会と文教局

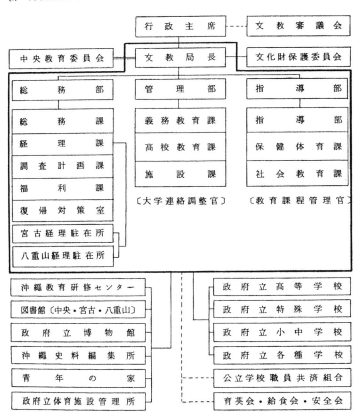

(3) 地方教育委員会

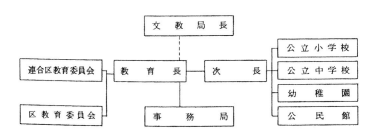

3 教育財政

(1) 教育財政制度

　教育財政制度は，中央・地方とも教育費の一般需要に応ずる独自の財源はもたず，政府・市町村の一般財源の一部が充当されるという形をとっている。

　予算制度は中央・地方ともほゞ似ているが，中央の教育予算が政府の一般会計予算に包括されているのに対し，地方では市町村予算と別箇の教育予算を編成している。

　予算編成の過程としては，中央の教育予算は文教局長が見積書を作成し，中央教育委員会の承認を得て行政主席の統合調整に供し，行政主席が一般会計予算案として立法院の審議に付すという順序で，これが一般に参考案と呼ばれ立法院での審議の後，可決を経て主席の署名公布となる。

　一方地方の教育予算は区教育委員会が見積書を作成して，市町村長に送付し，市町村長が市町村予算と財源上の調整をして市町村議会の審議に付すという過程を経る。地方教育区における教育費の財源は，政府補助金や教育区債などのその使途が決定もしくは限定された「特定財源」と市町村負担金やその教育区の諸収入のように教育区が独自に使用できる，いわゆる「一般財源」に大きく区分できる。市町村負担金は１９６７年度の教育税廃止に伴なう市町村交付税制度によるもので，教育区の財源の主体をなしている。市町村交付税制度は従来の教育税制度の中でその地域的較差のため困窮を極めていた教育区の財政に対し，一定の標準的行政水準が保てるように配慮された点は沖縄の教育振興の上で大きく寄与したといえよう。

3 教 育 財 政

(1) 教育財政制度

(ア) 中央（文教局）の予算編成過程

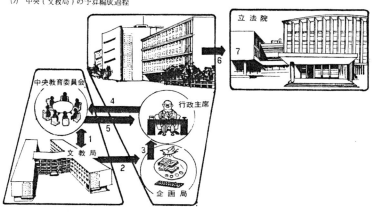

(イ) 地方教育区の予算編成過程

1　予算見積書の作成
2　予算見積書の送付
3　統合調整
4　減額修正の場合に意見を求める
5　減額修正に対する意見書の送付
6　議会へ送付
7　審議決定

(2) 教育予算

(ア) 国民所得と公教育費総額

その地域における住民の教育に対する関心度や経済的努力の度合を示すものの一指標として，国民所得に占める公教育費総額の比率があげられる。

沖縄の公共機関から支出された教育費の総額は，1969年度は約5千3百万ドルで，この額は同年度の国民所得約6億4千万ドルの8.4%を占めている。この比率は本土（昭和42年度5.0%）や諸外国と比べても決して低い数字ではなく，それだけ住民が教育に対して経済的に最大の努力を払っていることを示している。

もとより貧困な琉球政府の予算規模や低い国民所得の中の比率で，教育に対する住民の関心度を比較することには異論もあろうが，開発すべき自然資源が現在のところ乏しいことや，今次大戦で多くの人材を失った歴史の中から，教育による人材養成が，いかに重要であるかを住民のひとりびとりが充分に理解しているといえよう。

(イ) 政府総予算と文教局予算

1971年度琉球政府一般会計歳出予算総額は200,780,511ドルで，このうち文教局予算額は54,360,173ドルで政府総予算に占める比率は27.1%となっている。

この比率を過去にさかのぼってみると，1962年度の36.8%を最高に，1957年度の26.6%を最低として大体30%を前後している。

政府総予算の中においても教育予算は最優先され，行政府自体としてもかなりの努力を払っているとはいえ，政府予算の規模が本土相当県の水準に比較して小さい所に問題がある。

(2) 教育予算
　(ア) 国民所得と公教育費総額

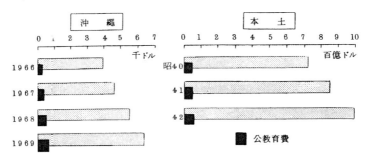

　(イ) 政府総予算と文教局予算

年度	政府総予算	文教局予算	構成比	
	千ドル	千ドル	%	千万ドル
1954	14,814	4,164	28.1	
1955	16,114	4,673	29.0	
1956	16,687	5,052	30.3	
1957	20,029	5,334	26.6	
1958	22,068	6,846	31.0	
1959	22,523	7,092	31.5	
1960	25,547	8,368	32.8	
1961	26,966	9,541	35.4	
1962	32,936	12,110	36.8	
1963	42,128	14,257	33.8	
1964	48,730	16,122	34.0	
1965	54,756	18,618	33.0	
1966	66,375	23,674	35.7	
1967	92,350	30,391	32.9	
1968	111,282	34,237	30.8	
1969	145,831	44,205	30.3	
※1970	170,785	48,332	28.3	
※1971	200,780	54,360	27.1	

※　予算額

(ウ) 中央・地方の教育予算

中央における教育関係予算は，1971年度で文教局，琉球大学を合わせて約5千8百万ドルとなっている。これを琉球政府総予算額2億78万ドルの比率でみると27.1％となっている。次に前年度と比較すると，政府総予算が17.6％の伸長率を示しているのに対して，文教局12.5％伸長率・琉球大学は1.3％の減少となっており（施設費の減）教育関係全体としては11.5％の伸長率を示している。

地方の教育予算は教育区の5千2百万ドルと連合区分71万ドルが計上されているが教育区予算に含まれている連合区分担金30万6千ドルが重複しているので，実質的な地方の教育予算は5千228万ドルになる。

(エ) 文教局および教育区予算の分野別・財源別区分

文教局予算のうち，その93.0％（約54,057万ドル）が学校教育費（幼稚園・小学校・中学校・特殊学校・高等学校・各種学校）にあてられている。財源別にみると，琉球政府の自己財源が64.7％（3千515万ドル），日本政府援助が35.3％（1千921万ドル）となっており，とくに近年における本土政府援助の増加は沖縄の教育水準を高める上で大きな効果をもたらしている。（教育関係への米政援助は1971年度からゼロになった。）しかしながら，教育諸条件のうちでも，学校施設・設備等については本土との較差是正の上から，より一層の援助が望まれている。

一方，地方（教育区）の予算においても学校教育費が大部分（94.4％）を占めていることは中央と同じである。教育区の予算はその財源の75.2％を政府支出金が占め，更に交付税が含まれている市町村負担金まで考慮すると，地方教育に対する政府からの財源補充はかなり大きな比重を占めていることになる。

(ウ) 中央地方の教育予算　　　　　　　　1971年

	中　央		地　方
計	57,897,580ドル	計	52,588,358ドル
文教局	54,360,173 〃	教育区	51,874,154 〃
琉球大学	3,537,407 〃	連合区	714,204 〃

(注) 教育区の予算中，連合区分担金306,506ドルが含まれている。

(エ) 文教局および教育区予算の分野別，財源別区分

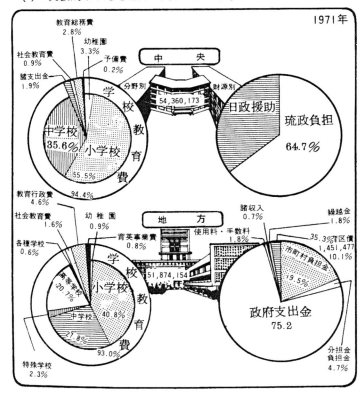

(オ)　文教局予算の支出項目別内訳

　1971年度の文教局予算54,360,173ドルのうち,文化財保護委員会関係予算を除いた54,292,269ドルを支出項目別にみると,教職員給与や旅費,消耗品費などの消費的支出が全体の82.7％を占めている。一方,学校建設費や土地購入・備品費などの資本的支出は17.3％となっている。これらの項目のうち,教職員給与費及び学校建設費は政府がその負担を義務づけられたいわゆる義務経費であり,両者で87.7％もの大きな比重を占めていることになる。

(カ)　教育分野別教育費総額（大学経費を除く）

　1969年度の教育費総額（大学経費を除く）は約5千197万ドルとなっている。このうち公共機関から支出されたいわゆる公費が96.5％,寄付金・PTA等父兄が負担した私費が3.5％となっている。教育分野別にみて,私費の占める割合が本土（1967年）より高いのは,高校定時制・通信制・社会教育の分野である。このうち,特に社会教育費について,沖繩の私費が高率を示しているのは,未公認幼稚園等の教職員給与費が社会教育費として計上され,私費のほとんどがこれに該当しているからである。

(キ)　生徒（人口）1人当り公教育費

　教育財政水準を示すといわれている公教育費1人当り額を本土と比べると,小学校65％,中学校78％,高校全日66％でかなり低い水準にある。このような結果にある理由として沖繩の場合教育人口が本土に比べて比率が高いこと,政府・地方を通ずる財政力が弱いことなどがあげられる。

(ケ) 文教局予算の支出項目別内訳（1971年）

計 (文化財関係を除く 文教局予算)		54,292,269 ドル
消費的支出		44,894,653
(1) 教職員給与		40,328,886
(2) そ の 他		4,565,767
資本的支出		9,397,616
(1) 学校建設費		7,257,609
(2) そ の 他		2,140,007

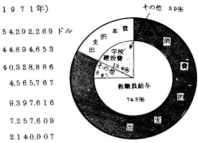

(コ) 教育分野別教育費総額（大学経費を除く）　　　　単位 ドル %

区 分	沖　　　縄（1969年）					本土（1968年）	
	計 A	公費 B	私費 C	B/A	C/A	B/A	C/A
総　　額	51,968,914	50,140,067	1,828,847	96.5	3.5	94.2	5.8
学校教育費	48,146,257	46,505,353	1,640,904	96.6	3.4	94.2	5.8
幼稚園	981,729	923,822	57,907	94.1	5.9	92.4	7.6
小学校	21,136,135	20,618,271	517,864	97.5	2.5	94.6	5.4
中学校	14,847,787	14,481,450	366,337	97.5	2.5	95.7	4.3
特殊学校	855,137	846,154	8,983	98.9	1.1	98.6	1.4
高校 全日	8,344,169	7,701,996	642,173	92.3	7.7	90.4	9.6
定時	857,953	822,795	35,158	95.9	4.1	96.1	3.9
通信	29,089	27,424	1,665	94.3	5.7	98.8	1.2
各種学校	1,094,258	1,083,441	10,817	99.0	1.0	98.0	2.0
社会教育費	820,122	632,179	187,943	77.1	22.9	89.3	10.7
教育行政費	3,002,535	3,002,535	—	100.0	—	98.8	1.2

（注）本土は地方教育費の調査中間報告書より

(サ) 生徒（人口）1人当り公教育費

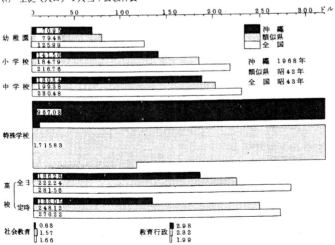

4 学校制度

　戦後まもない1948年に6・3・3制度が確立されて以来，本土と全く同じ教育制度及び教育内容で日本国民としての学校教育が行なわれている。

　すなわち，小学校の6か年と中学校の3か年の計9か年が義務教育で，その就学率は99.8％に達している。

　中学校より高等学校への入学には選抜試験が実施されているが，中学校卒業者の半数以上が高等学校に進学している。高等学校から大学へは，沖縄内の5つの大学のほかに，本土の大学にも5,000人前後の学生が在学している。

　本土の学校制度と若干異なっている部分に，沖縄には産業技術学校及び商業実務専門学校のいわゆる政府立各種学校がある。本土復帰をひかえ，現在これらの学校については高校への移行が進行中である。

　小・中学校では普通教育が，高等学校では高等普通教育及び専門教育が行なわれており，このほかに幼稚園教育，心身の障害ある者のための特殊教育も実施されているが，これらの分野における学校教育は，まだじゅうぶん充実した状態にはなく，今後の整備がのぞまれている。

　高等学校以下の学校の教員は免許制度がとられており，大学卒で教職の科目を履習した者に免許状が与えられ，かつ，原則として文教局の行なう教員候補者選考試験に合格した者が採用されることになる。

　なお，教員採用における任命権者は，政府立学校においては，中央教育委員会が，公立学校においては区教育委員会となっている。

4 学校制度

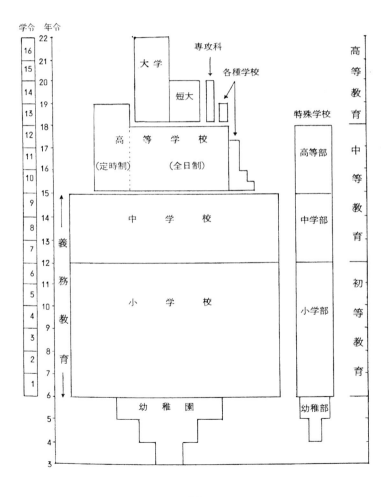

5 学校教育

(1) 学校概況

　幼稚園から大学までの学校数は，1970年5月現在で626校を数えており，幼児・生徒・学生の数は昨年度が約30万人であるのに対して1970年度も約30万人となっている。沖縄内で就学している全生徒数は人口の32％に及んでいる。教員数は約1万2千3百人となっている。

　学校の設置者別でみると，幼稚園・小・中学校は公立（教育区立）がそのほとんどを占めており，高等学校は政府立38校，私立4校，特殊学校はすべて政府立である。大学は政府立の琉球大学のほかに私立の大学・短大が4校設置されている。

　一般にいえることは，大学を除いて私立の学校が少ないことである。この点から，沖縄の場合政府立，公立の学校整備を進めるとともに，私立学校の振興を図ることが今後の大きな課題である。

　沖縄の学校教育のもう一つの特色は，義務教育就学者数が極めて多いことである。沖縄は総人口，約94万人（1970年）に対し小中学校生徒数は約21万人（1970年）おり，本土では小・中学校生徒数の全人口に占める比率が13.7％であるのに対して，沖縄では22.2％と極めて高い率を示している。このことは，現段階において，教育にかかる経費をより多く必要とし，教育条件の本土並み引上げを遅らせている原因の一つともなっている。なお，沖縄独得の学校としてあった政府立各種学校は，1970学年度より工業高校へ移行し，'70学年度は2年課程のあった4校が残っているが，'71学年度からは全部なくなることになっている。

5 学校教育

(1) 学校概況

区　　分		学校数			学級数	教員数 (本務)	在学者数
		計	本校	分校			
幼稚園	1969年度	〔107〕	〔107〕	—	〔393〕	〔407〕	〔14,963〕
	1970年度	124	124	—	439	448	15,689
	公立	114	114	—	401	401	14,412
	私立	10	10	—	38	47	1,277
小学校	1969年度	〔243〕	〔230〕	〔13〕	〔3,840〕	〔4,816〕	〔139,010〕
	1970年度	244	232	12	3,847	4,886	137,330
	政府立	2	2	—	3	4	11
	公立	240	228	12	3,835	4,868	137,077
	私立	2	2	—	9	14	242
中学校	1969年度	〔155〕	〔154〕	〔1〕	〔1,922〕	〔3,439〕	〔75,931〕
	1970年度	154	153	1	1,894	3,435	72,951
	政府立	3	3	—	15	32	681
	公立	150	149	1	1,876	3,398	72,241
	私立	1	1	—	3	5	29
高等学校	1969年度	〔38〕	〔38〕	—	—	〔2,419〕	〔54,271〕
	1970年度	42	42	—	—	2,726	54,653
	全日制 小計	42	42	—	—	2,358	47,724
	政府立	38	38	—	—	2,116	42,320
	私立	4	4	—	—	242	5,404
	定時制 小計	20	20	—	—	368	6,929
	政府立	19	19	—	—	367	6,914
	私立	1	1	—	—	1	15
	通信制	1	1	—	—	11	554
特殊学校	1969年度	〔6〕	〔4〕	〔2〕	〔107〕	〔166〕	〔903〕
	1970年度	6	5	1	123	192	949
	盲学校	1	1	—	19	31	105
	ろう学校	1	1	—	35	56	273
	養護学校	4	3	1	69	105	571
短期大学	1969年度	〔5〕	〔5〕	—	—	〔31〕	〔2,530〕
	1970年度	5	※5(3)	—	—	38	2,806
	政府立	1	1(1)	—	—	10	600
	私立	4	4(2)	—	—	28	2,206
大学	1969年度	〔3〕	〔3〕	—	—	〔285〕	〔6,924〕
	1970年度	3	3	—	—	309	7,037
	政府立	1	1	—	—	242	3,642
	私立	2	2	—	—	67	3,395
各種学校	※※1969年度	〔45〕	…	—	—	〔361〕	〔10,251〕
	1970年度	48	…	—	—	279	9,441
	政府立	4	4	—	—	78	571
	私立	44	…	…	…	201	8,870

※　( )書は大学に併設で内数
※※　私立各種学校は1968学年度の資料を入れた。

(2) 小・中学校

　(ア) 児童生徒数別学校数

　児童生徒数の多少は，その学校における教育効果の上で大きな関係をもっている。一般に学校教育上適正規模は全学級数が１２～１８学級であるとされ，児童生徒数では５００～７００人程度が望ましいことになる。沖縄の場合，小学校では大規模学校が，中学校では小規模及び大規模学校の占める比率が高い。

　本土と同様に人口の都市集中に伴なう過疎過密の現象は沖縄でも深刻化し，ここに学校の総合及び分離の問題が生じている。しかしながら，これらの問題はひとり教育行政当局のみの問題でなく，地域住民の教育的見地に立つ積極的な協力なくしては解決しえない問題である。

　(イ) 収容人員別学級数

　「義務教育諸学校の学級編制及び教職員定数の基準に関する立法」の実施によって，児童生徒数の減少にもかゝわらず学級数は増加している。そして，標準規模４５人以下の学級数が多くなっているが，一方過疎過密現象のあらわれとして５０人以上の学級の増加が注目される。

　(ウ) 複式学級等児童生徒数

　複式学級及び単級に在籍している児童生徒数は小学校で，１０４６人，中学校で１８６人となっている。

　(エ) 特殊学級の設置状況

　特殊学級の設置状況をみると，学級数では小学校１４６，中学校６０学級となっている。児童生徒数では，小学校1,359人中学校５６１人で，その理由は精神薄弱によるものが多い。

(2) 小・中学校

(ア) 児童生徒数別学校数　　　　　　　　　　１９７０年（政府立／公立）

区分		計	0～49	50～99	100～199	200～299	300～499	500～999	1,000～1,499	1,500～1,999	2,000～3,000
小学校	実数	242	24	23	34	26	35	53	27	15	5
	比率	100.0	9.9	9.5	14.0	10.7	14.5	21.9	11.2	6.2	2.1
	(全国)	100.0	15.5	11.5	18.7	12.8	14.4	18.0	7.4	1.5	0.2
中学校	実数	153	23	17	27	12	23	27	14	9	1
	比率	100.0	15.0	11.1	17.6	7.8	15.0	17.6	9.2	5.8	0.7
	(全国)	100.0	8.5	8.2	13.8	12.8	20.0	28.8	7.0	0.9	0.0

分校を含む

(イ) 収容人員別学級数　　　　　　　　　　１９７０年（公立）

区分	小学校				中学校			
	計	単式学級	複式学級	特殊学級	計	単式学級	複式学級	特殊学級
計	3,835	3,622	67	146	1,876	1,803	13	60
15人以下	239	64	29	146	89	22	7	60
16～20	84	68	16	—	29	26	3	—
21～25	170	148	22	—	36	33	3	—
26～30	243	243	—	—	70	70	—	—
31～35	541	541	—	—	98	98	—	—
36～40	1,197	1,197	—	—	408	408	—	—
41～45	1,264	1,264	—	—	1,080	1,080	—	—
46	45	45	—	—	34	34	—	—
47	25	25	—	—	16	16	—	—
48	11	11	—	—	2	2	—	—
49	6	6	—	—	2	2	—	—
50人以上	10	10	—	—	12	12	—	—

（複式学級に単級を含む）

(ウ) 複式学級等児童生徒数（公立）1970年

区分		小学校	中学校
複式学級	計	1,046	186
	2個学年	803	186
	3個学年	219	—
	4個学年	15	—
	5個学年	9	—
単級		—	60

(エ) 特殊学級の設置状況（公立）1970年

区分		小学校	中学校
学級数	計	146	60
	精神薄弱	140	58
	混合	6	2
児童生徒数	計	1,359	561
	学年別 1年	4	244
	2年	94	238
	3年	296	79
	4年	350	—
	5年	332	—
	6年	283	—
	理由別 精神薄弱	1,302	551
	身体不自由	17	1
	身体虚弱	24	4
	弱視	1	—
	難聴	12	5
	言語障害	3	—

(オ) 児童生徒数の推移（全琉）

　小学校全児童数は１９７０年度で約１３万７千人，中学校全生徒数は７万３千人となっている。ベビーブームの影響による児童生徒数のピーク時（小学校は１９６１年約１６万５千人，中学校は１９６５年約８万３千人）がすぎ１９７４年までは毎年減少していく傾向を示している。１９７２学年度には，小学校約１２万９千人，中学校約７万１千人台になることが推計されている。

(カ) １学級当り児童生徒数（公立・政府立学校）

　公立小・中学校の学級編制基準の改善は１９６９学年度を初年次とする第二次の５か年計画がスタートし，現在本土と同一ステップで改正が進行している。

　政府立・公立小学校の学級数は3,838学級で，１学級当り児童数は35.7人，中学校では学級数1,891学級で，１学級当り生徒数は38.6人となっている。一学級当り児童生徒数で小学校より中学校が多いのは，特殊学級数や複式学級が中学校は少ないためである。

(キ) 教員１人当り児童生徒数（公立・政府立学校）

　政府立・公立小学校の教員は4,872人で教員１人当り児童数は28.1人，中学校では教員3,430人に対して，教員１人当り生徒数は21.3人となっている。

　教職員定数及び学級編制基準は本土と同一水準になっているが，小・中学校とも，学級当り児童生徒数及び教員１人当り児童生徒数に相異がみられるのは，沖縄と本土における学校の在籍数（学校規模）構成比の相異があるためである。したがって同一規模の学校間では本土沖縄でそれらについては相違はないことになる。

(オ) 児童生徒数の推移（全琉）

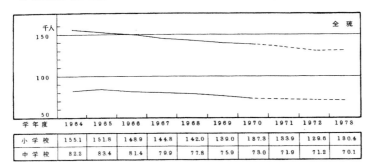

(カ) 1学級当り児童生徒数（公立・政府立学校）

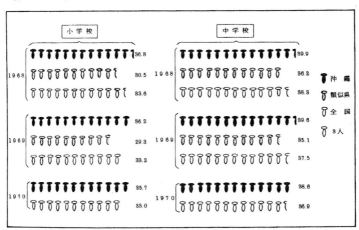

(キ) 教員1人当り児童生徒数（公立・政府立学校）

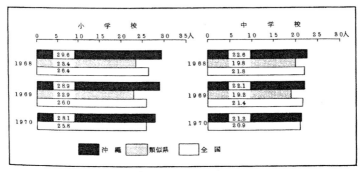

(ク)　へき地学校（公立）
　①　学校概況
　教育の機会均等の確保を図るため，教育条件の整備の1つとしてのへき地教育の振興は教育における最も主要な分野の一つである。現在，へき地教育振興法で指定されているへき地学校数は120校，児童生徒数は約2万人を数えている。
　これは沖縄の全児童生徒数からみると約10％もの児童生徒がへき地で教育を受けていることを示している。
　文化・経済水準の遅れているへき地における教育は，またそれなりに困難な側面があり，教育振興策も特別な配慮が要求されよう。
　②　へき地学校の施設設備
　へき地教育で一つの問題点は教職員の住宅確保である。現在日米両政府の援助を得てへき地教員住宅建設に努力を重ねているが，1970年現在で必要棟数の約35％を満たしているにすぎず，今後の大幅な建築増が望まれている。また，学校統合の推進も一つの課題となって，それに伴なうスクールバスや寄宿舎の整備も必要である。へき地文化備品等の整備も不充分な状況にある。
　③　へき地教員の待遇
　文化的に恵まれない子ども達の教育は都市地区以上の熱意が要求される。これらのへき地教員の努力にむくいるため，待遇も相応しなければならない。現在，不充分ながらへき地手当の支給，教員住宅料の補助などの措置がとられているほか，へき地教員奨学制度が実施されている。

(ク) へき地学校（公立）
① 学校概要　　　　　　　　　　　　　　　　１９７０年（公立）

区分	小学校					中学校				
	学校数	児童数	学級数	教員数	職員数	学校数	生徒数	学級数	教員数	職員数
計	68	12,965	461	617	116	52	7,284	243	475	65
1級地	16	4,630	143	188	—	11	2,343	77	121	—
2 〃	17	4,090	145	192	—	14	2,524	74	155	—
3 〃	12	1,497	63	86	—	10	978	34	84	—
4 〃	16	1,836	76	105	—	12	1,052	44	83	—
5 〃	7	912	34	46	—	5	387	14	32	—
全体に占める比率	28.3	9.5	12.0	12.7	11.6	34.0	10.1	13.0	14.0	13.5

② へき地学校の施設設備

へき地教員住宅　１９７０年５月　公立小中校

区分	必要数(棟)	保有		保有率
		棟数	収容人員	
北部	104	25	40	24 %
中部	41	12	26	29
那覇	84	20	43	24
南部	46	22	45	48
宮古	83	18	36	22
八重山	114	68	121	59
計	472	165	311	35

へき地文化備品　１９７０年１０月

品目	保有数
スクールバス	2台
ボート	4隻（小型エンジン付くり舟）
発電機	43機
ビデオテープレコーダー	30台
自動車	1台
オートバイ	17台
草刈機	22機
映写機	80台
テレビ	234台

③ へき地教員の待遇

1　へき地手当

級地	手当額
1級地	給料額の8%
2 〃	〃 12
3 〃	〃 16
4 〃	〃 20
5 〃	〃 25

2　その他

へき地勤務教員のためのa．特別昇給，b．離島等勤務教員の給与に関する特別措置，c．へき地住宅料補助等がある。

(3) 高等学校

(ア) 生徒数の推移

高等学校の学校数は，1970年5月現在で，政府立38校，私立4校の計42校，生徒数は約5万5千人を数えている。

中学校の卒業者数は今後漸減していくが，社会の要請や高等学校進学希望者の増加現象などで，高等学校教育の量的拡充の必要性がますます高まっていく傾向にある。

(イ) 設置者別・課程別生徒数

設置者別生徒数（本科のみ）をみると，政府立90：私立10となっている。これは本土（1969年，公立69.7：私立30.1：国立0.2）に比べて，私立の生徒数が少ないことになる。課程別生徒数（本科）では，全日制87：13で本土（1970年全日91：定時9）とほとんど同じ構成比となっている。性別生徒数の構成比では，男47：女53で本土（1969年男51：女49の場合と全く逆の構成比で，沖縄では女生徒が高い比率を示している。

(ウ) 教員1人当り生徒数

教員1人当り生徒数は，1969年度で22.1（本土19.8），70年度で19.8（本土19.1）とかなり改善されている。教職員定数の標準法の改正（1971年4月で本土水準になる三カ年計画）により，なお一層改善されることになるが，職業関係の生徒数比が本土より高いので，実質的教員の負担はまだ本土との格差が大きいのである。

(エ) 学科別生徒数の構成

沖縄では普通科に比べ職業科の構成比が高く，本土と逆である。職業科の中でも商業科が多く，逆に工業科が少ない。沖縄の経済構成（基地経済及び工業化が低い）をそのまゝ反映しているとみることができる。

(3) 高等学校
　(ア) 生徒数の推移（全琉）

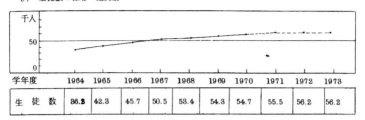

学年度	1964	1965	1966	1967	1968	1969	1970	1971	1972	1973
生徒数	36.2	42.3	45.7	50.5	53.4	54.3	54.7	55.5	56.2	56.2

　(イ) 設置者別・課程別生徒数　　　　　　　　　　　１９７０年

区　　分		計	設置者別		課程別		性別	
			政府立	私立	全日制	定時制	男	女
計		55,261	49,842	5,419	47,778	6,929	25,996	29,265
本科	小　計	54,653	49,234	5,419	47,724 (554)	6,929	25,714	28,939
	普　通	26,880	23,836	3,044	25,126	1,754	13,724	13,156
	農　業	4,521	4,521	—	4,096	425	3,088	1,433
	工　業	5,091	4,666	425	4,046	1,045	4,881	210
	商　業	11,011	9,198	1,813	7,306	3,705	2,734	8,277
	水　産	1,263	1,263	—	1,263	—	1,256	7
	家　庭	5,774	5,637	137	5,774	—	31	5,743
	その他	113	113	—	113	—	—	113
専攻科		54	54	—	54	—	54	—
通信制		554	554	—	554		228	326

　(ウ) 教員１人当り生徒数　　　　　　　(エ) 学科別生徒数の構成（公立・1970年）

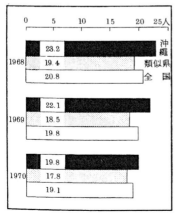
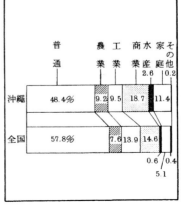

― 29 ―

(4) 特殊学校

(ア) 児童生徒数の推移

心身に障害ある青少年に普通教育並びに、その欠陥を補なうための職業教育を施し、一人前の社会人に育てあげるための特殊教育は、その重要性は認識されておりながら現実としては、その施設は戦前戦後を通じて盲学校のみであった。1965年4月に精薄児及び肢体不自由児のための養護学校がそれぞれ1枚ずつ開設され、この面の教育もようやく軌道に乗ってきた。

特殊学校在籍者数も、1957年度に118人程度であったが、1970年5月現在では949人となり、今後、施設設備の拡充をはかり1973年までには1,100人台の在籍者を収容することになっている。

(イ) 学校別児童生徒数

学校別の児童生徒数は、沖縄盲学校105人、沖縄ろう学校273人、太平養護学校204人、那覇養護学校185人、鏡が丘養護学校は分校をあわせて182人となっている。児童生徒の構成比は盲学校11：ろう学校29：養護学校60となっている。また、学部別では、幼稚部3：小学部44：中学部36：高等部17の構成比である。

(ウ) 1学級当り児童生徒数及び教員1人当り児童生徒数

学級当り児童生徒数本土比較では、1968年度が沖縄8.4人（本土7.6人）で、70年度は7.7人となっている。一方教員1人当り児童生徒数では、沖縄4.9人（本土4.1人）である。学級あたり生徒数及び教員1人当り生徒数において、本土より約1人程度沖縄の方が多いことになっている。

(4) 特殊学校
　(ア) 児童生徒数の推移

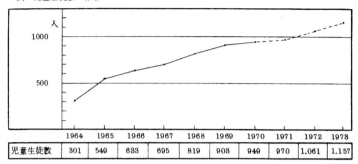

児童生徒数	301	549	633	695	819	903	940	970	1,061	1,157
	1964	1965	1966	1967	1968	1969	1970	1971	1972	1978

　(イ) 学校別児童生徒数　　　　　　　　　　　　　　　１９７０年５月

区分	児童生徒数					学級数				
	合計	小学部計	中学部	高等部	幼稚園	合計	小学部計	中学部	高等部	幼稚園
計	940	920	415	338	167	29	123	119	57	41	21(2)	4
沖縄盲学校	105	105	39	29	37	—	19	19	7	5	7(2)	—
沖縄ろう学校	273	244	122	74	48	29	35	31	17	8	6	4
大平養護学校	204	204	—	132	72	—	22	22	—	15	7	—
那覇養護学校	185	185	151	34	—	—	22	22	18	4	—	—
鏡が丘養護学校	141	141	87	44	10	—	18	18	11	6	1	—
〃 兼城分校	41	41	16	25	—	—	7	7	4	3	—	—

( )書は専攻科学級数で内数

　(ウ) 一学級当り児童生徒及び教員1人当り児童生徒数

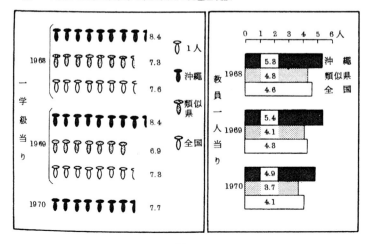

(5) 大　学
(ア) 大学組織

　琉球大学は琉球大学委員会が管理し，一方私立大学及びこれを設置する学校法人は私立大学委員会を所轄庁としている。両委員会とも行政主席の任命による委員で構成される行政委員会で，文教局中央教育委員会とは直接のつながりはないが，琉球大学委員会には文教局長と中央教育委員1人が職責委員となっており，私立大学委員会では，委員9人のうち，文教局の推せんする者，中央教育委員会の推せんする者各3人が委員に任命されるようになっている。なお大学院はまだ開設されていない。

(イ) 大学学生数

　沖縄の大学は，琉球大学が1950年に開設されたのを初めとして，現在学校数は政府立1校，私立4校（うち2校は短期大学）で，学生数は約9千800人に及んでいる。学部・学科別の学生数は文科系が圧倒的に多く，理工農学系は全体の約13％にすぎない。医学系のうち保健学部がようやく1968年度から開設しているにすぎず，医師・薬剤師の養成はもっぱら本土の大学に頼っている現状で，本土に比べて沖縄の医師不足とあわせて，その養成機関の開設が強く望まれている。

(ウ) 設置者別学生数の比率

　大学における設置者別学生数は政府立52：私立48（本土，国公立26：私立74）で，ここでも本土に比べて私立の占める比率がかなり低い。短期大学部では政府立21：私立79（本土国公立10：私立90）となっている。

(5) 大　学
　(ア) 大学組織

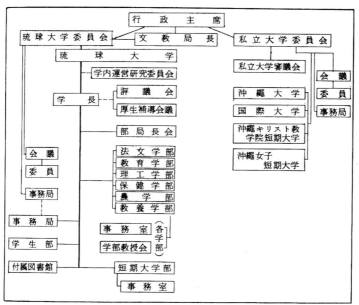

(イ) 大学学生数

区　分	計	大学	短大
計	9,843	7,037	2,806
琉 球 大 学	4,242	3,642	600
法文学部		1,296	
教育学部		954	
理工学部		586	
保健学部		117	
農　学　部		689	
沖 縄 大 学	2,745	2,258	487
文　学　部		506	
法経商学部		1,752	
国 際 大 学	1,757	1,137	620
文　学　部		376	
法経学部		730	
商　学　部		81	
沖縄キリスト教学院短期大学	266	—	266
沖縄女子短期大学	833	—	833

(ウ) 設置者別学生数の比率 (1970年)

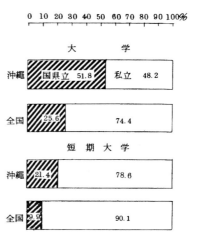

- 33 -

(6) **幼 稚 園**

(ア) 設置者別園児数

　義務教育（6歳～14歳）就学前の幼児教育の機関としての幼稚園は，施設の未整備，地方財政の問題等もあって，同じく非義務制である高等学校教育に比べて未整備の状態にある。

　1970年5月現在，幼稚園の設置されている教育区は34で，公立114園，私立10園の計124園となっている。園児数は約1.6万人で，3歳児から5歳児までが就園しているが，5歳児が全体の約93％を占めている。

(イ) 教員1人当り園児数

　教員1人当り園児数は，1969年度で38.2人（本土27.3人）'70年35.9人で（本土27.4人）で本土より約8人の差があり，沖縄における幼稚園教員の負担の重いことがうかがわれる。

(ウ) 就 園 率

　就園率（小学校1学年入学者中の幼稚園修了者の比率）は，'69年度から全国平均や類似県平均を上まわっている。しかしながら，本土の場合，保育所の設置率の高さや4才児及び3歳児の園児数も多いことを考慮すると，就学前教育を就園率のみで比較することには問題がある。

(7) **各種学校**

　学校教育に類する教育を行なうための施設として各種学校があるが，学校数は政府立4校，私立35校があり中学校卒業者や高等学校卒業者の青少年を対象に主として職業教育を行なっている。生徒数は政府立569人，私立7,326人で，就業年限は1～2年となっている。政府立各種学校については本土復帰に備えて高等学校へ移行が行なわれている。

(6) 幼 稚 園
  (ア) 設置者別の園児数　　　　　　　　　　　　　　　　　1970年5月

区分	園数	園児数				学級数	教員数(本務)
		計	3才児	4才児	5才児		
計	124	15,689	92	929	14,668	489	448
公立	114	14,412	1	317	14,094	401	401
私立	10	1,277	91	612	574	88	47

(イ) 教員1人当り園児数(公立)　　　　(ウ) 就園率

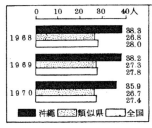
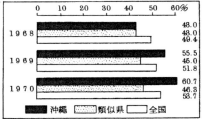

(7) 各種学校
  (ア) 政府立各種学校　　　　　　　　　　　　　　　　　　1970年

区分	生徒数					学科数	教員数
	計	1年	2年	昼間	夜間		
計	569	88	481	533	36	25	78
商実専門学校	88	88	—	52	36	4	22
中部産技学校	115	—	115	115	—	5	12
那覇産技学校	269	—	269	269	—	12	35
宮古産技学校	97	—	97	97	—	4	9

  (イ) 私立各種学校　　　　　　　　　　　　　　　　　　1970年

区分	生徒数						学校数	教員数
	計	1年未満	1～2年	2～3年	3年～	昼間	夜間		
計	7,326	4,435	2,480	391	10	3,535	3,791	35	176
和洋裁	3,083	1,186	1,687	210	—	1,494	1,599	17	108
編物手芸	381	359	22	—		156	225	5	14
料理	640	640	—	—		338	302	2	12
簿記珠算	1,853	891	393	59	10	294	1,059	4	13
予備校	482	482				320	162	3	4
外国語	632	632	—	—		407	225	2	10
電気通信	651	151	378	122		520	131	1	14
建築	94	94	—	—		6	88	1	1

6　学校保健

(1) 児童生徒の体位

　児童生徒の体位は，戦後の家庭における食生活の改善，学校給食の普及などで著しく向上してきた。特に13歳から15歳にいたる中学校の生徒の体位向上は，男子，女子ともに著しいものがある。男子については，その後18歳（高等学校時代）までゆるやかではあるが向上しているといえるが，女子の体重は1953年と比べてほとんど同じ水準にあり，停滞ぎみである。

　沖縄における戦後の体位向上は著しいとはいえ，これを本土に比べると，まだ若干の見劣りがある。

(2) 学校給食の実施状況

　1955年以来，外国宗教団体よりのミルク給食用物資の寄贈が続けられており，これにより，幼稚園・小学校・中学校・高等学校定時制の全学校が現在ミルク給食を行なっている。このため給食実施率では本土より高くなっているが，完全給食の実施校率では本土より若干低くなっている。近年，給食室，給食センターなどの建設もすすみ，完全給食実施校が増えていく傾向にある。

(3) 学校保健関係職員の配置状況

　学校保健法によって，学校医・学校歯科医・学校薬剤師を置くことになっているが，財政上の問題や医師不足等の問題もあってその設置率は本土に比べてかなりの差がある。特に薬剤師の配置状況に較差がみられる。保健主事は小・中学校とも教頭が兼任することになっている。

(1) 児童生徒の体位

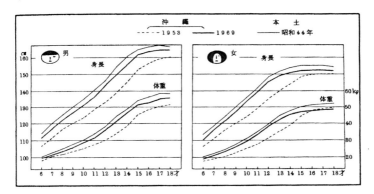

(2) 学校給食の実施状況　　　公立　1970年

区　分		小　学　校		実施率（学校）		中　学　校		実施率（学校）	
		学校数	児童数	沖繩	全国	学校数	生徒数	沖繩	全国
総　数		240	137,077	100.0	100.0	150	72,241	100.0	100.0
給食実施校	計	240	137,077	100.0	96.4	150	72,241	100.0	84.8
	完全給食	142	102,747	59.2	82.5	72	46,848	48.0	50.2
	補食給食	0	0	0	3.1	0	0	0	3.0
	ミルク給食	98	84,330	40.8	10.8	78	25,393	52.0	31.6

分校も1校とする。

(3) 学校保健関係職員の配置状況（政府立・公立）　沖繩1970年・本土1969年

区　分		配　置　校			配　置　率		
		学校医	歯科医	薬剤師	学校医	歯科医	薬剤師
計	沖繩	287	237	39	72.5	59.8	9.8
	全国	35,000	34,144	29,411	98.9	96.5	83.1
小学校	沖繩	180	154	25	74.4	63.6	10.3
	全国	24,516	23,939	20,640	98.9	96.6	83.3
中学校	沖繩	107	88	14	69.5	53.9	9.1
	全国	10,484	10,205	8,771	98.8	96.2	82.7

7 卒業後の状況

(1) 卒業後の進路別状況

　中学校の卒業者総数は約2万6千人で、このうち進学者が約1万6千人で男女別にみると女子は卒業者数では49.7％であるのに進学者においては53％となっており女子の進学者が多い、一方就職者においては約4千600人のうち女子は42％で男子より比率において低くなっている。沖縄においては無業の占める比率が14.0％と高く（本土1970年4.9％）、これは進学率の低いことや各種学校関係の入学者もこれに含めていることに一因がある。

　高等学校においても進学者は女子が56％と多くなっている。全定別でみると、全日制の生徒の進学率は26％であるのに対し定時制の場合は13％とかなり較差がみられる。
設置者別では進学率において政府立24％、私立39％で就職率は政府立48％、私立44％となっている。

(2) 進学状況

　中学卒の全日制への進学者の割合は約88％で地域差はみられない。一方高校卒業者のうち普通科卒の進学者が全体の69.6％を占め、ついで商業科11.7％、家庭科9.6％がこれにつづいている

(3) 進 学 率

　中学校から高等学校への進学率は67.5％（本土82.1％）で年々上昇しているが、本土との較差はかなり存在している。
　一方、高等学校卒業者の進学率は25.3％で本土（24.3％）に比べていくぶん高い。これは中学校からの進学率が低いため、高校生数が少ないということにも一因がある。

7 卒業後の状況

(1) 卒業後の進路別状況
1970年3月卒業

区　　分		卒業者総数	進学者	就職者	就職進学者	無業	その他
中学校	計	25,638	16,462	4,676	838	3,591	71
	内訳 男	12,894	7,751	2,724	280	2,093	46
	内訳 女	12,744	8,711	1,952	558	1,498	25
高等学校	計	16,204	3,356	6,932	749	5,066	101
	政府立	14,438	2,814	6,300	597	4,626	101
	私立	1,766	542	632	152	440	—
	全日制	15,185	3,322	6,135	653	4,974	101
	定時制	1,019	34	797	96	92	—
	男	7,581	1,487	3,140	180	2,717	57
	女	8,623	1,869	3,792	569	2,349	44

(2) 進学状況
1970年3月卒業

中学校							高等学校					
区分	計	全日制		定時制		別科	区分		計	大学(学部)	短大(本科)	別科 専攻科
		計	男	計	男							
計	17,300	15,187	7,266	2,051	796	62	計		4,105	2,098	1,525	471(11)
							全日制	小計	3,975	2,044	1,456	464(11)
								普通	2,765	1,689	913	159(4)
公立	小計	17,107	15,030	7,156	2,015	778	62	農業	228	119	68	41
	北部	2,342	2,025	881	303	145	14	工業	68	50	10	8
	中部	4,806	4,173	1,907	631	233	2	商業	466	145	169	151(1)
	那覇	5,484	4,996	2,452	478	205	10	水産	58	16	12	30
	南部	2,285	1,963	925	318	131	4	家庭	381	25	274	76(6)
	宮古	1,264	1,081	582	155	33	28	その他	14	—	10	4
	八重山	926	792	409	130	31	4	定時制 小計	130	54	69	7
政府立		189	153	66	36	18	—	普通	31	15	13	3
私立		4	4	4	—	—	—	農業	7	1	6	—
								工業	1	1	—	—
								商業	91	37	50	4

注　( )内の数字は国立養護教諭養成所へ進学した者の数で外数である。

(3) 進学率

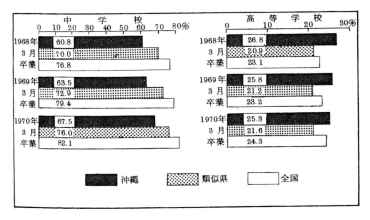

中学校
- 1968年3月卒業: 沖縄 60.8, 類似県 70.0, 全国 76.8
- 1969年3月卒業: 沖縄 63.5, 類似県 72.9, 全国 79.4
- 1970年3月卒業: 沖縄 67.5, 類似県 76.0, 全国 82.1

高等学校
- 1968年3月卒業: 沖縄 26.8, 類似県 20.9, 全国 23.1
- 1969年3月卒業: 沖縄 25.8, 類似県 21.2, 全国 23.2
- 1970年3月卒業: 沖縄 25.3, 類似県 21.6, 全国 24.3

■ 沖縄　▨ 類似県　□ 全国

8　教　職　員

(1) 職名別教員数（本務）

　高等学校以下の学校の本務教員数は，11,243人（1970年）で，うち，政府立・公立学校の教員数は，10,980人である。職名別でみると，全体の93.4％が教諭で，助教諭（勤務している学校の教員普通免許状をもっていないもの）は全教員の1.7％（前年度は1.9％）にすぎない。

　養護教諭は147人配置されている。政府立・公立の学校総数446（分校も含む）に対する養護教諭の配置率は33.0％で，小・中・高校（政府立・公立）の1／3の学校に配置されているにすぎない。

(2) 男女別教員構成（公立）

　教員の男女別構成状況については，小学校では女子教員が圧倒的に多く，その構成比は7：3であるのに対して，逆に中学校・高等学校では男子教員が大部分をしめている。特に小学校における女子教員の占める比率は本土のそれより極めて高く，今後の初等教育においての，この現実に反映した新らしい学校経営や教育指導のあり方の研究の必要性が強調されている。

(3) 負担別職員数（政府立・公立）

　政府立・公立学校の職員総数は2,145人でこれを負担別にみるとPTA等のいわゆる私費負担の職員が143人もいてかなりの数になっている。

　また職名別にみると事務職員の606人が最も多い。その他職員というのが数字の上では多くなっているが，これには給食職員や技術職員・実習助手等が包含されているためである。

8 教職員

(1) 職名別教員数 (本務)

1970年 (本務)

区　　分		計	校　長	教　諭	助教諭	養護教諭	講　師
計		11,243	361	10,503	187	147(1)	45
小学校	小　計	4,886	212	4,475	109	90(1)	—
	政府立	4	1	3	—	—	—
	公　立	4,868	209	4,462	108	89	—
	私　立	14	2	10	1	1(1)	—
中学校	小　計	3,435	102	3,267	19	47	—
	政府立	32	2	28	1	1	—
	公　立	3,398	99	3,235	18	46	—
	私　立	5	1	4	—	—	—
特殊学校		195	5	182	4	4	—
高等学校	小　計	2,727	42	2,579	55	6	45
	政府立	2,483	40	2,394	29	6	16
	私　立	244	4	185	26	—	29

( )内は養護助教諭で内数

(2) 男女別教員構成

1970年　公立

小学校　沖縄　29.0　71.0　女
小学校　全国　49.0　51.0

特殊学校　沖縄　32.3　67.7　男
特殊学校　全国　57.9　42.1

中学校　沖縄　68.1　31.9
中学校　全国　73.9　26.1

高校　沖縄　81.4　18.6
高校　全国　86.3　13.7

(3) 負担別職員数　政府立　公立

1970年　本務

区　　分		計	事務職員	教育区支弁の教員	学校図書館事務員	養護職員	その他
計		2,145	606	23	126	20	1,370
公費による		1,626 (376)	563	23	79 (20)	18 (2)	943 (354)
私費による		143	43	—	27	—	73
小学校	小計	1,003	228	12	73	10	680
	公費	921	214	12	54	10	631
	私費	82	14	0	19	0	49
中学校	小計	490	169	11	33	8	269
	公費	444	155	11	25	8	245
	私費	46	14	0	8	0	24
特殊学校	小計	79	12	—	—	—	67
	公費	79	12	—	—	—	67
	私費	—	—	—	—	—	—
高等学校	小計	573	197	—	20	2	354
	公費	182 (376)	182	—	(20)	(2)	(354)
	私費	15	15	—	—	—	—

( )書は調査様式が変ったため公費・私費の区分が不明な数である。

(4) **教員の年令別構成（全琉）**

　教員の年令構成は本土に比べて若く，特に中学校・高校では29才未満の教員が全体のほぼ半数近くを占めており，それだけ教職経験年数も短かく，現職教育による教員の資質向上が教育振興の重要な要素となっている。一方，60才以上の高年者も比較的多いのは，高年者に対する勧奨退職制度はあるが，財政上の措置がじゆうぶんなされていないためである。

(5) **免許状所持状況（公立）**

　教員免許については，現職教員再教育講習会の受講や通信教育等によって，免許更新がなされ普通免許状所持者が増えている。小・中学校では教員の約77～74％が一級普通免許状所持者となっている。

(6) **教員給料平均月額（政府立・公立）**

　1970年4月現在で政府立・公立学校の教員給料は小学校が189.65ドル，中学校170.62ドル，高校168.00ドルとなっている。小学校がほかの学校種別の平均給料より高いのは，平均勤務年数が他に比べて長いためである。

　最近時点での基本給は大体本土のそれと大差はない。むしろ初任給についてみれば沖縄は本土より若干高くなっている。

　しかしながら現行の給与制度が確立された1954年以前からの勤務者（大体36～37才以上）が，これに乗りうつる際に，勤務年数や学歴に対応する適正な位置づけがなされなかったためかなり低い給料となっている。これらの教員に対する給料の再査定と，本土並み諸手当の支給が教職員特遇の大きな課題となっている。

(4) 教員の年令別構成　　　　　　　　　　　　　　1970年（全琉）

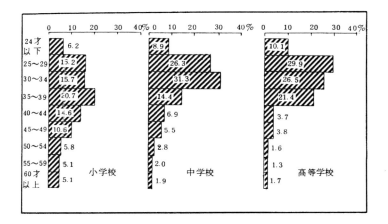

(5) 免許状所持状況　　　　　　　　　　　　　　　1970年5月　公立

区分	小学校						中学校					
	小(一)	小(二)	小(臨)	養(一)	養(二)	計	中(一)	中(二)	中(臨)	養(一)	養(二)	計
北部	510	191	14	9	2	726	412	139	7	7	1	566
中部	1,144	206	3	20	4	1,377	704	201	4	11	3	923
那覇	1,116	153	12	19	1	1,304	649	134	4	9	2	798
南部	510	117	3	18	4	644	374	97	1	7	—	479
宮古	290	93	8	11	1	403	191	119	4	3	—	317
八重山	141	117	71	5	2	336	130	117	7	5	—	259
計	3,711	877	111	77	14	4,790	2,460	807	27	42	6	3,342

義務教育課の資料による。

(6) 教員給料平均月額（政府立・公立）　　　　　　　単位ドル

区分	1962 10	1963 10	1964 10	1965 10	1966 10	1967 10	1968 10	1969 4	1970 4
小学校	78.61	84.55	93.04	108.77	123.27	137.31	155.12	164.08	189.65
中学校	78.87	79.74	86.43	99.16	112.12	123.36	133.71	147.33	170.62
高等学校	80.03	84.73	90.25	101.64	113.77	123.46	140.55	150.13	168.00

9 学校施設・設備

(1) 学校施設

(ア) 校舎の保有状況

第2次世界大戦により壊滅した教育施設の再建については住民・政府が一体となり，今日まで多大の努力を重ねてきたにもかかわらず，いまだに本土との較差のもっとも大きい分野の一つとなっている。

校舎は，どの学校種別でも1969年6月現在では，中央教育委員会の定めた基準（文部省の基準と同じ）の約45～68％台の保有率にとどまっている。

(イ) 普通教室・特別教室の保有状況（小中校）

教室別の保有状況は普通教室がようやく100％に近づいているが，特別教室については必要室数の26～46％の保有率にとどまっているにすぎない。普通教室についても，人口の都市集中に伴ない，都市及び都市近郊の学校ではいまだに間じきり教室を利用している学校もある。管理関係諸室の整備もかなり遅れている。

(ウ) 屋内運動場・水泳プールの保有状況

屋内運動場・水泳プールの保有状況は学校施設の中でも最も較差がみられる分野である。従来，校舎建築については，政府立学校はもとより公立学校の施設についても，すべて政府の負担として義務を負い，その建築に努力を重ねて来ているが，貧困な琉球政府の財源では，最低必要限度の校舎充足すら困難な面をもち，この二・三年来ようやく屋内運動場・プールの建設がはじめられているにすぎない。

(1) **学校施設**

(ア) 校舎の保有状況　　　　　　　　　　　公立　沖縄　1970年
　　　　　　　　　　　　　　　　　　　　　　　類似県　1969年

区　分		学校数	児童生徒数	学級数	必要面積(A)	保有 面積(B)	$\frac{B}{A}\times 100$	不足 面積(C)	$\frac{C}{A}\times 100$
小学校	沖縄	240	137,077	3,836	621,258	424,214	68.3	198,880	32.0
	類似県	1,689	431,962	14,578	2,212,984	2,473,907	111.8	132,816	6.0
中学校	沖縄	150	72,241	1,878	400,032	263,062	65.8	136,970	34.0
	類似県	749	248,798	7,086	1,435,999	1,511,446	105.3	109,181	7.6
特殊学校	沖縄	6	1,042	131	21,973	10,509	47.8	11,464	52.2
	類似県	24	3,051	422	66,866	50,568	75.6	18,691	28.0
高等学校	沖縄	38	42,374	939	433,110	194,447	44.9	238,663	55.1
	類似県	143	153,376	3,494	1,399,016	1,009,049	72.1	413,435	29.6

(イ) 普通教室・特別教室の保有状況　　　　公立　沖縄　1970年
　　　　　　　　　　　　　　　　　　　　　　　全国　1969年

区　分		普通教室				特別教室			
		必要室数	保有室数	率	不足室数	率	必要室数	保有室数	率	不足室数	率
小学校	沖縄	3,836	3,772	98.3	224	5.8	726	189	26.0	558	76.9
	全国	280,847	296,778	105.6	9,730	3.5	61,381	49,545	80.7	24,473	39.9
中学校	沖縄	1,878	1,807	96.2	125	6.7	912	416	45.6	507	55.6
	全国	125,108	139,194	111.2	2,236	1.8	65,936	55,128	83.6	18,586	28.1

(ウ) 屋内運動場・水泳プールの保有状況　　公立　沖縄　1970年
　　　　　　　　　　　　　　　　　　　　　　　類似県　1969年

区　分		屋内運動場 m^2					水泳プール			
		必要面積(棟数)	保有面積(棟数)	率	不足面積(棟数)	率	必要基数	保有基数	率	不足基数	率
小学校	沖縄	124,079 (435)	15,072 (18)	12.1	112,404 (393)	88.1	240	13	5.4	227	94.6
	類似県	630,751	399,964	63.4	271,582	43.1					
中学校	沖縄	79,498 (151)	17,160 (18)	21.9	66,436 (133)	83.6	151	8	5.3	143	94.7
	類似県	385,770	307,941	79.8	131,020	34.0					
特殊学校	沖縄	2,538 (6)	1,227 (3)	48.3	1,447 (3)	57.0	6	1	16.7	5	83.3
	類似県	11,376	6,376	56.0	5,588	49.1					
高等学校	沖縄	44,148 (38)	5,435 (3)	12.3	40,431 (35)	91.6	38	1	2.6	37	97.4
	類似県	200,576	206,576	108.0	42,289	21.1					

— 45 —

(エ) 校舎1人当り面積（政府立・公立）

校舎の整備状況を1人当り保有面積という側面からみると各学校種別とも本土の約50～70％という水準にとどまっている。

(オ) 校舎の構造別比率（政府立・公立）

校舎の構造別では，沖縄の地理的条件もあって，1954年以降ほとんど鉄筋ブロックが建築されているため，木造等の比率はわずか10％未満となっている。

(2) 学校備品

近年の教育内容の多様性並びに教育方法の近代化及び教育技術の向上は，教育指導の目標を達成するためには必然的に教材，教具の整備と密接な関係をもつのであるが，その教材・教具の充足率は基準にははるかに及ばない現状である。

(ア) 教材についてみると，1971年度末で，公立小中学校では50％の充足率を示しているが，高等学校ではまだ26％程度の充足率にすぎない。数字の上では本土の達成率を上まわっているが，調査時点のずれ等もあるのでその点考慮して比較する必要がある。

(イ) 理科備品の充足率は1971年度末で小中学校がそれぞれ52％，44％の充足率，高等学校が34％の充足率となっている。小中学校は全国平均や鹿児島と較べ4年の時間差をもってほぼ本土水準に達し，高校はそれでも本土水準の86％にすぎない。

(ニ) 校舎1人当り面積（政府立・公立）　　　(ホ) 校舎の構造別比率（政府立・公立）
　　　　　　　　　1970年　　　　　　　　　　　　　　　1970年

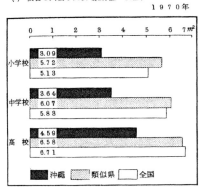
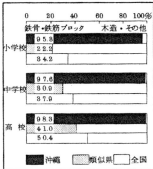

(2) 学校備品の基準達成率

　　(ア) 教　材（政府立・公立）沖縄1971.6 本土1969.3

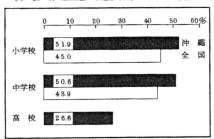

　　(イ) 理科備品（政府立・公立）沖縄1971年　本土昭42

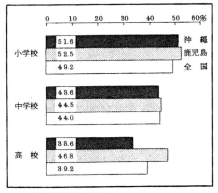

　　注　沖縄は義務教育課資料
　　　　本土は鹿児島県長期総合教育計画書より

10 育英奨学事業

　沖縄の復興は，まず人材の養成からということで育英奨学事業は戦後直ちに開始された。すなわち，当時本土の大学または専門学校を戦争のため途中で学業の中退を余儀なくされ帰郷した学生を，米政府の援助で学資の全額を支給して本土の大学に再就学させるという，契約学生制度が１９４９年に発足した。以来，学業成績の優秀な生徒を本土大学に入学せしめ，卒業後沖縄の指導者として育て上げていくというこのような制度は本土政府に引きつがれ，国費制度とかわっているが，この制度は年々拡大充実され，自費学生及び奨学生制度とともに沖縄の青少年の夢と希望をささえて今日に至っている。

　現在沖縄の高校生に対して文部省で試験を実施し，本土の国，公立大学に配置し，学資を国費で支給している国費学生が毎年約１７０人採用されている。学費として，生活費及び図書教材，暖房費等が支給されるがこれらの経費を月平均額でみると，国費学部学生が４４．９７ドル（うち３７．５０ドルは本土政府負担で残り７．４７ドルは琉球政府負担），大学院学生には月５０．２２ドル（うち４７．２２ドルは本土政府負担）が支給されている。また，採用，学校配置は国費学生と同じで，自費で学業をつづけている自費学生も年約１００名前後が採用されている。このほか，奨学制度として，高校，大学特別奨学制度があり，これは本土政府の援助で，高校生は月８ドル３３セント，大学生の自宅通学生１３ドル８８セント，自宅外２２ドル２２セントを支給している。現在これらの育英奨学事業は特殊法人である琉球育英会がすべての業務を担当している。

　本土復帰をひかえ，国費学生制度についてどのように改変していくか現在検討がすすめられている。（１９７１年度からは自費学生の採用予定人員も６０人以内に縮小された。）

10 育英奨学事業

区分	合計	国費自費学生 計	国費学生 小計	国費学生 学部	国費学生 大学院	自費 学部学生	奨学生 計	奨学生 高校	奨学生 大学	その他 計	その他 貸与学生	その他 依託学生
1953	38	38(88)	38	88(88)	—	—	—	—	—	—	—	—
54	76	76(88)	76	76(88)	—	—	—	—	—	—	—	—
55	185	185(109)	126	126(50)	—	59(59)	—	—	—	—	—	—
56	318	314(130)	175	175(50)	—	139(80)	—	—	—	4(4)	—	4(4)
57	425	416(133)	194	194(50)	—	222(83)	—	—	—	9(6)	—	9(6)
58	539	525(134)	222	222(50)	—	303(84)	—	—	—	14(8)	—	14(8)
59	602	572(136)	227	227(50)	—	345(86)	—	—	—	30(17)	6(6)	24(11)
60	703	613(135)	228	228(50)	—	385(85)	—	—	—	90(66)	59(53)	31(13)
61	1,253	637(162)	261	255(75)	6(6)	376(81)	587(537)	537(537)	—	79(25)	61(25)	18(0)
62	1,320	697(198)	287	276(75)	11(5)	410(118)	534(181)	534(181)	—	89(42)	59(27)	30(15)
63	1,433	761(199)	320	303(75)	17(7)	441(117)	610(248)	544(182)	66(66)	62(17)	32(6)	30(11)
64	1,600	844(216)	367	334(74)	33(21)	477(121)	692(258)	544(177)	148(81)	64(36)	28(20)	36(16)
65	1,918	964(244)	452	409(125)	43(12)	512(107)	897(389)	643(284)	254(105)	57(16)	27(11)	30(5)
66	2,178	1,112(306)	555	510(150)	45(12)	557(144)	1,005(351)	639(215)	366(136)	61(18)	30(11)	31(7)
67	2,425	1,175(292)	658	604(170)	54(12)	517(110)	1,194(495)	746(330)	448(165)	56(11)	21(−)	35(11)
68	2,532	1,272(289)	750	701(168)	49(12)	522(109)	1,219(410)	754(240)	465(170)	41(15)	8(−)	33(15)
69	2,507	1,136(278)	623	579(169)	44(12)	513(97)	1,334(426)	755(250)	579(176)	37(10)	4(−)	33(10)
70	2,855	1,439(262)	907	860(169)	47(12)	532(81)	1,384(470)	744(253)	640(217)	32(11)	4(4)	28(7)

注 1 ( )内の数字はその年度の採用人員数である。
　 2 国,自費学生ともにインターン生を含む。

11 社 会 教 育

(1) 社会教育関係職員

指導者の養成を中心とする中央の社会教育活動は文教局が行なっている。現在,社会教育課には7人の主事が配置されている。一方,地方の教育区には46人の社会教育主事が配置され,地方の社会教育振興の直接的な推進役として活動している。

(2) 社会教育施設

社会教育振興の大きな障害となっている問題点の一つに,施設の未整備があげられる。現在,部落公民館は640館あり地方の社会教育活動の中心となっているものの,系統的,効率的な活動の推進を図る施設としての中央公民館は1970年現在ようやく1館あるだけである。

図書館,博物館についても,その館数はもとより,設備面の未整備がめだち,特に地方教育区の図書館などについては単に図書貸出しの室が併設されているだけのものである。

(3) 社会教育学級

社会教育の具体的な活動の一つに各種の学級があげられる。その代表的なものに,青年学級,社会学級,家庭教育学級があり,延べ302学級,13,149名の学級生が学習を続けている。

(4) 文化財保護事業

文化財保護行政は,文教局の外局である文化財保護委員会が担当している。現在,文化財として指定されている件数は60件で史跡名勝などの指定を受けているものが108件となっている。

11 社会教育

(1) 社会教育関係職員　　　　　　　　　（専任）
沖縄 1970年
類似県 1968年

区　分	計	課　長	社会教育主事	社会教育主事補	事務職員	その他
計	60	4	53	—	2	1
文教局	11	1	7	—	2	1
地方教育区	49	3	46	—	—	—
類似県平均	125	8	37	9	64	7

(2) 社会教育施設
沖縄 1970年
類似県 1968年

区　分		本　館			分　館			設　置　率		
		計	独立	併置	計	独立	併置	市町村数(A)	設置市町村(B)	B/A×100
公民館	沖縄	1	1	0	0	0	0	55	1	1.81
	類似県平均	135	87	48	46	22	24	52	48	92.3
図書館	沖縄 計	2	2	0	2	2	0	—	—	—
	政府立	1	1	0	2	2	0	—	—	—
	市区村立	1	1	0	0	0	0	55	1	1.81
	類似県平均	9	5	4	1	1	0	52	7	13.5

博物館	沖縄（1館）　類似県平均＝県市町村立計（4館）
体育館	沖縄（1館）　類似県平均＝県市町村立計（7館）
青少年教育施設　政府立	青年の家（2館）　羽地野外センター(1)　視聴覚ライブラリー(3)
その他	沖縄少年会館（1館）

(3) 社会教育学級
1970年

区　分	計	青年学級	社会学級	家庭教育学級
学級数	302	45	217	40
学級生数	13,149	1,429	10,052	1,668

(4) 文化財保護事業
1970年

区　分		指定件数	区　分		指定件数
美術工芸品建造物等	計	60	史跡名勝天然記念物	計	108
	建造物	23		史跡	60
	彫刻	10		名勝	8
	絵画	1		天然記念物	40
	工芸品	17			
	古文書典籍	9			

参考資料

1. 学校概況

小学校

区分		学校数				児童数				学級数	
		計	政府立	公立	私立	計	政府立	公立	私立	計	政府立
1957	昭32	232(9)	2	228(9)	2	129,554	22	129,353	179	3,079	2
1958	〃33	237(9)	2	233(9)	2	146,553	26	146,326	201	3,272	3
1959	〃34	240(9)	2	237(9)	1	160,963	25	160,923	15	3,596	3
1960	〃35	239(9)	2	236(9)	1	163,229	20	163,190	19	3,553	3
1961	〃36	238(9)	2	235(9)	1	165,415	21	165,368	26	3,623	2
1962	〃37	241(11)	2	238(11)	1	163,942	17	163,900	25	3,603	2
1963	〃38	240(11)	2	237(11)	1	159,817	16	159,774	27	3,611	2
1964	〃39	241(10)	2	237(10)	2	155,127	18	155,045	64	3,590	3
1965	〃40	240(12)	2	236(12)	2	151,810	12	151,697	101	3,646	3
1966	〃41	241(12)	2	237(12)	2	148,941	9	148,793	139	3,715	1
1967	〃42	241(12)	2	237(12)	2	144,781	10	144,589	182	3,764	2
1968	〃43	241(12)	2	237(12)	2	141,989	8	141,768	213	3,861	2
1969	〃44	243(13)	2	239(13)	2	139,010	9	138,766	235	3,840	3
1970	〃45	244(12)	2	240(12)	2	137,330	11	137,077	242	3,847	3

中学校

区分		学校数				生徒数				学級数	
		計	政府立	公立	私立	計	政府立	公立	私立	計	政府立
1957	昭32	169	2	165	2	47,431	41	47,325	65	1,154	3
1958	〃33	166	2	162	2	41,465	39	41,375	51	984	3
1959	〃34	165	2	162	1	38,359	34	38,316	9	939	2
1960	〃35	164	2	161	1	48,387	22	48,360	5	1,100	2
1961	〃36	166	2	163	1	61,272	21	61,239	12	1,360	2
1962	〃37	165(2)	3	161	1	73,938	431	73,486	21	1,607	9
1963	〃38	158(2)	3	154(2)	1	78,329	506	77,799	24	1,686	13
1964	〃39	156(1)	3	152(2)	1	82,205	558	81,620	27	1,758	14
1965	〃40	155(1)	3	151(1)	1	83,422	638	82,765	19	1,789	14
1966	〃41	155(1)	3	151(1)	1	81,446	649	80,777	20	1,828	16
1967	〃42	155(1)	3	151(1)	1	79,931	734	79,177	20	1,901	10
1968	〃43	155(1)	3	151(1)	1	77,756	699	77,038	19	1,949	16
1969	〃44	155(1)	3	151(1)	1	75,931	746	75,160	25	1,922	17
1970	〃45	154(1)	3	150(1)	1	72,951	681	72,241	29	1,894	15

級数		教員数				職員数				(政府立・公立)	
公立	私立	計	政府立	公立	私立	計	政府立	公立	私立	1学級当り児童数	教員1人当り児童数
3,071	6	3,244	2	3,236	6	218	—	218	—	42.1	40.0
3,263	6	3,536	3	3,527	6	297	—	297	—	44.8	41.5
3,592	1	3,918	2	3,912	4	321	—	321	—	44.8	41.1
3,548	2	3,845	3	3,838	4	430	—	430	—	46.0	42.5
3,619	2	3,947	2	3,943	2	462	—	462	—	45.7	41.9
3,599	2	3,938	2	3,933	3	409	—	409	—	45.5	41.7
3,605	3	4,138	3	4,132	3	530	—	530	—	44.3	38.6
3,583	4	4,109	3	4,101	5	506	—	504	2	43.2	37.8
3,638	5	4,176	3	4,167	6	638	—	636	2	41.7	36.4
3,708	6	4,379	1	4,371	7	805	—	804	1	40.1	34.0
3,755	7	4,565	2	4,555	8	925	—	923	2	38.5	31.7
3,851	8	4,795	2	4,788	10	979	—	976	3	36.8	29.6
3,828	9	4,816	3	4,803	10	1,010	—	1,007	3	36.2	28.9
3,835	9	4,886	4	4,868	14	1,007	1	1,002	4	35.7	28.1

※ 学校数欄中（ ）は分校で内数

級数		教員数				職員数				(政府立・公立)	
公立	私立	計	政府立	公立	私立	計	政府立	公立	私立	1学級当り生徒数	教員1人当り生徒数
1,146	5	1,700	2	1,692	6	143	—	143	—	41.2	28.0
977	4	1,511	3	1,502	6	251	—	251	—	42.3	27.5
935	2	1,471	3	1,464	4	259	—	259	—	40.9	25.5
1,097	1	1,654	4	1,646	4	277	—	277	—	44.0	29.3
1,356	2	2,050	4	2,044	2	308	—	308	—	45.1	29.9
1,596	2	2,371	23	2,346	2	322	2	320	—	46.1	31.2
1,671	2	2,674	23	2,649	2	326	4	322	—	46.5	29.3
1,739	2	2,794	26	2,766	2	305	3	302	—	46.6	29.4
1,773	2	2,865	27	2,836	2	324	3	321	—	46.7	29.1
1,810	2	3,036	30	3,002	4	394	3	391	—	44.6	26.9
1,879	2	3,290	34	3,252	4	466	5	461	—	42.1	24.3
1,930	3	3,450	34	3,413	3	499	5	494	—	39.9	22.6
1,902	3	3,439	34	3,401	4	476	6	469	1	39.6	22.1
1,876	3	3,435	32	3,398	5	491	7	483	1	38.6	21.3

※ 学校数欄中（ ）は分校で内数

高等学校

区分	学校数			生徒数			(うち定時制)			学		
	計	政府立	私立	計	政府立	私立	計	政府立	私立	計	政府立	私立
1957 昭32	26 (12)	25 (11)	1(1)	23,210	22,560	650	2,549	2,233	316	…	…	…
1958 〃 33	27 (14)	25 (12)	2(2)	26,298	23,350	2,948	3,396	2,583	813	…	…	…
1959 〃 34	27 (16)	25 (14)	2(2)	27,473	23,724	3,749	3,614	2,877	737	…	…	…
1960 〃 35	27 (16)	25 (14)	2(2)	27,562	23,689	3,873	3,555	2,903	652	…	…	…
1961 〃 36	27 (16)	25 (14)	2(2)	25,168	22,437	2,731	3,354	2,870	484	…	…	…
1962 〃 37	28 (17)	25 (15)	3(2)	24,518	21,337	2,785	3,146	2,842	304	…	…	…
1963 〃 38	29 (18)	26 (16)	3(2)	30,168	25,986	4,182	3,693	3,419	274	…	…	…
1964 〃 39	30 (18)	27 (16)	3(2)	36,165	30,815	5,350	4,114	3,883	231	836	723	113
1965 〃 40	32 (18)	28 (16)	3(2)	42,294	36,371	5,923	4,554	4,375	179	933	815	118
1966 〃 41	34 (17)	30 (16)	4(1)	45,744	39,580	6,164	4,987	4,847	140	994	876	118
1967 〃 42	37 (18)	33 (17)	4(1)	50,532	44,156	6,376	5,620	5,488	132	1,088	966	122
1968 〃 43	37 (19)	33 (18)	4(1)	53,412	47,313	6,199	6,127	6,052	75	1,154	1,033	121
1969 〃 44	38 (19)	34 (18)	4(1)	54,271	48,457	5,814	6,613	6,566	47	1,193	1,078	115
1970 〃 45	42 (20)	38 (19)	4(1)	54,653	49,234	5,419	6,929	6,914	15	1,234	1,120	114

特殊学校

区分	学校数				児童生徒数				学級数	教員数	職員数	1学級当り生徒数	
	計	盲学校	ろう学校	養護学校	計	盲学校	ろう学校	養護学校					
1957 昭32	2	1	1	―	118	31	87	―	13	12	―	9.1	9.8
1958 〃 33	2	1	1	―	128	32	96	―	12	13	1	10.7	9.8
1959 〃 34	2	1	1	―	140	34	106	―	15	17	1	9.3	8.2
1960 〃 35	2	1	1	―	186	46	140	―	20	21	14	9.3	8.9
1961 〃 36	2	1	1	―	215	61	154	―	…	24	…	…	9.0
1962 〃 37	2	1	1	―	255	77	178	―	27	27	18	9.4	9.4
1963 〃 38	2	1	1	―	281	77	204	―	31	31	18	9.1	9.1
1964 〃 39	2	1	1	―	301	85	216	―	33	33	19	9.1	9.1
1965 〃 40	5(1)	1	1	3(1)	549	95	236	218	53	66	25	10.4	8.3
1966 〃 41	5(1)	1	1	3(1)	633	88	242	303	70	96	33	9.0	6.6
1967 〃 42	5(1)	1	1	3(1)	695	90	241	364	83	119	51	8.4	5.8
1968 〃 43	6(2)	1	1	4(2)	819	95	251	383	97	156	58	8.4	5.3
1969 〃 44	6(2)	1	1	4(2)	895	94	254(8)	547	107(2)	166	66	8.4	5.4
1970 〃 45	6(1)	1	1	4(1)	949	105	273(2)	571	123	192	79	7.7	4.8

※ ろう学校の児童生徒数及び学級数欄( )は幼稚部で外数である。

級　数			教　員　数						職　員　数						教員1人当り生徒数(政府立)
(うち定時制)			計	政府立	私立	(うち定時制)			計	政府立	私立	(うち定時制)			
計	政府立	私立				計	政府立	私立				計	政府立	私立	
…	…	…	872	852	20	61	53	8	107	105	2	15	15	—	26.5
…	…	…	1,110	1,019	91	102	77	25	187	172	15	32	29	3	22.9
…	…	…	1,181	1,073	108	120	97	23	227	213	14	48	41	7	22.1
…	…	…	1,234	1,117	117	114	104	10	245	233	12	46	43	3	21.2
…	…	…	1,231	1,147	84	116	108	8	270	264	6	49	48	1	19.6
…	…	…	1,270	1,148	122	124	116	8	284	265	19	48	47	1	18.6
…	…	…	1,380	1,243	137	138	133	5	282	264	18	50	49	1	20.9
107	100	7	1,574	1,387	187	160	154	6	318	288	30	44	42	2	22.2
114	108	6	1,798	1,587	211	172	168	4	360	328	32	58	57	1	22.9
120	116	4	1,950	1,721	229	197	193	4	419	377	42	59	58	1	23.0
132	128	4	2,135	1,919	216	205	201	4	450	411	39	64	63	1	23.0
145	142	3	2,260	2,039	221	231	228	3	511	469	42	77	76	1	23.2
163	161	2	2,419	2,194	225	289	287	2	540	502	38	78	77	1	22.1
182	181	1	2,726	2,483	243	368	367	1	613	573	40	91	91	—	19.8

※　学校欄中（　）は定時制課程のおかれている学校数で外数

各種学校

区分		学校数			生徒数			教員数			職員数		
		計	政府立	私立	計	政府立	私立	計	政府立	私立	計	政府立	私立
1957	昭32	44(3)	—	44(3)	7,324	—	7,234			271			
1958	〃33	44(5)	—	44(5)	6,210	—	6,210	116	—	116	53	—	53
1959	〃34	41(6)	—	41(6)	5,834	—	5,834	111	—	111	…		…
1960	〃35	41(6)	—	41(6)	6,349	—	6,349	97	—	97	…		…
1961	〃36	…		…	…		…	…		…	…		…
1962	〃37	…		…	…		…	…		…	…		…
1963	〃38	…		…	…		…	…		…	…		…
1964	〃39	44(6)	—	44(6)	8,191	—	8,191	167	—	167	140	—	140
1965	〃40	44(5)	—	44(5)	7,087	—	7,087	153	—	153	143	—	143
1966	〃41	39(‥)	2	37(‥)	8,046	270	7,776	183	25	158	134	11	123
1967	〃42	36(‥)	2	34(‥)	9,027	704	8,323	224	62	162	118	14	104
1968	〃43	43(‥)	4	39(‥)	9,940	1,067	8,873	318	120	198	212	49	163
1969	〃44	…	6	…	…	1,878	…	163	…	…	67	…	
1970	〃45	48(‥)	4	44(‥)	9,439	569	8,870	279	78	201	72	15	57

※　学校欄中（　）は分校で内数
　　私立各種学校数は報告のあった学校のみの数

大学・短期大学

区　分		学　校　数						学　生			
		計	大　学			短　大			計		
			小計	政府立	私立	小計	政府立	私立	計	政府立	私立	小計
1957	昭32	2	1	1	—	1	—	1	1,918	1,918	—	1,918
1958	〃33	2	1	1	—	1	—	1	2,573	2,011	562	2,011
1959	〃34	4(2)	1	1	—	3(2)	—	3(2)	4,048	2,152	1,896	2,152
1960	〃35	4(2)	1	1	—	3(2)	—	3(2)	4,461	2,268	2,193	2,268
1961	〃36	5(2)	2	1	1	3(2)	—	3(2)	4,468	2,356	2,112	2,735
1962	〃37	6(2)	3	1	2	3(2)	—	3(2)	4,174	2,484	1,690	3,244
1963	〃38	6(2)	3	1	2	3(2)	—	3(2)	4,316	2,480	1,836	3,481
1964	〃39	6(2)	3	1	2	3(2)	—	3(2)	4,620	2,672	1,948	3,830
1965	〃40	6(2)	3	1	2	3(2)	—	3(2)	4,954	2,832	2,122	4,167
1966	〃41	7(2)	3	1	2	4(2)	—	4(2)	5,930	3,157	2,773	4,840
1967	〃42	8(3)	3	1	2	5(3)	1(1)	4(2)	6,895	3,607	3,288	5,402
1968	〃43	8(3)	3	1	2	5(3)	1(1)	4(2)	8,246	3,977	4,269	6,309
1969	〃44	8(3)	3	1	2	5(3)	1(1)	4(2)	9,454	4,330	5,124	6,924
1970	〃45	8(3)	3	1	2	5(3)	1(1)	4(2)	9,843	4,242	5,601	7,037

幼　稚　園

区　分		園　数			園　児　数			学　級　数		
		計	公立	私立	計	公立	私立	計	公立	私立
1957	昭32	38	33	5	5,964	5,589	375	159	147	12
1958	〃33	23	22	1	4,677	4,598	79	117	113	4
1959	〃34	36	31	5	5,334	4,956	378	143	124	19
1960	〃35	35	30	5	5,252	4,850	402	137	122	15
1961	〃36	36	28	8	5,371	4,542	829	…	…	…
1962	〃37	41	29	12	5,460	4,590	870	149	118	31
1963	〃38	46	34	12	6,362	5,380	982	171	139	32
1964	〃39	52	40	12	8,106	7,028	1,078	202	169	33
1965	〃40	53	41	12	8,573	7,421	1,152	218	183	35
1966	〃41	64	52	12	9,591	8,391	1,201	252	215	37
1967	〃42	78	66	12	11,507	10,092	1,415	299	260	39
1968	〃43	93	81	12	13,139	11,672	1,467	354	314	40
1969	〃44	107	93	14	14,963	13,331	1,632	393	348	45
1970	〃45	124	114	10	15,779	14,412	1,367	439	401	38

数					教　員　数			職　員　数		
大　　学		短　　大			計	政府立	私立	計	政府立	私立
政府立	私立	小計	政府立	私立						
1,918	—	—	—	—	134	134	—	...	...	—
2,011	—	562	—	562	139	139	—	...	...	—
2,152	—	1,896	—	1,896	199	156	43	220	200	20
2,268	—	2,193	—	2,193	211	167	44	247	200	47
2,356	379	1,733	—	1,733	228	168	60	258	202	56
2,484	760	930	—	930	239	175	64	...	...	...
2,480	1,001	835	—	835	237	171	61	...	...	...
2,672	1,158	790	—	790	226	180	46	269	209	60
2,832	1,335	787	—	787	239	193	46	277	209	68
3,157	1,683	1,090	—	1,090	262	207	55	291	234	57
3,414	1,988	1,493	193	1,300	290	220	70	308	251	57
3,579	2,730	1,937	398	1,539	302	226	76	312	262	50
3,756	3,168	2,530	574	1,956	316	240	76	333	282	51
3,642	3,395	2,806	600	2,206	347	252	95	351	283	68

教　員　数			職　員　数			（　公　立　）		就園率
計	公立	私立	計	公立	私立	学級当り園児数	教員1人当り園児数	
251	237	14	3	3	—	38.0	23.6	...
127	122	5	15	15	—	40.7	37.7	15.3
167	144	23	28	25	3	40.0	34.4	17.9
153	130	23	23	19	4	39.8	37.3	15.0
150	116	34	...	...	...	...	27.4	17.8
153	118	35	26	20	6	38.9	38.9	18.8
178	140	38	37	27	10	38.7	38.4	21.7
208	169	39	36	26	10	41.6	41.6	27.6
223	183	40	34	28	6	40.6	40.6	30.0
260	215	45	38	28	10	39.0	39.0	35.8
312	261	51	35	22	13	38.8	38.7	42.8
360	305	55	39	27	12	37.2	38.3	43.0
410	349	61	...	31	...	38.3	38.2	54.3
448	401	47	41	29	12	35.9	35.2	60.7

2 卒業後の状況

(進学率・志願率)

中学校

区分		卒業者	進学者	就職者	就職進学者	無業	その他	進学率		就職率	
								沖繩	本土	沖繩	本土
1957	昭32	16,852	6,865	6,279	154	2,824	730	41.7	51.4	38.2	43.3
1958	〃 33	15,644	7,738	5,310	143	1,890	563	50.4	53.7	34.9	40.9
1959	〃 34	15,932	7,452	4,817	152	3,004	507	47.7	55.4	31.2	39.8
1960	〃 35	13,816	7,043	3,927	119	2,498	229	51.8	57.7	29.3	38.6
1961	〃 36	10,304	5,598	3,286	114	1,129	177	55.4	62.3	33.0	35.7
1962	〃 37	12,948	7,660	3,723	228	1,063	274	60.9	64.0	30.5	33.5
1963	〃 38	23,803	13,301	6,898	468	2,736	400	57.8	66.8	30.9	30.7
1964	〃 39	23,313	12,281	6,063	513	3,771	685	54.9	69.3	28.2	28.7
1965	〃 40	25,826	13,250	6,413	347	5,079	737	52.6	70.6	26.2	26.5
1966	〃 41	28,115	14,582	6,258	456	6,075	744	53.5	72.3	23.9	24.5
1967	〃 42	27,148	15,422	5,401	615	5,346	364	59.1	74.5	23.2	22.9
1968	〃 43	26,993	15,996	4,512	428	5,692	365	60.8	76.8	18.3	20.9
1969	〃 44	26,011	15,944	3,890	574	5,530	73	63.5	79.4	17.2	18.7
1970	〃 45	25,638	16,462	4,676	838	3,591	71	67.5	82.1	21.5	16.3

高等学校

区分		卒業者	進学者	就職者	就職進学者	無業	その他	進学率		就職率	
								沖繩	本土	沖繩	本土
1957	昭32	5,604	1,109	2,659	17	978	841	20.1	16.1	47.8	58.4
1958	〃 33	6,420	1,323	2,930	81	1,271	815	21.9	16.5	46.9	57.6
1959	〃 34	7,142	1,079	2,840	47	2,550	626	15.8	16.9	40.4	58.1
1960	〃 35	7,592	1,368	3,312	153	2,301	458	20.0	17.2	45.6	61.3
1961	〃 36	8,403	1,177	4,356	55	2,324	491	14.7	17.9	52.5	64.0
1962	〃 37	8,254	1,178	4,342	70	2,305	359	15.1	19.3	53.5	63.9
1963	〃 38	7,754	1,272	3,761	78	2,221	422	17.4	20.9	49.5	63.4
1964	〃 39	6,509	1,175	3,309	123	1,743	159	19.9	23.4	52.7	63.9
1965	〃 40	7,599	1,610	3,718	151	1,802	318	23.2	25.4	50.9	60.4
1966	〃 41	12,361	2,608	4,932	161	3,921	739	22.4	24.5	41.2	58.0
1967	〃 42	12,336	2,398	5,134	277	3,799	728	21.7	23.7	43.9	58.7
1968	〃 43	13,668	3,027	5,056	642	4,602	341	26.8	23.1	41.7	58.9
1969	〃 44	15,698	3,472	5,111	580	6,279	256	25.8	23.2	36.3	58.9
1970	〃 45	16,204	3,856	6,932	749	5,066	101	25.3	24.3	47.4	58.2

中学校

卒業者a	入学志願者						過年度卒業者の進学状況					
	総数b	全日制	定時制	高等学校門専校	志願率(b/a)		志願者			進学者		d/c ×100
					沖縄	本土	計c	全日	定時	計d	全日	定時	
16,852	10,394	9,215	1,179	—	61.7	55.0	…	…	…	…	…	…	…
15,644	10,850	9,855	995	—	69.4	57.0	…	…	…	…	…	…	…
15,932	10,899	9,748	1,151	—	68.4	58.9	…	…	…	…	…	…	…
13,816	9,316	8,314	1,002	—	67.4	60.8	…	…	…	…	…	…	…
10,304	6,404	5,779	625	—	62.2	64.2	…	…	…	…	…	…	…
12,948	8,863	7,962	901	—	68.5	67.1	…	…	…	…	…	…	…
23,803	16,810	15,262	1,548	—	70.6	70.7	…	…	…	…	…	…	…
23,313	17,409	15,543	1,866	—	74.7	73.4	…	…	…	…	…	…	…
25,826	19,649	17,590	2,059	—	76.1	74.5	…	…	…	…	…	…	…
28,115	21,191	18,957	2,234	—	75.4	75.6	…	…	…	…	…	…	…
27,148	20,621	18,487	2,134	—	76.0	77.3	…	…	…	…	…	…	…
26,993	21,139	18,826	2,311	2	78.3	78.9	2,850	2,273	577	2,041	1,641	400	71.6
26,011	20,424	18,114	2,302	8	78.5	81.6	2,808	2,269	539	2,022	1,588	434	72.0
25,638	20,798	18,317	2,481	—	81.1	84.0	…	…	…	…	…	…	…

高等学校

卒業者a	入学志願者					過年度卒業者の進学状況					
	総数b	大学	短大	志願率(b/a)		志願者			進学者		d/c ×100
				沖縄	本土	計c	全日	定時	計d	全日	定時	
5,604	…	…	…	…	…	…	…	…	…	…	…	…
6,420	…	…	…	…	25.3	…	…	…	…	…	…	…
7,142	2,093	1,693	400	29.3	25.4	…	…	…	…	…	…	…
7,592	2,556	2,004	552	33.7	26.0	…	…	…	…	…	…	…
8,403	2,226	1,724	502	26.5	26.5	…	…	…	…	…	…	…
8,254	2,354	1,877	477	28.5	27.9	…	…	…	…	…	…	…
7,754	2,362	2,049	313	30.5	29.8	…	…	…	…	…	…	…
6,509	1,976	1,681	295	30.4	31.4	…	…	…	…	…	…	…
7,599	2,591	2,165	426	34.1	33.8	…	…	…	…	…	…	…
12,361	4,659	4,074	585	37.7	34.4	…	…	…	…	…	…	…
12,336	4,976	4,045	931	40.3	34.1	…	…	…	…	…	…	…
13,668	6,388	5,034	1,354	46.7	33.6	2,435	2,367	68	1,066	1,017	49	43.8
15,698	6,385	4,722	1,663	40.7	33.6	3,906	3,852	54	1,938	1,895	43	49.6
16,204	6,861	4,768	2,093	42.3	34.6	3,068	2,292	56	1,796	1,754	42	58.5

(就職状況)

中学校

区分	総数	第一次産業				第二次産業			
		農業	林・狩猟	漁・水産	小計	鉱業	建設業	製造業	小計
1957 昭32	6,428	3,435	22	117	3,574	20	100	420	540
1958 〃33	5,453	2,669	52	124	2,845	7	113	524	644
1959 〃34	4,969	2,235	17	125	2,377	10	138	573	721
1960 〃35	4,046	1,586	18	100	1,704	5	94	684	783
1961 〃36	3,400	1,145	5	45	1,195	6	102	825	933
1962 〃37	3,951	1,035	1	98	1,134	17	133	976	1,230
1963 〃38	7,366	1,768	12	166	1,946	18	228	1,630	1,876
1964 〃39	6,576	1,522	15	143	1,680	20	220	1,723	1,963
1965 〃40	6,760	1,715	10	136	1,861	37	218	2,259	2,514
1966 〃41	6,714	1,370	49	111	1,530	44	252	2,277	2,573
1967 〃42	6,016	1,121	32	91	1,244	36	225	2,303	2,564
1968 〃43	4,940	754	13	57	828	8	241	2,242	2,491
1969 〃44	4,464	614	3	62	679	5	270	2,210	2,485
1970 〃45	5,514	838	1	71	910	35	234	2,314	2,583

高等学校

区分	総数	第一次産業				第二次産業			
		農業	林・狩猟	漁・水産	小計	鉱業	建設業	製造業	小計
1957 昭32	2,676	446	13	47	506	—	81	159	240
1958 〃33	3,011	501	1	101	603	—	116	184	300
1959 〃34	2,887	491	4	26	521	1	151	327	479
1960 〃35	3,465	485	4	50	539	—	146	561	707
1961 〃36	4,411	478	10	71	559	7	216	950	1,173
1962 〃37	4,412	331	4	63	398	6	140	885	1,031
1963 〃38	3,839	202	6	94	302	1	179	834	1,014
1964 〃39	3,432	184	14	54	252	—	181	903	1,084
1965 〃40	3,869	199	16	62	277	—	170	1,119	1,289
1966 〃41	5,093	322	—	112	434	1	215	1,322	1,538
1967 〃42	5,411	182	7	106	295	6	291	1,500	1,797
1968 〃43	5,698	165	5	83	253	1	199	1,656	1,856
1969 〃44	5,691	172	7	68	247	4	171	2,347	2,522
1970 〃45	7,681	225	8	89	322	36	215	2,824	3,075

卸・小売	金融保険	不動産	運輸通信	電気ガス水道	サービス	公務	その他	小計	構成比 第一次	構成比 第二次	構成比 第三次
389	—	2	77	13	836	19	978	2,314	55.6%	8.4%	36.0%
318	—	1	96	39	847	32	631	1,964	52.2	11.8	36.0
384	2	—	60	25	903	11	486	1,871	47.8	14.5	37.7
374	—	7	45	7	806	12	308	1,559	42.1	19.4	38.5
263	4	—	50	6	625	5	319	1,272	35.1	27.4	37.5
414	5	—	88	10	803	11	362	1,587	28.7	31.1	40.2
971	3	—	273	58	1,547	14	678	3,544	26.4	25.5	48.1
756	1	5	281	31	1,254	7	598	2,933	25.5	29.9	44.6
637	—	4	241	40	953	6	504	2,385	27.5	37.2	35.3
681	—	1	232	70	1,167	9	451	2,611	22.8	38.3	38.9
523	—	—	151	53	1,081	8	392	2,208	20.7	42.6	36.7
499	6	—	93	33	717	11	266	1,625	16.8	50.4	32.8
327	—	—	24	27	705	2	215	1,300	15.2	55.7	29.1
363	—	—	54	154	498	5	947	2,021	16.5	46.8	36.7

卸・小売	金融保険	不動産	運輸通信	電気ガス水道	サービス	公務	その他	小計	構成比 第一次	構成比 第二次	構成比 第三次
295	291	1	151	39	301	322	530	1,930	18.9%	7.0%	72.1%
430	267	1	148	61	410	278	513	2,108	20.0	10.0	70.0
472	198	5	152	71	417	221	351	1,887	18.0	16.6	65.4
547	241	7	171	57	535	258	403	2,219	15.6	20.4	64.0
839	296	6	224	97	580	163	474	2,679	12.7	26.6	60.7
827	294	8	257	88	842	213	454	2,983	9.0	23.4	67.6
839	224	16	179	67	477	155	566	2,523	7.9	26.4	65.7
764	90	6	226	47	463	158	342	2,096	7.3	31.6	61.1
734	170	7	211	90	494	176	421	2,303	7.2	33.3	59.5
1,060	198	10	342	139	680	235	457	3,121	8.5	30.2	61.3
998	277	18	283	183	824	206	530	3,319	5.5	33.2	61.3
1,246	396	16	290	94	945	226	376	3,589	4.4	32.6	63.0
1,009	228	5	241	104	760	205	370	2,922	4.3	44.3	51.4
1,242	81	23	388	436	767	141	1,206	4,284	4.2	40.0	55.8

3 公教育費1人当り額

区分		幼稚園			小学校			中学校		
		沖縄	類似県	全国	沖縄	類似県	全国	沖縄	類似県	全国
1953	昭27	—	12.23	16.16	—	24.90	26.23	—	87.01	38.77
1954	〃28	—	13.31	18.14	—	29.35	31.85	—	41.94	42.86
1955	〃29	—	14.74	20.88	21.98	33.06	35.02	31.46	43.22	44.46
1956	〃30	—	15.68	21.43	22.85	32.19	33.97	25.87	41.66	42.52
1957	〃31	—	17.85	24.05	21.67	32.93	35.81	27.19	43.99	44.78
1958	〃32	—	22.20	27.65	27.27	34.70	39.07	37.58	48.08	50.21
1959	〃33	—	23.66	31.21	22.92	36.38	41.20	36.39	54.07	57.04
1960	〃34	—	25.49	32.51	27.14	39.63	44.26	44.03	57.85	63.48
1961	〃35	—	29.22	37.18	27.11	47.24	52.27	48.44	64.87	71.77
1962	〃36	19.62	35.68	44.61	32.94	57.02	63.28	54.04	70.95	78.67
1963	〃37	19.44	41.41	52.65	38.57	73.50	79.33	60.45	79.27	83.29
1964	〃38	23.79	45.00	61.21	44.03	88.53	96.63	65.97	96.33	99.20
1965	〃39	25.39	75.14	72.52	52.93	111.72	116.69	74.50	121.41	118.66
1966	〃40	33.50	60.66	81.97	67.58	129.47	137.02	78.15	141.54	141.24
1967	〃41	52.90	75.64	95.11	94.94	150.44	158.13	118.00	161.98	166.23
1968	〃42	70.08	84.95	109.34	114.63	180.64	183.95	142.93	194.74	195.26
1969	〃43	70.95	—	—	141.50	—	—	180.84	—	—

4 児童・生徒の疾病異常被患率

区分			むし歯	寄生虫卵保有	近視	結膜炎	トラホーム	へんとう肥大	蓄のう症	伝染性の皮膚疾患
小学校	1959	全国	76.6%	21.8%	9.1%	3.9%	3.5%	10.3%	1.2%	3.0%
		沖縄	74.7	41.9	2.8	—	9.5	2.4	0.3	—
	1964	全国	87.9	13.5	12.0	4.4	2.2	9.5	1.4	1.8
		沖縄	85.4	9.4	3.1	1.1	7.6	2.8	0.1	—
	1968	全国	91.5	8.9	11.7	3.9	1.2	9.9	1.4	1.4
		沖縄	92.4	8.5	3.4	5.4	4.3	4.0	—	—
中学校	1959	全国	59.3	20.3	16.8	3.5	3.9	8.4	2.0	2.1
		沖縄	55.0	40.4	5.6	—	10.5	2.5	0.3	—
	1964	全国	84.2	10.4	22.2	3.8	2.0	6.3	2.0	1.6
		沖縄	69.4	—	6.2	0.5	6.1	3.0	0.3	—
	1968	全国	88.5	5.6	23.3	3.8	1.3	5.8	1.9	1.1
		沖縄	88.5	5.1	9.5	3.9	3.9	1.8	—	—
高等学校	1959	全国	51.6	14.3	29.2	2.9	2.0	4.8	1.9	0.3
		沖縄	45.0	—	6.6	—	3.7	0.7	0.03	—
	1964	全国	85.2	6.6	35.8	3.1	1.1	3.9	1.5	0.2
		沖縄	62.5	—	—	—	—	0.5	0.2	—
	1968	全国	90.4	3.1	39.4	2.7	0.7	3.1	1.6	0.2
		沖縄	—	15.6	11.5	—	1.9	0.9	—	—

(ドル)

特殊学校		高校（全日）			高校（定時）			社会教育			教育行政		
沖縄	全国	沖縄	類似県	全国	沖縄	類似県	全国	沖縄	類似県	全国	沖縄	類似県	全国
—	229.64	—	52.94	56.10	—	54.69	48.37	—	0.30	0.22	—	0.32	0.82
—	254.33	—	59.85	64.17	—	61.87	51.88	—	0.35	0.26	—	0.51	0.44
50.20	259.54	—	71.19	68.51	—	71.71	58.79	0.05	0.34	0.26	0.45	0.48	0.43
68.69	270.32	37.55	65.70	69.35	20.15	71.48	59.94	0.08	0.30	0.24	0.37	0.50	0.42
83.95	302.38	50.44	69.12	73.72	23.82	68.39	62.12	0.19	0.29	0.25	0.48	0.47	0.43
86.27	318.54	69.08	70.58	82.04	26.20	74.42	70.69	0.13	0.34	0.30	0.50	0.47	0.45
103.48	332.58	67.18	78.19	86.58	30.94	77.15	73.39	0.11	0.33	0.33	0.49	0.54	0.48
136.76	354.68	76.88	81.27	89.36	41.41	81.26	75.64	0.11	0.38	0.36	0.61	0.58	0.51
195.74	423.98	77.37	95.70	103.47	45.89	102.40	92.61	0.17	0.41	0.41	0.75	0.66	0.61
257.23	548.76	95.27	130.15	132.52	63.79	124.41	120.44	0.18	0.64	0.52	0.52	0.81	0.74
345.14	695.84	102.66	163.58	169.63	69.50	145.74	135.22	0.27	0.73	0.65	0.92	0.98	0.90
348.86	748.82	130.67	182.24	180.69	70.93	176.20	150.02	0.32	0.71	0.71	1.08	1.22	1.05
764.79	852.44	117.84	187.10	177.12	75.82	174.60	162.35	0.30	0.92	0.87	1.31	1.59	1.25
546.28	1,048.34	135.55	175.79	181.60	78.91	194.01	167.86	0.31	0.98	1.02	1.50	1.70	1.43
880.16	1,209.27	175.59	203.29	203.91	103.63	208.14	185.54	0.56	1.48	1.27	1.76	1.91	1.57
780.18	1,393.25	175.09	221.19	233.07	102.58	251.48	221.91	0.47	1.58	1.47	2.14	2.32	1.73
967.03	—	186.28	—	—	133.05	—	—	0.63	—	—	2.98	—	—

5 公立学校教員の学歴構成

区分	総数	大学卒	短大卒	高校卒
小学校	4,718	1,186	1,446	2,066
中学校	3,308	1,958	943	407

戦後教育関係年表

年	法による区分	教育	政治 経済 社会	政府による区分
1944	国民学校令	学童疎開始まる (7・)	那覇空襲九割焼失(10・10)	日本政府(文部省)
1945	交戦法未整的備	中学校女学校生学徒として従軍(3・) 米軍軍政府教育部に沖縄教科書編纂所設置 (8・1) 教育部の創立・教育部長の任命 (8・29)	米軍沖縄本島上陸(4・1) 米軍布告第一号(ニミッツ布告)(4・) 沖縄戦終結 (6・23) 沖縄諮詢会設立 (8・29)	沖縄諮詢会
1946		沖縄文教部と改称 (1・2) **初等学校令公布** (4・) 沖縄文教学校創立 (1・10) 幼稚園〔1年〕初等学校〔8年〕高等学校〔4年〕学制採用高等学校、初等学校職員に辞令交付 (4・13) 疎開学童引揚第1船帰還 (10・5)	沖縄諮詢会石川より東恩納へ (2・7) **沖縄民政府設立** (4・24) 賃金制実施 (5・)	沖縄民政府
1947	初等学校令	実業高等学校設置	沖縄婦人連盟結成(10・1)	
1948		米国留学生試験実施 (2・3) 第1次日本留学生出発 (2・25) **学制改革六・三・三制布かる** (3・) 実業高校廃止 (3・) **教育基本法・学校教育法制定公布** (4・1)	新選挙法による市町村長選挙 (2・1) 沖縄民政府機構改革(4・1) 通貨切替（日円をB円)	
1949		第一回契約学生派遣 成人学校開設 (8・) 沖縄全島を10学区に分け教育長任命 (12・9)	沖縄軍政官府新設(4・1) 沖縄史跡保存会発足 (10・31)	
1950		教員訓練所・英語学校新設 (4・) 琉球大学開学 (5・22) 第一回学力テスト実施 (6・30) 戦後初の全島校長会 (11・29) 指導主事制布かる (12・)	軍政府民間情報教育部新設 (1・30) 郡島知事選挙 (9・17) **沖縄郡島政府発足**(11・4) 琉球列島米国民政府設立 (USCAR) (12・15)	沖縄郡島政府
1951	教育基本条例・学校教育条例・教育委員会条例	文教審議会設置 (2・21) **教育基本条例・学校教育条例・教育委員会条例公布** (3・27) 臨時中央政府文教局発足 (6・19)	琉球臨時中央政府開庁 (4・1)	琉球臨時中央政府
1952		**琉球教育法（布令六六号）公布** 中央教育委員任命 (4・14) (2・28) 第一回研究教員派遣 教育区教育委員選挙 (5・11) **教育税創設** 全琉教育長 (18名) 中央教育委員会で決定 (6・1) 琉球育英会法公布 (9・22)	第一回立法院議員選挙 (3・2) 琉球政府創立 (4・1) 那覇日本政府南方連絡事務所設置 (8・13)	琉球教育
1953	琉球教育	英語学校教訓学校廃止 (4・1) 第1回公費学生送り出し 全琉教員夏期講習会本土講師招へい (7・20)	本土衆議員調査団来島 (11・18) 奄美大島日本復帰 (12・25)	
1954		教員校長教育長免許布令 (14号) 公布 (6・8) 文化財保護法公布 (6・29)		

— 66 —

年	法による区分	教育	政治 経済 社会	政府による区分
1954	法（布令六六号）	第一回大学入学資格検定試験 (8・3)		球
1955	法（布令六六号）	沖繩教職員会第一次中央教研大会開催 (1・17) 本土同胞から沖繩の児童生徒へ、愛の教具第一陣届く (10・7) 琉大志喜屋記念図書館献納式 (12・10)	米極東軍沖繩視察団来島 (1・10) 軍用地調査委員会設置 (1・14) 軍用地問題解決のため比嘉主席以下渡米代表団出発 (5・23) 全琉臨時国勢調査 (12・1)	球
1956	法（布令六六号）	第一回中学校卒業資格認定試験 (2・3) 全琉中学三年生義務教育学テ実施 (2・3) 立法院可決の教育四法案廃案 (2・24) 第一回基準教育課程委員会開催 (9・18) 教育四法案再び廃案となる (10・25) 文部省学力調査全琉小中高最高学年に実施 (9・29)	軍用地問題プライス勧告発表 (6・)	球
1957	教育法	教育法（布令一六五号）公布 (3・2) 高等学校設置基準幼稚園設置基準設定 (8・16) 教育法施行規則設定 (8・19) 三度立法院教育四法可決 (9・25) 高等学校教育課程設定 (11・13)	新民法施行さる (1・1) 民政府内に渉外報道局設置 (2・7) 日本復帰促進県民大会 (4・27) 高等弁務官制布く (7・1)	政
1958	教育法	教育四法高等弁務官承認公布 (1・8) 沖繩短期大学設立認可 (4・5) 第三回アジア大会聖火本島一周 (4・22) へき地教育振興法公布 (9・1) 教育職員免許法同法施行法公布 (11・10) 中央教育委員第一回公選 (12・6)	ドル切替 (9・16)	府
1959	民立法による教育四法	沖繩水産高校実習船海邦丸竣工沖繩入り (5・4) 国際短大設置認可 (6・15) 日本生物教育大会始めて沖繩で開催 (7・23) 第一回教育指導委員来島 (9・16)	メートル法施行 (1・1) 沖繩ユネスコ協会発足 (2・25) 皇太子殿下御成婚 (4・10) 奥武山スポーツセンター野球場起工 (7・14)	府
1960	民立法による教育四法	パン給食始まる (1・18) 第一回教員公立高校政府立へ移管 (4・1) 第一回全琉小中学校長研修会 (6・4) 学校給食法 (7・1) 公布 理科教育振興法 (7・15) 公布	南極観測船宗谷那覇寄港 (4・16) アイゼンハワー大統領来島 (6・19) 教職員共済会八汐荘落成 (6・26) 九州陸上沖繩大会 (11・6)	府
1961	民立法による教育四法	沖繩大学（四年制）認可 (2・18) 小学校新教育課程全面実施 (4・1) 十四連合区を六連合区に統合・沖繩学校安全許可 (5・1) 特別奨学生（日政贈与）第一回試験 (10・15)	ケネデイ池田共同声明 ケイセン調査団 (6・22) (10・5) 小平総務長官来島 (11・27)	府
1962	民立法による教育四法	文教局機構改革 (2・1) 国際大学四年制認可 (2・1) 中学校新教育課程全面実施 (4・1)	琉球列島管理に関する行政命令を改正する行政命令 (3・19) ケネデイ大統領の対琉球	府

年	法による区分	教　　育	政治　経済　社会	政府による区分
1962		政府立松島中学校開校（4・10） 米国援助百万弗で教員給与改正（5・1） 文部省沖縄援助調査団来島（7・26）	**新政策に関する声明発表** （3・20） 長谷川文部政務次官来島 （4・15）	
1963		中教委教公二法案可決（1・21） **高等学校新教育課程学年進行で実施** （4・1） **義務教育諸学校教科書無償（日政）給** 与（小学校）（4・1） スポーツ振興法公布（6・29） 荒木文部大臣（育英会十周年記念式典参列）来島（7・7） 水産高校実習船翔南丸竣工（日政） （10・）	久米島航路みどり丸沈没 （8・17）	琉
1964	民	教公二法案廃案となる（6・30） オリンピック聖火リレー本島一周 （9・7）	第一回青少年健全育成週間（4・6） 本土沖縄間マイクロ回線開通（9・1） **オリンピック東京大会** （10・10）	球
1965	立法	沖縄県教育費獲得期成会結成（6・16） 文教局構構改革　部長制しく（9・10） 私立学校法制定（9・10）	**佐藤ジョンソン共同声明** （1・14） 佐藤総理中村文部大臣来島（8・19）	
1966	に よ る 教 育 四 法	若人の森建設沖縄大会（1・6） 学童集団検診実施（4・6） 政府立各種学校（商業実務　産業技術）開校（4・1） 教公二法案中教委で再可決（5・28） **教育委員会法一部改正により地方財** **政制度の改革　教育税廃止**（7・1） 琉球大学政府立移管（7・1） 私立大学委員会設置（7・15） 私立学校振興法公布（9・28） 博物館（米政）青年の家（日政）開館（所）（11・）	大統領行政命令改正に伴なう初の立法院議員選挙による行政主席選出 （6・16） 第二宮古島台風襲来(9・5)	政
1967		教公二法問題で教職員会10割年休行使など（2・24）教育界大いに荒れ立法院で廃案決定（11・22） 琉大に夜部開設（4・） 幼稚園教育振興法公布（7・25） 沖大スト（9・） 高校入試5教科制決定（9・）	沖縄問題懇談会教育一体化で答申（7・） タクシー汚職問題起こる B52嘉手納常駐と撤去運動（・）	府
1968		教育の一体化に関して文教審議会開催（2・1） 開南小学校臨海学校（具志川海岸）で皮ふ炎（7・21） 八重山で人事・登野城小学校分離問題 公立学校職員共済組合法　　同施行法公布（8・29） 政府立高校の教職員定数基準に関する標準法制定（8・） 夏の高校野球で初の準決勝進出（8・） 灘尾文部大臣来島（9・25） 沖縄教育研修センター庁舎落成（12・）	大統領行政命令の改正により初の主席公選（11・1）	

年	法による区分	教 育	政治 経済 社会	政府による区分
1969	民立法による教育四法	風疹聴覚障害児指導のため本土政府第一次講師団来島（8・25） 定通制・造形教育全国沖縄大会開催（8・1〜6） 小学校学習指導要領の改訂（4・12） 公立学校職員共済組合法の施行（7・1） 学生運動の激化	日米共同声明により1972年度中に沖縄の本土復帰決定（11・22）	琉球政府
1970		文教局内に復帰対策室設置（1・ ） 中学校学習指導要領の改訂（2・9） 産業技術学校高校へ移行（4・ ） 行政職免許状の廃止（4・1） 教育関係米政援助の打切り	日本万国博覧会（3〜9） 国政参加実現（11） （衆院5・参院2）	

1971年3月14日 印刷
1971年3月15日 発行

沖縄教育の概観

発行所　琉球政府文教局総務部調査計画課
印刷所　松　本　タ　イ　プ
　　　　電　8－5445・1845

教育区	人口	公立学校数 小学校	公立学校数 中学校	教育区	人口	公立学校数 小学校	公立学校数 中学校
総　計	945,465	240	150	那覇連合区	333,036	36	19
				27　浦添	41,767	4	2
北部連合区	106,632	62	42	28　那覇	276,906	23	11
1　国頭	7,325	9	7	29　具志川	5,030	2	1
2　大宜味	4,531	4	4	30　仲里	6,317	5	3
3　東	2,423	3	3	31　北大東	764	1	1
4　名護	39,798	17	10	32　南大東	2,252	1	1
5　今帰仁	10,511	5	4	南部連合区	117,398	30	21
6　上本部	3,489	3	1	33　豊見城	13,193	3	1
7　本部	13,664	8	7	34　糸満	34,074	7	4
8　宜野座	3,565	3	1	35　東風平	9,447	1	1
9　金武	9,952	3	1	36　具志頭	6,589	2	1
10　伊江	5,840	2	1	37　玉城	9,207	3	1
11　伊平屋	2,255	4	2	38　知念	5,632	2	2
12　伊是名	3,279	1	1	39　佐敷	7,786	1	1
中部連合区	283,175	56	29	40　与那原	9,644	1	1
13　恩納	7,430	5	5	41　大里	6,498	2	1
14　石川	15,749	3	1	42　南風原	10,983	1	1
15　美里	24,131	5	2	43　渡嘉敷	712	2	2
16　与那城	14,003	5	3	44　座間味	1,109	3	3
17　勝連	11,934	5	3	45　粟国	1,521	1	1
18　具志川	37,291	7	3	46　渡名喜	1,003	1	1
19　コザ	58,685	6	3	宮古連合区	60,848	21	17
20　読谷	21,403	4	2	47　平良	29,717	10	7
21　嘉手納	13,820	2	1	48　城辺	11,962	4	4
22　北谷	10,452	2	1	49　下地	4,022	2	2
23　北中城	9,433	1	1	50　上野	3,739	1	1
24　中城	9,745	4	1	51　伊良部	9,130	2	2
25　宜野湾	39,347	5	2	52　多良間	2,278	2	1
26　西原	9,752	2	1	八重山連合区	44,376	35	22
				53　石垣	36,559	18	9
				54　竹富	4,904	14	11
				55　与那国	2,913	3	2

※人口＝1970.10

行 政 区 分 図
=教 育=

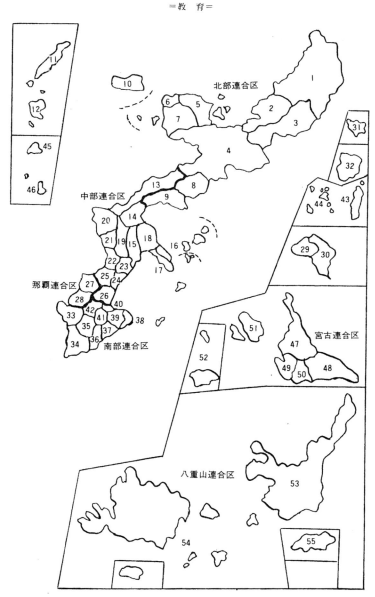

一九七二年、本土復帰
新しい豊かな県づくり

沖縄教育の概観

別冊8

No.8

'72

文教局

1972年度

沖縄教育の概観

文 教 局

類似県関係資料

区分		学校数					在学者数				
		幼稚園	小学校	中学校	高校	特殊学校	幼稚園	小学校	中学校	高校	特殊学校
類似県	島根	116	253	149	59	7	10,532	71,668	40,918	34,584	552
	徳島	238	322	117	55	4	14,723	73,066	41,983	35,269	639
	高知	34	420	190	54	10	3,468	69,214	37,436	29,875	764
	佐賀	107	221	100	41	3	11,361	85,157	48,376	43,583	592
	宮崎	115	322	164	58	5	11,680	111,378	64,571	49,125	583
沖縄		153	244	152	43	6	17,316	133,495	71,882	54,494	954

※ 1971年度学校基本調査

区分		面積 km² 1969.10	人口 1970.10.1	人口密度 (km²あたり)	就業人口の産業別構成比			1人当り県民所得 （昭和44年）
					第一次	第二次	第三次	
類似県	島根	6,625.86	773,572	116.8	38.1	22.3	39.6	905 ドル
	徳島	4,143.74	790,996	190.9	31.4	28.0	40.6	1,113
	高知	7,105.78	786,690	110.7	34.6	19.5	45.9	1,113
	佐賀	2,408.35	838,442	348.1	33.4	23.5	43.1	957
	宮崎	7,195.33	1,051,097	135.9	38.6	18.6	42.8	898
沖縄		2,239.22	945,111	422.1	21.5	19.4	59.1	770

注 1. 資料中、全国とは全国平均のことで、類似県とは本土における上表記載の各県を便宜上類似県とし、その平均をとった。
   2. 年度のとり方は学校基本調査関係はその年度の5月1日現在をとり、予算関係については、本土はその年度の4月1日から翌年の3月31日まで、沖縄は前年度の7月1日からその年度の6月30日までの期間である。

はじめに

　この小冊子は、１９７１年度の沖縄教育についてその概要を解説したものであります。

　戦後２７年間、祖国から切りはなされ、異民族の施政下にあって、沖縄教育の歩みはまことにいらただしい程遅々たるものでありました。そのため大きく開いた本土との教育諸条件の格差をいかにしてなくすかということが当面の課題であります。とくに７２年の本土復帰を前に、この課題は一層の重要性と緊急性をもって迫ってまいります。

　いうまでもなく、沖縄教育の向上発展は、文教当局だけでなく、広く教育関係者をはじめ全住民が文教施策及び諸制度ならびに教育の現況について充分な理解をもたれ、ご協力くださることが最も必要なことだと考えます。

　そのため資料はできるだけ過去のものも入れ、また、本土比較ができるよう全国平均や類似県平均の資料等も掲載するようつとめました。

　この冊子のご利用により、沖縄教育について深い認識とご協力をいただきたいと念願しております。

　１９７２年４月

　　　　　　　　　　　　文教局長　中　山　興　真

も　く　じ

1　沖縄の概要 …………………………………… 4
2　教育行政 ……………………………………… 6
　(1)　教育行政組織 ………………………………… 6
　(2)　中央教育委員会と文教局 …………………… 8
　(3)　地方教育委員会 ……………………………… 8
3　教育財政 ……………………………………… 10
　(1)　教育財政制度 ………………………………… 10
　(2)　教育予算 ……………………………………… 12
4　学校制度 ……………………………………… 18
5　学校教育 ……………………………………… 20
　(1)　学校概況 ……………………………………… 20
　(2)　小・中学校 …………………………………… 22
　(3)　高等学校 ……………………………………… 28
　(4)　特殊学校 ……………………………………… 30
　(5)　大　学 ………………………………………… 32
　(6)　幼稚園 ………………………………………… 34
　(7)　各種学校 ……………………………………… 34
6　学校保健 ……………………………………… 36
7　卒業後の状況 ………………………………… 38
　(1)　卒業後の進路別状況 ………………………… 38
　(2)　進学状況 ……………………………………… 38
　(3)　進学率 ………………………………………… 38
8　教職員 ………………………………………… 40
　(1)　職名別教員数 ………………………………… 40
　(2)　男女別教員構成 ……………………………… 40
　(3)　負担別職員数 ………………………………… 40

(4)	教員の年令別構成	42
(5)	免許状所持状況	42
(6)	教員給料平均月額	42
9	学校施設設備	44
(1)	学校施設	44
(2)	学校備品	46
10	育英奨学事業	48
11	社会教育	50
(1)	社会教育関係職員	50
(2)	社会教育施設	50
(3)	社会教育講座	50
(4)	文化財保護事業	50

(参考資料)

1. 学校概況 …… 54
2. 卒業後の状況 …… 60
3. 公教育費1人当り額 …… 64
4. 児童・生徒の疾病異常被患率 …… 64
5. 戦後教育関係年表 …… 66

1　沖縄の概要

　沖縄（県）は、沖縄・宮古・八重山の3群島からなり、気候は亜熱帯気候に属している。総面積は2,239Km^{2}で、沖縄群島がその63.8％を占めている。耕地面積は総面積の24％で、砂糖きび・パイナップルが主要農作物となっている。また、沖縄における米軍用地は総面積の8.7％（沖縄本島では13.8％）を占めていることは注目すべきことである。

　総人口は約94万5千人（1970年国勢調査）でその約30％（約27万6千人）が那覇市に集中している。

　政治的にみると、沖縄（県）は第二次世界大戦後、日本政府の行政権から分離され、1951年に調印された対日平和条約第3条に基づいて合衆国が施政権を行使している。この3条によって譲渡された三権（立法・行政・司法）は、合衆国大統領の指揮監督に従って国防長官が行使し、大統領行政命令によって、国防長官は琉球列島に関する外国および国際機構との交渉について責任を負うことが規定されている。国防長官の管轄のもとに琉球列島米国民政府（ユースカ）があり、その長であるとともに、沖縄における施政の最高責任者である高等弁務官は、沖縄駐留米国軍隊の司令官も兼ねている。

　沖縄住民の中央自治機構としては、琉球政府があり、地方自治としては54の市町村が置かれている。

　沖縄県民は日本国籍を有しながら、日本国憲法の適用外におかれ、戦後20余年もの間きわめて特異な状態のもとで本土復帰の日を待ちつづけてきた。1969年11月22日の日米共同声明によって1972年5月15日に本土復帰が実現することになり、復帰に備えてその体勢づくりが急がれている。

1 沖縄の概要

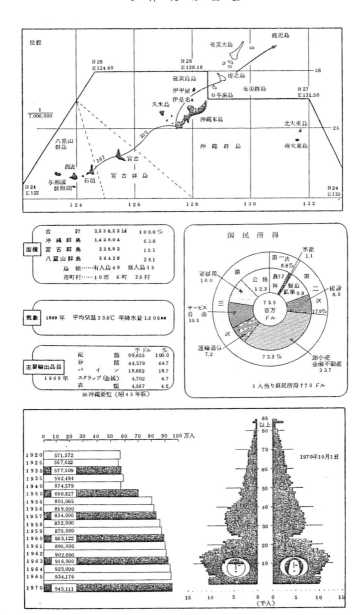

2　教育行政

(1) 教育行政組織

　沖繩の教育行政組織は本土とかなり異なっている。教育行政がすべて委員会制度によって運営されていることは本土と同じであるが、大学を除くすべての中央の教育行政は琉球政府行政府の長である行政主席より独立した中央教育委員会が最高の責任を負っている。中央教育委員会委員は6つの選挙区から区教育委員の選挙によって選出され、委員数は11人、任期は4年、2年毎にその半数が改選される。

　地方教育については、市町村を同一区域とする法人格を持つ教育区（54）が設定されており、教育区住民により公選される教育委員の構成する区教育委員会がこれを担当している。委員数は各教育区5人（那覇教育区は7人）で、任期は4年で2年毎に半数が改選される。

　さらに、これら54の教育区は、地方教育の指導管理を共同処理することにより行政の効率化を図るため6つの連合教育区を組織している。

　連合教育区も法人で、連合委員会は連合区を構成する教育区の委員の代表によって組織されている。

　これまで概観したように、沖繩の教育行政制度は委員の公選制をはじめとして、委員会の組織、職務、権限等の上で、本土の場合とかなり相違していることになる。本土復帰に際し教育委員会制度をどのようにするかが問題になり色々論議されたが中央教育委員会では現行制度を存続するよう要請することになった。

　一方、大学教育行政は、行政主席の任命による琉球大学委員会、私立大学委員会が構成するそれぞれの委員会によって運営されている。

2 教育行政

(1) 教育行政組織

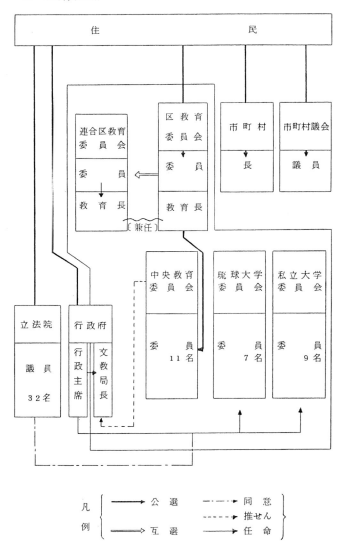

(2) 中央教育委員会と文教局

　中央教育委員会の委員は6選挙区の教育長の事務管理のもとで、区教育委員の選挙によって選出される。選挙区は、北部地区（2人）、中部地区（3人）、南部地区（2人）、都市地区（2人）、宮古地区（1人）、八重山地区（1人）、となっている。

　中央教育委員会のおもな業務は、教育政策の樹立・教育課程の基準の設定・政府立教育機関の管理・地方教育委員会への指導助言などとなつている。

　文教局長は中央教育委員会の推せんを得て、行政主席が任命し、中央教育委員会へ教育専門家としての助言をなすと同時に中央教育委員会の設定した教育政策の執行責任者である。従って文教局は行政府の一機関であり、かつ中央教育委員会の事務局ともなっている。文教局は3部10課1室で組織され137人の教育専門職員・事務職員が勤務している。

(3) 地方教育委員会

　区教育委員会は中央教育委員会の教育政策に基づき、教育区内の公立学校（幼稚園・小学校・中学校）の管理運営ならびに社会教育を行なっており、所轄の学校の教職員の人事権を有している。

　地方教育委員会には、それぞれ教育長が置かれているが、連合区教育委員会の教育長は構成教育区の教育長をも兼ねている。教育長は中央における文教局長と同じく、地方教育委員会への助言者であり、事務執行責任者である。

　連合教育委員会事務局にも指導主事、管理主事等の教育専門職員が配置されており、管下の教育区の教育指導、管理事務を担当している。

(2) 中央教育委員会と文教局

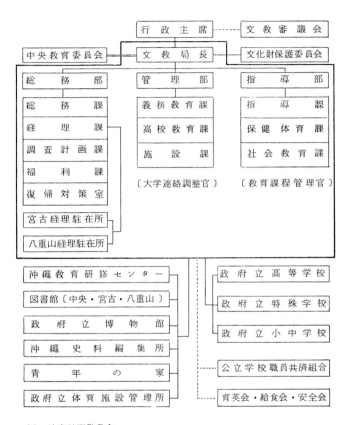

(3) 地方教育委員会

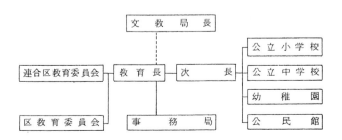

3 教育財政

(1) 教育財政制度

　教育財政制度は、中央・地方とも教育費の一般需要に応ずる独自の財源はもたず、政府・市町村の一般財源の一部が充当されるという形をとっている。

　予算制度は中央・地方ともほゞ似ているが、中央の教育予算が政府の一般会計予算に包括されているのに対し、地方では市町村予算と別箇の教育予算を編成している。

　予算編成の過程としては、中央の教育予算は文教局長が見積書を作成し、中央教育委員会の承認を得て行政主席の統合調整に供し、行政主席が一般会計予算案として立法院の審議に付すという順序で、これが一般に参考案と呼ばれ立法院での審議の後、可決を経て主席の署名公布となる。

　一方地方の教育予算は区教育委員会が見積書を作成して、市町村長に送付し、市町村長が市町村予算と財源上の調整をして市町村議会の審議に付すという過程を経る。地方教育区における教育費の財源は、政府補助金や教育区債などのその使途が決定もしくは限定された「特定財源」と市町村負担金やその教育区の諸収入のように教育区が独自に使用できる、いわゆる「一般財源」に大きく区分できる。市町村負担金は1967年度の教育税廃止に伴なう市町村交付税制度によるので、教育区の財源の主体をなしている。市町村交付税制度は従来の教育税制度の中でその地域的較差のため困窮を極めていた教育区の財政に対し、一定の標準的行政水準が保てるように配慮された点は沖縄の教育振興の上で大きく寄与したといえよう。

3 教育財政

(1) 教育財政制度
　(ア) 中央(文教局)の予算編成過程

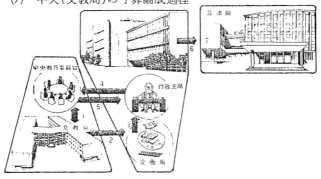

　(イ) 地方教育区の予算編成過程

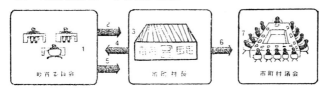

　　　1　予算見積書の作成
　　　2　予算見積書の送付
　　　3　統合調整
　　　4　減額修正の場合に意見を求める
　　　5　減額修正に対する意見書の送付
　　　6　議会へ送付
　　　7　審議決定

(2) 教育予算

　(ア)　国民所得と公教育費総額

　その地域における住民の教育に対する関心度や経済的努力の度合を示すものの一指標として、国民所得に占める公教育費総額の比率があげられる。

　沖縄の公共機関から支出された教育費の総額は、1970年度は約5千8百万ドルで、この額は同年度の国民所得約6億4千万ドルの7.7％を占めている。この比率は本土（昭和43年度4.8％）や諸外国と比べても決して低い数字ではなく、それだけ住民が教育に対して経済的に最大の努力を払っていることを示している。

　もとより貧困な琉球政府の予算規模や低い国民所得の中の比率で、教育に対する住民の関心度を比較することには異論もあろうが、開発すべき自然資源が現在のところ乏しいことや、今次大戦で多くの人材を失った歴史の中から、教育による人材養成が、いかに重要であるかを住民のひとりびとりが充分に理解しているといえよう。

　(イ)　政府総予算と文教局予算

　1972年度琉球政府一般会計歳出予算総額は263,633,584ドルで、このうち文教局予算額は71,043,331ドルで政府総予算に占める比率は26.9％となっている。

　この比率を過去にさかのぼってみると、1962年度の36.8％を最高に、1957年度の26.6％を最低として大体30％を前後している。

　政府総予算の中においても教育予算は最優先され、行政府自体としてもかなりの努力を払っているとはいえ、政府予算の規模が本土相当の水準に比較して小さい所に問題がある。

(2) 教育予算

(ア) 国民所得と公教育費総額

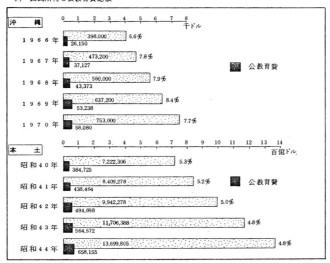

(イ) 政府総予算と文教局予算

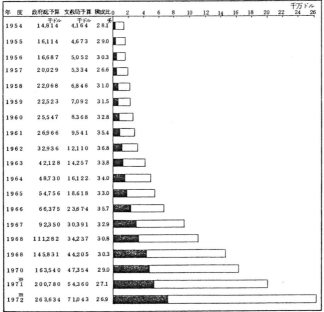

※ 予算額

(ウ) 中央・地方の教育予算

　中央における教育関係予算は、1972年度で文教局、琉球大学を合わせて約8千万ドルとなっている。これを琉球政府総予算額2億6,363万ドルの比率でみると30.2％となっている。次に前年度と比較すると、政府総予算が31.3％の伸長率を示しているのに対して、文教局30.7％伸長率・琉球大学は142.2％の増加となっており教育関係全体としては37.5％の伸長率を示している。

　地方の教育予算は教育区の6千1百万ドルと連合区分83万ドルが計上されているが教育区予算に含まれている連合区分担金31万5千ドルが重複しているので、実質的な地方の教育予算は6千160万ドルになる。

(エ) 文教局および教育区予算の分野別・財源別区分

　文教局予算のうち、その91.9％（約6千529万ドル）が学校教育費（幼稚園・小学校・中学校・特殊学校・高等学校）にあてられている。財源別にみると、琉球政府負担額が52.4％（3千722万ドル）復帰対策費が38.0％（2千702万ドル）となっており、とくに近年における本土政府援助の増加は沖縄の教育水準を高める上で大きな効果をもたらしている。（教育関係への米政援助は1971年度からゼロになった。）しかしながら、教育諸条件のうちでも、学校施設・設備等については本土との較差是正の上から、より一層の援助が望まれている。

　一方、地方（教育区）の予算においても学校教育費が大部分（91.9％）を占めていることは中央と同じである。教育区の予算はその財源の73.9％を政府支出金が占め、更に交付税が含まれている市町村負担金まで考慮すると、地方教育に対する政府からの財源補充はかなり大きな比重を占めていることになる。

(ウ) 中央地方の教育予算

1972年

中　央		地　方	
計	79,609,183	計	61,906,401
文教局	71,043,331	教育区	61,079,246
琉球大学	8,565,852	連合区	827,155

(注) 教育区の予算中、連合区分担金 315,273 ドルが含まれている。

(エ) 文教局および教育区予算の分野別、財源別区分

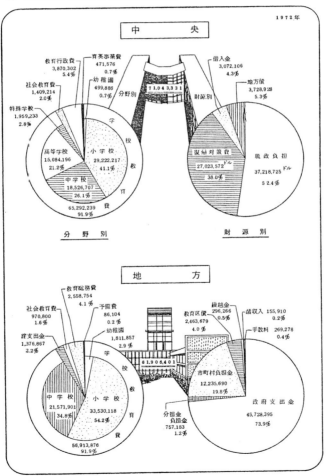

― 15 ―

(オ) 文教局予算の支出項目別内訳

1972年度の文教局予算71,043,331ドルのうち、文化財保護委員会関係予算を除いた54,292,269ドルを支出項目別にみると、教職員給与や旅費、消耗品費などの消費的支出が全体の79.3％を占めている。一方。学校建設費や土地購入・備品費などの資本的支出は20.7％となっている。これらの項目のうち、教職員給与費及び学校建設費は政府がその負担を義務づけられたいわゆる義務経費であり、両者で86.7％もの大きな比重を占めていることになる。

(カ) 教育分野別教育費総額（大学経費を除く）

1970年度の教育費総額（大学経費を除く）は約5千626万ドルとなっている。このうち公共機関から支出されたいわゆる公費が96.5％、寄付金・PTA等父兄が負担した私費が3.5％となっている。教育分野別にみて、私費の占める割合が本土（1969年）より高いのは、小学校・高校通信制・社会教育の分野である。このうち、特に社会教育費について、沖繩の私費が高率を示しているのは、未公認幼稚園等の教職員給与費が社会教育費として計上され、私費のほとんどがこれに該当しているからである。

(キ) 生徒（人口）1人当り公教育費

教育財政水準を示すといわれている公教育費1人当り額を本土と比べると、小学校64％、中学校69％、高校全日制56％でかなり低い水準にある。このような結果にある理由として沖繩の場合教育人口が本土に比べて比率が高いこと、政府・地方を通ずる財政力が弱いことなどがあげられる。

(サ) 文教局予算の支出項目別内訳（1972年度）

計（文化財関係を除く）文教局予算	70,924,594	100.0
消費的支出	56,210,895	79.3
(1) 教職員給与	50,497,604	71.2
(2) その他	5,713,291	8.1
資本的支出	14,713,699	20.7
(1) 学校建設費	11,003,087	15.5
(2) その他	3,710,612	5.2

(カ) 教育分野別教育費総額（大学経費を除く）

単位 ドル ％

区分	沖縄					本土	
	計 A	公費 B	私費 C	B/A	C/A	B/A	C/A
総額	56,255,439	54,282,726	1,972,713	96.5	3.5	98.2	1.8
学校教育費	51,424,359	49,732,643	1,691,716	96.7	3.3	98.0	2.0
幼稚園	1,301,667	1,234,285	67,382	94.8	5.2	96.2	3.8
小学校	23,459,001	22,929,647	529,354	97.7	2.3	99.1	0.9
中学校	15,096,788	14,736,604	360,184	97.6	2.4	98.8	1.2
特殊学校	962,323	954,065	8,258	99.1	0.9	99.6	0.4
高校 全日	8,755,688	8,094,049	661,639	92.4	7.6	94.4	5.6
高校 定時	1,118,642	1,074,876	43,766	96.1	3.9	97.6	2.4
高校 通信	39,486	37,318	2,168	94.5	5.5	99.1	0.9
各種学校	690,764	671,799	18,965	97.3	2.7	98.3	1.7
社会教育費	1,137,302	856,305	280,997	75.3	24.7	99.8	0.2
教育行政費	3,693,778	3,693,778		100.0		100.0	0.0

沖縄：1970年教育財政調査報告書　本土：昭和44年地方教育費の調査報告書

(キ) 生徒（人口）1人当り公教育費

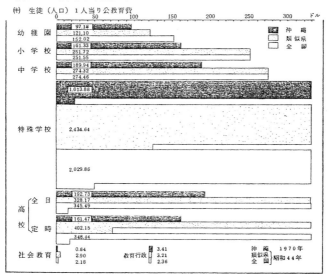

4　学校制度

　戦後まもない1948年に6・3・3制度が確立されて以来、本土と全く同じ教育制度及び教育内容で日本国民としての学校教育が行なわれている。

　すなわち、小学校の6か年と中学校の3か年の計9か年が義務教育で、その就学率は99.8％に達している。

　中学校より高等学校への入学には選抜試験が実施されているが、中学校卒業者の半数以上が高等学校に進学している。高等学校から大学へは、沖縄内の5つの大学のほかに、本土の大学にも8,400人前後の学生が在学している。

　小・中学校では普通教育が、高等学校では高等普通教育及び専門教育が行なわれており、このほかに幼稚園教育、心身の障害ある者のために特殊教育も実施されているが、これらの分野における学校教育は、まだじゅうぶん充実した状態にはなく、今後の整備がのぞまれている。

　高等学校以下の学校の教員は免許制度がとられており、大学卒で教職の科目を履習した者に免許状が与えられ、かつ、原則として文教局の行なう教員候補者選考試験に合格した者が採用されることになる。

　なお、教員採用における任命権者は、政府立学校においては、中央教育委員会が、公立学校においては区教育委員会となっている。

4 学校制度

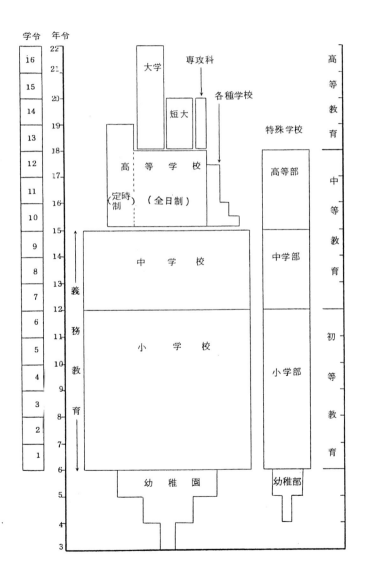

5　学校教育

(1) 学校概況

　幼稚園から大学までの学校数は、1971年5月現在で652校を数えており、幼児・生徒・学生の数は昨年度が約30万人であるのに対して1971年度も約30万人となっている。沖縄内で就学している全生徒数は人口の31％に及んでいる。教員数は約1万2千6百人となっている。

　学校の設置者別でみると、幼稚園・小・中学校は公立（教育区立）がそのほとんどを占めており、高等学校は政府立39校、私立4校、特殊学校はすべて政府立である。大学は政府立の琉球大学のほかに私立の大学・短大が4校設置されている。

　一般にいえることは、大学を除いて私立の学校が少ないことである。この点から、沖縄の場合政府立、公立の学校整備を進めるとともに、私立学校の振興を図ることが今後の大きな課題である。

　沖縄の学校教育のもう一つの特色は、義務教育就学者数が極めて多いことである。沖縄は総人口、約94万人（1970年）に対し小中学校生徒数は約21万人（1971年）おり、本土では小・中学校生徒数の全人口に占める比率が13.8％であるのに対して、沖縄では21.8％と極めて高い率を示している。このことは、現段階において、教育にかかる経費をより多く必要とし、教育条件の本土並み引上げを遅らせている原因の一つともなっている。なお、沖縄独得の学校としてあった政府立各種学校は、1970学年度より工業高校へ移行し、′70学年度は2年課程のあった4校が残っていたが、′71学年度からは全部なくなった。

5 学校教育

(1) 学校概況

区分		学校数 計	学校数 本校	学校数 分校	学級数	教員数（本務）	在学者数
幼稚園	1970年度	(124)	(124)	—	(439)	(448)	(15,689)
	1971年度	153	153	—	495	515	16,981
	公立	132	132	—	422	427	14,595
	私立	21	21	—	73	88	2,366
小学校	1970年度	(244)	(232)	(12)	(3,847)	(4,886)	(137,330)
	1971年度	244	233	11	3,808	4,907	133,495
	政府立	2	2	—	3	4	8
	公立	240	229	11	3,796	4,892	133,228
	私立	2	2	—	9	11	259
中学校	1970年度	(154)	(153)	(1)	(1,922)	(3,439)	(75,931)
	1971年度	152	152	—	1,884	3,422	71,882
	政府立	3	3	—	15	32	713
	公立	148	148	—	1,866	3,385	71,136
	私立	1	1	—	3	5	33
高等学校	1970年度	(42)	(42)	—	—	(2,726)	(54,653)
	1971年度	43	43	—	—	2,905	54,494
全日制	小計	43	43	—	—	2,514	47,753
	政府立	39	39	—	—	2,283	42,626
	私立	4	4	—	—	231	5,127
定時制	小計	19	19	—	—	391	6,741
	政府立	19	19	—	—	391	6,741
	私立	—	—	—	—	—	—
通信制		1	1	—	—	14	577
特殊学校	1970年度	(6)	(5)	(1)	(123)	(192)	(949)
	1971年度	6	5	1	136	248	954
	盲学校	1	1	—	20	38	111
	ろう学校	1	1	—	36	64	269
	養護学校	4	3	1	80	146	576
短期大学	1970年度	(5)	(5)	—	—	(38)	(2,806)
	1971年度	5	※5(3)	—	—	37	2,772
	政府立	1	1(1)	—	—	9	549
	私立	4	4(2)	—	—	28	2,223
大学	1970年度	(3)	(3)	—	—	(309)	(7,037)
	1971年度	3	3	—	—	347	7,220
	政府立	1	1	—	—	276	3,748
	私立	2	2	—	—	71	3,472
各種学校	1970年度	(48)	...	—	...	(279)	(9,441)
	1971年度	46	...	...	...	196	9,607
	政府立	—	—	—	—	—	—
	私立	46	...	...	...	196	9,607

※（　）内は大学に併設で内数

(2) 小・中学校
  (ア) 児童生徒数別学校数

    児童生徒数の多少は、その学校における教育効果の上で大きな関係をもっている。一般に学校教育上適正規模は全学級数が12～18学級であるとされ、児童生徒数では500～700人程度が望ましいことになる。沖縄の場合、小学校では大規模学校が、中学校では小規模及び大規模学校の占める比率が高い。

    本土と同様に人口の都市集中に伴なう過疎過密の現象は沖縄でも深刻化し、ここに学校の統合及び分離の問題が生じている。しかしながら、これらの問題はひとり教育行政当局のみの問題でなく、地域住民の教育的見地に立つ積極的な協力なくしては解決しえない問題である。

  (イ) 収容人員別学級数

    「義務教育諸学校の学級編成及び教職員定数の基準に関する立法」の実施によって、児童生徒数の減少にもかゝわらず学級数は増加している。そして、標準規模45人以下の学級数が多くなっている。

  (ウ) 複式学級等児童生徒数

    複式学級及び単級に在籍している児童生徒数は小学校で、979人、中学校で192人となっている。

  (エ) 特殊学級の設置状況

    特殊学級の設置状況をみると、学級数では小学校156、中学校81学級となつている。児童数では、小学校1,333人、中学校688人で、その理由は精神薄弱によるものが多い。

(2) 小・中学校

(ア) 児童生徒数別学校数

沖縄1971年　全国1970年　(政府立/公立)

区　分		計	0～49	50～99	100～199	200～299	300～499	500～999	1,000～1,499	1,500～1,999	2,000～3,000
小学校	実数	242	23	25	34	32	29	57	23	14	5
	比率	100.0	9.5	10.3	14.0	13.2	12.0	23.6	9.5	5.8	2.1
	(全国)	100.0	15.5	11.4	18.6	12.5	13.9	18.4	7.9	1.6	0.2
中学校	実数	151	25	13	25	17	19	26	17	7	2
	比率	100.0	16.5	8.6	16.6	11.3	12.6	17.2	11.3	4.6	1.3
	(全国)	100.0	8.5	8.3	13.8	12.7	20.4	28.8	6.6	0.8	0.1

（分校を含む）

(イ) 収容人員別学級数　　　1971年（公立）

区　分	小学校				中学校			
	計	単式学級	複式学級	特殊学級	計	単式学級	複式学級	特殊学級
計	3,952	3,723	73	156	1,947	1,853	13	81
15人以下	441	244	41	156	114	107	7	—
16～20	92	69	23	—	24	19	5	—
21～25	176	167	9	—	54	53	1	—
26～30	261	261	—	—	77	77	—	—
31～35	510	510	—	—	139	139	—	—
36～40	1,268	1,268	—	—	363	363	—	—
41～45	1,156	1,156	—	—	1,067	1,067	—	—
46	22	22	—	—	21	21	—	—
47	11	11	—	—	6	6	—	—
48	12	12	—	—	1	1	—	—
49	3	3	—	—	—	—	—	—
50人以上	—	—	—	—	—	—	—	—

（複式学級に単級を含む。ただし小学校には単級はない）

(ウ) 複式学級児童生徒数（公立1971年）

区　分		小学校	中学校
	計	979	136
複式学級	2個学年	885	136
	3 〃	94	—
	4 〃	—	—
	5 〃	—	—
単級		—	56

(エ) 特殊学級の設置（公立1971年）

区　分			小学校	中学校
学級数	計		156	81
	精神薄弱		155	81
	身体虚弱		1	—
児童生徒数	計		1,333	688
	学年別	1年	2	314
		2年	100	208
		3年	306	166
		4年	339	—
		5年	306	—
		6年	280	—
	理由別	精神薄弱	1,292	680
		肢体不自由	7	2
		身体虚弱	19	3
		弱視	—	—
		難聴	2	3
		言語障害	13	—

— 23 —

(オ) 児童生徒数の推移（全琉）

　小学校全児童数は１９７１年度で約１３万４千人、中学校全生徒数は７万２千人となっている。ベビーブームの影響による児童生徒のピーク時（小学校は１９６１年約１６万５千人、中学校は１９６５年約８万３千人）がすぎ毎年減少していく傾向を示している。１９７２学年度には、小学校約１２万９千人、中学校約７万１千人台になることが推計されている。

(カ) １学級当り児童生徒数（公立のみ）

　公立小・中学校の学級編制基準の改善は１９６９学年度を初年次とする第二次の５カ年計画がスタートし、現在本土と同一ステップで改正が進行している。

　公立小学校の学級数は3,796学級で、１学級当り児童数は２８.６人、中学校では学級数1,866学級で、１学級当り生徒数は３３.９人となっている。一学級当り児童生徒数で小学校より中学校が多いのは、特殊学級数や複式学級が中学校は少ないためである。

(キ) 教員１人当り児童生徒数（公立のみ）

　公立小学校の教員は4,892人で教員１人当り児童数は27.2人、中学校では教員3,385人に対して、教員１人当り生徒数は２１.０人となっている。

　教職員定数及び学級編制基準は本土と同一水準になっているが、小・中学校とも、学級当り児童生徒数及び教員１人当り児童生徒数に相違がみられるのは、沖縄と本土における学校の在籍数（学校規模）構成比の相違があるためである。したがって同一規模の学校間では本土沖縄でそれらについては相違はないことになる。

(オ) 児童、生徒数の推移（全琉）

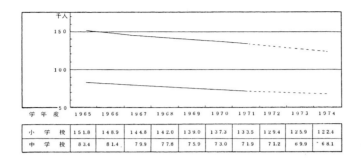

学年度	1965	1966	1967	1968	1969	1970	1971	1972	1973	1974
小学校	151.8	148.9	144.8	142.0	139.0	137.3	133.5	129.4	125.9	122.4
中学校	83.4	81.4	79.9	77.8	75.9	73.0	71.9	71.2	69.9	68.1

(カ) 1学級当り児童生徒数（公立のみ）

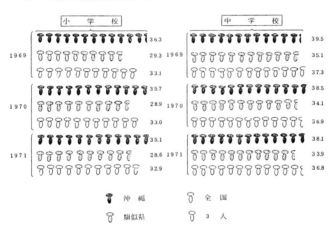

(キ) 教員1人当り児童生徒数（公立のみ）

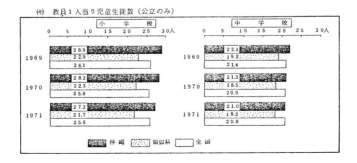

(ク) へき地学校（公立）
　① 学校概況

　教育の機会均等の確保を図るため、教育条件の整備の１つとしてのへき地教育の振興は教育における最も主要な分野の一つである。現在、へき地教育振興法で指定されているへき地学校数は１１６校、児童生徒数は約１万９千人を数えている。

　これは沖縄の全児童生徒数からみると約９％もの児童生徒がへき地で教育を受けていることを示している。

　文化・経済水準の遅れているへき地における教育は、またそれなりに困難な側面があり、教育振興策も特別な配慮が要求されよう。

　② へき地学校の施設設備

　へき地教育で一つの問題点は教職員の住宅確保である。現在日米両政府の援助を得てへき地教員住宅建設に努力を重ねているが、１９７１年現在で必要棟数の約３５％を満たしているにすぎず、今後の大幅な建築増が望まれている。また、学校統合の推進も一つの課題となって、それに伴なうスクールバスや寄宿舎の整備も必要である。へき地文化備品等の整備も不十分な状況にある。

　③ へき地教員の待遇

　文化的に恵まれない子ども達の教育は都市地区以上の熱意が要求される。これらのへき地教員の努力にむくいるため、待遇も相応しなければならない。現在、不十分ながらへき地手当の支給、教員住宅料の補助などの措置がとられているほか、へき地教員奨学制度が実施されている。

(ク)　へき地学校（公立）

① 学校概要　　　　　　　　　　　　　　　　　1971年

区分	小学校					中学校				
	学校数	児童数	学級数	教員数	職員数	学校数	生徒数	学級数	教員数	職員数
計	66	11,730	448	608	97	50	7,244	235	488	70
1級地	16	5,252	178	194	—	11	2,662	76	176	—
2 〃	17	2,664	101	184	—	14	2,384	76	121	—
3 〃	12	1,285	60	83	—	10	837	33	78	—
4 〃	14	1,691	74	103	—	11	974	37	83	—
5 〃	7	838	35	44	—	4	387	13	30	—
全体に占める比率	27.5	8.8	11.8	12.4	10.4	33.8	10.2	12.6	14.4	16.7

② へき地学校の施設設備

へき地教員住宅　1971年5月　公立小中校

区分	必要数（棟）	保有		保有率
		棟数	収容人員	
北部	104	25	40	24 %
中部	41	12	26	29
那覇	84	20	43	24
南部	46	22	45	48
宮古	83	18	36	22
八重山	114	68	121	59
計	472	165	311	35

へき地文化備品　1971年10月

品目	保有数
スクールバス	4
ボート	4
発電機	47
ビデオテープレコーダー	41
自動車	7（ジープ 1、ピクアップ 5、乗用車 1）
オートバイ	29
草刈機	31
映写機	80
テレビ	234

③ へき地教員の待遇

〇 へき地手当

級地	手当額
1級地	給料額の8％
2 〃	〃 12
3 〃	〃 16
4 〃	〃 2
5 〃	〃 25

〇 その他

・特別昇給
・離島等勤務教員の給与に関する特別措置
・へき地住宅料補助

(3) 高等学校

(ア) 生徒数の推移

高等学校の学校数は、1971年5月現在で、政府立39校、私立4校の計43校、生徒数は約5万4千人を数えている。

中学校の卒業者数は今後漸減していくが、社会の要請や高等学校進学希望者の増加現象などで、高等学校教育の量的拡充の必要性がますます高まっていく傾向にある。

(イ) 設置者別・課程別生徒数

設置者別生徒数（本科のみ）をみると、政府立91：私立9となっている。これは本土（1971年、公立69.0：私立30.8：国立0.2）に比べて、私立の生徒数が少ないことになる。課程別生徒数（本科）では、全日制88：定時制12で本土（1971年全日92：定時8）とほとんど同じ構成比となっている。性別生徒数の構成比では、男47：女53で本土（1969年男51：女49）の場合と全く逆の構成比で、沖縄では女生徒が高い比率を示している。

(ウ) 教員1人当り生徒数

教員1人当り生徒数は、1970年度で19.8（本土19.1）、71年度で18.5（本土18.5）とかなり改善されている。教職員定数の標準法の改正（1971年4月で本土水準になる三カ年計画）により、なお一層改善されることになるが、職業関係の生徒数比が本土より高いので、実質的教員の負担はまだ本土との格差が大きいのである。

(エ) 学科別生徒数の構成

沖縄では普通科に比べ職業科の構成比が高く、本土と逆である。職業科の中でも商業科が多く、逆に工業科が少ない。沖縄の経済構成（基地経済及び工業化が低い）をそのまゝ反映しているとみることができる。

(3) 高等学校

(ア) 生徒数の推移（全琉）

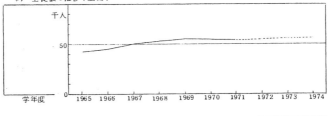

| 生徒数 | 42.3 | 45.7 | 50.5 | 53.4 | 54.3 | 54.7 | 54.5 | 55.2 | 55.6 | 56.2 |

(イ) 設置者別・課程別生徒数　　　　　　　　　　　　　　　　　　１９７１年

区分		計	設置者別		課程別		性別	
			政府立	全日	全日制	定時制	男	女
計		54,494	49,367	5,127	47,753	6,741	25,864	28,630
本科	小計	54,447	49,320	5,127	47,706	6,741	25,817	28,630
	普通	26,152	23,259	2,893	24,436	1,716	13,207	12,945
	農業	4,473	4,473	—	4,065	408	3,085	1,388
	工業	5,992	5,570	422	4,847	1,145	5,720	272
	商業	10,707	9,023	1,684	7,235	3,472	2,545	8,162
	水産	1,222	1,222	—	1,222	—	1,211	11
	家庭	5,787	5,659	128	5,787	—	49	5,738
	その他	114	114	—	114	—	—	114
専攻科		47	47	—	47	—	47	—
通信制		577	577	—	577	—	259	318

(ウ) 教員１人当り生徒数（公立）　　(エ) 学科別生徒数の構成
　　　　　　　　　　　　　　　　　　　　　（国公私立　本科のみ　１９７１年）

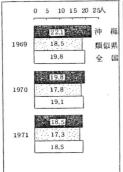
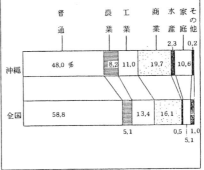

(4) 特殊学校

　(ア)　児童生徒数の推移

　心身に障害ある青少年に普通教育並びに、その欠陥を補なうための職業教育を施し、一人前の社会人に育てあげるための特殊教育は、その重要性は認識されておりながら現実としては、その施設は戦前戦後を通じて盲学校のみであった。1965年4月に精薄児及び肢体不自由児のための養護学校がそれぞれ1校ずつ開設され、この面の教育もようやく軌道に乗ってきた。

　特殊学校在籍者数も、1957年度に118人程度であったが、1971年5月現在では956人となり、今後、施設設備の拡充をはかり1974年までには1,200人台の在籍者を収容することになっている。

　(イ)　学校別児童生徒数

　学校別の児童生徒数は、沖繩盲学校111人、沖繩ろう学校269人、太平養護学校191人、那覇養護学校182人、鏡が丘養護学校は分校をあわせて203人となっている。児童生徒の構成比は盲学校12：ろう学校28：養護学校60となっている。また、学部別では、幼稚部3：小学部41：中学部36：高等部20の構成比である。

　(ウ)　1学級当り児童生徒数及び教員1人当り児童生徒数

　学級当り児童生徒数本土比較では、1969年度が沖繩8.4人（本土7.3人）で、71年度は7.0人となっている。一方教員1人当り児童生徒数では、沖繩3.8人（本土3.9人）である。学級あたり生徒数において、本土より約1人程度沖繩の方が多いことになっている。

(4) 特殊学校

(ア) 児童生徒数の推移

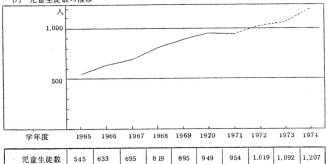

学年度	1965	1966	1967	1968	1969	1970	1971	1972	1973	1974
児童生徒数	545	633	695	819	895	949	954	1,019	1,092	1,207

(イ) 学校別児童生徒数　　　　　　　　　1971年5月

区分	児童生徒数					学級数				
	合計	小学部計	小学部	中学部	高等部	幼稚部	合計	小学部計	中学部	高等部	幼稚部
計	956	923	392	339	192	33	136	132	62	45	25(2)	4
沖縄盲学校	111	111	39	34	38	—	20	20	7	5	8(2)	—
沖縄ろう学校	269	236	101	85	50	33	36	32	17	9	6	4
大平養護学校	191	191	—	117	74	—	23	23	—	15	8	—
那覇養護学校	182	182	150	32	—	—	27	27	21	6	—	—
鏡が丘養護学校	178	178	90	58	30	—	22	22	12	7	3	—
〃 兼城分校	25	25	12	13	—	—	8	8	5	3	—	—

( )内は専攻科で内数

(ウ) 1学級当り児童生徒及び教員1人当り児童生徒数

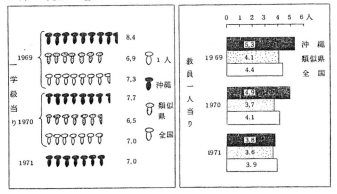

(5) 大　　学

　(ｱ)　大学組織

　琉球大学は琉球大学委員会が管理し、一方私立大学及びこれを設置する学校法人は私立大学委員会を所轄庁としている。両委員会とも行政主席の任命による委員で構成される行政委員会で、文教局中央教育委員会とは直接のつながりはないが、琉球大学委員会には文教局長と中央教育委員1人が職責委員となっており、私立大学委員会では、委員9人のうち、文教局の推せんする者、中央教育委員会の推せんする者3人が委員に任命されるようになっている。なお大学院はまだ開設されていない。

　(ｲ)　大学学生数

　沖繩の大学は、琉球大学が1950年に開設されたのを初めとして、現在学校数は政府立1校、私立4校（うち2校は短期大学）で、学生数は約1万人に及んでいる。学部・学科別の学生数は文科系が圧倒的に多く、理工農学系は全体の約14％にすぎない。医学系のうち保健学部がようやく1968年度から開設しているにすぎず、医師・薬剤師の養成はもっぱら本土の大学に頼っている現状で、本土に比べて沖繩の医師不足とあわせて、その養成機関の開設が強く望まれている。

　(ｳ)　設置者別学生数の比率

大学における設置者別学生数は政府立52：私立48（本土、国公立25：私立75）で、ここでも本土に比べて私立の占める比率がかなり低い。短期大学部では政府立20：私立80（本土国公立10：私立90）となっている。

(5) 大学

(ア) 大学組織

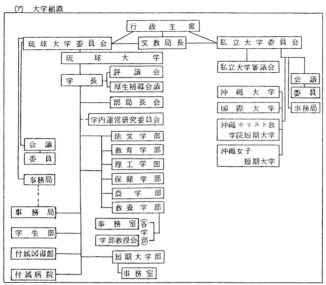

(イ) 大学学生数　(1971年)

区　分	計	大学	短大
計	9,992	7,220	2,772
琉球大学	4,297	3,748	549
法文学部		1,350	
教育学部		956	
理工学部		589	
保健学部		155	
農学部		698	
沖縄大学	2,633	2,169	464
文学部		444	
法経商学部		1,725	
国際大学	1,894	1,303	591
文学部		383	
法経学部		920	
沖縄キリスト教学院短期大学	295	—	295
沖縄女子短期大学	873	—	873

(ウ) 設置者別学生数の比率 (1971年)

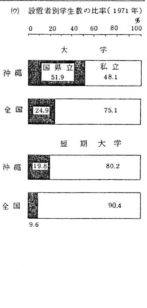

― 33 ―

(6) 幼稚園

　(ア)　設置者別園児数

　義務教育（6歳～14歳）就学前の幼児教育の機関としての幼稚園は、施設の未整備、地方財政の問題等もあって、同じく非義務制である高等学校教育に比べて未整備の状態にある。

　1971年5月現在、幼稚園の設置されている教育区は37で、公立132園、私立21園の計153園となっている。園児数は約7万人で、3歳児から5歳児までが就園しているが、5歳児が全体の約90％を占めている。

　(イ)　教員1人当り園児数

　教員1人当り園児数は、1970年度で35.9人（本土27.4人）'71年34.1人で（本土25.8人）で本土より約8人の差があり、沖縄における幼稚園教員の負担の重いことがうかがわれる。

　(ウ)　就園率

　就園率（小学校1学年入学者中の幼稚園修了者の比率）は、'69年度から全国平均を上まわっている。しかしながら、本土の場合、保育所の設置率の高さや4才児及び3才児の園児数も多いことを考慮すると、就学前教育を就園率のみで比較することには問題がある。

(7) 各種学校

　学校教育に類する教育を行なうための施設として各種学校があるが、学校数は私立46校があり中学校卒業者や高等学校卒業者の青少年を対象に主として職業教育を行なっている。生徒数は私立9,607人で、就業年限は1～3年となっている。

(6) 幼稚園

(ア) 設置者別の園児数　　　　　　　　　　1971年5月

| 区 分 | 園 数 | 園 児 数 | | | | 学級数 | 教員数 |
		計	3才児	4才児	5才児		(本務)
計	153	16,981	292	1,331	15,358	495	515
公 立	132	14,595	2	232	14,361	422	427
私 立	21	2,386	290	1,099	997	73	88

(イ) 教員1人当り園児数（公立）

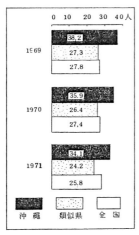

(ウ) 就園率

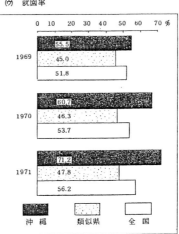

(7) 各種学校（私立）　　　　　　　　　　1971年

| 区 分 | 生 徒 数 | | | | | | | 学校数 | 教員数 |
	計	1年未満	1～2年	2～3年	3年～	昼間	夜間		
計	9,607	6,357	2,904	313	33	3,398	6,209	46	196
和洋裁	3,247	1,077	1,922	229	19	1,387	1,860	20	89
編物手芸	800	577	195	28	—	292	508	6	30
料 理	1,231	1,231	—	—	—	416	815	4	17
簿記珠算	1,299	913	339	33	14	239	1,060	4	14
予備校	1,576	1,576	—	—	—	518	1,058	5	19
外国語	358	224	134	—	—	52	306	2	9
電気通信	337	—	314	23	—	285	52	1	12
建 築	40	40	—	—	—	—	40	1	2
タイプ	719	719	—	—	—	209	510	3	4

6 学校保健

(1) 児童生徒の体位

児童生徒の体位は、戦後の家庭における食生活の改善、学校給食の普及などで著しく向上してきた。特に13歳から15歳にいたる中学校の生徒の体位向上は、男子、女子とも著しいものがある。男子については、その後18歳（高等学校時代）までゆるやかではあるが向上しているといえるが、女子の体重は1961年と比べてほとんど同じ水準にあり、停滞ぎみである。

沖縄における戦後の体位向上は著しいとはいえ、これを本土に比べると、まだ若干の見劣りがある。

(2) 学校給食の実施状況

1955年以来、外国宗教団体よりのミルク給食用物資の寄贈が続けられており、これにより、幼稚園・小学校・中学校・高等学校定時制の全学校が現在ミルク給食を行なっている。このため給食実施率では本土より高くなっているが、完全給食の実施校率では本土より若干低くなっている。近年、給食室、給食センターなどの建設もすすみ、完全給食実施校が増えていく傾向にある。

(3) 学校保健関係職員の配置状況

学校保健法によって、学校医・学校歯科医・学校薬剤師を置くことになっているが、財政上の問題や医師不足等の問題もあってその設置率は本土に比べてかなりの差がある。特に薬剤師の配置状況に較差がみられる。保健主事は小・中学校とも教頭が兼任することになっている。

(1) 児童生徒の体位

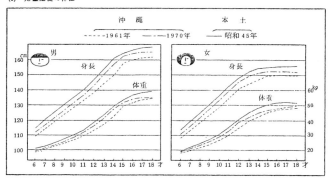

(2) 学校給食の実施状況（公立）

1971年

区　分		小　学　校		実　施　率		中　学　校		実　施　率	
		学校数	児童数	沖縄	全国	学校数	児童数	沖縄	全国
総　数		240	133,228	100	100	148	71,136	100	100
給食実施校	計	240	133,228	100	96.4	148	71,136	100	84.8
	完全給食	157	106,700	66.3	82.5	86	49,600	58.1	50.2
	補食給食	0	0	0	3.1	0	0	0	3.0
	ミルク給食	83	26,528	33.7	10.8	62	21,536	41.9	31.6

（分校も1校とする。）

(3) 学校保健関係職員の配置状況（政府立・公立）

1971年

区　分	配　置　校			配　置　率		
	学校医	歯科医	薬剤師	学校医	歯科医	薬剤師
計	364	271	118	92.6	68.9	30.0
小　学　校	228	176	76	94.2	72.7	31.4
中　学　校	136	95	42	90.0	62.9	27.8

7 卒業後の状況

(1) 卒業後の進路別状況

中学校の卒業者総数は約2万5千人で、このうち進学者が約1万7千人で男女別にみると女子は卒業者数では49.7％であるのに進学者においては54％となっており女子の進学者が多い、一方就職者においては約4千400人のうち女子は47％で男子より比率において低くなっている。沖縄においては無業の占める比率が14.5％と高く（本土1971年4.5％）、これは進学率の低いことも一因である。

高等学校においても進学者は女子が60％と多くなっている。全定別でみると、全日制の生徒の進学率は25％であるのに対し定時制の場合は12％とかなり較差がみられる。設置者別では進学率において政府立22％、私立41％で就職率は政府立44％、私立40％となっている。

(2) 進学状況

中学卒の全日制への進学者の割合は約89％で地域差はみられない。一方高校卒業者のうち普通科卒の進学者が全体の67.3％を占め、ついで商業科11.7％、家庭科10.8％がこれにつづいている。

(3) 進 学 率

中学校から高等学校への進学率は67.9％（本土85.0％）で年々上昇しているが、本土との較差はかなり存在している。

一方、高等学校卒業者の進学率は24.2％、本土（26.8％）となっており本土がいくぶん高い。

7 卒業後の状況

(1) 卒業後の進路別状況
1971年3月卒業

区　　分		卒業者総数	進学者	就職者	就職進学者	無　業	その他
中学校	計	24,876	16,293	3,837	600	3,606	540
	男	12,506	7,703	2,169	172	2,129	333
	女	12,370	8,590	1,668	428	1,477	207
高等学校	計	16,276	3,234	6,351	709	5,633	358
	政府立	14,648	2,674	5,798	609	5,218	358
	私立	1,628	560	553	100	415	－
	全日制	14,875	3,184	5,345	589	5,436	330
	定時制	1,401	50	1,006	120	197	28
	男	7,329	1,402	2,783	186	2,822	146
	女	8,947	1,832	3,568	523	2,811	212

(2) 進学状況
1971年3月卒業

		中学校						高等学校				
区　分		計	全日制計	男	定時制計	男	別科	区分		計	大学(学部)	短大(本科)	別科専攻科
	計	16,893	15,041	7,095	1,827	773	21	計		3,943	1,198	1,528	477 (20)
公立	小計	16,741	14,911	7,033	1,805	763	21	全日制	小計	3,773	1,858	1,432	463 (20)
	北部	2,300	1,988	822	294	142	14		普通	2,600	1,510	864	210 (16)
	中部	4,705	4,147	1,937	558	246	－		農業	177	86	72	19
	那覇	5,108	4,680	2,307	427	203	1		工業	115	64	36	15
	南部	2,281	2,101	925	177	83	3		商業	365	156	142	65 (2)
	宮古	1,376	1,142	572	231	52	3		水産	54	14	17	23
	八重山	971	853	470	118	37	－		家庭	429	27	294	106 (2)
政府立		147	125	58	22	2	－		その他	33	1	7	25
私立		5	5	4	－	－	－	定時制	小計	170	60	96	14
									普通	55	24	21	10
									農業	9	3	4	2
									工業	8	7	1	－
									商業	98	26	70	2

（　）内の数字は国立養護教諭養成所へ進学した者の数で外数である。

(3) 進学率

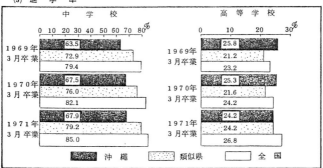

8 教職員

(1) 職名別教員数（本務）

　高等学校以下の学校の本務教員数は、11,476人（1971年）で、うち、政府立・公立学校の教員数は、11,229人である。職名別でみると、全体の93.5％が教諭で、助教諭（勤務している学校の教員普通免許状をもっていないもの）は全教員の1.3％（前年度は1.7％）にすぎない。

　養護教諭は200人配置されている。政府立・公立の学校総数438（分校も含む）に対する養護教諭の配置率は45.4％で、小・中・高校（政府立・公立）の約半数にも満たない。

(2) 男女別教員構成（公立）

　教員の男女別構成状況については、小学校では女子教員が圧倒的に多く、その構成比は7：3であるのに対して、逆に中学校・高等学校では男子教員が大部分をしめている。特に小学校における女子教員の占める比率は本土のそれより極めて高く、今後の初等教育においての、この現実に反映した新らしい学校経営や教育指導のあり方の研究の必要性が強調されている。

(3) 負担別職員数（政府立・公立）

　政府立・公立学校の職員総数は2,235人でこれを負担別にみるとPTA等のいわゆる私費負担の職員が136人もいてかなりの数になっている。

　また職名別にみると事務職員の623人が最も多い。その他職員というのが数字の上では多くなっているが、これには給食職員や技術職員・実習助手等が包含されているためである。

8 教職員

(1) 職名別教員数(本務)　　　　1971年5月

区　分		計	校長	教諭	助教諭	養護教諭	講師
計		11,476	363	10,729	153	200	31
小学校	小計	4,907	228	4,478	85	116	—
	政府立	4	1	3	—	—	—
	公立	4,892	226	4,466	84	116	—
	私立	11	1	9	1	—	—
中学校	小計	3,422	87	3,259	17	59	—
	政府立	32	2	28	1	1	—
	公立	3,385	84	3,227	16	58	—
	私立	5	1	4	—	—	—
特殊学校		254	5	239	5	5	—
高等学校	小計	2,893	43	2,753	46	20	31
	政府立	2,662	39	2,554	31	19	19
	私立	231	4	199	15	1	12

(2) 男女別教員構成　　　　1971年 公立

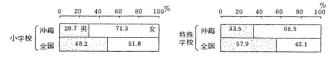

(3) 負担別職員数(本務) 政府立・公立　　　　1971年

区　分		計	事務職員	教育区支弁の教員	学校図書館事務員	養護職員	その他職員
計		2,235	623	20	139	4	1,449
公費による		1,450	388	20	94	4	944
		(649)	(194)	(—)	(21)	(—)	(434)
私費による		136	41	—	24	—	71
小学校	小計	1,013	246	8	77	3	679
	公費	929	225	8	61	3	632
	私費	84	21	—	16	—	47
中学校	小計	472	166	12	41	1	252
	公費	420	146	12	33	1	228
	私費	52	20	—	8	—	24
特殊学校	小計	101	17	—	—	—	84
	公費	101	17	—	—	—	84
	私費	—	—	—	—	—	—
高等学校	小計	649	194	—	21	—	434
	公費	(649)	(194)	—	(21)	—	(434)
	私費						

(　) は公費、私費の区分が不明な数である。

(4) 教員の年令別構成（全琉）

　教員の年令構成は本土に比べて若く、特に中学校・高校では２９才未満の教員が全体の３分の１を占めており、それだけ教職経験年数も短かく、現職教育による教員の資質向上が教育振興の重要な要素となっている。一方、６０才以上の高年者も比較的多いのは、高年者に対する勧奨退職制度はあるが、財政上の措置がじゅうぶんなされていないためである。

(5) 免許状所持状況（公立）

　教員免許については、現職教員再教育講習会の受講や通信教育等によって、免許更新がなされ普通免許状所持者が増えている。小・中学校では教員の約７７～７４％が一級普通免許状所持者となっている。

(6) 教員給料平均月額（政府立・公立）

　１９７１年４月現在で政府立・公立学校の教員給料は小学校が２１５.８０ドル、中学校１９２.２２ドル、高校１７１.３６ドルとなっている。小学校がほかの学校種別の平均給料より高いのは、平均勤務年数が他に比べて長いためである。

　最近時点での基本給は大体本土のそれと大差はない。むしろ初任給についてみれば沖縄は本土より若干高くなっている。

　しかしながら現行の給与制度が確立された１９５４年以前からの勤務者（大体３７～３８才以上）が、これに乗りうつる際に、勤務年数や学歴に対応する適正な位置づけがなされなかったためかなり低い給料となっている。これらの教員に対する給料の再査定と、本土並み諸手当の支給が教職員待遇の大きな課題となっている。

(4) 教員の年令別構成　　　　　　　　　　　　　　　　（1971年）

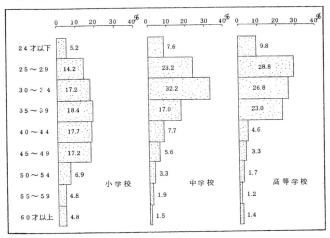

(5) 免許状所持状況　　　　　　　　　　　　　　　　　（1971年5月）

連合区別 \ 種類別	小学校						中学校					
	小一普	小二普	小臨	養一普	養二普	計	中一普	中二普	中臨	養一普	養二普	計
北部連合区	511	182	4	12	5	714	416	132	4	8	1	561
中部 〃	1,161	178	ー	23	7	1,369	724	176	4	14	3	921
那覇 〃	1,171	126	4	25	4	1,330	661	126	3	12	1	803
南部 〃	509	105	2	14	4	634	362	98	3	7	3	473
宮古 〃	299	83	5	11	ー	398	193	105	4	3	ー	305
八重山 〃	159	123	45	6	2	335	137	106	6	3	2	254
全琉計	3,810	797	60	91	22	4,780	2,493	743	24	47	10	3,317

資料：義務教育課

(6) 教員給料平均月額（政府立・公立）　　　　　　　　単位：ドル

区分	1962 10	1963 10	1964 10	1965 10	1966 10	1967 10	1968 10	1969 4	1970 4	1971 4
小学校	78.61	84.55	93.04	108.77	123.27	137.31	155.12	164.08	189.65	215.80
中学校	78.87	79.74	86.43	99.16	112.12	123.36	133.71	147.33	170.62	192.22
高等学校	80.03	84.73	90.25	101.64	113.77	123.46	140.55	150.13	168.00	171.36

9 学校施設・設備

(1) 学校施設

(ア) 校舎の保有状況

　第2次世界大戦により壊滅した教育施設の再建については住民・政府が一体となり、今日まで多大の努力を重ねてきたにもかかわらず、いまだに本土との較差のもっとも大きい分野の一つとなっている。

　校舎は、どの学校種別でも1971年現在では、中央教育委員会の定めた基準（文部省の基準と同じ）の約45～70％台の保有率にとどまっている。

(イ) 普通教室・特別教室の保有状況（小中校）

　教室別の保有状況は普通教室がようやく100％になっているが、特別教室については必要室数の29～47％の保有率にとどまっているにすぎない。普通教室についても、人口の都市集中に伴ない、都市及び都市近郊の学校ではいまだに間じきり教室を利用している学校もある。管理関係諸室の整備もかなり遅れている。

(ウ) 屋内運動場・水泳プールの保有状況

　屋内運動場・水泳プールの保有状況は学校施設の中でも最も較差がみられる分野である。従来、校舎建築については、政府立学校はもとより公立学校の施設についても、すべて政府の負担として義務を負い、その建築に努力を重ねて来ているが、貧困な琉球政府の財源では、最低必要限度の校舎充足すら困難な面をもち、この二・三年来ようやく屋内運動場・プールの建設がはじめられているにすぎない。

(1) 学校施設
　(ア) 校舎の保有状況　　　　　　　　　　　　　　公立　沖縄　1971年
　　　　　　　　　　　　　　　　　　　　　　　　　　　類似県　1969年

区　分		学校数	児童生徒数	学級数	必要面積(A)	保有面積(B)	$\frac{B}{A}\times100$	不足面積(C)	$\frac{C}{A}\times100$
小学校	沖縄	240	133,228	3,796	545,830	383,853	70.5	161,250	29.5
	類似県	1,689	431,962	14,573	2,212,984	2,473,907	111.8	132,816	6.0
中学校	沖縄	148	71,136	1,866	306,875	206,568	67.2	100,619	32.8
	類似県	749	248,798	7,086	1,435,999	1,511,446	105.3	109,181	7.6
特殊学校	沖縄	6	956	142	18,943	10,937	57.2	8,111	42.8
	類似県	24	3,051	422	66,866	50,568	75.6	18,691	28.0
高等学校	沖縄	39	42,579	972	384,627	177,248	45.3	210,536	42.8
	類似県	143	153,376	3,494	1,399,016	1,009,049	72.1	413,435	29.6

　(イ) 普通教室・特別教室の保有状況　　　　　　　公立　沖縄　1971年
　　　　　　　　　　　　　　　　　　　　　　　　　　　全国　1969年

区　分		普通教室				特別教室			
		必要室数	保有室数	率	不足室数	率	必要室数	保有室数	率	不足室数	率

区　分		必要室数	保有室数	率	不足室数	率	必要室数	保有室数	率	不足室数	率
小学校	沖縄	3,796	3,853	101.5	0	0	743	215	29	528	71.1
	全国	280,847	296,778	105.6	9,730	3.5	61,381	49,545	80.7	24,473	39.9
中学校	沖縄	1,866	1,849	100.0	0	0	894	422	47.2	472	52.7
	全国	125,108	139,194	111.2	2,236	1.8	65,936	55,128	83.6	18,536	28.1

　(ウ) 屋内運動場・水泳プールの保有状況　　　　　公立　沖縄　1971年
　　　　　　　　　　　　　　　　　　　　　　　　　　　類似県　1969年

区　分		屋内運動場 m^2					水泳プール				
		必要面積(棟数)	保有面積(棟数)	率	不足面積(棟数)	率	必要基数	保有基数	率	不足基数	率
小学校	沖縄	122,376 (435)	15,730 (19)	9.1	111,244 (392)	90.9	240	15	6.3	225	93.7
	類似県	630,751	399,964	63.4	271,582	43.1					
中学校	沖縄	82,081 (148)	19,742 (21)	15.3	69,541 (127)	84.7	148	10	6.8	133	93.2
	類似県	385,770	307,941	79.8	131,020	34.0					
特殊学校	沖縄	3,244 (6)	1,002 (3)	30.9	2,242 (3)	69.1	6	1	16.7	5	83.3
	類似県	11,376	6,376	56.0	5,583	49.1					
高等学校	沖縄	44,148 (37)	5,435 (3)	12.3	40,431 (35)	91.6	39	1	2.3	38	97.7
	類似県	200,576	206,576	103.0	42,289	21.1					

(エ)　校舎1人当り面積（政府立・公立）

　校舎の整備状況を1人当り保有面積という側面からみると各学校種別とも本土の約50～60％という水準にとどまっている。

　(オ)　校舎の構造別比率（政府立・公立）

　校舎の構造別では、沖縄の地理的条件もあって、1954年以降ほとんど鉄筋ブロックが建築されているため、木造等の比率はわずか5％未満となっている。

(2) **学 校 備 品**

　近年の教育内容の多様性並びに教育方法の近代化及び教育技術の向上は、教育指導の目標を達成するためには必然的に教材、教具の整備と密接な関係をもつのであるが、その教材、教具の充足率は基準にははるかに及ばない現状である。

　(ア)　教材についてみると1969年度で公立小学校で36.7％、中学校で26.8％の充足率を示しているがいずれも本土の82％～61％の水準にとどまっている。

　(イ)　理科備品の充足率は1969年度で小中学校がそれぞれ41％、34％の充足率、高校が28％の充足率となっている。小中学校は全国平均の80％前後の水準にすぎない。

(ニ) 校舎1人当り面積（政府立・公立）
　　　　沖縄　1971年
　　　　類似県・全国　1970年

(オ) 校舎の構造別比率（政府立・公立）
　　　　沖縄　1971年
　　　　類似県・全国　1970年

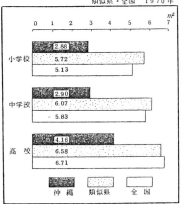

(2) 学校備品の基準達成率

(ア) 教材（政府立・公立）　　　　1969年

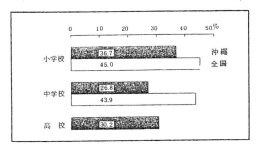

(イ) 理科備品　　　　沖縄　1969年
　　　　　　　　　　全国　1967年

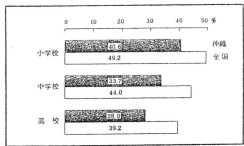

10　育英奨学事業

　沖縄の復興は、まず人材の養成からということで育英奨学事業は戦後直ちに開始された。すなわち、当時本土の大学または専門学校を戦争のため途中で学業の中退を余儀なくされ帰郷した学生を、米政府の援助で学資の全額を支給して本土の大学に再就学させるという、契約学生制度が1949年に発足した。以来、学業成績の優秀な生徒を本土大学に入学せしめ、卒業後沖縄の指導者として育て上げていくというこのような制度は本土政府に引きつがれ、国費制度とかわっているが、この制度は年々拡大充実され、自費学生及び奨学生制度とともに青少年の夢と希望をささえて今日に至っている。

　現在沖縄の高校生に対して文部省で試験を実施し、本土の国、公立大学に配置し、学資を国費で支給している国費学生が毎年約170人採用されている。学費として、生活費及び図書材料、暖房費等が支給されるがこれらの経費を月平均額でみると、国費学部生が44.97ドル（うち37.50ドルは本土政府負担で残り7.47ドルは琉球政府負担）、大学院学生には月50.22ドル（うち47.22ドルは本土政府負担）が支給されている。また、採用、学校配置は国費学生と同じで、自費で学業をつづけている自費学生も年約100名前後採用されている。このほか、奨学制度として、高校、大学特別奨学制度があり、これは本土政府の援助で、高校生は月8ドル33セント、大学生の自宅通学生13ドル88セント、自宅外22ドル22セント（71年度以降学生には自宅16.66ドル、自宅外27.77ドル）を支給している。現在これらの育英奨学事業は特殊法人である琉球育英会がすべての業務を担当している。

　本土復帰をひかえて国費学生制度は給与制から貸与制に切り変え、自費学生制度は73年度より廃止される。

10 育英奨学事業

区分	合計	国費自費学生					奨学生			その他		
		計	国費学生			自費	計	高校	大学	計	貸与学生	依託学生
			小計	学部	大学院	学部学生						
1953	38	38(38)	38	38(38)	—	—	—	—	—	—	—	—
54	76	76(38)	76	76(38)	—	—	—	—	—	—	—	—
55	185	185(109)	126	126(50)	—	59(59)	—	—	—	—	—	—
56	318	314(130)	175	175(50)	—	139(80)	—	—	—	4(4)	—	4(4)
57	425	416(133)	194	194(50)	—	222(83)	—	—	—	9(6)	—	9(6)
58	539	525(134)	222	222(50)	—	303(84)	—	—	—	14(8)	—	14(8)
59	602	572(136)	227	227(50)	—	345(86)	—	—	—	30(17)	6(6)	24(11)
60	703	613(135)	228	228(50)	—	385(85)	—	—	—	90(66)	59(53)	31(13)
61	1,253	637(162)	261	255(75)	6(6)	376(81)	537(537)	537(537)	—	79(25)	61(25)	18(0)
62	1,320	697(198)	287	276(75)	11(5)	410(118)	534(181)	534(181)	—	89(42)	59(27)	30(15)
63	1,433	761(199)	320	303(75)	17(7)	441(117)	610(248)	544(182)	66(66)	62(17)	32(6)	30(11)
64	1,600	844(216)	367	334(74)	33(21)	477(121)	692(258)	544(177)	148(81)	64(36)	28(20)	36(16)
65	1,918	964(244)	452	409(125)	43(12)	512(107)	897(389)	643(284)	254(105)	57(16)	27(11)	30(5)
66	2,178	1,112(306)	555	510(150)	45(12)	557(144)	1,005(351)	639(215)	366(136)	61(18)	30(11)	31(7)
67	2,425	1,175(292)	658	604(170)	54(12)	517(110)	1,194(495)	746(330)	448(165)	56(11)	21(—)	35(11)
68	2,532	1,272(289)	750	701(168)	49(12)	522(109)	1,219(410)	754(240)	465(170)	41(15)	8(—)	33(15)
69	2,507	1,136(278)	623	579(169)	44(12)	513(97)	1,334(426)	755(250)	579(176)	37(10)	4(—)	33(10)
70	2,855	1,439(262)	907	860(169)	47(12)	532(81)	1,384(470)	744(253)	640(217)	32(11)	4(4)	28(7)
71	2,790	1,325(239)	844	790(168)	54(12)	481(59)	1,437(447)	750(251)	687(196)	28(11)	5(3)	23(8)

注 1 ( )内の数字はその年度の採用人員数である。

　　2 国、自費学生ともインターン生を含む。

11 社 会 教 育

(1) 社会教育関係職員

指導者の養成を中心とする中央の社会教育活動は文教局が行なっている。現在、社会教育課には8人の主事が配置されている。一方、地方の教育区には46人の社会教育主事が配置され、地方の社会教育振興の直接的な推進役として活動している。

(2) 社会教育施設

社会教育振興の大きな障害となっている問題点の一つに、施設の未整備があげられる。現在、部落公民館は675館あり地方の社会教育活動の中心となっているものの、系統的、効率的な活動の推進を図る施設としての中央公民館は1971年現在ようやく1館あるだけである。

図書館、博物館についても、その館数はもとより、設備面の未整備がめだち、特に地方教育区の図書館などについては単に図書貸出しの室が併設されているだけのものである。

(3) 社会教育講座

社会教育の具体的な活動の一つに各種の学級があげられる。その代表的なものに、成人、婦人、青少年を対象にする学級があり、延べ320学級、12,346名の学級生が学習を続けている。

(4) 文化財保護事業

文化財保護行政は、文教局の外局である文化財保護委員会が担当している。現在、有形、無形文化財、民俗資料として指定されている件数は63件で史跡名勝天然記念物などの指定を受けているものが108件となっている。

11 社会教育

(1) 社会教育関係職員（専任）

沖縄　1971年
類似県　1969年

区分	計	課長	社会教育主事	社会教育主事補	事務職員	その他
計	60	4	30	24	2	—
文教局	11	1	8	—	2	—
地方教育区	49	3	22	24	—	—
類似県平均	125	8	37	9	64	7

(2) 社会教育施設

沖縄　1971年
類似県　1969年

区分		本館			分館			設置率			
		計	独立	併置	計	独立	併置	市町村数 A	設置市町村 B	B/A×100	
公民館	沖縄	1	1	0	0	0	0	55	1	1.81	
	類似県平均	135	87	48	46	22	24	52	48	92.3	
図書館	沖縄 計	2	2	0	2	2	0	0	0	0	
	政府立	1	1	0	2	2	0	0	0	0	
	市町村立	1	1	0	0	0	0	55	1	1.81	
	類似県平均	9	5	4	1	1	0	52	7	13.5	
博物館		1	1								
体育館											
青少年教育施設	政府立	青年の家(2)、野外センター(1)、視聴覚ライブラリー(1)									
	その他	視聴覚ライブラリー(6)、沖縄少年会館(1)									

(3) 社会教育構座

1971年5月

区分		成人を対象とするもの			婦人のみを対象とするもの		青少年のみを対象とするもの	
		高令者学級	家庭教育学級	その他の学級構座	婦人学級	その他の学級構座	青年学級	その他
市	学級生数	389	1,065	498	2,624	724	255	450
	学級数	7	24	13	62	23	7	19
町	学級生数	35	241	606	359	110	58	66
	学級数	1	5	13	9	2	2	3
村	学級生数	478	1,139	1,143	1,497	120	193	296
	学級数	10	30	32	34	3	10	11

(4) 文化財保護事業

1971年

指定名称		指定件数	指定名称		指定件数
有形文化財	建造物	24	民俗資料〔重要民俗資料〕		1
	絵画	1	記念物	史跡	60
	彫刻	10		名勝	8
	工芸品	17		天然記念物	40
	書籍	9			
無形文化財〔重要無形文化財〕		1	計		171

参 考 資 料

1. 学校概況

小学校

区分	学校数				児童数				学	
	計	政府立	公立	私立	計	政府立	公立	私立	計	政府立
1957 昭32	232 (9)	2	228 (9)	2	129,554	22	129,353	179	3,079	2
1958 〃33	237 (9)	2	233 (9)	2	146,553	26	146,326	201	3,272	3
1959 〃34	240 (9)	2	237 (9)	1	160,963	25	160,923	15	3,596	3
1960 〃35	239 (9)	2	236 (9)	1	163,229	20	163,190	19	3,553	3
1961 〃36	238 (9)	2	235 (9)	1	165,415	21	165,368	26	3,623	2
1962 〃37	241 (11)	2	238 (11)	1	163,942	17	163,900	25	3,603	2
1963 〃38	240 (11)	2	237 (11)	1	159,817	16	159,774	27	3,611	3
1964 〃39	241 (10)	2	237 (10)	2	155,127	18	155,045	64	3,590	3
1965 〃40	240 (12)	2	236 (12)	2	151,810	12	151,697	101	3,646	3
1966 〃41	241 (12)	2	237 (12)	2	148,941	9	148,793	139	3,715	1
1967 〃42	241 (12)	2	237 (12)	2	144,781	10	144,589	182	3,764	2
1968 〃43	241 (12)	2	237 (12)	2	141,989	8	141,768	213	3,861	2
1969 〃44	243 (13)	2	239 (13)	2	139,010	9	138,766	235	3,840	3
1970 〃45	244 (12)	2	240 (12)	2	137,330	11	137,077	242	3,847	3
1971 〃46	244 (11)	2	240 (11)	2	133,495	8	133,228	259	3,808	3

中学校

区分	学校数				生徒数				学	
	計	政府立	公立	私立	計	政府立	公立	私立	計	政府立
1957 昭32	169	2	165	2	47,431	41	47,325	65	1,154	3
1958 〃33	166	2	162	2	41,465	39	41,375	51	984	3
1959 〃34	165	2	162	1	38,359	34	38,316	9	939	2
1960 〃35	164	2	161	1	48,387	22	48,360	5	1,100	2
1961 〃36	166	2	163	1	61,272	21	61,239	12	1,360	2
1962 〃37	165 (2)	3	161	1	73,938	431	73,486	21	1,607	9
1963 〃38	158 (2)	3	154 (2)	1	78,329	506	77,799	24	1,686	13
1964 〃39	156 (1)	3	152 (2)	1	82,205	558	81,620	27	1,758	14
1965 〃40	155 (1)	3	151 (1)	1	83,422	638	82,765	19	1,789	14
1966 〃41	155 (1)	3	151 (1)	1	81,446	649	80,777	20	1,828	16
1967 〃42	155 (1)	3	151 (1)	1	79,931	734	79,177	20	1,901	10
1968 〃43	155 (1)	3	151 (1)	1	77,756	699	77,038	19	1,949	16
1969 〃44	155 (1)	3	151 (1)	1	75,931	746	75,160	25	1,922	17
1970 〃45	154 (1)	3	150 (1)	1	72,951	681	72,241	29	1,894	15
1971 〃46	152	3	148	1	71,882	713	71,136	33	1,884	15

級数		教員数				職員数				(政府立・公立)	
公立	私立	計	政府立	公立	私立	計	政府立	公立	私立	1学級当り児童数	教員1人当り児童数
3,071	6	3,244	2	3,236	6	218	—	218	—	42.1	40.0
3,263	6	3,536	3	3,527	6	297	—	297	—	44.8	41.5
3,592	1	3,918	2	3,912	4	321	—	321	—	44.8	41.1
3,548	2	3,845	3	3,838	4	430	—	430	—	46.0	42.5
3,619	2	3,947	2	3,943	2	462	—	462	—	45.7	41.9
3,599	2	3,938	2	3,933	3	409	—	409	—	45.5	41.7
3,605	3	4,138	3	4,132	3	530	—	530	—	44.3	38.6
3,583	4	4,109	3	4,101	5	506	—	504	2	43.2	37.8
3,638	5	4,176	3	4,167	6	638	—	636	2	41.7	36.4
3,708	6	4,379	1	4,371	7	805	—	804	1	40.1	34.0
3,755	7	4,565	2	4,555	8	925	—	923	2	38.5	31.7
3,851	8	4,795	2	4,783	10	979	—	976	3	36.8	29.6
3,828	9	4,816	3	4,803	10	1,010	—	1,007	3	36.2	28.9
3,835	9	4,886	4	4,868	14	1,007	1	1,002	4	35.7	28.1
3,796	9	4,907	4	4,892	11	934	1	928	5	35.1	27.2

※ 学校数欄中（　）は分校で内数

級数		教員数				職員数				(政府立・公立)	
公立	私立	計	政府立	公立	私立	計	政府立	公立	私立	1学級当り生徒数	教員1人当り生徒数
1,146	5	1,700	2	1,692	6	143	—	143	—	41.2	28.0
977	4	1,511	3	1,502	6	251	—	251	—	42.3	27.5
935	2	1,471	3	1,464	4	259	—	259	—	40.9	25.5
1,097	1	1,654	4	1,646	4	277	—	277	—	44.0	29.3
1,356	2	2,050	4	2,044	2	303	—	303	—	45.1	29.9
1,596	2	2,371	23	2,346	2	322	2	320	—	46.1	31.2
1,671	2	2,674	23	2,649	2	326	4	322	—	46.5	29.3
1,739	2	2,794	26	2,766	2	305	3	302	—	46.6	29.4
1,773	2	2,865	27	2,836	2	324	3	321	—	46.7	29.1
1,810	2	3,036	30	3,002	4	394	3	391	—	44.6	26.9
1,879	2	3,290	34	3,252	4	466	5	461	—	42.1	24.3
1,930	3	3,450	34	3,413	3	499	5	494	—	39.9	22.6
1,902	3	3,439	34	3,401	4	476	6	469	1	39.6	22.1
1,876	3	3,435	32	3,398	5	491	7	483	1	38.6	21.3
1,866	3	3,422	32	3,385	5	430	7	420	3	38.1	21.0

※ 学校数欄中（　）は分校で内数

高等学校

区分	学校数			生徒数			(うち定時制)			学		
	計	政府立	私立	計	政府立	私立	計	政府立	私立	計	政府立	私立
1957 昭32	26 (12)	25 (11)	1 (1)	23,210	22,560	650	2,549	2,233	316	…	…	…
1958 〃33	27 (14)	25 (12)	2 (2)	26,298	23,350	2,948	3,396	2,583	813	…	…	…
1959 〃34	27 (16)	25 (14)	2 (2)	27,473	23,724	3,749	3,614	2,877	787	…	…	…
1960 〃35	27 (16)	25 (14)	2 (2)	27,562	23,689	3,873	3,555	2,903	652	…	…	…
1961 〃36	27 (16)	25 (14)	2 (2)	25,168	22,437	2,731	3,354	2,870	484	…	…	…
1962 〃37	28 (17)	25 (15)	3 (2)	24,518	21,337	2,785	3,146	2,842	304	…	…	…
1963 〃38	29 (18)	26 (16)	3 (2)	30,168	25,986	4,182	3,693	3,419	274	…	…	…
1964 〃39	30 (18)	27 (16)	3 (2)	36,165	30,815	5,350	4,114	3,883	231	836	723	113
1965 〃40	32 (18)	28 (16)	3 (2)	42,294	36,371	5,923	4,554	4,375	179	933	815	118
1966 〃41	34 (17)	30 (16)	4 (1)	45,744	39,580	6,164	4,987	4,847	140	994	876	118
1967 〃42	37 (18)	33 (17)	4 (1)	50,532	44,156	6,376	5,620	5,488	132	1,088	966	122
1968 〃43	37 (19)	33 (18)	4 (1)	53,412	47,313	6,199	6,127	6,052	75	1,154	1,033	121
1969 〃44	38 (19)	34 (18)	4 (1)	54,271	48,457	5,814	6,613	6,566	47	1,193	1,078	115
1970 〃45	42 (20)	38 (19)	4 (1)	54,653	49,234	5,419	6,929	6,914	15	1,234	1,120	114
1971 〃46	43 (19)	39 (19)	4 (1)	54,494	49,367	5,127	6,741	6,741	—	1,272	1,158	114

特殊学校

区分	学校数				児童生徒数				学級数	教員数	職員数	1学級当り生徒数	教員1人当り生徒数
	計	盲学校	ろう学校	養護学校	計	盲学校	ろう学校	養護学校					
1957 昭32	2	1	1	—	118	31	87	—	13	12	—	9.1	9.8
1958 〃33	2	1	1	—	128	32	96	—	12	13	1	10.7	9.8
1959 〃34	2	1	1	—	140	34	106	—	15	17	1	9.3	8.2
1960 〃35	2	1	1	—	186	46	140	—	20	21	14	9.3	8.9
1961 〃36	2	1	1	—	215	61	154	—	…	24	…	…	9.0
1962 〃37	2	1	1	—	255	77	178	—	27	27	18	9.4	9.4
1963 〃38	2	1	1	—	281	77	204	—	31	31	18	9.1	9.1
1964 〃39	2	1	1	—	301	85	216	—	33	33	19	9.1	9.1
1965 〃40	5 (1)	1	1	3 (1)	549	95	236	218	53	66	25	10.4	8.3
1966 〃41	5 (1)	1	1	3 (1)	633	88	242	303	70	96	33	9.0	6.6
1967 〃42	5 (1)	1	1	3 (1)	695	90	241	364	83	119	51	8.4	5.8
1968 〃43	6 (2)	1	1	4 (2)	819	95	251	383	97	156	58	8.4	5.3
1969 〃44	6 (2)	1	1	4 (2)	895	94	254 (8)	547	107 (2)	166	66	8.4	5.4
1970 〃45	6 (1)	1	1	4 (1)	949	105	273 (29)	571	123	192	79	7.7	4.8
1971 〃46	6 (1)	1	1	3 (1)	956	111	269 (33)	576	136 (4)	248	101	7.0	3.8

※ ろう学校の児童生徒数及び学級数欄( )
  は幼稚部で外数である。

級　数			教　員　数						職　員　数						教員1人当り生徒数(政府立)
						(うち定時制)						(うち定時制)			
計	政府立	私立	計	政府立	私立	計	政府立	私立	計	政府立	私立	計	政府立	私立	
…	…	…	872	852	20	61	53	8	107	105	2	15	15	—	26.5
…	…	…	1,110	1,019	91	102	77	25	187	172	15	32	29	3	22.9
…	…	…	1,181	1,073	108	120	97	23	227	213	14	48	41	7	22.1
…	…	…	1,234	1,117	117	114	104	10	245	233	12	46	43	3	21.2
…	…	…	1,231	1,147	84	116	108	8	270	264	6	49	48	1	19.6
…	…	…	1,270	1,148	122	124	116	8	284	265	19	48	47	1	18.6
…	…	…	1,380	1,243	137	138	133	5	282	264	18	50	49	1	20.9
107	100	7	1,574	1,387	187	160	154	6	318	288	30	44	42	2	22.2
114	108	6	1,798	1,587	211	172	168	4	360	328	32	58	57	1	22.9
120	116	4	1,950	1,721	229	197	183	4	419	377	42	59	58	1	23.0
132	128	4	2,135	1,919	216	205	201	4	450	411	39	64	63	1	23.0
145	142	3	2,260	2,039	221	231	228	3	511	469	42	77	76	1	23.2
163	161	2	2,419	2,194	225	289	287	2	540	502	38	78	77	1	22.1
182	181	1	2,726	2,483	243	368	367	1	613	573	40	91	91	—	19.8
186	186	—	2,893	2,662	231	391	391	—	698	649	49	110	110	—	18.5

※　学校欄中（　）は定時制課程におかれている学校数で外数

各種学校

区　分	学　校　数			生　徒　数			教　員　数			職　員　数		
	計	政府立	私立	計	政府立	私立	計	政府立	私立	計	政府立	私立
1957 昭32	44(3)	—	44(3)	7,324	—	7,234	…	…	…	271	—	…
1958 〃33	44(5)	—	44(5)	6,210	—	6,210	116	—	116	53	—	53
1959 〃34	41(6)	—	41(6)	5,834	—	5,834	111	—	111	…	—	…
1960 〃35	41(6)	—	41(6)	6,349	—	6,349	97	—	97	…	—	…
1961 〃36	…		…	…		…	…		…	…		…
1962 〃37	…		…	…		…	…		…	…		…
1963 〃38	…		…	…		…	…		…	…		…
1964 〃39	44(6)	—	44(6)	8,191	—	8,191	167	—	167	140	—	140
1965 〃40	44(5)	—	44(5)	7,087	—	7,087	153	—	153	143	—	143
1966 〃41	39(‥)	2	37(‥)	8,046	270	7,776	183	25	158	134	11	123
1967 〃42	36(‥)	2	34(‥)	9,027	704	8,323	224	62	162	118	14	104
1968 〃43	43(‥)	4	39(‥)	9,940	1,067	8,873	318	120	198	212	49	163
1969 〃44	…	6	…	1,378	…	…	163	…	…	67	…	…
1970 〃45	48(‥)	4	44(‥)	9,439	569	8,870	279	78	201	72	15	57
1971 〃46	46(‥)	—	46(‥)	9,607	—	9,607	196	—	196	59	—	59

※　学校欄中（　）は分校で内数
　　私立各種学校数は報告のあった学校のみの数

大学・短期大学

区分	学校数							学生			
	計	大学			短大			計			
		小計	政府立	私立	小計	政府立	私立	計	政府立	私立	小計
1957 昭32	2	1	1	—	1	—	1	1,918	1,918	—	1,918
1958 〃33	2	1	1	—	1	—	1	2,573	2,011	562	2,011
1959 〃34	4 (2)	1	1	—	3 (2)	—	3 (2)	4,048	2,152	1,896	2,152
1960 〃35	4 (2)	1	1	—	3 (2)	—	3 (2)	4,461	2,268	2,193	2,268
1961 〃36	5 (2)	2	1	1	3 (2)	—	3 (2)	4,468	2,356	2,112	2,735
1962 〃37	6 (2)	3	1	2	3 (2)	—	3 (2)	4,174	2,484	1,690	3,244
1963 〃38	6 (2)	3	1	2	3 (2)	—	3 (2)	4,316	2,480	1,836	3,481
1964 〃39	6 (2)	3	1	2	3 (2)	—	3 (2)	4,620	2,672	1,948	3,830
1965 〃40	6 (2)	3	1	2	3 (2)	—	3 (2)	4,954	2,832	2,122	4,167
1966 〃41	7 (2)	3	1	2	4 (2)	—	4 (2)	5,930	3,157	2,773	4,840
1967 〃42	8 (3)	3	1	2	5 (3)	1 (1)	4 (2)	6,895	3,607	3,288	5,402
1968 〃43	8 (3)	3	1	2	5 (3)	1 (1)	4 (2)	8,246	3,977	4,269	6,309
1969 〃44	8 (3)	3	1	2	5 (3)	1 (1)	4 (2)	9,454	4,330	5,124	6,924
1970 〃45	8 (3)	3	1	2	5 (3)	1 (1)	4 (2)	9,843	4,242	5,601	7,037
1971 〃46	8 (3)	3	1	2	5 (3)	1 (1)	4 (2)	9,992	4,297	5,695	7,220

幼稚園

区分	園数			園児数			学級数		
	計	公立	私立	計	公立	私立	計	公立	私立
1957 昭32	38	33	5	5,964	5,589	375	159	147	12
1958 〃33	23	22	1	4,677	4,598	79	117	113	4
1959 〃34	36	31	5	5,334	4,956	378	143	124	19
1960 〃35	35	30	5	5,252	4,850	402	137	122	15
1961 〃36	36	28	8	5,371	4,542	829	…	…	…
1962 〃37	41	29	12	5,460	4,590	870	149	118	31
1963 〃38	46	34	12	6,362	5,380	982	171	139	32
1964 〃39	52	40	12	8,106	7,028	1,078	202	169	33
1965 〃40	53	41	12	8,573	7,421	1,152	218	183	35
1966 〃41	64	52	12	9,591	8,391	1,201	252	215	37
1967 〃42	78	66	12	11,507	10,092	1,415	299	260	39
1968 〃43	93	81	12	13,139	11,672	1,467	354	314	40
1969 〃44	107	93	14	14,963	13,331	1,632	393	348	45
1970 〃45	124	114	10	15,779	14,412	1,367	439	401	38
1971 〃46	153	132	21	16,981	14,595	2,386	495	422	73

数					教　員　数			職　員　数		
大　　学		短　　大			計	政府立	私立	計	政府立	私立
政府立	私立	小計	政府立	私立						
1,913	—	—	—	—	134	134	—	...	...	—
2,011	—	562	—	562	139	139	—	...	...	—
2,152	—	1,896	—	1,896	199	156	43	220	200	20
2,268	—	2,193	—	2,193	211	167	44	247	200	47
2,356	379	1,733	—	1,733	228	168	60	258	202	56
2,484	760	930	—	930	239	175	64	...	...	...
2,480	1,001	835	—	835	237	171	61	...	...	...
2,672	1,158	790	—	790	226	180	46	269	209	60
2,832	1,335	787	—	787	239	193	46	277	209	68
3,137	1,683	1,090	—	1,090	262	207	55	291	234	57
3,414	1,988	1,493	193	1,300	290	220	70	308	251	57
3,579	2,730	1,937	398	1,539	302	226	76	312	262	50
3,756	3,168	2,530	574	1,956	316	240	76	333	282	51
3,642	3,395	2,806	600	2,206	347	252	95	351	283	68
3,748	3,472	2,772	549	2,223	384	276	108	395	307	88

教　員　数			職　員　数			（公　　立）		就園率
計	公立	私立	計	公立	私立	学級当り園児数	教員1人当り園児数	
251	237	14	3	3	—	38.0	23.6	...
127	122	5	15	15	—	40.7	37.7	15.3
167	144	23	28	25	3	40.0	34.4	17.9
153	130	23	23	19	4	39.8	37.3	15.0
150	116	34	...	...	...	...	27.4	17.8
153	118	35	26	20	6	38.9	38.9	18.8
178	140	38	37	27	10	38.7	38.4	21.7
208	169	39	36	26	10	41.6	41.6	27.6
223	183	40	34	28	6	40.6	40.6	30.0
260	215	45	38	28	10	39.0	39.0	35.8
312	261	51	35	22	13	38.8	38.7	42.8
360	305	55	39	27	12	37.2	38.3	43.0
410	349	61	...	31	...	38.3	38.2	54.3
448	401	47	41	29	12	35.9	35.2	60.7
515	427	88	49	28	21	34.3	34.1	71.2

2 卒業後の状況
（進学率・志願率）

中学校

区　分	卒業者	進学者	就職者	就職進学者	無業	その他	進　学　率		就　職　率	
							沖縄	本土	沖縄	本土
1957 昭32	16,852	6,865	6,279	154	2,824	730	41.7	51.4	38.2	43.3
1958 〃33	15,644	7,738	5,310	143	1,890	563	50.4	53.7	34.9	40.9
1959 〃34	15,932	7,452	4,817	152	3,004	507	47.7	55.4	31.2	39.8
1960 〃35	13,816	7,043	3,927	119	2,498	229	51.8	57.7	29.3	38.6
1961 〃36	10,304	5,598	3,286	114	1,129	177	55.4	62.3	33.0	35.7
1962 〃37	12,948	7,660	3,723	228	1,063	274	60.9	64.0	30.5	33.5
1963 〃38	23,803	13,301	6,898	468	2,736	400	57.8	66.8	30.9	30.7
1964 〃39	23,313	12,281	6,063	513	3,771	685	54.9	69.3	28.2	28.7
1965 〃40	25,826	13,250	6,413	347	5,079	737	52.6	70.6	26.2	26.5
1966 〃41	28,115	14,582	6,258	456	6,075	744	53.5	72.3	23.9	24.5
1967 〃42	27,148	15,422	5,401	615	5,346	364	59.1	74.5	23.2	22.9
1968 〃43	26,993	15,996	4,512	428	5,692	365	60.8	76.8	18.3	20.9
1969 〃44	26,011	15,944	3,890	574	5,530	73	63.5	79.4	17.2	18.7
1970 〃45	25,638	16,462	4,676	838	3,591	71	67.5	82.1	21.5	16.3
1971 〃46	24,876	16,293	3,837	600	3,606	540	67.9	85.0	17.8	13.7

高等学校

区　分	卒業者	進学者	就職者	就職進学者	無業	その他	進　学　率		就　職　率	
							沖縄	本土	沖縄	本土
1957 〃32	5,604	1,109	2,659	17	978	841	20.1	16.1	47.8	58.4
1958 〃33	6,420	1,323	2,930	81	1,271	815	21.9	16.5	46.9	57.6
1959 〃34	7,142	1,079	2,840	47	2,550	626	15.8	16.9	40.4	58.1
1960 〃35	7,592	1,368	3,312	153	2,301	458	20.0	17.2	45.6	61.3
1961 〃36	8,403	1,177	4,356	55	2,324	491	14.7	17.9	52.5	64.0
1962 〃37	8,254	1,178	4,342	70	2,305	359	15.1	19.3	53.5	63.9
1963 〃38	7,754	1,272	3,761	78	2,221	422	17.4	20.9	49.5	63.4
1964 〃39	6,509	1,175	3,309	123	1,743	159	19.9	23.4	52.7	63.9
1965 〃40	7,599	1,610	3,718	151	1,802	318	23.2	25.4	50.9	60.4
1966 〃41	12,361	2,608	4,932	161	3,921	739	22.4	24.5	41.2	58.0
1967 〃42	12,336	2,398	5,134	277	3,799	728	21.7	23.7	43.9	58.7
1968 〃43	13,668	3,027	5,056	642	4,602	341	26.8	23.1	41.7	58.9
1969 〃44	15,698	3,472	5,111	580	6,279	256	25.8	23.2	36.3	58.9
1970 〃45	16,204	3,356	6,932	749	5,066	101	25.3	24.3	47.4	58.2
1971 〃46	16,276	3,234	6,351	709	5,633	349	24.2	26.8	43.4	55.9

中学校

卒業者a	入学志願者				志願率(b/a)		過年度卒業者の進学状況						d/c ×100
総数b	全日制	定時制	高等専門学校	沖縄	本土	志願者			進学者			
							計c	全日	定時	計d	全日	定時	
16,852	10,394	9,215	1,179	—	61.7	55.0	…	…	…	…	…	…	…
15,644	10,850	9,855	995	—	69.4	57.0	…	…	…	…	…	…	…
15,932	10,899	9,748	1,151	—	68.4	58.9	…	…	…	…	…	…	…
13,816	9,316	8,314	1,002	—	67.4	60.3	…	…	…	…	…	…	…
10,304	6,404	5,779	625	—	62.2	64.2	…	…	…	…	…	…	…
12,948	8,863	7,962	901	—	68.5	67.1	…	…	…	…	…	…	…
23,803	16,810	15,262	1,548	—	70.6	70.7	…	…	…	…	…	…	…
23,313	17,409	15,543	1,866	—	74.7	73.4	…	…	…	…	…	…	…
25,826	19,649	17,590	2,059	—	76.1	74.5	…	…	…	…	…	…	…
28,115	21,191	18,957	2,234	—	75.4	75.6	…	…	…	…	…	…	…
27,148	20,621	18,487	2,134	—	76.0	77.3	…	…	…	…	…	…	…
26,993	21,139	18,826	2,311	2	78.3	78.9	2,850	2,273	577	2,041	1,641	400	71.6
26,011	20,424	18,114	2,302	8	78.5	81.6	2,808	2,269	539	2,022	1,588	434	72.0
25,638	20,798	18,317	2,481	—	81.1	84.0	…	…	…	…	…	…	…
24,876	20,949	18,486	2,463	—	84.2	86.8	…	…	…	…	…	…	…

高等学校

卒業生a	入学志願者			志願率(b/a)		過年度卒業者の進学状況						d/c ×100
総数b	大学	短大	沖縄	本土	志願者			進学者			
						計c	全日	定時	計d	全日	定時	
5,604	…	…	…	…	…	…	…	…	…	…	…	…
6,420	…	…	…	…	25.3	…	…	…	…	…	…	…
7,142	2,093	1,693	400	29.3	25.4	…	…	…	…	…	…	…
7,592	2,556	2,004	552	33.7	26.0	…	…	…	…	…	…	…
8,403	2,226	1,724	502	26.5	26.5	…	…	…	…	…	…	…
8,254	2,354	1,877	477	28.5	27.9	…	…	…	…	…	…	…
7,754	2,362	2,049	313	30.5	29.8	…	…	…	…	…	…	…
6,509	1,976	1,681	295	30.4	31.4	…	…	…	…	…	…	…
7,599	2,591	2,165	426	34.1	33.3	…	…	…	…	…	…	…
12,361	4,659	4,074	585	37.7	34.1	…	…	…	…	…	…	…
12,336	4,976	4,045	931	40.3	34.1	…	…	…	…	…	…	…
13,668	6,388	5,034	1,354	46.7	33.6	2,435	2,367	68	1,066	1,017	49	43.8
15,698	6,385	4,722	1,663	40.7	33.6	3,906	3,852	54	1,938	1,895	43	49.6
16,204	6,861	4,768	2,093	42.3	34.6	3,068	2,292	56	1,796	1,754	42	58.5
16,276	6,660	4,542	2,118	40.9	36.6	3,604	3,516	88	2,015	1,954	61	55.9

(就職状況)

中学校

区分	総数	第一次産業				第二次産業			
		農業	林・狩猟	漁・水産	小計	鉱業	建設業	製造業	小計
1957 昭32	6,428	3,435	22	117	3,574	20	100	420	540
1958 〃33	5,453	2,669	52	124	2,845	7	113	524	644
1959 〃34	4,969	2,235	17	125	2,377	10	138	573	721
1960 〃35	4,046	1,586	18	100	1,704	5	94	684	783
1961 〃36	3,400	1,145	5	45	1,195	6	102	825	933
1962 〃37	3,951	1,035	1	98	1,134	17	133	976	1,230
1963 〃38	7,366	1,768	12	166	1,946	18	228	1,630	1,876
1964 〃39	6,576	1,522	15	143	1,680	20	220	1,723	1,963
1965 〃40	6,760	1,715	10	136	1,861	37	218	2,259	2,514
1966 〃41	6,714	1,370	49	111	1,530	44	252	2,277	2,573
1967 〃42	6,016	1,121	32	91	1,244	36	225	2,303	2,564
1968 〃43	4,940	754	13	57	828	8	241	2,242	2,491
1969 〃44	4,964	614	3	62	679	5	270	2,210	2,485
1970 〃45	5,514	838	1	71	910	35	234	2,314	2,583
1971 〃46	4,437	440	2	67	509	5	270	2,356	2,631

高等学校

区分	総数	第一次産業				第二次産業			
		農業	林・狩猟	漁・水産	小計	鉱業	建設業	製造業	小計
1957 昭32	2,676	446	13	47	506	—	81	159	240
1958 〃33	3,011	501	1	101	603	—	116	184	300
1959 〃34	2,887	491	4	26	521	1	151	327	479
1960 〃35	3,465	485	4	50	539	—	146	561	707
1961 〃36	4,411	478	10	71	559	7	216	950	1,173
1962 〃37	4,412	331	4	63	398	6	140	885	1,031
1963 〃38	3,839	202	6	94	302	1	179	834	1,014
1964 〃39	3,432	184	14	54	252	—	181	903	1,084
1965 〃40	3,869	199	16	62	277	—	170	1,119	1,289
1966 〃41	5,093	322	—	112	434	1	215	1,322	1,538
1967 〃42	5,411	182	7	106	295	6	291	1,500	1,797
1968 〃43	5,698	165	5	83	253	1	199	1,656	1,856
1969 〃44	5,691	172	7	68	247	4	171	2,347	2,522
1970 〃45	7,681	225	8	89	322	36	215	2,824	3,075
1971 〃46	7,060	171	6	57	234	148	297	2,436	2,881

卸・小売	金保融険	不動産	運通輸信	電ガ水気ス道	サービス	公務	その他	小計	第一次	第二次	第三次
389	—	2	77	13	836	19	978	2,314	55.6%	8.4%	36.0%
318	—	1	96	39	847	32	631	1,964	52.2	11.8	36.0
384	2	—	60	25	903	11	486	1,871	47.8	14.5	37.7
371	—	7	45	7	806	12	308	1,559	42.1	19.4	38.5
263	4	—	50	6	625	5	319	1,272	35.1	27.4	37.5
414	5	—	88	10	803	11	362	1,587	28.7	31.1	40.2
671	3	—	273	58	1,547	14	678	3,544	26.4	25.5	48.1
756	1	5	281	31	1,254	7	598	2,933	25.5	29.9	44.6
637	—	4	241	40	953	6	504	2,385	27.5	37.2	35.3
681	—	1	232	70	1,167	9	451	2,611	22.8	38.3	38.9
523	—	—	151	53	1,081	8	392	2,208	20.7	42.6	36.7
499	6	—	93	33	717	11	266	1,625	16.8	50.4	32.8
327	—	—	24	27	705	2	215	1,300	15.2	55.7	29.1
353	—	—	54	154	498	5	947	2,021	16.5	46.8	36.7
328	2	—	82	81	408	3	393	1,297	11.5	59.3	29.2

卸・小売	金保融険	不動産	運通輸信	電ガ水気ス道	サービス	公務	その他	小計	第一次	第二次	第三次
295	291	1	151	39	301	322	530	1,930	18.9%	7.0%	72.1%
430	267	1	148	61	410	278	513	2,108	20.0	10.0	70.0
472	198	5	152	71	417	221	351	1,887	18.1	16.6	65.4
547	241	7	171	57	535	258	403	2,219	15.6	20.4	64.0
839	296	6	224	97	580	163	474	2,679	12.7	26.6	60.7
827	294	8	257	88	842	213	454	2,983	9.0	23.4	67.6
839	224	16	179	67	477	155	566	2,523	7.9	26.4	65.7
764	90	6	226	47	463	158	342	2,096	7.3	31.6	61.1
734	170	7	211	90	494	176	421	2,303	7.2	33.3	59.5
1,060	198	10	342	139	680	235	457	3,121	8.5	30.2	61.3
998	277	18	283	183	824	206	530	3,319	5.5	33.2	61.3
1,246	396	16	290	94	945	226	376	3,589	4.4	32.6	63.0
1,009	228	5	241	104	760	205	370	2,922	4.3	44.3	51.4
1,242	81	23	388	436	767	141	1,206	4,284	4.2	40.0	55.8
1,245	74	18	398	327	704	99	1,080	3,945	3.3	40.8	55.9

3 公教育費1人当り額

区分	幼稚園 沖縄	幼稚園 類似県	幼稚園 全国	小学校 沖縄	小学校 類似県	小学校 全国	中学校 沖縄	中学校 類似県	中学校 全国
1953 昭27	—	12.23	16.16	—	24.90	26.23	—	37.01	38.77
1954 〃28	—	13.31	18.14	—	29.35	31.85	—	41.94	42.86
1955 〃29	—	14.74	20.88	21.98	33.06	35.02	31.46	43.22	44.46
1956 〃30	—	15.68	21.43	22.85	32.19	33.97	25.87	41.66	42.52
1957 〃31	—	17.85	24.05	21.67	32.93	35.81	27.19	43.99	44.78
1958 〃32	—	22.20	27.65	27.27	34.70	39.07	37.58	48.08	50.21
1959 〃33	—	23.66	31.21	22.92	36.38	41.20	36.39	54.07	57.04
1960 〃34	—	25.49	32.51	27.14	39.63	44.26	44.03	57.85	63.48
1961 〃35	—	23.22	37.18	27.11	47.24	52.27	48.44	64.87	71.77
1962 〃36	19.62	35.68	44.61	32.94	57.02	63.28	54.04	70.95	78.67
1963 〃37	19.44	41.41	52.65	38.57	73.50	79.33	60.45	79.27	83.29
1964 〃38	23.79	45.00	61.21	44.03	88.53	96.63	65.97	96.33	99.20
1965 〃39	25.39	75.14	72.52	52.93	111.72	116.69	74.50	121.41	118.66
1966 〃40	33.50	60.66	81.97	67.58	129.47	137.02	78.15	141.54	141.24
1967 〃41	52.90	75.64	95.11	94.94	150.44	158.13	118.00	161.98	166.23
1968 〃42	70.08	84.95	109.34	114.63	180.64	183.95	142.93	194.74	195.26
1969 〃43	70.95	100.64	125.99	141.50	211.10	216.76	180.84	229.21	230.48
1970 〃44	97.18	121.10	152.02	161.33	251.72	251.55	189.94	274.32	274.46

4 児童・生徒の疾病異常被患率

(%)

区分		むし歯	寄生虫卵保有	近視	結膜炎	トラホーム	へんとう肥大	蓄のう症	伝染性の皮ふ疾患
小学校	1963 全国	87.2	—	12.1	—	2.8	10.0	1.5	—
	沖縄	84.3	—	2.9	—	7.4	3.1	0.1	—
	1967 全国	92.0	6.0	11.4	4.2	1.4	9.9	1.5	1.3
	沖縄	92.0	10.0	3.0	4.5	5.1	4.5	0.4	3.6
	1971 全国	93.9	6.7	10.6	4.0	0.6	8.4	0.9	0.8
	沖縄	95.7	17.5	4.0	4.9	2.4	3.5	0.1	1.3
中学校	1963 全国	80.2	—	20.1	—	2.7	6.7	1.9	—
	沖縄	70.9	—	6.2	—	6.4	2.5	0.1	—
	1967 全国	87.5	5.9	22.3	3.7	1.6	1.3	1.9	1.2
	沖縄	87.0	5.3	9.0	1.8	7.0	2.4	0.5	2.0
	1971 全国	90.9	3.6	22.2	3.5	0.7	5.0	1.4	0.8
	沖縄	94.2	4.8	10.9	3.5	1.4	1.6	0.1	1.2
高等学校	1963 全国	—	—	—	—	—	—	—	—
	沖縄	36.9	—	8.9	—	1.8	0.7	0.1	—
	1967 全国	89.1	3.6	38.6	2.7	0.9	3.5	1.5	0.2
	沖縄	90.5	6.0	10.4	1.1	2.9	1.5	0.1	0.4
	1971 全国	91.8	0.6	37.3	3.0	0.3	2.8	1.3	0.1
	沖縄	88.9	—	8.7	—	0.7	0.5	1.1	0.1	0.1

(ドル)

特殊学校		高校（全日）			高校（定時）			社会教育			教育行政		
沖縄	全国	沖縄	類似県	全国	沖縄	類似県	全国	沖縄	類似県	全国	沖縄	類似県	全国
－	229.64	－	52.94	56.10	－	54.69	43.37	－	0.30	0.22	－	0 32	0.32
－	254.33	－	59.85	64.17	－	61.87	51.88	－	0.35	0.26	－	0.51	0 44
50.20	259.54	－	71.19	68.51	－	71.71	58.79	0.05	0.34	0.26	0.45	0.48	0.43
68.49	270.32	37.55	65.70	69.35	20.15	71.48	59.94	0.08	0.30	0.24	0.37	0 50	0.42
83.95	302.38	50.44	69.12	73.72	23.82	68.39	62.12	0.19	0.29	0.25	0.48	0.47	0.43
86.27	318.54	69.08	70.58	82.04	26.20	74.42	70.69	0.13	0.34	0.30	0.50	0.47	0.45
103.48	332.58	67.18	78.19	86.58	30.94	77.15	73.39	0.11	0.33	0.33	0.49	0.54	0.48
136.76	354.68	76.88	81.27	89.36	41.41	81.26	75.64	0.11	0.38	0.36	0.61	0.58	0.51
195.74	423.98	77.37	95.70	103.47	45.89	102.40	92.61	0.17	0.41	0.41	0.75	0.66	0.61
257.23	548.76	95.27	130.15	132.52	63.79	124.41	120.44	0.18	0.64	0.52	0.52	0.81	0.74
345.14	695.84	102.66	163.58	169.63	69.50	145.74	135.22	0.27	0.73	0 65	0.92	0.98	0.90
348.86	748.82	130.67	182.24	180.69	70.93	176.20	150.02	0.32	0.71	0.71	1.08	1.22	1.05
764.79	852.44	117.84	187.10	177.12	75.82	174.60	162.35	0.30	0 92	0.87	1.31	1.59	1.25
546.28	1,048.34	135.55	175.79	181.60	78.91	194.01	167.86	0.31	0.98	1.02	1.50	1.70	1.43
880.16	1,209.27	175.59	203.29	203.91	103.63	208.14	185.54	0.56	1.48	1.27	1.76	1.91	1.57
780.18	1,393.25	175.09	221.19	233.07	102.58	251.48	221.91	0.47	1.58	1.47	2.14	2.32	1.73
967.03	1,715.83	186.28	271.05	281.56	133.05	290.03	270.22	0.63	1.78	1.66	2.98	2.87	1.99
1,013.88	2,029.86	192.73	328.17	345.49	161.47	402.15	348.44	0.84	2.90	2.18	2.41	3.21	2.36

5 戦後教育関係年表

年	法による区分	教　育	政治　経済　社会	政府による区分
1944	国民学校令	学童疎開始まる（7・）	那覇空襲九割焼失（10・10）	日本政府（文部省）
1945	国民学校令	中学校女学校生徒として従軍（3・） 米軍軍政府教育部に沖縄教科書編纂所設置（8・1） 教育部の創立・教育部長の任命（8・29）	米軍沖縄本島上陸（4・1） 米軍布告第一号（ニミッツ布告）（4・） 沖縄戦終結（6・23） 沖縄諮詢会設立（8・29）	沖縄諮詢会
1946	法未整備	沖縄文教部と改称（1・2） 初等学校令公布（4・） 沖縄文教学校創立（1・10） 幼稚園（1年）初等学校（8年）高等学校（4年）学制採用高等学校、初等学校職員に辞令交付（4・13） 疎開学童引揚第1船帰還（10・5）	沖縄諮詢会石川より東恩納へ（2・7） 沖縄民政府設立（4・24） 貸金制実施（5・）	沖縄民政府
1947	初等学校令	実業高等学校設置	沖縄婦人連盟結成（10・1）	
1948		米国留学生試験実施（2・3） 第1次日本留学生出発（2・25） 学制改革六・三・三制布かる（3・） 実業高校廃止（3・） 教育基本法・学校教育法制定公布（4・1）	新選挙法による市町村長選挙（2・1） 沖縄民政府機構改革（4・1） 通貨切替（日円をB円）	
1949		第一回契約学生派遣 成人学校開設（8・） 沖縄全島を10学区に分け教育長任命（12・9）	沖縄軍政官府新設（4・1） 沖縄史跡保存会発足（10・31）	
1950		教員訓練所・英語学校新設（4・） 琉球大学開学（5・22） 第一回学力テスト実施（6・30） 戦後初の全島校長会（11・29） 指導主事制布かる（12・）	軍政府民間情報教育部新設（1・30） 群島知事選挙（9・17） 沖縄群島政府発足（11・4） 琉球列島米国民政府設立（USCAR）（12・15）	沖縄群島政府
1951	教育基本条例″学校教育条例″教育委員会条例″	文教審議会設置（2・21） 教育基本条例・学校教育条例・教育委員会条例公布（3・27） 臨時中央政府文教局発足（6・19）	琉球臨時中央政府開庁（4・1）	琉球臨時中央政府
1952		琉球教育法（布令六六号）公布 中央教育委員任命（4・14）（2・28） 第一回研究教員派遣 教育区教育委員選挙（5・11） 教育税創設 全琉教育長（18名）中央教育委員会で決定（6・1） 琉球育英法公布（9・22）	第一回立法院議員選挙（3・2） 琉球政府創立（4・1） 那覇日本政府南方連絡事務所設置（8・13）	琉球政府
1953	琉球教育法	英語学校教訓学校廃止（4・1） 第1回公費学生送り出し 全琉教員夏期講習会本土講師招へい（7・20）	本土衆議員調査団来島（11・18） 奄美大島日本復帰（12・25）	
1954		教員校長教育長免許布令（14号）公布（6・8） 文化財保護法公布（6・29） 第一回大学入学資格検定試験（8・3）		
1955		沖縄教職員会第一次中央教研大会開催（1・17） 本土同胞から沖縄の児童生徒へ、愛の教具第一陣届く（10・7） 琉大志喜屋記念図書館献納式（12・10）	米極東軍沖縄視察団来島（1・10） 軍用地調査委員会設置（1・14） 軍用地問題解決のため比	

― 66 ―

年	法による区分	教育	政治 経済 社会	政府による区分
1955	六六号令（布令）		嘉主席以下渡米代表団出発（5・28） 全琉臨時国勢調査（12・1）	球
1956		第一回中学校卒業資格認定試験（2・3） 全琉中学三年生義務教育学テ実施（2・3） 立法院可決の教育四法案廃案（2・24） 第一回基準教育課程委員会開催（9・18） 教育四法案再び廃案となる（10・25） 文部省学力調査全琉小中最高学年に実施（9・29）	軍用地問題プライス勧告発表（6・）	
1957	教育法	教育法（布令一六五号）公布（3・2） 高等学校設置基準幼稚園設置基準設定（8・16） 教育法施行規則設定（8・19） 三度立法院教育四法可決（9・25） 高等学校教育課程設定（11・13）	新民法施行さる（1・1） 民政府内に渉外報道局設置（2・7） 日本復帰促進県民大会（4・27） 高等弁務官制布く（7・1）	
1958		教育四法高等弁務官承認公布（1・8） 沖縄短期大学設立認可（4・5） 第三回アジア大会聖火本島一周（4・22） へき地教育振興法公布（9・1） 教育職員免許法同法施行法公布（11・10） 中央教育委員第一回公選（12・6）	ドル切替（9・10）	政
1959	民立法による教育四法	沖縄水産高校実習船海邦丸竣工沖縄入り（5・4） 国際短大設置認可（6・15） 日本生物教育大会始めて沖縄で開催（7・23） 第一回教育指導員来島（9・16）	メートル法施行（1・1） 沖縄ユネスコ協会発足（2・25） 皇太子殿下御成婚（4・10） 奥武山スポーツセンター野球場起工（7・14）	
1960		パン給食始まる（1・18）第一回教員採用選考試験（3・13） 公立高校政府立へ移管（4・1） 第一回全琉小中学校長研修会（6・4） 学校給食法（7・1）公布 理科教育振興法（7・15）公布	南極観測船宗谷那覇寄港（4・16） アイゼンハワー大統領来島（6・19） 教職員共済会八汐荘落成（6・26） 九州陸上沖縄大会（11・6）	府
1961		沖縄大学（四年制）認可（2・18） 小学校新教育課程全面実施（4・1） 十四連合区を六連合区に統合・沖縄学校安全会許可（5・1） 特別奨学生（日政贈与）第一回試験（10・15）	ケネデイ池田共同声明 ケイセン調査団（6・22）（10・5） 小平総務長官来島（11・27）	
1962		文教局機構改革（2・1） 国際大学四年制認可（2・1） 中学校新教育課程全面実施（4・1） 政府立松島中学校開校（4・10） 米国援助百万弗で教員給与改正（5・1） 文部省沖縄援助調査団来島（7・26）	琉球列島管理に関する行政命令を改正する行政命令（3・19） ケネデイ大統領の対琉球新政策に関する声明発表（3・20） 長谷川文部政務次官来島（4・15）	
1963		中教委教公二法案可決（1・21） 高等学校新教育課程学年進行で実施（4・1） 義務教育諸学校教科書無償（日政）給与（小学校）（4・1） スポーツ振興法公布（6・29） 荒木文部大臣（育英会十周年記念式典参列）来島（7・7） 水産高校実習船翔南丸竣工（日政）（10・）	久米島航路みどり丸沈没（8・17）	

— 67 —

年	法による区分	教　　育	政治　経済　社会	政府による区分
1964	民立法による教育四法	教公二法案廃案となる（6・30） オリンピック聖火リレー本島一周（9・7）	第一回青少年健全育成週間（4・6） 本土沖縄間マイクロ回線開通（9・1） オリンピック東京大会（10・10）	琉球政府
1965		沖縄県教育費獲得期成会結成（6・16） 文教局機構改革　部長制しく（9・10） 私立学校法制定（9・10）	佐藤ジョンソン共同声明（1・14） 佐藤総理中村文部大臣来島（8・19）	
1966		若人の森建設沖縄大会（1・6） 学童集団検診実施（4・6） 政府立各種学校（商業実務、産業技術）開校（4・1） 教公二法案中教委で再可決（5・28） 教育委員会法一部改正により地方財政制度の改革　教育税廃止（7・1） 琉球大学政府立移管（7・1） 私立大学委員会設置（7・15） 私立学校振興法公布（9・28） 博物館（米政）青年の家（日政）開館（所）（11・）	大統領行政命令改正に伴なう初の立法院議員選挙による行政主席選出（6・16） 第二宮古島台風襲来（9・5）	
1967		教公二法問題で教職員会10割年休行使など（2・24）教育界大いに荒れ立法院で廃案決定（11・22） 琉大に夜間部開設（4・） 幼稚園教育振興法公布（7・25） 沖大スト（9・） 高校入試5教科制決定（9・）	沖縄問題懇談会教育一体化で答申（7・） タクシー汚職問題起こる B52嘉手納常駐と撤去運動（・）	政府
1968		教育の一体化に関して文教審議会開催（2・1） 開南小学校臨海学校（具志川海岸）で皮ふ炎（7・21） 八重山で人事・登野城小学校分離問題 公立学校職員共済組合法　同施行法公布（8・29） 政府立高校の教職員定数基準に関する標準法制定（8・） 夏の高校野球で初の準決勝進出（8・） 灘尾文部大臣来島（9・25） 沖縄教育研修センター庁舎落成（12・）	大統領行政命令の改正により初の主席公選（11・1）	
1969		風疹聴覚障害児指導のため本土政府第一次講師団来島（3・25） 定通制・造形教育全国沖縄大会開催（8・1〜6） 小学校学習指導要領の改訂（4・12） 公立学校職員共済組合法の施行（7・1） 学生運動の激化	日米共同声明により1972年度中に沖縄の本土復帰決定（11・22）	
1970		文教局内に復帰対策室設置（1・） 中学校学習指導要領の改訂（2・9） 産業技術学校高校へ移行（4・） 行政職免許状の廃止（4・1） 教育関係米政援助の打切り	日本万国博覧会（3〜9） 国政参加実現（11） （衆院5・参院2）	

1972年4月28日　印刷
1972年4月30日　発行

沖縄教育の概観

発行所　琉球政府文教局総務部調査計画課
印刷所　松　本　タ　イ　プ
　　　　電話 55-8125・8126

教育区	人口	公立学校数 小学校	公立学校数 中学校	教育区	人口	公立学校数 小学校	公立学校数 中学校
総計	945,111	240	148	那覇連合区	332,528	37	19
				26 浦添	41,768	5	2
北部連合区	106,637	62	42	27 那覇	276,380	23	11
1 国頭	7,324	9	7	28 具志川	5,036	2	1
2 大宜味	4,535	4	4	29 仲里	6,328	5	3
3 東	2,425	3	3	30 北大東	764	1	1
4 名護	39,799	17	10	31 南大東	2,252	1	1
5 今帰仁	10,508	5	4	南部連合区	117,404	30	20
6 本部	17,152	11	8	32 豊見城	13,183	3	1
7 宜野座	3,566	3	1	33 糸満	34,083	7	4
8 金武	9,953	3	1	34 東風平	9,451	1	1
9 伊江	5,842	2	1	35 具志頭	6,587	2	1
10 伊平屋	2,254	4	2	36 玉城	9,218	3	1
11 伊是名	3,279	1	1	37 知念	5,632	2	2
中部連合区	283,218	57	29	38 佐敷	7,788	1	1
12 恩納	7,433	5	5	39 与那原	9,639	1	1
13 石川	15,761	3	1	40 大里	6,495	2	1
14 美里	24,123	5	2	41 南風原	10,981	1	1
15 与那城	14,010	5	3	42 渡嘉敷	712	2	2
16 勝連	11,934	5	3	43 座間味	1,109	3	3
17 具志川	37,292	7	3	44 粟国	1,522	1	1
18 コザ	58,658	7	3	45 渡名喜	1,004	1	1
19 読谷	21,410	4	2	宮古連合区	60,953	21	17
20 嘉手納	13,820	2	1	46 平良	29,721	10	7
21 北谷	10,458	2	1	47 城辺	12,053	4	4
22 北中城	9,432	1	1	48 下地	4,022	2	2
23 中城	9,747	4	1	49 上野	3,739	1	1
24 宜野湾	39,390	5	2	50 伊良部	9,132	2	2
25 西原	9,750	2	1	51 多良間	2,286	2	1
				八重山連合区	44,371	33	21
				52 石垣	36,554	18	9
				53 竹富	4,904	12	10
				54 与那国	2,913	3	2

※人口＝1970. 10

行政区分図

— 教育 —

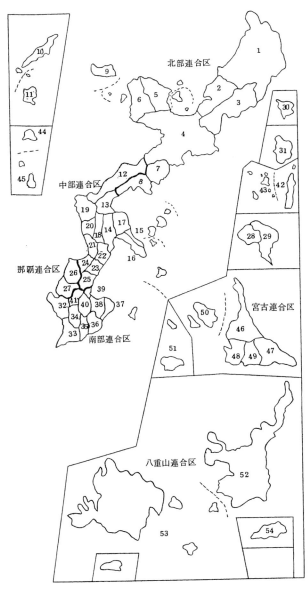